Gramática básica
del estudiante de espa

EDICIÓN REVISADA

MW00811674

Gramática básica del estudiante de español

EDICIÓN REVISADA

Rosario Alonso Raya

Alejandro Castañeda Castro

Pablo Martínez Gila

Lourdes Miquel López

Jenaro Ortega Olivares

José Plácido Ruiz Campillo

Primera edición: junio de 2005

© Los autores y Difusión.
Centro de investigaciones
y publicaciones de idiomas, S.L.
c/Trafalgar, 10, entlo. 1ª
08010 Barcelona
Tel. (+34) 93 268 03 00 / Fax (+34) 93 310 33 40
editorial@difusion.com
www.difusion.com

Autores: Rosario Alonso Raya
Alejandro Castañeda Castro
Pablo Martínez Gila
Lourdes Miquel López
Jenaro Ortega Olivares
José Plácido Ruiz Campillo

La participación de Rosario Alonso, Alejandro Castañeda,
Lourdes Miquel y Jenaro Ortega en esta edición está
vinculada al desarrollo del proyecto financiado por
el Ministerio de Innovación y Ciencia con referencia
FFI2009-13107.

Coordinación y diseño: Jordi Sadurní Ventura
Diseño de cubierta: Oscar García Ortega
Asesor didáctico: Agustín Garmendia
Documentación: Olga Mias

Ilustraciones: David Revilla

Fotografías: Pág. 36, 102, 106, 116, 140,
146, 153, 217, 234, 237: autores y familiares.
Pág. 44: 1: Rasmus Evensen, Didvision, 2: John
Pring (john@johnpringphotography.com), 3: Franco
Giovanella (franco@revistanossa.com.br), 4: San San
(san@loungefrog.com). Pág. 110: João Estevão A.
de Freitas (jefras@netmadeira.com). Pág. 193: Real
Ibérico, Consorcio para la Promoción del Jamón
Ibérico Español.

Reimpresión: noviembre de 2013

Impreso por Cayfosa

ISBN (edición internacional) : 978-84-8443-726-0
ISBN (edición alemana) : 978-3-12-535506-4
ISBN (edición italiana) : 978-88-6964-283-8
Depósito legal: B-9362-2012

Agradecimientos

Quien busca una gramática busca el mapa de un territorio desconocido. Es un pirata, un astronauta, un aventurero loco dispuesto a descubrir un universo entero. No hay nada más atrevido ni más generoso que aprender una lengua. Es una empresa infinita, abrumadora, digna de héroes. Como Adán en el paraíso, empiezas a nombrar de nuevo el mundo. Si has llegado hasta aquí y tienes esta gramática en tus manos, ya eres uno de los nuestros. Gracias.

Gracias también a nuestros alumnos del Centro de Lenguas Modernas de la Universidad de Granada, de la Escuela Oficial de Idiomas-2 de Barcelona y del Instituto Cervantes de Estambul, todos ellos expedicionarios del safari de las clases, porque han sido ellos los que de verdad nos han hecho ver dónde estaban las arenas movedizas, los oasis, las grutas y los volcanes, los torrentes desbocados y los remansos de aguas cristalinas. Porque son ellos los que han guiado y corregido los trazos de este mapa con el testimonio lúcido de sus aventuras gramaticales. Porque no son ellos los que han aprendido de esta gramática: es esta gramática la que ha aprendido de ellos.

Gracias a la genialidad del dibujante David Revilla; gracias al apoyo, paciencia y ayuda de Agustín Garmendia y el equipo de producción de Difusión; gracias a la sensibilidad, implicación, comprensión y entusiasmo de Jordi Sadurní.

Y, sobre todo, damos las gracias a nuestras sufridas familias y a nuestros temporalmente abandonados amigos por haber soportado nuestras largas ausencias en países imaginarios. De nuestras temporadas en la región de los pronombres, en la selva del subjuntivo, en el planeta de qué, quién, cuál *o en el castillo de* ser *y* estar, *volvíamos peor que nos habíamos ido, con más conciencia de los abismos, a punto de ser atraídos por el lado oscuro de la fuerza. Adoración, Alicia, Ángela, Antonio, Arnau, Carlota, Carmen, Carmen, Francisca, Gloria, Héctor, Inma, Juani, Jesús, Lucía, Lucía, Lucía, Luis, Mari, Mopa, Plácido, Puchi, Rosario, Samuel, Teo, Xavier: lo vuestro no tiene precio.*

Los cartógrafos.

Índice

Presentación

LA PRESENTE EDICIÓN, revisada y corregida, actualiza en varios aspectos los contenidos de la GBE. Entre otras novedades, cada ejercicio incorpora un icono que indica el nivel del Marco Común Europeo de Referencia al que corresponde (A1, A2 o B1). Se han añadido 5 nuevos apartados que exploran el uso de la conjugación reflexiva al capítulo 18 (**Construcciones reflexivas y valorativas**) y se ha revisado la ortografía para que siga siendo acorde a las directrices de la Real Academia Española. Por último, se han realizado numerosos cambios que mejoran la legibilidad y la facilidad de uso de la obra.

¿Qué es la GBE?

La *Gramática Básica del Estudiante de Español* (GBE) es una gramática para estudiantes de español de nivel inicial e intermedio (A1-B1 del *Marco de Referencia Europeo*) que buscan una descripción clara, útil y operativa del funcionamiento de la lengua española. Las características esenciales de la GBE son:

- Explica el sistema gramatical español teniendo en cuenta siempre —tanto en la descripción gramatical como en los ejercicios— el significado y el uso real de los distintos recursos.
- Emplea de manera regular una serie de elementos figurativos (dibujos, colores y otras convenciones gráficas) para apoyar y facilitar la comprensión de los significados gramaticales.
- Presenta una descripción rigurosa, operativa y fiable de los recursos gramaticales: el estudiante podrá aplicar significativa y sistemáticamente las reglas proporcionadas, así como prevenir posibles errores.

Estructura de la GBE

El libro está organizado en siete secciones que recogen los principales aspectos del sistema gramatical del español: SUSTANTIVOS Y ADJETIVOS; DETERMINANTES; PRONOMBRES PERSONALES; VERBOS; PREPOSICIONES; ORACIONES Y ORTOGRAFÍA.

Estas secciones contienen diversos capítulos. En ellos se alternan fichas que explican un determinado recurso gramatical (acompañadas de numerosos ejemplos e ilustraciones) con ejercicios de aplicación inmediata (que permiten al estudiante ensayar y comprobar su asimilación de la explicación que los precede). Los diferentes capítulos se vinculan entre sí con abundantes remisiones.

La GBE cuenta, además, con una clave de ejercicios, unas tablas de verbos conjugados (donde se ofrecen las conjugaciones de los verbos regulares y, alfabéticamente, la de los principales verbos irregulares) y un índice temático que facilita el manejo y consulta de los distintos aspectos gramaticales.

Instrucciones gramaticales y muestras de lengua

Las instrucciones gramaticales (con pocos términos técnicos y un vocabulario adecuado al nivel), los esquemas, las muestras de lengua que acompañan a las explicaciones y las ilustraciones han sido elaborados teniendo en cuenta siempre la perspectiva del estudiante. Se ha considerado siempre su necesidad de aprender gramática de una manera que atienda tanto al carácter sistemático de la lengua como a la rentabilidad comunicativa de los elementos tratados.

Ejercicios

La GBE ofrece un amplio abanico de ejercicios de automatización, interpretación y producción, así como de corrección de los errores habituales en la interlengua de los estudiantes. Todos ellos han sido diseñados y ordenados de modo que el trabajo resulte interesante, ameno y centrado en el significado. Los ejercicios presentan la lengua en contextos reales y verosímiles y, así, permiten comprender mejor el funcionamiento de la gramática. Los ejercicios son de respuesta cerrada, para que el estudiante pueda controlar autónomamente su aprendizaje consultando la clave de ejercicios incluida al final del libro.

Contextos educativos

La GBE, por su facilidad de manejo y consulta, es un eficaz instrumento para el aprendizaje autónomo de los estudiantes de los niveles A1-B1. Sin embargo, la GBE también es útil para cualquier estudiante con un dominio más avanzado del español, y ello por la novedad con que encontrará formulados los problemas más típicos y recurrentes de la gramática española, y por la fiabilidad y operatividad de las reglas proporcionadas.

Por otra parte, la GBE puede ser usada regularmente en clase para presentar y profundizar en los distintos temas gramaticales, para ejercitarlos en el marco del aula favoreciendo una corrección colectiva que puede enriquecer la reflexión gramatical.

Organización y funcionamiento de la GBE

■ La GBE está dividida en siete SECCIONES que recogen los principales aspectos del sistema gramatical del español. Cada una de las SECCIONES y las **unidades** que la conforman se distingue con un color diferente:

■ Las unidades están organizadas en **apartados**. En ellos encontrarás **explicaciones** y **ejercicios**:

Número y **nombre** de la unidad. El **color** te indica la sección a la que pertenece.

Cada **apartado** está definido por una letra (**A**, **B**, **C**...) y consta de **explicaciones** con ejemplos y **ejercicios**. Los apartados aparecen recogidos en el índice.

Las **explicaciones** con **ejemplos** se presentan en un cuadro sobre un fondo de color crema.

En los **ejercicios,** las formas lingüísticas están relacionadas con el **significado**: debes prestar siempre mucha atención a la situación y al sentido de las frases y los textos.

En cada ejercicio, este símbolo te indica el nivel del **Marco Común Europeo de Referencia** al que corresponde (A1, A2 o B1).

Después de cada explicación, hay **ejercicios** (de automatización, comprensión y producción) para poner en práctica los contenidos que estás trabajando. Tú mismo podrás comprobar las respuestas consultando las **claves de los ejercicios**.

Se ponen en **negrita** las formas que se presentan y los conceptos clave de las explicaciones.

Los subrayados destacan elementos directamente relacionados con el punto gramatical que se trata.

Los colores distinguen unas **formas lingüísticas de otras** con el fin de facilitar la comprensión.

Encontrarás **remisiones** a otras unidades en recuadros con el color de la sección correspondiente.

La información gramatical más importante está marcada con el símbolo ■.

Los ejemplos están escritos en *letra cursiva* y, entre corchetes grises [...],hay explicaciones de los ejemplos.

Los errores que debes evitar están escritos en *azul* y ~~tachados~~ en **rojo**.

Las **imágenes** te harán más fácil comprender cada uno de los temas que consultes.

El **fondo blanco** sirve para destacar información importante: paradigmas, formas, categorías, clasificaciones, etc.

Un ◉ destaca cierta información a la que tienes que prestar especial atención.

■ Además de las unidades, en esta gramática dispones de las tablas de **verbos conjugados**, una **clave de los ejercicios** y un completo **índice temático**:

Las tablas de **verbos conjugados** recogen los modelos de conjugación de los verbos regulares y de los verbos irregulares más frecuentes. La sílaba acentuada está subrayada. Las irregularidades están en color **verde**.

Con la página, el número de la unidad y el número del ejercicio podrás encontrar las respuestas en las **claves de los ejercicios**.

El **índice temático** te servirá para encontrar fácilmente cualquier tema tratado en esta gramática.

Sustantivos y adjetivos

¡Camarero!
¡Hay un mosca en mi sopa!

¡Caramba, qué vista tiene usted!

No es **un** mosca, es **una** mosca.

1. Sustantivo. Género de las cosas.

En español, **todos los sustantivos tienen siempre género**, que puede ser **masculino** o **femenino** (no hay sustantivos neutros). Es muy importante saber si un sustantivo es masculino o femenino, porque todos los elementos que se refieren a él (artículos, adjetivos, demostrativos...) deben tener el mismo género:

- *Este es **el** <u>edificio</u> más alt**o** de esta ciudad.*
- *Toma otr**a** <u>taza</u>, porque es**a** está rot**a**.*

A   Regla general: *el edificio, la casa...*

■ Los sustantivos que designan cosas (objetos concretos, conceptos, sentimientos, etc.) **solo tienen un género**: unos son siempre masculinos y otros son siempre femeninos. Generalmente, el masculino se corresponde con final en *-o*, y el femenino con final en *-a*:

MASCULINO EN *-o*:   *el bolígraf**o**, el diner**o**, el edifici**o**, el florer**o**, el pañuel**o**, el vas**o**...*

FEMENINO EN *-a*:   *la car**a**, la cas**a**, la mes**a**, la palabr**a**, la plaz**a**, la taz**a**, la ventan**a**...*

1 Relaciona cada enunciado con el objeto al que se refiere.

★ ★
★ **A1**
★ ★

➲ Tengo dos así, rojos, muy parecidos a estos.

1. Tienes que lavarlo, porque está un poco sucio.

2. No están mal, son bonitas, pero me parecen un poco caras.

3. La mía es más grande que la suya.

4. Estos son muy baratos.

- casa
- pañuelos
- gafas
- vaso
- floreros

2 Pon la terminación de los sustantivos. Todos estos siguen la regla general.

★ ★
★ **A1**
★ ★

➲ Carmela tiene el pel.o.. muy negro y la car.a. muy blanca.

1. Nunca escribo con bolígraf.o. azul o negro. Escribo con una pluma. de mi abuela que me gusta mucho.

2. Nuestro pis.o.. es bastante pequeñito, pero tenemos una cas.a. en Asturias que es bastante grande y muy bonita.

3. ¿Quién es el marid.o... más simpático del mundo? ¿Quién me va a hacer un regal..o precioso?

4. Los Martín son una famili.a... muy numerosa. Son ocho hermanos, creo.

B   Reglas especiales: *el problema, la mano...*

■ En contra de la regla general, hay algunos sustantivos **masculinos que terminan en *-a*** (entre ellos, la mayoría de los terminados en *-ema*):

MASCULINO EN *-a*:   *el clim**a**, el dí**a**, el idiom**a**, el map**a**, el planet**a**, el program**a**, el sof**á**...*
*el esquem**a**, el poem**a**, el problem**a**, el sistem**a**, el tem**a**...*
(PERO: *la crema*)

■ Y también hay algunos **femeninos que terminan en *-o***:

FEMENINO EN *-o*:   *la fot**o** (fotografía), la man**o**, la mot**o** (motocicleta), la radi**o**...*

■ Son generalmente **masculinos** los sustantivos que terminan en *-aje* y *-or*:

-*aje*: el mas**aje**, el gar**aje**, el pais**aje**,   -*or*: el am**or**, el dol**or**, el err**or**, el ol**or**,
el pas**aje**, el pe**aje**, el pot**aje**...   el sab**or**, el terr**or**... (PERO: *una flor*)

■ Son **femeninos** los sustantivos que terminan en *-ción*, *-sión*, *-dad* y *-tad*:

-*ción*: la can**ción**, la rela**ción**, la traduc**ción**...   -*dad*: la bon**dad**, la ciu**dad**, la ver**dad**...
-*sión*: la expre**sión**, la pri**sión**, la televi**sión**...   -*tad*: la amis**tad**, la leal**tad**, la liber**tad**...

■ **En el resto de los casos**, el género no se puede saber por la forma de la palabra. Recuerda, sin embargo, que el diccionario siempre indica el género de cada sustantivo:

> **nave.** (Del lat. *navis.*) f. Emb... neral, barco. ‖ 2. Embarcac...

MASCULINOS

el café, el coche, el champú, el esquí,
el hambre, el jersey, el pie, el sobre,
el tabú, el taxi...

el árbol, el lápiz, el lavavajillas,
el metal, el móvil (teléfono móvil),
el microondas (horno microondas),
el país, el papel, el paraguas, el salón,
el sillón, el sol...

FEMENINOS

la clase, la carne, la fiebre, la frente,
la gente, la llave, la muerte, la nave,
la noche, la nube, la parte, la suerte,
la tarde...

la cárcel, la cicatriz, la col, la crisis,
la hipótesis, la imagen, la nariz, la sal,
la sed, la síntesis, la tesis...

3 **¿Cuál es diferente?**

A1

➲ día, pentagrama, clima, ~~plaza~~, idioma.   *(plaza es femenina y las otras palabras son masculinas.)*

1. mano, foto, ~~brazo~~, moto, radio.
2. mapa, ~~impresora~~, planeta, idioma, sofá.
3. problema, esquema, poema, ~~crema~~, tema.
4. color, monedero, ~~canción~~, sabor, paisaje.
5. ~~garaje~~, libertad, prisión, expresión, ciudad.

4 **¿Masculino o femenino? Coloca estos sustantivos en el recuadro correspondiente.**

A2

noche ✓   champú ✓   salón ✓   crisis ✓   luna   sobre ✓   tesis ✓   taxi ✓   clase ✓   microondas
café ✓   ⟨tarde⟩   sal ✓   pie ✓   leche ✓   nariz   árbol   carne   sol   lavavajillas

Masculino	Femenino
El champú, Sol	La noche, carne
Salón	crisis
Sobre	luna lavavajillas
taxi	tesis tarde
microondas	clase
café	sal
pie	leche
árbol	nariz

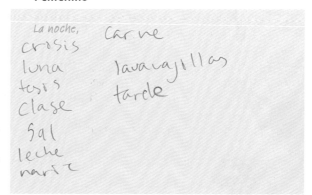

15

5 Señala las formas adecuadas de los artículos.

★ ★
★ A2
★ ★

I Mariano:
He dejado el/la coche en el/la garaje
y he cogido el/la ordenador portátil.
Llego tarde al/a la clase de las siete.
Un beso.

IV Ana:
Hay un/una error en
el/la traducción del señor Weiss.
¿Puedes corregirlo?, por favor.

II Pepa:
Tienes el/la potaje en el/la microondas.
Compra el/la champú para el perro
y coge el/la paraguas, que llueve mucho.
¡Ah! Tienes que poner el/la jersey verde
en la secadora.
Gracias, cariño

V Raquel:
¿Hablamos mañana del/de la tema de la reunión?
¿Me llamas tú?
Dime algo pronto.

III José:
Tenemos un/una problema
con el/la moto.
Y, además, no encuentro los/las llaves.

VI Jacinto:
¿Puedes ir tú a Yanokea a recoger
el/la sillón? Tenemos un/una reunión
que me ocupará un/una parte
del/de la tarde.
Llámame al/a la móvil.

6 El cantautor Joan Ismael Lumbago ha compuesto esta canción. Complétala con los artículos *el/la*.

★ ★
★ A2
★ ★

Vendo una canción

➔ Compra ...el... lápiz de labios;
1. compra .el. móvil,
2. compra .la crema antiarrugas,
3. compra el. paraguas para la lluvia.
4. Pero nunca podrás comprar el..
   poema que no te escribí,
5. ni ...el amor que nunca sentí,
6. ni el. olor
7. de la flor que nunca te di.
8. Compra .el. champú,
9. compra ..el jersey,
10. compra ...la sal,
11. compra ..el. papel.
12. Pero nunca podrás comprar ..el beso
13. en ..la frente al empezar ..el. día,

14. ni el. sabor
15. de la. noche del verano que termina.
16. Compra el. café;
17. compra ..el reloj,
18. compra ..la leche,
19. compra ..la col.
20. Pero nunca podrás comprar ...la tarde
    en que nos conocimos,
21. ni ..el. paisaje,
22. ni el. planeta en que tú y yo vivimos.
23. Si no amas ...la libertad,
24. ..la vida,
25. ..la canción que te canto,
26. ..la nube al pasar..,
    ¿qué podrás amar?

2. Sustantivo. Género de personas y animales.

A Regla general: *doctor, doctora...*

■ Los sustantivos que designan personas o animales tienen, generalmente, **dos formas**: una **masculina** y otra **femenina**. El masculino es la forma básica (es la forma que aparece en el diccionario).

■ Generalmente, si el masculino termina en vocal -**o**, el femenino se hace **cambiando** esta vocal por una -**a**; si el masculino termina en **consonante**, el femenino se hace **añadiendo** una -**a**:

MASCULINO EN -*o*	FEMENINO EN -*a*
el chic**o**, un gat**o**	la chic**a**, una gat**a**

MASCULINO EN **CONSONANTE**	FEMENINO EN **CONSONANTE** + -*a*
un doctor, un león	una doctor**a**, una leon**a**

👁 Con algunos sustantivos terminados en -*e* el femenino se hace también cambiando esa vocal por una -*a*: *el jefe/la jefa; el nene/la nena; un presidente/una presidenta*. (PERO: *el/la paciente, el/la teniente, el/la vidente...*).

---

1 Relaciona y subraya las marcas de género que te ayudan a decidir. Observa el ejemplo.

⭐ **A1**

➲ La president**a** de la comunidad de vecinos...
1. Mi peluquer**a**...
2. Mi psicólog**o**...
3. Mi ginecólog**a**...
4. Mi jef**e**...
5. Mi vident**e**...
6. Mi profesor**a** de español...
7. Mi panader**o**...

a. es muy comprensivo, pero habla poco con sus empleados.
b. es experta en energías alternativas y, por eso, tenemos energía solar en el edificio.
c. es extraordinario. Con él me ha tocado dos veces la lotería.
d. es muy nervioso. En la terapia, él habla más que yo.
e. es un artista. Hace unos bollos integrales riquísimos.
f. está loca. Ayer vino a clase vestida de gitana.
g. es muy moderna. Peina muy bien.
h. es fantástica y trata muy bien a las pacientes.

---

2 Completa como en el ejemplo.

⭐ **A1**

➲ El marido de mi hermana es mi cuñado y la mujer de mi hermano es mi cuñad**a** .

1. Mi abuelo paterno se fue a Cuba con mi abuel**a** . Y allí se casaron.
2. Tengo muchos primos: diez primos y siete prim**as** .
3. La verdad es que tengo más amigas que amig**os** .
4. Mi padre tiene dos hermanas y dos herman**os** . Así que, por su parte, tengo cuatro tíos.
5. No, mi madre no tiene hermanos. Solo tiene herman**as** . Tres, solo mujeres.
6. Tengo dos hijos gemelos. La parejita: un niño y una niñ**a** .

B Reglas especiales para el género de las personas: *marido*, *mujer*...

■ En algunos casos tenemos **una palabra diferente** para cada sexo:

un **hombre**/una **mujer**   el **padre**/la **madre**

👁 Hay algunas palabras con terminaciones especiales para el femenino:

el actor/la ac**triz**   el emperador/la empera**triz**   el alcalde/la alcald**esa**

■ En otros casos tenemos sustantivos que tienen **una sola forma para los dos sexos** (como los terminados en -*ante* o -*ista*), y las palabras que se refieren a ellos (artículos, adjetivos, etc.) se usan en masculino o femenino, dependiendo del sexo de la persona:

el/la amante/cant**ante**/estudi**ante**...
artist**a**/socialist**a**...
cónyuge/mártir/testigo...

● Paca Nela es una <u>artista</u> muy conocida.
○ Sí, pero Camilo Décimo también es un <u>artista</u> muy conocido, ¿o no?   [*Un artist̶a̶*]   *a*

---

3 Completa los enunciados con palabras del recuadro. En algunos casos tendrás que repetirlas. Puede haber varias soluciones.

★ ★ A1

hombre	mujer	marido	padre	madre	hermano	hermana	hijo	hija

➦ El ...*hombre*... con el que estoy casada es mi ...*marido*... .
1. El ...*padre*... de mi ...*madre*... es mi abuelo.
2. La ...*madre*... de mi ...*madre*... es mi abuela.
3. La ...*mujer*... con la que estoy casado es mi ...*esposa*... .
4. La ...*hermana*... de mi ...*padre*... es mi tía.
5. Mi ...*hija*... es la nieta de mis padres.

6. El ...*hermana*... de mi ...*madre*... es mi tío.
7. El .... de mi .... es mi suegro.
8. La .... de mi .... es mi suegra.
9. Mi .... es el nieto de mis padres.
10. Mi mujer es la madre de mi única ....
11. Mi marido es el padre de mi único ....

4 Los niños de la Escuela Futurible ya saben qué quieren ser de mayores, pero no saben el nombre de la profesión. ¿Por qué no les ayudas como en el ejemplo? Ten en cuenta que hay niños y niñas.

★ ★ A1
★ ★
★ ★ A2
★ ★

pintor ✓	cantante	profesor	periodista	taxista
pianista (x2)	actor (x2)	policía	veterinario	futbolista

¿Y tú qué quieres ser de mayor?

➦ Adela quiere pintar cuadros. Quiere ser ...*pintora*... .
1. Pablo quiere tocar el piano y dar conciertos. Quiere ser ....
2. Irene también quiere tocar el piano y dar conciertos por todo el mundo. Quiere ser ....
3. Javier quiere meter a los ladrones en la cárcel. Quiere ser ....
4. Elvira quiere conducir coches por la ciudad. Quiere ser ....
5. Carmen quiere dar clases. Quiere ser ....
6. Miguel quiere escribir en los periódicos. Quiere ser ..*Per*.......... .
7. Arturo quiere cantar. Quiere ser ...*Cantante*. .
8. Elena quiere actuar en el teatro. Quiere ser ....
9. David quiere ser como Antonio Banderas. Quiere ser ....
10. Mateo quiere curar animales. Quiere ser ....
11. Encarnita quiere jugar al fútbol. Quiere ser ....

C   Reglas especiales para el género de los animales: *toro, vaca*...

■ Igual que sucede con los sustantivos referidos a persona, también en algunos casos tenemos **una palabra diferente** para cada sexo:

el *caballo*/la *yegua*   el *toro*/la *vaca*

👁 Hay algunas palabras con terminaciones especiales para el femenino:

el *gallo*/la *gallina*   el *tigre*/la *tigresa*

■ Muchos nombres de animales tienen **una sola forma**, masculina o femenina:

el *buitre, calamar, caracol, cocodrilo, dinosaurio, jabalí, mejillón, pulpo...*

la *almeja, cigüeña, codorniz, gamba, hormiga, jirafa, mosca, tortuga...*

👁 *el* *cocodrilo hembra* [✗ *cocodrilo*]
la *jirafa macho* [✗ *jirafa*]

---

5 Clasifica estos nombres de animales según su género. Busca en el diccionario los que no conoces.

A2

jirafa	perro ✓	mosca ✓	tortuga ✓	tigre	gato	pulpo ✓	cerda ✓	vaca ✓
cocodrilo	perra ✓	gallina	cerdo	toro ✓	dinosaurio	caballo	calamar
yegua	tigresa	gata	hormiga	caracol	mejillón	gamba	gallo

Marca de masc./fem.: (-*o*/-*a* u otras terminaciones)	Una palabra diferente para cada sexo	Invariable femenino	Invariable masculino
perro / perra	toro / vaca	mosca	pulpo
gallina/gallo	yegua/caballo	jirafa	cocodrilo
cerdo/cerda	g	hormiga	calamar
gato/gata		tortuga	caracol
tigre/tigresa		gamba	dinosaurio
			mejillón

---

6 En el Zoo Penco hay demasiados animales. Machos y hembras no deben estar juntos, así que dos ayudantes nuevos tienen que clasificar a los animales. Completa como en el ejemplo.

A2

➡ Ayudante 1: ¿Esto qué es?, ¿ un oso o una osa ?

Ayudante 2: Ni idea. ¿Y esto qué es?, ¿ un pingüino macho o un pingüino hembra ?

1. Ayudante 1: ¡Qué difícil!, ¿esto es ...Un perro o Una perra... ?

2. Ayudante 2: Y yo qué sé. Y esto, ¿es ...Una rata o rata... ?

3. Ayudante 1: Anda que esto, ¿qué será?, ¿ un Camaleón o Camaleana ?

4. Ayudante 2: Esto parece más fácil, pero no lo sé. ¿Qué es?, ¿ Un pato o Pata ?

5. Ayudante 1: Esto sí que es verdaderamente imposible. ¿Es ...Una serpiente pata... ?

6. Ayudante 2: Este trabajo es una locura. ¿Qué será esto?, ¿ Un buo o Una bua... ?

3. Sustantivo. Número.

En español, además de género (masculino y femenino), los sustantivos tienen número (singular o plural). El número indica la **cantidad** de objetos a los que nos referimos con el sustantivo. El **singular** es la forma básica (es la forma que aparece en el diccionario). Por el contrario, el **plural** se marca siempre, como mínimo, con una -s final:

- ¿Has traído el coche?
  [*Coche* es singular: se refiere a **un solo** objeto.]

- ¿Cuántos coches tienes?
  [*Coches* es plural: se refiere a **varios** objetos.]

A   Formación del plural: *mapa, mapas*; *país, países*...

■ Cuando **el singular termina en vocal**, el plural se hace añadiendo una -s final:

SINGULAR EN -*a*, -*e*, -*i*, -*o*, -*u*:	mapa	sofá	clase	café	bici	israelí	moto	tabú
PLURAL EN -*s*:	mapas	sofás	clases	cafés	bicis	israelís	motos	tabús

■ Cuando **el singular termina en consonante**, el plural se hace añadiendo -es:

SINGULAR EN -*d*, -*j*, -*l*, -*n*, -*r*, -*s*, -*z*:	pared	reloj	árbol	cajón	botón	motor	país	pez
PLURAL EN -*es*:	paredes	relojes	árboles	cajones	botones	motores	países	peces

- ◉ Las palabras terminadas en -*í* y -*ú* acentuadas también pueden hacer el plural añadiendo -*es*:

  israelí → israelís/israelíes
  tabú → tabús/tabúes

- ◉ Si el singular termina en **vocal átona (sin acento)** + -*s*, el plural no cambia (observa que el acento está en las vocales subrayadas):

  el/los: abrebot<u>e</u>llas, abrel<u>a</u>tas, cumple<u>a</u>ños, ju<u>e</u>ves, lavav<u>a</u>jillas, micro<u>o</u>ndas, par<u>a</u>guas, sacac<u>o</u>rchos...

  la/las: cr<u>i</u>sis, t<u>e</u>sis ...

■ Cuando el **singular termina en** -*y*, el plural se hace en -*s* en las palabras de origen extranjero (la -*y* se interpreta como -*i*). En las palabras españolas terminadas en -*y* (muy pocas), el plural se hace en -*es*:

  jersey → jerséis
  penalti (penalty) → penaltis...

  rey → reyes
  ley → leyes...

① ¿Cuántos hay?

A1

➔ Tres flor.**es**.

1. Dos pe.....

2. Dos so.....

3. Dos rel.....

4. Cinco bot.....

5. Dos jer.....

② Aquí tienes un fragmento del diario de una niña de seis años. Completa el plural de las palabras de este texto.

A1

> Mis padres no me dejan pintar
> las ➔ paredes, ni escribir en sus
> (1) papel......., ni coger las
> (2) sarten...., ni los (3) tenedor....,
> ni apagar y encender las (4) luc....
> cuando yo quiero. Además, solo puedo
> usar (5) lápic....; los (6) bolígrafo....
> y los (7) rotulador.... están prohibidos.
> Tampoco me dejan subir a los
> (8) árbol...... ¿Cuándo comprenderán
> que los niños de seis años ya no
> somos unos (9) bebé....?

③ Bea y Miguel acaban de casarse y han recibido muchos regalos. Pero tienen algunos repetidos y han decidido dárselos a otros amigos. ¿Qué regalo le hacen a cada uno?

A2

➔ Alejandro necesita una máquina para lavar los platos: un _lavavajillas_ .

1. A Rafa le hace falta una cosa para no mojarse cuando llueve: un ....
2. Adoración quiere un electrodoméstico para lavar la ropa: una ....
3. Iñaqui necesita algo para abrir botellas: un ....
4. Joaquín quiere un mueble para sentarse a ver la tele: un ....
5. Julia quiere alguna cosa para adornar las paredes de la casa: un ....
6. Lola necesita un aparato para preparar café: una ....
7. Lucía necesita algo para abrir las latas: un ....
8. María quiere algo para calentar rápidamente la comida: un ....

2 lavavajillas ✓
4 abrelatas
2 lavadoras
2 sofás
6 abrebotellas
3 cafeteras
6 cuadros
2 microondas
4 paraguas

B   Usos particulares: *la gente, las gafas.*

■ Los sustantivos **no contables** (que se refieren a cosas que no se pueden contar) se usan en **singular** para hablar de la **materia en general** o una **cantidad no determinada**. Cuando se usan en plural sirven para hablar de **distintos tipos** o **unidades diferentes** de la misma materia:

agua, arroz, carne, luz, madera, música, pan, papel, pescado, plástico, té, vino...

SINGULAR	● *¿Tú tomas vino en las comidas?*	[Vino, clase de bebida.]
PLURAL	● *Aquí hay muchos vinos de calidad.*	[Distintos tipos de vino.]
	● *Si me tomo tres vinos, me mareo.*	[Distintas copas de vino.]

■ Algunos sustantivos en singular se refieren a conjuntos con varios elementos, pero concuerdan en singular:

la familia, la gente, el público...

● *En España **la** <u>gente</u> come mucho, ¿no?*
[*La gente comex mucho.*]

■ Otros sustantivos se usan normalmente en plural:

las gafas, las tijeras, los zapatos...
unos pantalones, unas pinzas,
unos prismáticos...

● *Esas <u>gafas</u> de sol **son** nuevas, ¿verdad?*
● *¿Le gustan estos <u>pantalones</u>? **Son** italianos.*

4 ¿Singular o plural? Elige la forma más adecuada.

★ ★ ★
★ **A2**
★ ★ ★

↪ Me gusta España porque tiene mucha luz / ~~muchas luces~~. Es un país fantástico.

1. ¿Has visto la luz / las luces de ese árbol de Navidad? Sí, allí, mira.

2. Esta sopa necesita más agua / aguas. Está muy espesa.

3. Nunca más voy a comer carne / carnes. A partir de ahora seré vegetariana.

4. Una mancha de vino / vinos es muy difícil de quitar. Siempre queda un poco.

5. ¿Qué tipo de té / tes compramos? ¿O prefieres manzanilla?

5 ¿Éxito o fracaso del músico José Plácido Domingo? Busca la reacción de cada grupo y subraya qué te ha ayudado a encontrarla.

★ ★ ★
★ **A2**
★ ★ ★

↪ La gente... ——————————— a. estaba, en general, encantada.

1. Sus amigos... b. esperaba atenta el final del concierto.

2. Sus seguidoras... c. estaban muy interesadas.

3. El público... d. salió muy contento.

4. La policía... e. aplaudieron entusiasmados.

6 Rosa estaba fatal esta mañana, todo le salía mal. Observa lo que le ha pasado y completa como en el ejemplo.

★ ★ ★
★ **A2**
★ ★ ★

↪ El gato le ha roto dos jarrones. Solo le queda un *jarrón* .

1. Ha quemado dos pasteles de queso. Solo le queda un .... para el postre.

2. Sin darse cuenta, ha tirado tres peces por el desagüe. Ya solo le queda el .... azul.

3. Ha quemado dos jerséis con la plancha. Afortunadamente tiene otro ....

4. Ha estropeado casi todas las luces de la casa. Únicamente funciona la .... del pasillo.

5. Tenía hambre y se ha comido diecinueve canapés. Solo le queda un .... para la cena.

7 En los almacenes Maxitim hay una gran oferta. Regalan el doble de cada compra.

★ ★ ★
★ **A2**
★ ★ ★

¡¡GRAN OFERTA!!   ¡¡REGALAMOS EL DOBLE!!   ¡¡GRAN OFERTA!!

POR LA COMPRA DE:	LE DAMOS:	POR LA COMPRA DE:	LE DAMOS:
↪ **Un kilo de arroz...**	*Dos kilos de arroz* .	3. **Unas cortinas de baño...**	....
1. **Un reloj de pared...**	....	4. **Unas bragas de algodón...**	....
2. **Un abrelatas...**	....	5. **Un paraguas...**	....

4. Adjetivo

El adjetivo sirve para hablar de las propiedades de los objetos que nombramos con un sustantivo:

un <u>chico</u> **guapo**   una <u>gata</u> **cariñosa**   una <u>casa</u> **grande**   una <u>idea</u> **interesante**

A   Género: *guapo, guapa; interesante...*

Cambian

■ Algunos adjetivos tienen **una forma para el masculino y otra para el femenino**. El masculino es la forma básica (es la que aparece en el diccionario). Si el
masculino termina en *-o*, el femenino se hace **cambiando** esta *-o* por una *-a*. Si
el masculino termina en *-or*, o en *vocal tónica* (vocal con acento) + *n*, se añade
una *-a*:

-o		**-ø̶ -a**	
guapo	● ¿Verdad que mi <u>novio</u> es guapo?	guapa	● ¿Verdad que mi <u>novia</u> es guapa?
italiano	● Ese <u>señor</u> parece italiano.	italiana	● Esa <u>señora</u> parece italiana.
largo	● A mí me gusta más el <u>pañuelo</u> largo.	larga	● A mí me gusta más la <u>chaqueta</u> larga.

-or		**+ -a**	
hablador	● <u>Pepe</u> no es muy hablad**or**, ¿verdad?	habladora	● <u>Pepa</u> no es muy hablad**ora**, ¿verdad?
trabajador	● Pues <u>Javier</u> es muy trabajad**or**.	trabajadora	● Pues <u>Lucía</u> es muy trabajad**ora**.

-vocal tónica + n		**+ -a**	
catalán	● <u>Josep</u> es catalán.	catalana	● <u>Montserrat</u> es catalana.
holgazán	● <u>Luis</u> es muy holgazán. No hace nada.	holgazana	● <u>Ana</u> es muy holgazana. No hace nada.
llorón	● El <u>niño</u> no es llorón y duerme mucho.	llorona	● La <u>niña</u> no es llorona y duerme mucho.

👁 Los adjetivos *mayor, menor, mejor, peor, superior, inferior...* son invariables en género:

● Este es mi <u>hermano</u> **mayor** y esta mi <u>hermana</u> **menor**.   ● Mira, esa <u>cafetería</u> es **mejor** que aquella.

No cambian

■ Otros adjetivos, en cambio, *tienen una sola forma para masculino
y femenino*. Estos adjetivos pueden terminar en:

-a, -e, -i, -u, -ista o *consonante* (**-l, -n, -r, -s, -z**)

belga, hipócrita, lila, malva, persa...	● <u>Ella</u> es belga y <u>él</u> es canadiense, ¿no? ○ No, al revés: <u>ella</u> es canadiense y él es belga.
amable, estadounidense, fuerte, pobre, verde...	● La <u>situación</u> de la economía es muy preocupante, pero el <u>paro</u> es aun más preocupante.
cursi, iraní, marroquí, hindú, zulú...	● Tengo alumnos de muchos sitios. Hay una <u>chica</u> marroquí, <u>otra</u> hindú y un <u>chico</u> iraní.
pacifista, progresista, socialista...	● Raúl es un <u>hombre</u> muy pesimista. Su <u>novia</u>, sin embargo, es bastante optimista.
azul, principal, joven, familiar, cortés, gris, feliz...	● Siempre va vestida del mismo color. Hoy lleva una <u>falda</u> azul y un <u>jersey</u> también azul.

👁 Los adjetivos de **nacionalidad o procedencia que terminan en consonante**
forman el femenino añadiendo una *-a* al masculino:

- **-l**: *español* → *española*
- **-n**: *alemán* → *alemana*
- **-s**: *francés* → *francesa*, *inglés* → *inglesa*, *japonés* → *japonesa*, *portugués* → *portuguesa*
- **-z**: *andaluz* → *andaluza*

① Pablo, su amiga Lourdes y su primo Javier buscan un novio o una novia exactamente igual que ellos.
¿Cómo deben ser sus parejas?

★A1

Pablo es...	Ella debe ser...	Lourdes es...	Él debe ser...	Javier es...	Ella debe ser...
➲ hablador	*habladora*	6. ecologista		12. nervioso	*nerviosa*
1. cariñoso	cariñosa	7. tímida		13. fuerte	
2. vago	vaga	8. alegre	alegre	14. optimista	
3. guapo	guapa	9. trabajadora		15. inteligente	
4. superficial	superficial	10. independiente		16. feo	fea
5. dormilón	dormilona	11. frágil		17. pedante	

② Piensa en la forma del género: ¿cuál es diferente?

★A1

➲ inglés, francés, español, alemán, <u>estadounidense</u>   *(Es el único adjetivo de género invariable.)*

1. iraní, italiano, israelí, iraquí, marroquí
2. feliz, alegre, impaciente, contento, amable
3. optimista, pesimista, ecologista, socialista, lista
4. azul, joven, hermosa, débil, feliz
5. alemán, charlatán, llorón, joven, dormilón

B   Número: *guapos, guapas, interesantes...*

■ Los adjetivos forman el plural siguiendo las mismas reglas que los sustantivos:

SINGULAR TERMINADO EN *vocal* + *-s*	*habladora* → *habladoras* *importante* → *importantes* *simpático* → *simpáticos*
SINGULAR TERMINADO EN *consonante* + *-es*	*azul* → *azules* *hablador* → *habladores* *feliz* → *felices*

➲ 3. Sustantivo. Número

👁 La *-z* se convierte en *-c*

③ A Casimiro el agua mineral le sienta mal. Ve doble.
¿Qué ve en estos casos?

★A1

Cuando...	Casimiro ve...
➲ hay un coche verde...	*dos coches verdes*
1. hay una niña cursi...	dos niñas
2. hay una persona feliz...	dos personas
3. hay un niño llorón...	dos niños
4. hay una camisa gris...	dos camisas
5. hay un hombre hablador...	dos hombres
6. hay una mujer interesante...	dos mujeres

C Concordancia: *Unos amigos griegos*.

■ El adjetivo debe tener el mismo género y número que el sustantivo al que se refiere. La forma del adjetivo puede indicar de qué sustantivo estamos hablando:

● *Mañana vienen a casa unos <u>amigos</u> griegos.*
○ *¿Aquéllos tan simpáticos de la fiesta de Inés?*

● *Esa <u>película</u> es muy buena pero un poco larga.*
○ *Sí, larga, lenta y pesada...*
● *Pero interesante.*

● *Bueno, mira: ahí hay chaquetas y <u>vestidos</u>. ¿Te decides por algo?*
○ *El amarillo no está mal.*

[Sabemos que *amarillo* se refiere a un <u>vestido</u> (masc.) porque el adjetivo está en masculino.]

■ Cuando hablamos al mismo tiempo de sustantivos **femeninos** y **masculinos**, el plural se hace en **masculino**:

● *Mira ese <u>jersey</u> y esa <u>chaqueta</u>. Me encantan, pero son carísimos.*

● *Rafael tiene cuatro hermanos: tres <u>chicas</u> y un <u>chico</u>. Los cuatro son muy simpáticos.*

4 ¿De dónde son tus cosas? Cuidado con el género y el número.

A1

alemán ✓	español	francés	escocés	finlandés	senegalés	japonés
colombiano	cubano	italiano	chino	turco	suizo	estadounidense

➲ Si tu coche es de Alemania, es ...*alemán*...........

1. Si tu ordenador es de EEUU, es ....
2. Si tus pizzas son de Italia, son ...*italianas*.......
3. Si tu café es de Colombia, es ...*colombiano*......
4. Si tu alfombras son de Turquía, son ....
5. Si tu puros son de Cuba, son ....
6. Si tu cámara de fotos es de Japón, es ....

7. Si tu whisky es de Escocia, es ....
8. Si tu cacao es de Senegal, es ...*senegalés*....
9. Si tus relojes son de Suiza, son ...*suizos*....
10. Si tu sauna es de Finlandia, es ...*finlandés*....
11. Si tus vinos son de España, son ...*españoles*....
12. Si tus perfumes son de Francia, son ...*franceses*....
13. Si tu porcelana es de China, es ...*china*....

5 José es pobre y Alejandro es rico. ¿Con quién se va a casar la bella Claudia? Ayúdale a examinar las condiciones de cada opción.

A2

➲ Con José tendrá que llevar ropa...
1. Con Alejandro podrá llevar ropa...

a. elegante
b. caras
c. barata
d. viejo

4. Con José tendrá un coche...
5. Con Alejandro podrá tener un coche...

a. grande y rápido
b. vieja y fea
c. lujosos y bonitos
d. lento e inseguro

2. Con José vivirá en una casa...
3. Con Alejandro vivirá en una casa...

a. pequeña y ruidosa
b. amplia y luminosa
c. grande y cómodo
d. pequeñas y oscuras

6. Con José tendrá que ir a hoteles...
7. Con Alejandro podrá ir a hoteles...

a. impresionantes
b. incómodos
c. sucia
d. estupendas

6 Decide un final adecuado para cada enunciado y completa con las marcas apropiadas de género y número.

A2

➲ El gazpacho y la ensalada de pasta...
1. Mi padre y mi madre...
2. La ciudad y los alrededores...
3. La radio y la prensa...
4. La moto y la bicicleta...
5. El tabaco y el alcohol...
6. Ten cuidado, el suelo y la bañera....

son más ecológic..... . Los coches contaminan mucho.
están buenísim.*os*. . Pruébalos.
están mojad..... y te puedes caer.
son medios más objetiv..... que la televisión.
son asturian..... , pero yo nací en Madrid.
son muy mal..... para la salud.
son maravillos..... , aunque hace mucho frío.

D   Adjetivo después del sustantivo: ¿*Vino tinto o vino blanco*?

■ En español los adjetivos pueden ponerse **antes** o **después** del sustantivo.

■ **Después** del sustantivo, los adjetivos se usan normalmente **para distinguir** el objeto del que hablamos de otros objetos:

- Al final, ¿vas a comprarte la <u>mesa</u> **cuadrada** o la **redonda**?
- Su oficina está en un <u>edificio</u> **alto**, **vanguardista**, realmente **precioso**.
- Entonces, ¿qué prefiere?, ¿la casa, el <u>apartamento</u> **grande** o el <u>apartamento</u> **pequeño**?
- Es una <u>chica</u> **inteligente**, **comprensiva y educada**. No como su hermana.

Algunas clases de adjetivos normalmente van **solo después** del sustantivo, como los que expresan:

Color:	un <u>coche</u> **azul** (negro, rojo, blanco, verde...)
Forma:	un <u>objeto</u> **cuadrado** (redondo, alargado, rectangular, ovalado...)
Estado:	una <u>caja</u> **abierta** (cerrada, llena, rota, vacía...)
Tipo, **procedencia**:	un <u>tema</u> **español** (familiar, internacional, socialista, portátil...)

7 Ordena los elementos de las siguientes frases.

A2

➲ [un/sueco/Tengo/novio] *Tengo un novio sueco* .... y, por eso, este verano me voy a Estocolmo.

1. [abierto/un/Hay/grifo] .... Se oye el agua.

2. [el/Ponte/naranja/jersey] .... Te queda muy bien.

3. [cenicero/vacío/Dame/un] .... Este está lleno de colillas.

4. [la/sucia/Trae/ropa] .... Voy a poner una lavadora.

5. [botella/llena/Mete/la] .... en el frigorífico y saca la vacía, por favor.

6. [coche/familiar/un/Es] .... Caben por lo menos ocho personas.

7. [universitaria/Vivo/una/en/residencia] .... , pero el año próximo quiero ir a un piso.

8. [vuelos/Los/internacionales] .... salen de la terminal B.

9. [un/sobre/Está/en/cerrado] .... porque es confidencial.

E   Adjetivo antes del sustantivo: *Mi apartamento pequeño* / *Mi pequeño apartamento*

■ **Antes** del sustantivo, los adjetivos se usan normalmente para **destacar una cualidad** del objeto, pero no para distinguirlo de otros:

Mira, Alicia, la <u>ballena</u> **grande** es la mamá y la <u>ballena</u> **pequeña**, el hijo.

Sorprendentemente, la **gran** <u>ballena</u> se alimenta de las **pequeñas** <u>criaturas</u> del plancton.

Pueden usarse **antes** del sustantivo los adjetivos como: *largo-corto, frío-caliente, pequeño-grande, fuerte-débil, lejano-cercano, ligero-pesado, rápido-lento, ancho-estrecho, claro-oscuro, viejo-joven, alegre-triste, blando-duro, áspero-suave, bonito-feo*, etc. Todos ellos tienen significado relativo: una cosa es *grande* o *pequeña*, *rápida* o *lenta*, etc., según con qué la comparemos.

8 Decide si en estas frases el adjetivo destaca una propiedad del objeto o sirve para distinguir
el objeto de otros de su misma clase.

B1

	Distingue	Destaca
⮒ La **vieja radio** todavía funciona.	....	........✓............
⮒ Dame las **zapatillas viejas**, por favor.	........✓...........	....
1. Mire, verá, tengo una **pequeña duda** sobre el precio del hotel.	....	....
2. Pásame el **destornillador pequeño**, por favor, este no me sirve.	....	....
3. Nos ha tocado el **camarero lento** y hemos tardado tres horas.	....	....
4. Amelia dio un **lento paseo** por la ciudad y se fue al hotel.	....	....
5. Desde la puerta se veía un **ancho pasillo** que llegaba a la terraza.	....	....
6. Es mejor que entres por el **pasillo ancho**, así no te pierdas.	....	....
7. Un plato de **frías lentejas** le esperaba en la mesa.	....	....
8. Tráete las **cervezas frías** a la mesa, por favor.	....	....

▤ Con los adjetivos de significado relativo (*largo/corto, oscuro/claro*, etc.), la
posición antes del sustantivo es una **opción formal** (lenguaje periodístico,
literario, etc.). Los adjetivos que no tienen significado relativo (color, forma,
estado, etc.) solo se usan antes del sustantivo en el **lenguaje poético**:

LENGUAJE COTIDIANO	LENGUAJE FORMAL	LENGUAJE POÉTICO
• *La niña de los ojos azules estaba al fondo de una habitación oscura.*	• *La niña de los ojos azules se hallaba en una oscura habitación.*	• *Al fondo de una oscura habitación brillaban los azules ojos de la niña.*

9 Este texto periodístico tiene errores: hay adjetivos (el ejemplo y cinco más) que deben ir después
del sustantivo. Táchalos y escribe tu solución.

B1

El presidente de Gililandia ha emprendido un largo viaje diplomático por lejanos países, acompañado de su ministro de exteriores asuntos y su joven esposa. Durante los últimos días se han producido ya numerosas anécdotas. En la inauguración de un industrial edificio, por ejemplo, alguien entregó a la esposa del presidente un redondo objeto que resultó ser un japonés reloj de pared. Pero también ha habido malos momentos. Cuando iban en el oficial coche a la inauguración de un nuevo edificio por una estrecha carretera de montaña, el coche del presidente sufrió un pequeño accidente y choco contra una vacía casa.

asuntos exteriores

....

....

....

....

....

▤ Los adjetivos que indican orden en una serie (*primero, segundo, último, siguiente, próximo, futuro, nuevo, antiguo*, etc.) normalmente se ponen **antes** del
sustantivo:

• *Ana fue mi **primera** novia.*
• *Todo esto lo veremos en la **siguiente** reunión.*
• *Solo te pido una **segunda** oportunidad.*
• *Esto son cosas del **antiguo** régimen.*

Pero cuando hablamos de plantas de un edificio o de capítulos de un libro,
estos adjetivos también se usan después del sustantivo:

• ***Segunda** planta / Planta **segunda***
• ***Primer** capítulo / Capítulo **primero***

Se usan siempre **después** para hablar de reyes, papas, etc.:

Juan Carlos I [primero]   *Pablo VI* [sexto]   *Isabel II* [segunda]

10 Esta es la historia sentimental de Catalina Jiménez de Hurtado. Coloca los adjetivos de los recuadros en el lugar adecuado.

★ ★
★ **B1**
★ ★

➲ Mi ...*primer*... marido .... era arquitecto. Construía .... chalés ...*adosados*... . Se cayó de un décimo piso. (1) Mi .... marido .... era marinero. Se ahogó frente a (2) las .... costas ....(3) Mi .... marido .... era piloto. Se estrelló en (4) una .... carretera .... (5) Mi .... marido .... era bombero. Murió apagando (6) una .... barbacoa .... (7) Mi .... marido .... será (8) el .... presidente .... del gobierno. No sé qué ocurrirá. Por el momento ha abierto varias cuentas a mi nombre en (9) un .... banco .... Últimamente dice que no se encuentra muy bien.

| cuarto |
| próximo |
| primer ✓ |
| segundo |
| futuro |
| tercer |

| adosados ✓ |
| secundaria |
| familiar |
| caribeñas |
| suizo |

F   *Un gran problema / Un problema grande*

■ Los adjetivos *grande*, *bueno*, *malo*, *primero* y *tercero* tienen otra forma —una forma reducida— cuando van antes y se refieren a un sustantivo singular:

CAMBIAN EN MASCULINO Y FEMENINO

Grande: *un coche* **grande** */ un* **gran** *coche*   *una casa* **grande** */ una* **gran** *casa*

CAMBIAN SOLO EN MASCULINO

Bueno: *un amigo* **bueno** */ un* **buen** *amigo*   (*una amiga buena / una buena amiga*)
Malo: *un día* **malo** */ un* **mal** *día*   (*una noche mala / una mala noche*)
Primero: *el capítulo* **primero** */ el* **primer** *capítulo*   (*la sección primera / la primera sección*)
Tercero: *el piso* **tercero** */ el* **tercer** *piso*   (*la planta tercera / la tercera planta*)

NO CAMBIAN CON SUSTANTIVO PLURAL

Las **grandes** *casas, los* **grandes** *coches, las* **buenas** *amigas,*
las **malas** *noches, los* **primeros** *capítulos...*

11 Corrige las palabras subrayadas del texto siguiente.

★ ★
★ **B1**
★ ★

Sé que es una ➲ buen ...*buena*... chica, y la quiero, pero tengo miedo. Mi (1) primer .... novia se marchó a las Bahamas el día de la boda. De la segunda prefiero no hablar, por su culpa pasé (2) muy mal .... momentos. Esta es mi (3) tercer .... novia y no quiero volver a pasar una (4) mal .... experiencia. El otro día me dio un (5) bueno .... susto. Me dijo: "Quiero casarme ya: estoy segura de que serás un (6) grande .... padre." Yo le dije: "Para mis padres será una (7) grande .... alegría porque tienen muchas ganas de tener nietos", pero la verdad es que estaba un poco asustado. Al final cambió de opinión y, por ahora, seguimos siendo una (8) buen .... pareja de novios. Novios que están buscando un (9) bueno .... piso con un (10) bueno .... precio...

Determinantes

¿En tu casa o en la mía?

5. Artículos: *un, el, ø...*

A Formas

■ Los artículos se clasifican en **indefinidos** y **definidos**. Las formas de cada grupo **varían según el género y el número del sustantivo**:

	INDEFINIDOS		DEFINIDOS	
	MASCULINO	FEMENINO	MASCULINO	FEMENINO
SINGULAR	*un* amigo	*una* amiga	*el* gato	*la* gata
PLURAL	*unos* niños	*unas* niñas	*los* chicos	*las* chicas

👁 Cuando no mencionamos el sustantivo, *un* se convierte en **uno**:

¿Tienen helados? ¿Me da ~~un~~ de fresa?
        uno

■ Después de las preposiciones *a* y *de*, el artículo *el* forma con ellas una sola palabra:

*a + el = **al***   ● *¿Puedes bajar un momento **al** supermercado, por favor?*
*de + el = **del***   ● *¿Vas a ir al concierto **del** viernes?*

👁 **Con nombres propios**, el artículo y la preposición **no se unen**:

   ● *Mañana me voy **a El** Cairo.*
   ● *Esta noticia es **de** El País. Un periódico muy serio, ¿no?*

■ Cuando tenemos que usar artículo con **un sustantivo femenino singular** que empieza por *a-* **tónica** (con acento), usamos *el/un* si no hay otras palabras entre el artículo y el sustantivo:

el agua, un águila, el ala, el alma, un arma, el área, un aula,
un ave, el hada, el hambre...

Pero estos sustantivos son femeninos y, por tanto, en todos los otros casos concuerdan en femenino:

Con adjetivos y otros determinantes: *El agua fresca, un hambre tremenda,* *esa águila, algunas armas...* **Con artículos en plural:** ***Las** águilas, **las** aves, **unas** aulas...*	**Con artículos en singular separados del sustantivo:** *La última águila, **la** misma arma,* ***una** gran aula...*

1 El detective Rodrigo Trigo llega a la escena del crimen y ve muchas cosas sospechosas. Va a buscar a la policía y, cuando vuelve, solo hay objetos en el suelo. Ayúdalo a completar su informe.

★ ★
★ **A1**
★ ★ ★

Cuando entré en la habitación, vi a:

➲ ...*Un*.... profesor de español lleno de sangre, en el suelo.

1. .... alumnas que parecían muy nerviosas, escondiendo .... papeles.

2. .... hombre joven que llevaba .... tijeras en la mano.

3. .... mujer con .... vestido rojo, muy tranquila.

4. .... niño llorando delante de .... caja llena de regalos.

Cuando volví, solo encontré:

➲ ..*La*.. sangre *del*... profesor.

5. .... papeles de .... alumnas.

6. .... tijeras de .... hombre joven.

7. .... vestido rojo de .... mujer.

8. .... caja que pertenecía a .... niño.

2 Completa con las formas adecuadas del artículo. Si es necesario, completa también el género y número del adjetivo.

★★
A1
★★

➲ Vamos a buscar ...*un*... aula libre para hacer el examen.

1. Tengo .... hambre que me muero.

2. Mira en .... últim.... aula en la que has estado a ver si encuentras el bolígrafo.

3. Papá, ¿ .... hadas existen?

4. En la puerta de su chalé hay .... águila horroros.... , de piedra y de madera. No he visto una cosa más fea en mi vida.

5. .... hada buena convirtió a la rana fea en un príncipe guapo.

6. .... aguas de este balneario son excelentes para el riñón.

7. Mató al policía con .... mism..... arma que había utilizado para matar a su novio.

8. Mamá, ¿dónde está .... alma?

9. Coge la olla por .... dos asas. Si no, se te va a caer.

B Usos: *Toma una carta / Toma la carta*

■ Usamos *un, una, unos, unas* para referirnos a algo que **no** es especialmente **identificable** para el oyente entre otros objetos de su clase porque, por ejemplo:

I. Hay varios objetos del mismo tipo.

- *Éste es Pedro, un hermano de María.*
  [Dice *un hermano* porque María tiene más hermanos.]

- *Necesito un móvil. Es para un regalo.*
  [No busca un móvil específico. Pueden servir muchos.]

Hay **una** carta para ti.

...**una** carta

II. Hablamos por primera vez de ese objeto.

- *También vienen unos amigos de Ana: Pedro y Juan.*
  [Son unos amigos específicos, pero no son identificables porque no hemos hablado antes de ellos.]

■ Usamos *el, la, los, las* para indicar que nos referimos a algo que es **identificable** para el oyente entre todos los otros objetos porque, por ejemplo:

I. No hay otros objetos como ese.

- *Éste es Pedro, el hermano de María.*
  [Dice *el hermano* porque solo tiene un hermano.]

- *Tengo el móvil roto. ¿Ustedes arreglan?*
  [Habla de su móvil.]

La carta es para ti.

...**la** carta

II. Hemos hablado antes de ese objeto.

- *Entonces, no cabemos en mi coche: Rosa, Jesús, Cati, tú, los amigos de Ana y yo. Somos muchos.*
  [Habla de unos amigos ya identificados porque hemos hablado de ellos antes.]

...**una** carta y un paquete...

He recibido **una** carta y un paquete.

La carta es de mi prima.

...**la** carta

3 Carmen y Lucía tienen que hacer un trabajo para clase. ¿Sabes de qué hablan? Lee las frases y relaciona cada una con la situación correspondiente.

⭐ **A2**

→ a. **Carmen:** Un amigo de Julia nos puede ayudar.   a. Lucía y Carmen ya han hablado del amigo de Julia.

b. **Carmen:** El amigo de Julia nos puede ayudar.   b. Lucía y Carmen no han hablado antes de ese chico.

1. a. **Lucía:** He traído unos libros que había en casa.   a. Carmen ya sabe de qué libros habla Lucía.

b. **Lucía:** He traído los libros que había en casa.   b. Carmen no sabe de qué libros habla Lucía.

2. a. **Carmen:** Tenemos que entregar un trabajo el martes.   a. Hablan del trabajo que están haciendo.

b. **Carmen:** Tenemos que entregar el trabajo el martes.   b. Hablan de otro trabajo distinto.

3. a. **Lucía:** Un profesor de Filosofía me ha dejado esta revista.   a. Hablan de otro profesor de Filosofía.

b. **Lucía:** El profesor de Filosofía me ha dejado esta revista.   b. Hablan de su profesor de Filosofía.

4. a. **Carmen:** ¿Me dejas el bolígrafo?   a. Lucía tiene solo un bolígrafo.

b. **Carmen:** ¿Me dejas un bolígrafo?   b. Lucía tiene tres bolígrafos.

5. a. **Lucía:** Ha llamado Luis, un chico de Barcelona.   a. Lucía y Carmen han hablado muchas veces de Luis.

b. **Lucía:** Ha llamado Luis, el chico de Barcelona.   b. Carmen no conoce a Luis.

4 Fíjate en el contexto y escribe el artículo correspondiente.

⭐ **A2**

→ En el salón de casa de Lucía hay solo un cuadro en la pared.

1. Carmen y Lucía han terminado su trabajo de Historia.

2. Carmen llega con una tarta muy grande. Lucía no sabía nada.

3. Carmen ha cortado la tarta. Hay un trozo grande y otro pequeño.

4. Las dos chicas conocen a toda la familia de Julia.

5. Carmen tiene un reloj, como todas sus compañeras de piso.

Carmen: Me gusta mucho *el*..... cuadro del salón. Siempre he querido tener *una*.. pintura como esa.

Lucía: ¿Puedo llevarme .... trabajo a casa para leerlo otra vez? Si quieres, puedo hacer .... copia.

Carmen: Mira, mi madre ha hecho .... tarta. ¿Te apetece .... trozo?

Lucía: A mí dame .... trozo pequeño.

Lucía: Voy a ir al cine con .... amigos. Bueno, tú los conoces, son Paco y Pepe, ... hermanos de Julia, ¿te acuerdas?

Carmen: ¿Sabes qué? Pues que he perdido .... reloj.

Lucía: Bueno, yo he visto .... reloj pequeño encima de la cama, no sé si es .... tuyo.

5 Lee el comienzo de este cuento y señala si son adecuadas las siguientes interpretaciones.

⭐ **A2**

Leopoldo Luis II, un rey de Gantea (→), salió el sábado de paseo en un caballo de la reina (1). En la puerta un soldado lo despidió. Al llegar a un río (2), cruzó por un puente y se encontró con los duendes del agua (3) y estos le dijeron: Va a venir un príncipe (4) del país vecino (5), se va a enamorar de tu mujer y va a huir con ella. El rey no creyó nada de las palabras de los duendes, cruzó el puente (6) y volvió a palacio. Pero en la puerta estaba el soldado (7) que, muy nervioso, le dijo: Majestad, la reina se ha ido.

→ En Gantea solo hay y ha habido un rey.   Sí   (No)

1. La reina tiene varios caballos.   Sí   No

2. Leopoldo probablemente iba a ese río todos los días.   Sí   No

3. Seguramente Leopoldo no había oído hablar de esos duendes.   Sí   No

4. Este príncipe viene mucho a Gantea.   Sí   No

5. Gantea tiene frontera con cinco países.   Sí   No

6. El mismo puente de antes.   Sí   No

7. Es el mismo soldado que lo había despedido.   Sí   No

C ¿*Un* o *el* o *ø*?: *Tenemos teléfono. Suena un teléfono. He roto el teléfono.*

■ Cuando usamos un sustantivo **sin artículo** (*artículo Ø*), no nos referimos a ningún objeto concreto:

■ Cuando usamos un sustantivo **con artículo** (*un...* o *el...*), nos referimos a objetos individuales: indefinidos (*un...*) o definidos (*el...*):

¡Tenemos **Ø** teléfono!

¡Suena **un** teléfono!

Suena **el** teléfono.

[No hablan de un objeto particular, sino de un medio de comunicación.]

[Habla de un teléfono particular e indefinido: no se puede identificar.]

[Habla de un teléfono particular y definido: se puede identificar.]

- *La forma más rápida y sana de ir es en <u>bicicleta</u>.*
- *Están recibiendo clases de <u>guitarra</u>.*
- *He hecho un avión de <u>papel</u>.*
- *En ese restaurante hay que llevar <u>traje</u> y <u>corbata</u>.*

- *Voy a comprarme **una** <u>bicicleta</u> para hacer ejercicio.*
- *He visto **una** <u>guitarra</u> ideal para ti.*
- *Apunta esto en **un** <u>papel</u>.*
- *Voy a comprarme **un** <u>traje</u> y **una** <u>corbata</u> en las rebajas.*

- *Antes de salir tengo que arreglar **la** <u>bicicleta</u>.*
- *Acuérdate de guardar **la** <u>guitarra</u> en su sitio.*
- *Éste es **el** <u>papel</u> que decía.*
- *Me he manchado **el** <u>traje</u> y **la** <u>corbata</u> con salsa de tomate.*

■ Cuando hablamos de una **cantidad indeterminada** de algo y no necesitamos especificar ni identificar ningún objeto concreto, usamos **sustantivo sin artículo (Ø)**:

SUSTANTIVOS CONTABLES (en plural)	SUSTANTIVOS NO CONTABLES (en singular)
• *¿Venden ustedes **alfombras**?* • *Mi vecino arregla **ordenadores**.*	• *Si vas al súper, compra **aceite** y **café**.* • *No, no tengo **dinero**. Lo siento.*

---

6 **Tacha la opción incorrecta y relaciona.**

➲ ¿Me pasas **Ø/un** tomate, por favor? —————— a. Voy a hacer una ensalada.

1. ¿Le has echado sal a **Ø/el** tomate?　　　　　b. Ahora hay rebajas.

2. ¿No te gusta la salsa de **Ø/un** tomate?　　　 c. Ponte unos pantalones y una camisa.

3. Máximo, no puedes recibir a los invitados en **Ø/un** pijama.　　　　　　　　　　　d. Está muy soso.

　　　　　　　　　　　　　　　　　　　　e. Hace quince días que no te lo quitas.

4. Máximo, echa **Ø/el** pijama a la lavadora.　 f. Es casera. La he hecho con aceite de oliva.

5. Máximo, voy a comprarte **Ø/un** pijama.　　 g. Me he dado un golpe jugando al fútbol.

6. Me duele **Ø/el** pie derecho.　　　　　　　 h. Puedes hacerte daño en los dedos.

7. Está cerca: vamos a **Ø/el** pie.　　　　　　 i. No puedo entrar. ¿Puedo quedarme en tu casa?

8. He visto **Ø/un** apartamento precioso.　　　 j. Creo que voy a alquilarlo.

9. He perdido la llave de **Ø/el** apartamento.　 k. Me gusta. Tiene mucha paciencia.

10. He conocido a mi profesor de **Ø/un** piano.　l. Así hacemos ejercicio.

11. Cierra **Ø/el** piano con cuidado.

7 Completa con las palabras del recuadro. Algunas deben ir en plural.

B1

pila	dinero	tomate ✓	aspirina	agua	huevo	café

Cariño, tienes que hacer tú la compra. Acuérdate de traer ➔ ....*tomates*........ para el gazpacho, que no hay, y también compra (1) .... para la tortilla. Necesitamos (2) .... mineral y (3) .... descafeinado. La linterna no tiene (4) .... , así que trae también. Y tienes que ir a la farmacia. Hacen falta (5) .... Por cierto, saca (6) .... del banco. Yo no tengo.

D Generalizar: *A los españoles les gusta el café...*

■ Cuando nos referimos a toda una clase de objetos, usamos *el, la, los, las*:

CONTABLES
Singular (la clase en general)
Plural (todos los miembros de la clase)

- *El perro es el mejor amigo del hombre.*
  [El perro y el hombre como clase de seres vivos.]
- *Los niños siempre dicen la verdad excepto cuando mienten.* [Todos los niños, en general.]
- *Las mujeres todavía no tienen las mismas oportunidades que los hombres.*
  [Todas las mujeres y todos los hombres en general.]

NO CONTABLES
Singular

- *Aquí la gente va mucho al cine.*
  [Todo el mundo, en general.]
- *No me gusta el café, me pone nerviosa.*
  [El café, en general.]

■ Cuando hablamos de un objeto representativo de su clase, es decir, de cualquier objeto de una determinada clase, usamos *un, una* (y *unos, unas* para sustantivos que no se usan en singular):

- *¿Qué es un flexo?*
- *Un flexo es una lámpara de mesa para leer.*

- *Unos prismáticos permiten ver de lejos.*
- *Un médico tiene que saber tratar a los pacientes.*

El hombre **es** un mamífero.

👁 En español, cuando generalizamos, el **sujeto** de la oración tiene que llevar **artículo**:

- *Un niño necesita espacio para jugar.* [*Niño necesita espacio para jugar.*]
- *La naranja tiene vitamina C.* [*Naranja tiene vitamina C.*]
- *Me encanta el café.* [*Me encanta café.*]
- *Los delfines son muy inteligentes.* [*Delfines son muy inteligentes.*]

8 Fíjate en las palabras subrayadas y relaciona cada enunciado con la interpretación más adecuada.

B1

I. Toda una clase de objetos o personas.	II. Cualquier objeto o persona de una clase.	III. Una cantidad indeterminada de objetos o personas.

➲ a. Los colchones de agua son muy relajantes .**I**..

b. Evidentemente, prefiero dormir en un colchón a dormir en el suelo. .**II**..

c. Tenemos colchones de látex, de algodón y de muelles. .**III**..

1. a. Se venden y alquilan apartamentos. Razón: 031676742. .....

b. Los pisos en este barrio son muy caros. .....

c. Un apartamento suele ser más pequeño que un piso. .....

2. a. Los dentistas ganan mucho dinero. .....

b. Lo conocí en un congreso de dentistas. .....

c. Un dentista no debe comer ajo antes de la consulta. .....

3. a. Linus solo bebe vino tinto. .....

b. A estas horas, un vino tinto es mejor que un refresco. .....

c. Perdona, pero el vino tinto es mucho mejor que el blanco. .....

4. a. ¿Tú sabías que los murciélagos son ciegos? .....

b. ¿Has comido murciélagos alguna vez? Están buenísimos. .....

c. Ese perro es más feo que un murciélago. .....

5. a. No tengo hijos pero tengo sobrinos. Sobrinas, en realidad, porque son todas chicas .....

b. Los hijos dan muchos disgustos. .....

c. Tener un hijo es lo mejor que te puede pasar en esta vida. .....

9 Completa con las palabras del recuadro usando, cuando es necesario, el artículo correspondiente.

B1

kioscos ✓ agua helados carrito hormigas abanico cajeros ratón té café mostaza

➲ ..*Los kioscos*.... son tiendas en las que se venden periódicos y revistas.

1. En España, ... es algo muy típico en verano. Además es perfecto para el calor.

2. .... automáticos son máquinas para sacar dinero con tarjeta.

3. ¿Esas albóndigas llevan .... ?

4. Me encantan .... tanto en verano como en invierno. La pena es que engordan mucho.

5. .... van siempre en fila unas detrás de otras.

6. .... es tan excitante como ....

7. Se lo aseguro: .... inalámbrico no da problemas. Es más caro, pero funciona mucho mejor.

8. Pues .... es una cesta con ruedas para hacer la compra en los supermercados.

9. No te puedes duchar. No hay ....

10 Algunos monstruos del país de Jálogüin están aprendiendo español, pero todavía tienen problemas: a veces olvidan usar los artículos. Corrige sus palabras poniendo *el, la, los, las* donde son necesarios.

B1

➲ Cuando noche llega, monstruos salen a pasear y a asustar a los seres humanos. Seres humanos siempre tienen miedo. *La noche llega...; los monstruos salen...; Los seres humanos siempre tienen*

1. Después de una noche de terror nos duele garganta, pero doctor Chéquil nos da zumo de aspirinas. ....
   ....

2. Monstruos quieren ser como murciélagos y lobos y respetan a seres vivos. Solo comen animales para tomar su espíritu. ....
   ....

3. A monstruos les gusta mirar cielo gris mientras viejo vampiro Crápula toca en órgano canciones tristes. ....
   ....

4. Para monstruos miedo es sentimiento más hermoso, por eso ir a cementerio y jugar entre tumbas.
   ....
   ....

5. Monstruos hacen magia negra y bailan danza de muertos vivientes cuando sale luna llena. ....
   ....

6. Todas noches de tormenta esqueletos salen de tumbas para celebrar gran fiesta del trueno. Monstruos se divierten como locos. ....
   .. ..

7. Vampiros no se ven en espejo, pero saben que son guapos porque vampiresas les sonríen. ....
   ....
   ....

E   *Uno alto*, *el de Soria*, *el que te dije...*

■ Cuando está claro de qué estamos hablando, *uno, una, unos, unas* pueden usarse sin mencionar el sustantivo al que se refieren:

- *Pásame un <u>boli</u>. **Uno** de esos. **Uno** rojo vale.*
- *Necesito <u>tomates</u>. Tráeme **unos** que hay en el frigo.*
- *¿Has visto mis <u>cintas</u>? Son **unas** con canciones de Prins.*
- *Estas <u>camisas</u> no están nada mal. Cómprate **una**.*
- *Tengo varios <u>amigos</u>, pero solo salgo con **uno**.*

👁 Las formas *unos, unas* se utilizan solas solo cuando se refieren a sustantivos que normalmente no se usan en singular (*unas gafas, unos pantalones, unos prismáticos, unas tijeras...*):

- *Yo tengo varias <u>tijeras</u>. ¿Te dejo **unas**?*
- *No tiene <u>prismáticos</u>. Regálale **unos**.*

■ También los artículos *el, la, los, las* pueden usarse sin mencionar el sustantivo al que se refieren, pero solo cuando van seguidos por ADJETIVO / *de* + SUSTANTIVO / *que* + ORACIÓN:

El, la, los, las +   ADJETIVO
   de + SUSTANTIVO
   que + ORACIÓN

- *Solo me está bien un <u>traje</u>: **el** negro.*
- *Esa <u>mesa</u> no está mal, pero me gusta más **la de** cristal.*
- *¿Quieres una <u>tapa</u>? **Las que** ponen aquí son muy buenas.*

⓫ Tacha el sustantivo cuando no es necesario y cambia *un* por *uno* si hace falta.

➜ • Prueba un canapé.

○ Gracias, ya me he comido un~~o~~ ~~canapé~~.

1. ¡Qué horror! Se me han roto las medias. ¿Me prestas unas medias?

2. Estos sobres son pequeños. Mejor usamos los sobres amarillos, los sobres que están ahí.

3. • ¿Quieres una cerveza?

○ No, gracias, acabo de tomarme una cerveza.

4. • Me han regalado un reloj con alarma.

○ Pues yo tengo un reloj que tiene cronómetro.

5. • ¿Cuál de esas chicas es tu hermana?

○ La chica de las gafas, la chica alta, la chica que está de pie.

6. • Han venido unos amigos preguntando por ti.

○ Sí, ya lo sé. Son unos amigos que conocí en la discoteca.

7. • ¿Me pasas ese libro, por favor?

○ ¿Cuál? ¿El libro gordo? ¿El libro de física?

8. • ¿Ustedes han pedido un café?

○ Dos: yo un café solo y él un café con leche.

⓬ Estos personajes son los autores de la gramática. Completa y descubrirás quiénes son.

➜ Los que *llevan gafas* son Jenaro, Alex y Pablo.

1. El que .... es Jenaro.

2. La de los .... es Rosa.

3. El de la .... es Alex.

4. El .... es José Plácido.

5. El del .... es Pablo.

6. La que .... es Lourdes.

7. Las .... son Lourdes y Rosa.

llevan gafas ✓
guapísimas
delgado
lleva peluca
guantes largos
pistola
pañuelo de lunares
está cantando

6. Demostrativos: *este, ese, aquel... esto, eso, aquello...*

Este libro; ese libro; aquel libro.

■ Los demostrativos pueden ser femeninos, masculinos y neutros:

	SINGULAR			PLURAL		
MASCULINO	*este* libro	*ese* niño	*aquel* edificio	*estos* libros	*esos* niños	*aquellos* edificios
FEMENINO	*esta* mesa	*esa* niña	*aquella* tienda	*estas* libretas	*esas* niñas	*aquellas* tiendas
NEUTRO	*esto*	*eso*	*aquello*			

👁 Las formas de **masculino** y **femenino concuerdan en género y número con el sustantivo** al que se refieren.

■ Los demostrativos sirven para **señalar cosas** identificándolas en relación con tres espacios diferentes:

Este indica que el objeto puede identificarse en el **espacio de la persona que habla** (*yo, nosotros, nosotras*).

Ese indica que el objeto puede identificarse en un espacio **distinto pero próximo al espacio de la persona que habla.**

Aquel indica que el objeto puede identificarse en un espacio **distinto y alejado del espacio de la persona que habla.**

Este gato

AQUÍ

Ese gato

AHÍ

Aquel gato

ALLÍ

● *¿Qué regalo quieres?: ¿esta <u>pelota</u>?, ¿ese <u>cochecito</u>?, ¿aquella <u>muñeca</u>?*

[Dice *esta* para señalar una pelota que está *aquí* (junto a la persona que habla); dice *ese* para señalar un coche que está *ahí* (no junto a la persona que habla, pero tampoco lejos) y dice *aquella* para señalar una muñeca que está *allí* (lejos de la persona que habla).]

Esa camiseta te sienta estupendamente.

Dice *esa* porque habla de la camiseta de la persona que escucha.

■ Para referirnos **a cosas que se sitúan en el espacio de la persona con la que hablamos** (*tú, usted, ustedes, vosotros y vosotras*) se usan *ese/-a/-os/-as* porque se trata de un espacio distinto al de la persona que habla, pero no lejano:

● *Este <u>bolígrafo</u> no funciona, ¿me dejas ese <u>rotulador</u>?*

[Dice *este* porque habla del bolígrafo que está usando; y dice *ese* para señalar el rotulador que está cerca de la persona que escucha.]

1 Mª José ha ido a cenar a un restaurante japonés. Tiene mucha hambre. Completa lo que dice.

A1

¡Qué rico está ➜ .....*este*..... atún y qué buenas están (1) .... gambas! ¡(2) .... tallarines están exquisitos y (3) .... salsa de soja es fantástica!

Y póngame también (4) .... salmón, (5) .... trucha, (6) .... sardinas y (7) .... mejillones.

Y, por favor, de postre, me trae (8) .... tarta, (9) .... bombones, (10) .... natillas, y (11) .... flan.

2 Relaciona cada diálogo con una imagen.

A1

➜ **María:** **Este** jersey es muy bonito.
Ana: Sí, y **estos** zapatos tampoco están mal.

1. **María:** Mira, **ese** jersey es precioso.
Ana: Un poco caro, ¿no? Mejor te compras **esos** zapatos.
María: Sí, o **esa** chaqueta marrón.

2. **Ana:** **Este** jersey es precioso, pero es carísimo.
María: Y **aquellas** chaquetas, ¿qué te parecen?
Ana: ¿Cuáles? ¿Las del fondo?

3. **Ana:** **Estos** zapatos son bonitos, ¿verdad?
María: Sí, están bien pero los jerséis me gustan más.
Ana: ¿**Esos** jerséis? A ver cuánto cuestan.

A ......

B ......

C ......

D ......

3 Fíjate en el contexto en el que se produce cada frase y subraya el demostrativo adecuado.

A1

➜ (Luis está leyendo un libro.)

1. (Luis y Pedro están en la cocina comiendo pasteles.)

2. (Pedro saca unas cervezas de la nevera. Luis está sentado en la mesa.)

3. (Luis y Pedro están de excursión. Muy a lo lejos hay un pequeño bosque.)

4. (Luis va con Pedro y señala a una chica que ven a mucha distancia.)

5. (Pedro tiene unos discos en la mano.)

Luis: **Este/ese/aquel** libro es fantástico. ¿Lo conoces?

Luis: ¿**Estos/esos/aquellos** pasteles los ha hecho tu madre? Están buenísimos.

Luis: No sé si **estas/esas/aquellas** cervezas estarán muy frías.

Luis: ¿Qué tal si nos acercamos a **este/ese/aquel** bosque de pinos?

Luis: Mira, Pedro, **esta/esa/aquella** chica es Carmen, la que ha tenido trillizos.

Luis: Si te gustan **estos/esos/aquellos** discos, puedes llevártelos.

B Uso en relación con el tiempo: *Este mes. Ese día. Aquel fin de semana.*

■ Los demostrativos también sirven para situar algo en relación con el tiempo:

Este, esta, estos, estas sirven para referirse al **presente** y también
al **pasado** o **futuro** más próximos:

- ● *Este <u>verano</u> ha sido un desastre; **este** <u>mes</u> está siendo
  espantoso, pero **estas** <u>Navidades</u> me voy a Cuba.*

Ese, esa, esos, esas pueden señalar al **futuro** o al **pasado**:

- ● *Del 1 al 8 de julio no trabajo. Y **esa** <u>semana</u>
  me voy de vacaciones.*   [La semana futura ya identificada.]
- ● ***Ese** <u>día</u> estaba muy cansado, por eso no te llamé.*   [El día pasado del que hemos hablado.]

Aquel, aquella, aquellos, aquellas señalan a un **pasado lejano**:

- ● ***Aquella** <u>semana</u> fue la más feliz de mi vida.*   [La semana, alejada en el tiempo, de la que hemos hablado.]
- ● ***Aquel** <u>novio</u> que tenías antes no me gustaba mucho.*   [Un novio que tuvo en el pasado.]

---

4 Relaciona cada enunciado con su continuación.

A2

➲ Hace diez años vendí el Volvo 240.

1. Podemos ir pasado mañana si quieres.

2. Nos conocimos la Semana Santa del 87.

3. Me caso el 15 de febrero.

4. Mi antiguo profesor de español
   era mucho mejor que el que tenemos ahora.

5. Volví a casa el día de Navidad, después
   de dos años trabajando en el barco.

a. Ese día tienes que estar aquí.

b. Ese día supe que mi mujer estaba embarazada.

c. Me acuerdo porque aquellos días hizo
   un calor espantoso.

d. Esta semana no tengo mucho trabajo.

e. Aquel coche era fantástico, de verdad.

f. Me encantaban aquellos estupendos
   ejemplos que ponía.

C *Este, ese, aquel...*

■ Los demostrativos pueden usarse **sin mencionar el sustantivo** al que se refieren
cuando está claro de qué estamos hablando:

- ● *Son preciosas **estas** <u>lámparas</u>. Me llevo **esta**,
  esa, y **aquella** roja.*

- ● ***Este** <u>vaso</u> está limpio,
  pero **ese** no.*
- ● *¿Cuál es tu <u>clase</u>?*
  ○ ***Esa** de la derecha.*

- ● *¿Te acuerdas de Raquel, la antigua <u>novia</u> de Rafa?*
- ○ *Sí, claro, **aquella** sí que era guapa.*

---

5 ¿A qué se refieren estos demostrativos?

A2

➲ Aquellas me gustan más.

1. ¿Son estos?

2. Déjame esa.

3. Aquel era mucho más interesante.

4. Con este es suficiente, gracias.

5. Esos para ti, y estos para mí.

~~chaqueta~~	gafas	~~pantalones~~	~~caramelos~~
amigo	personas	chica	hombres
hoja	libros	bolígrafo	plástico
película	novelas	discos	chico
libreta	tijeras	papel	papeles
reloj	silla	pendientes	monedas

D Demostrativos neutros: *¿Dónde pongo esto? No me digas eso. ¿Qué es aquello?*

■ Los demostrativos de **género neutro son siempre singulares** y nunca se usan con sustantivo porque, en español, no hay sustantivos neutros:

	SINGULAR			PLURAL		
MASCULINO	este	ese	aquel	estos	esos	aquellos
FEMENINO	esta	esa	aquella	estas	esas	aquellas
NEUTRO	**esto**	**eso**	**aquello**			

■ Usamos **las formas neutras** de los demostrativos cuando queremos señalar algo en relación con los espacios *aquí*, *ahí* y *allí* pero **no sabemos su nombre**, **no importa su nombre**, o **no hablamos de un objeto concreto** (por ejemplo, un hecho, una situación, lo que alguien ha dicho, etc.):

NO SABEMOS EL NOMBRE DEL OBJETO	• *¿Quieres un... ashtray? ¿Cómo se dice eso en español?*	[El hablante no conoce el nombre de ese objeto.]
	• *¿Has visto eso? Parece un ratón, ¿no?*	[El hablante no sabe exactamente qué es esa cosa.]

¿Qué es **eso**?

[El hablante no conoce el contenido de una caja envuelta en papel de regalo, y, por tanto, no puede mencionarlo con un sustantivo.]

NO IMPORTA EL NOMBRE DEL OBJETO	• *Tengo que irme ya. ¿Puedes tú recoger todo esto?*	[Todas las cosas que hay que recoger.]
	• *Mira, esto lo pones encima del armario, eso dentro y aquello en la otra habitación.●*	[Tres cosas que señalamos con el dedo.]

Toma, **esto** es para ti.

NO ES UN OBJETO CONCRETO	• *No lo entiendo. Le he pedido perdón y sigue sin hablarme.* ○ *Es que eso no es suficiente.*	[El hecho de pedirle perdón.]
	• *Estábamos durmiendo y, de repente, oímos un ruido muy raro... Aquello no me gustaba nada...*	[La situación que está contando.]
	• *Creo que voy a dejar este trabajo.* ○ *¿Por qué dices eso?*	[Las palabras que ha dicho la otra persona.]

¡Qué sorpresa!
Esto no lo esperaba.

👁 **No usamos** estas formas neutras para hablar de **personas**. En su lugar, usamos las formas masculinas o femeninas:

• *¿Quién es ese?* [¿Quién es eso?]
○ *Es mi padre.*

6 Victor ha perdido la memoria y tiene muchos problemas para reconocer los objetos que están a su alrededor. Ayúdale a recuperarla completando los espacios con demostrativos.

★ ★
★ **A2**
★ ★

Están AQUÍ

● ¿Qué es ➔ *esto*?

○ Son servilletas.

● ¿Y (1) .... tan raro?

○ Son tenedores y cuchillos y (2) .... que está aquí son cucharas. ¿No te acuerdas?

Están AHÍ

● ¿Qué es (3) .... que se mueve ahí?

○ No te preocupes. Son las cortinas.

● ¿Y (4) .... con tanto pelo que está ahí?

○ Es una alfombra. Y (5) .... de ahí debajo, también. Las compramos hace años.

Están ALLÍ

● Oye, ¿y (6) .... ? Parecen monstruos.

○ ¿Monstruos? Son las sombras de las plantas del jardín.

● ¿Y (7) .... tan peludo allí, al fondo? ¿Son alfombras?

○ No, Víctor, no. Son tus perros, Caín y Abel...

7 Un turista acaba de llegar a España. Completa la conversación entre él (T) y un español (E) con la información del recuadro.

★ ★
★ **A2**
★ ★

➔ T: (*Tiene una fruta en la mano que no conoce.*)
E: Granada. Es una fruta de otoño.

1. T: (*Señala un monumento que está bastante lejos.*)
E: Es la Puerta de Alcalá. Es del siglo XVIII.

2. T: (*Está en una discoteca. Le gusta el ambiente, la música, la gente...*)
E: Sí, está muy bien. Es el local de moda.

3. E: ¿Qué vas a tomar?
T: (*Señala una comida que toman unas personas.*)

4. T: Yo no estoy acostumbrado a acostarme tan tarde.
E: (*Comenta algo sobre esa costumbre en España.*)

5. T: (*Le da un regalo a su acompañante.*)
E: Muchas gracias. Pero no tenías que regalarme nada.

6. T: Tengo 30 euros.
E: (*Explica para qué puede servir ese dinero.*)

a. ¿Cómo se llama esto?

b. Pues eso, aquí, es bastante normal.

c. Esto es fantástico.

d. Toma, esto es para ti.

e. Con eso puedes pagar el taxi y poco más.

f. ¿Qué es aquello de allí?

g. Me apetece aquello que comen aquellos señores.

Clasifica las respuestas. ¿Cuál de las posibilidades siguientes es la más probable en cada caso?

No sabe el nombre ....
....

No importa el nombre ....
....

No es un objeto ....
....

8 Juan y Jorge acaban de trasladarse a una nueva casa. Todo es un caos. No saben qué es cada cosa pero están intentando poner un poco de orden. Completa los diálogos.

★ ★
★ **B1**
★ ★

● ¿Dónde pongo
➡ ......esto...... ?

○ (1) .... ponlo en la cocina.
Me parece que es la batidora.

● ¿Y (2) ....
que está ahí?

○ (3) .... puedes
dejarlo en el dormitorio.

○ ¿Y dónde ponemos
(4) .... del fondo?

● A ver... Huy, me parece
que es la lámpara que
nos regaló tu madre.

○ Cielos. Es horrible.
¿La ponemos en el
desván?

○ Oye, ¿y (5) ....
que está ahí qué es?

● Ni idea. Déjalo de
momento.

9 Subraya las opciones más adecuadas. A veces son posibles las dos.

★ ★
★ **B1**
★ ★

➡ ● ¿Quién es **ese chico** / eso?
○ El novio de Maite.

1. ● ¿Qué es **aquel pájaro** / aquello?
○ No sé, parece un pájaro.

2. ● Lucía dice que no te quiere.
○ **Esa chica** / eso me da igual.

3. ● ¿Por qué no enviaste **esa carta** / eso?
○ Porque no la pude terminar.

4. ● ¿Quieres manzanas?
○ Sí, pero solo una; dame **esa** / eso.

5. ● ¿A qué se dedica **ese señor** / eso?
○ Me han dicho que es profesor de instituto.

6. ● ¿En qué piensas?
○ En **aquella chica** / aquello que vino ayer.

7. ● ¿En qué piensas?
○ En **aquella chica** / aquello que ocurrió ayer.

8. ● ¿Dónde puedo poner **este mueble** / esto?
○ En el pasillo, aquí molesta.

9. ● ¿**Ése** / eso de la barba es tu hermano?
○ No, mi hermano es el de la gorra.

A Posesivos antes del sustantivo: *mi amigo, mi amiga...*

	SINGULAR	PLURAL
yo	*mi* amigo/amiga	*mis* amigos/amigas
tú	*tu* libro/revista	*tus* libros/revistas
él/ella/usted	*su* hermano/hermana	*sus* hermanos/hermanas

	SINGULAR		PLURAL	
nosotros/as	*nuestro* primo	*nuestra* vecina	*nuestros* primos	*nuestras* vecinas
vosotros/as	*vuestro* gato	*vuestra* gata	*vuestros* amigos	*vuestras* amigas
ellos/ellas/ustedes	*su* tío/tía		*sus* discos/películas	

Esta es **mi** <u>cama</u> y estos son **mis** <u>amigos</u>.

Esta es **nuestra** <u>casa</u> y estos son **nuestros** <u>vecinos</u>.

👁 En español, los posesivos **no** concuerdan con la persona gramatical correspondiente: **concuerdan con el objeto del que hablamos**. *Mi, tu* y *su* concuerdan con el objeto del que hablamos **solo en número**. *Nuestro* y *vuestro* concuerdan en **género** y **número**:

- *Mirad, esta foto es del día de **mi** <u>boda</u>. Estos son **mis** <u>padres</u>, **vuestros** <u>abuelos</u>; este, **mi** <u>hermano</u> Javier, **vuestro** <u>tío</u>. Esta chica del sombrero, **mi** <u>hermana</u> pequeña, **vuestra** <u>tía</u> Alicia. Y estas son **vuestras** <u>primas</u> Ángela y Lucía, **mis** <u>sobrinas</u>.*

👁 *Su* (hablamos de un objeto) y *sus* (hablamos de varios objetos) significan:

DE USTED/USTEDES

- *¿Y usted? Vendrá a la boda, ¿verdad?*
- ○ *Sí, claro, muchas gracias.*
- *¿Y **su** <u>mujer</u> y **sus** <u>hijas</u>?*
- ○ *Sí, también. Están encantadas.*
- *Por el hotel no se preocupen ustedes, porque ya tengo **su** <u>reserva</u>.*

DE ÉL/ELLA/ELLOS/ELLAS

- *¿A quién más has invitado a la boda?*
- ○ *Al jefe, con **su** <u>mujer</u> y **sus** tres <u>hijas</u>; a la tía Ana, con **su** <u>novio</u> y **sus** <u>amigas</u>; a los tíos de Almería, con **su** <u>hijo</u>, **su** <u>nuera</u> y **sus** dos <u>nietos</u>; y a las hermanas López, con **su** <u>madre</u> y **sus** <u>novios</u>.*

1 Aquí tienes una selección de anuncios con ofertas especialmente pensadas para el verano.
Complétalos con los posesivos adecuados.

★ ★
★ A1
★ ★

1
agencia Odisea

¡Viaje con nosotros y disfrute de nuestros maravillosos
HOTELES,
de .....*nuestra*..... estupenda
COCINA TRADICIONAL,
de .... fantásticas
EXCURSIONES
y de .... inmejorables
PRECIOS!

2
Academia de baile
RítmicA

Baila y disfruta con .... música
favorita. En nuestras clases de salsa,
merengue, tango o rumba aprenderás
todo lo necesario para sorprender a
.... novio o a .... novia,
a .... amigos y a .... amigas.

Especial para ti.

3
El chef en casa
El cocinero para sus fiestas

Disfrute de:
.... delicioso arroz con pimientos.
.... especialidades en cocina tropical.
.... postres de chocolate.

.... experiencia en restaurantes de lujo y .... estudios en las
mejores escuelas me permiten ofrecerle el mejor servicio de la ciudad.

Llámeme al 017 65 43 21

4
Queridas familias:
¿Qué vais a hacer con vuestras
plantas este verano?
¿Quién va a cuidar
.... jardín?
¿Quién va a regar ....
macetas?
¿Quién va a podar
.... rosas?

¡Llamadnos! Tel. 013 45 67 89
A la vuelta lo veréis todo VERDE.

Hogar Botánico

5
BÚNKER
Empresa de seguridad y servicios

¿Preocupado por la seguridad de .... vivienda durante el verano?

¡RELÁJESE!

Nosotros vigilamos .... apartamento o casa y recogemos .... correo.
Además, por un precio adicional, llenamos .... frigorífico justo a tiempo
y avisamos a .... proveedores habituales (lechero, panadero, ...).

Somos .... ángeles de la guarda.

2 Bea y Miguel se separan y se reparten las cosas. Observa el diálogo y complétalo
con los posesivos adecuados.

★ ★
★ A1
★ ★

Bea: Te puedes quedar con el equipo de música, pero yo
me llevo ➔ .....*mis*..... cedés y (1) .... libros,
por supuesto.

Miguel: Perfecto, quédate con (2) .... cedés y
con (3) .... libros, pero el microondas es mío.

Bea: ¡Ah, no! Perdona, pero este es (4) ....
microondas. El tuyo lo tiene María, ¿no te acuerdas?

Miguel: Pues el lavavajillas sí es mío, y la lavadora,
también.

Bea: Mira, me da igual, quédate con (5) ....
lavavajillas y (6) .... lavadora; pero
(7) .... cuadros y (8) .... sofá no
vas a tocarlos.

Miguel: Muy bien, muy bien. Llévate (9) ....
sofá y esos cuadros horribles. Ah, y llévate también el
abrebotellas de (10) .... madre y el paraguas
de (11) .... prima Jacinta y yo me quedo con
todo lo demás.

B Posesivos después del sustantivo: *un amigo mío, una amiga mía...*

| | SINGULAR | | PLURAL | |
	MASCULINO	FEMENINO	MASCULINO	FEMENINO
yo	un amigo **mío**	una amiga **mía**	unos amigos **míos**	unas amigas **mías**
tú	ese libro **tuyo**	aquella casa **tuya**	esos libros **tuyos**	aquellas casas **tuyas**
él/ella/usted	otro coche **suyo**	otra casa **suya**	otros coches **suyos**	otras casas **suyas**
nosotros/as	otro gato **nuestro**	otra gata **nuestra**	otros gatos **nuestros**	otras gatas **nuestras**
vosolros/as	ese primo **vuestro**	esa prima **vuestra**	esos primos **vuestros**	esas primas **vuestras**
ellos/ellas/ustedes	un disco **suyo**	una mesa **suya**	unos discos **suyos**	unas mesas **suyas**

■ Estos posesivos son **adjetivos** y, como todos los adjetivos, **concuerdan en género y número con el sustantivo**, al igual que los artículos, demostrativos, cuantificadores e indefinidos:

- He traído <u>muchos discos</u> **míos**.
- En mi mesa hay <u>varios libros</u> **vuestros**.
- <u>Esta calculadora</u> **tuya** no tiene pilas, ¿sabes?
- Javier es <u>un amigo</u> **suyo** de la universidad, ¿no?

👁 un amigo ~~de mí~~, un amigo ~~de ti~~, un amigo ~~de vosotros~~...
　　　mío　　　　tuyo　　　　vuestro

↪ 4. Adjetivo

---

3 Relaciona los enunciados y completa con los adjetivos posesivos adecuados.

★★★ A1 ★★★

↪ Estoy saliendo con un chico guapísimo. ——————— a. ¡No me digas!, ¿y tienes alguna foto *suya*... ?

1. A tu marido le gusta mucho Elvis, ¿verdad?
2. Pues nosotros tenemos un amigo que sabe mucho de ordenadores.
3. A Aurelio se le olvida devolver las cosas.
4. ¿Qué os regaló Francisco por vuestra boda?
5. En casa organizamos en Navidad una comida para más de veinte personas.

b. ¿Y eran todos amigos .... ?
c. Ya lo sé, todavía tiene algunos libros .... que le presté el año pasado.
d. Varios cuadros .... Son increíbles.
e. ¡Ah!, ¿sí?, pues ¿por qué no le decís a ese amigo .... que si puede venir a ayudarnos?
f. Sí, tiene un montón de discos ....

4 Tu profesora de español te ha pedido que corrijas este ejercicio de un compañero de clase.

★★★ A1 ★★★

↪ Estoy supercontento. Han colgado un cuadro (de mí) en el Guggenheim de Bilbao.

1. Ha sido un éxito tremendo. Al final, miles de fans gritaban: "Queremos un hijo de ti".

2. ¿Ése es profesor de vosotros? Increíble, pero sí es jovencísimo.

3. ¿Se puede saber qué hace un zapato de ti en el coche de Fernando?

4. Imagina la ilusión que nos hace tener un libro de nosotros en las librerías.

↪ .....*un cuadro mío*.....................
1. ....
2. ....
3. ....
4. ....

45

■ Con *mío, tuyo, suyo*..., igual que con otros adjetivos (*familiar, español, europeo,* etc.), indicamos que un objeto (o varios) forma parte del conjunto de cosas relacionadas con algo o alguien:

- *Ester es <u>vecina</u> **nuestra**.*
  [Forma parte del conjunto de vecinos nuestros.]

- *He encontrado <u>fotografías</u> **vuestras**.*
  [Cantidad indeterminada de fotografías con vuestra imagen o que habéis hecho vosotros. Puede haber más.]

- *<u>Tres profesores</u> **míos** hablan chino.*
  [Tres de los profesores que tengo. Puedo tener más.]

- *<u>Una novela</u> **suya** ha ganado el premio.*
  [Una de las novelas que ha escrito. Puede haber más.]

■ Con *mi, tu, su*... hablamos de objetos identificables entre todos los demás por su relación con algo o alguien. No hay más o son los únicos de los que hemos hablado:

- *Ester es **nuestra** <u>vecina</u>.*
  [Es la única identificable por ser vecina nuestra.]

- *He encontrado **vuestras** <u>fotografías</u>.*
  [Las fotografías con vuestra imagen, las que habéis hecho, las únicas de las que hemos hablado...]

- ***Mis** <u>tres profesores</u> hablan chino.*
  [Los tres profesores que tengo o los tres de los que he hablado...]

- ***Su** <u>novela</u> ganó el premio.*
  [La única que ha escrito, la que presentó al concurso, la única de la que hemos hablado ...]

Mañana viene Lena Mercadal, **una** <u>amiga</u> **mía** de Menorca.

Mira, esta es Lena Mercadal.

Ah, *sí,* **tu** <u>amiga</u> de Menorca. Encantado.

Esta es Paula, **mi** <u>amiga</u>.

¿Amiga especial?, ¿novia?, ¿amante?, ¿sólo tiene una amiga?...

[No hemos hablado antes]

[Hemos hablado antes]

[No hemos hablado antes de Paula. Es única por alguna razón...]

■ Los posesivos **antes del sustantivo** determinan el sustantivo y no se combinan con artículos o demostrativos:

- ***Su** <u>tío</u> ha llamado. / **Un** <u>tío</u> **suyo** ha llamado.*   [~~Un su tío~~ ha llamado.]
- ***Ese** <u>teléfono</u> está sonando. / **Nuestro** <u>teléfono</u> está sonando.*   [~~Ese nuestro~~ teléfono está sonando.]
- *¿Fuiste con **tu** <u>coche</u>? / ¿Fuiste con **el** <u>coche</u>?*   [¿Fuiste con ~~el tu~~ coche?]

■ Los posesivos **después del sustantivo** no son determinantes. Pueden combinarse con artículos o demostrativos:

- *<u>El</u> ordenador **suyo** del otro despacho es más rápido.*
- *El otro día nos llamó <u>un</u> compañero **nuestro** del instituto.*
- *No soporto <u>esa</u> manía **tuya** de gritarme.*

⊝ 5. Artículos

⊝ 6. Demostrativos

5 Relaciona como en el ejemplo.

*A2

➡ Vinieron todos ..._sus hermanos_.......... .

    a. hermanos suyos

    ⓑ sus hermanos

1. .... vive en Nueva York
y la otra en Dublín.

    a. Una hermana mía

    b. Mi hermana

2. Me gustan mucho ....
Tienen un color precioso.

    a. ojos tuyos

    b. tus ojos

3. Estará ....
He visto luces encendidas en tu casa.

    a. compañero de piso tuyo

    b. tu compañero de piso

4. Todos tuvimos que decirle ....
para poder pasar.

    a. nombres nuestros

    b. nuestros nombres

5. Es director de cine, ¿verdad?
Me gustaría ver ....

    a. su película

    b. alguna película suya

6. Yo no estoy de acuerdo, pero es ....
Tú decides.

    a. vida tuya

    b. tu vida

7. Aquí tienes .... que estaban en
mi casa. Hay más, pero no podía traértelos todos.

    a. estos libros tuyos

    b. tus libros

6 Ha habido un robo en el Occidente Exprés. Completa con posesivos, colocándolos en el lugar adecuado.

*A2

Marquesa de Montefosco: ¡Qué desgracia! Esto es terrible. Se han llevado ➡ ...._mis_.... joyas ...., (1) todos .... camisones de seda .... y (2) .... dentadura postiza ....

El Duque y la Duquesa de Aguasturbias: Pues nosotros hemos perdido todo el equipaje: (3) .... dieciocho maletas ...., (4) .... seis abrigos de pieles .... y (5) .... gorros de dormir .... Estamos desolados.

La Marquesa: Querido Duque, ¿y (6) .... magnifica colección de pipas de marfil .... ? ¿Está a salvo?

El Duque: ¡Qué va! También ha desaparecido. Y el anillo de diamantes que le regalé a (7) .... esposa .... con motivo de (8) .... último cumpleaños ....

La Duquesa: Guillermo, te olvidas de (9) .... ordenador portátil .... y de (10) .... doce palos de golf preferidos ....

Hércules Jolms: Cálmense. Parece que se han encontrado algunos (11) .... objetos .... en la Estación

de Albacete: Señor Duque, ha aparecido (12) .... ordenador .... , con documentos bastante comprometidos, por cierto.

El Duque: No sé a qué se refiere.

Hércules Jolms: Hay varios (13) .... poemas .... dedicados a la Marquesa de Montefosco. También hemos encontrado algunas (14) .... joyas .... , Señora Marquesa, junto con (15) .... anillo .... , Señora Duquesa. Dos (16) .... pipas .... , y (17) .... doce palos de golf .... estaban en los servicios de la estación, señor Duque.

Hay otro asunto delicado: dos (18) .... camisones .... , Señora Marquesa, estaban en una (19) .... maleta .... , Señor Duque.

La Duquesa: Ahora lo comprendo todo: Querida Marquesa, aquí tiene (20) .... dentadura postiza .... La encontré en el bolsillo de (21) .... pijama .... , Guillermo.

D   Sin sustantivo: *Tu casa es bonita pero la mía es más grande.*

◼ Cuando no es necesario usar sustantivo con el posesivo, porque ya sabemos a cuál nos referimos, usamos *el mío, el tuyo, el suyo,* etc.:

- *¿Con qué lavas tus sábanas? Están más limpias que **las mías**.*   [mis sábanas]
- *Mi sillón es más cómodo que **el tuyo**.*   [tu sillón]
- *Le he prestado la moto a mi hermano, **la suya** no funciona.*   [su moto]
- *Vosotros vais en vuestro coche y nosotros en **el nuestro**, ¿vale?*   [nuestro coche]

7 Transforma las oraciones para no repetir el sustantivo.

B1

➔ Tu hija se lo pasa muy bien con <u>mi hija</u>. Se divierten mucho juntas.

Tu hija se lo pasa muy bien con la mía...
....

1. Me gusta más su dentista que <u>nuestro dentista</u>. Hace menos daño.
....

2. Mi móvil se ha quedado sin batería. ¿Me dejas <u>tu móvil</u>?
....

3. Estas son mis toallas. <u>Tus toallas</u> están en el armario.
....

4. El barrio donde vivo no está mal, pero <u>su barrio</u> es más tranquilo.
....

5. Mi sueldo es más alto que <u>vuestro sueldo</u>. Y eso que yo trabajo bastante menos...
....

6. Yo tengo una letra muy difícil de leer, pero <u>tu letra</u> no se entiende nada.
....

7. Entre la bicicleta de David y <u>nuestra bicicleta</u>, prefiero la de David.
....

8. Tenemos el mismo coche, pero <u>su coche</u> tiene aire acondicionado.
....

9. Nunca te lo había dicho, pero prefiero su café a <u>tu café</u>.
....

E **¿*De quién es? Es nuestro*: *mío, tuyo y de Pepe.***

■ Los posesivos adjetivos se usan con el verbo *ser* para expresar pertenencia:

- ¿***De quién*** <u>es</u> esta revista?
  ○ <u>Es</u> **mía**.

- ¿***De quiénes*** <u>son</u> estas copas?
  ○ <u>Son</u> **nuestras**.

- ¿Ese sombrero rojo <u>es</u> el **tuyo**?
  ○ Sí, ¿te gusta?

- ¿***De quién*** <u>son</u> estas gafas?
  ¿<u>Son</u> las **tuyas**?

- ¿***De quiénes*** <u>son</u> estos abrigos?
  ¿<u>Son</u> **suyos**, señores Núñez?

- ¿Este cuadro <u>es</u> ***de tu abuela***?
  ○ Sí, **suyo**.

8 Carmen y su novio Alberto han ido con Inma a comprar juntos. Después de pagar en caja, sus cosas y las de un señor desconocido están mezcladas. Tienen que separarlas. Fíjate en lo que han comprado y completa

B1 con posesivos los huecos del ejercicio en la página siguiente.

Inma:

leche
café
naranjas

Carmen y Alberto:

yogures
queso
naranjas
tomates
pasta
sandía

El señor:

Patatas
Sandía

Inma: ¿El pan es ➲ ..*nuestro*..?

Carmen: No, no es (1) ....
¿El pan es (2) .... , señor?

Señor: No, (3) .... tampoco.
Alguien lo ha olvidado.

Carmen: Las patatas sí son (4) ....
.... , ¿verdad, señor?

Señor: Sí, son (5) ....
Muchas gracias.

Carmen: ¿De quién es la leche?

Inma: (6) ....

Carmen: ¿Y el café?

Inma: También es (7) .... ,
¿me lo pasas?

Señor: Señora, ¿esa sandía de ahí es
(8) .... ?

Carmen: No, la (9) .... es
aquella que es más grande.

Señor: Entonces es la (10) ....
¿Me la pasa?

Carmen: ¿De quién son las naranjas?

Alberto: (11) .... , cariño.

Inma: No, estas son (12) .... ;
las (13) .... son aquellas.

Inma: Y, ¿de quién son los yogures?

Carmen: Los yogures son (14) ....
....

Inma: ¿Y el queso?

Carmen: También (15) es ....

Inma: Toma, Alberto, los tomates
son (16) ....

Alberto: Gracias, la pasta también es
(17) .... , ¿me la das?

F Casos especiales: *Tengo el pelo mojado.*

■ En español, los posesivos normalmente no se usan para hablar de las partes del
cuerpo ni de la ropa u otros objetos que llevamos; en estos casos usamos los
artículos *el, la, los, las*:

- ¿Vas a salir con **el** pelo mojado? ¡Vas a resfriarte!
  [¿Vas a salir con ~~tu~~ pelo mojado?]
- Llevas una mancha de aceite en **la** camisa.
  [Llevas una mancha de aceite en ~~tu~~ camisa.]
- Mejor, no voy. Me duele **la** cabeza.
  [Me duele ~~mi~~ cabeza.]
- ¿Os habéis lavado **las** manos?
  [¿Os habéis lavado <u>~~vuestras~~</u> manos?]

Te llamo luego.
Estoy lavándome **los** dientes.

➲ 18. Construcciones reflexivas y valorativas

---

9 Completa los diálogos y relaciona como en el ejemplo.

B1

A. Venga, a dormir. ¿Os habéis puesto ➲ .*el*. pijama?
¿Os habéis lavado ➲ *los*. dientes? ¿Sí? Pues, a la cama.

B. Oye, pues al principio muy bien, pero luego, un horror,
Borja, un horror. Me rompí (1) .... brazo izquierdo por
dos sitios, (2) .... dos piernas, (3) .... nariz y
(4) .... cadera. Creo que esto de esquiar no es para mí.

C. No, de verdad que no puedo. El sábado tengo una boda
y quiero cortarme (5) .... pelo, depilarme (6) ....
piernas y pintarme (7) .... uñas de (8) .... pies
y de (9) .... manos. Imposible, chica.

D. Mire, es que realmente me encuentro fatal. Me parece
que es la gripe. Me duele (10) .... cabeza,
(11) ...... garganta, (12) .... estómago y tengo
muchísima fiebre. De verdad, lo siento.

➲ Un padre habla con sus hijos. .*A*....

1. Dos amigas charlan por teléfono. ....

2. Un empleado llama al trabajo
para disculparse por su ausencia. ....

3. Un amigo le cuenta a otro
sus vacaciones en Sierra Nevada. ....

8. Indefinidos: *todos, algunos, alguien, nada, otros...*

A   *Algún estudiante, ninguna casa, todos los días...*

■ Estos indefinidos se usan para hablar de los **objetos que seleccionamos de un conjunto**. Siempre se refieren a un sustantivo que expresa el **tipo** de persona o cosa de la que hablamos:

Alguno/-a /-os/-as

Alguno: Uno o varios objetos de un conjunto, sin especificar cuáles ni cuántos.

- *Se han comido **algún** bombón.*
- *Han dejado **algunos**.*

Ninguno/-a/-os/-as

Ninguno: Nada (ø) de un conjunto.

- *No se han comido **ningún** bombón.*
- *No han abierto **ninguno**.*

Todos/-as

Todos: El conjunto completo.

- *Se han comido **todos** los bombones.*
- *Han abierto **todos**.*

👁 Antes de un sustantivo, las formas masculinas singulares *alguno* y *ninguno* se reducen a ***algún*** y ***ningún***:

Algún lápiz [~~Alguno lápiz~~]   **Ningún lápiz** [~~Ninguno lápiz~~]

■ Estas formas **concuerdan** en género y número con el sustantivo al que se refieren:

Algún chico / **alguno**	**Ningún** chico / **ninguno**	**Todos** los chicos
Alguna chica	**Ninguna** chica	**Todas** las chicas
Algunos chicos	**Ningunos** pantalones	
Algunas chicas	**Ningunas** tijeras	

👁 *Ningunos/-as* solo se usan con sustantivos que normalmente no se dicen en singular: *pantalones, tijeras, prismáticos, gafas*, etc. Con los sustantivos que tienen singular (*chico*) y plural (*chicos*) usamos ***ninguno/-a***.

■ Podemos usar estas formas **con el sustantivo** al que se refieren o, cuando ya se sabe de qué sustantivo hablamos, **sin sustantivo**:

- *¿Tenéis **alguna** <u>pregunta</u>?*
- *No, **ninguna**. Está todo clarísimo.*

- *Jesús tiene un montón de <u>discos</u> de los años ochenta. **Algunos** son muy buenos.*

- *Solo tengo cuatro <u>amigos</u>, pero **todos** son estupendos.*

Alguno/-a/-os/-as y ***ninguno/-a*** se usan sin sustantivo y con la preposición ***de*** cuando mencionamos el conjunto del que seleccionamos objetos:

- ***Algunas** <u>de las preguntas</u> que nos hizo eran muy difíciles.*
- ***Ninguno** <u>de esos discos</u> es de los Rolin Estón.*

1 Adivina las respuestas de estos tres participantes en un concurso de memoria de la televisión, siguiendo el ejemplo. Presta atención al género y al número.

A1

¿Recuerda usted...

⮎ ... las películas que vio de pequeño?	Sí, _algunas_ .	No, _ninguna_ .	Sí, _todas_ .
⮎ ... los nombres de sus vecinos?	_Algunos_ .	No, _ninguno_ .	_Todos_ .
1. ... sus primeras palabras?	Sí, ...	No, ...	Casi ....
2. ... las gafas de sol que ha tenido hasta ahora?	Solo	Mmm, ...	....
3. ... a sus compañeros de clase de la escuela?	A .... sí .	No, a	Sí, a ....
4. ... a sus profesores de la escuela primaria?	Sí, a	A ......, me temo.	Claro, a ....
5. ... las marcas de vino que ha probado?	....	Casi	Casi ....
6. ... los discos que le han regalado?	Bueno, ...	¿Discos?	.... , creo.
7. ... los títulos de los libros que ha leído?	Solo	Pues no, ...	....
8. ... las canciones de éxito de la década de los 90?	....	Esto... No, ...	....

2 Elige y completa con la forma adecuada.

A1

alguna	algunas	algunos	algún ✓	algún	algún	ningún	ningún	ninguno	todas	todos

⮎ ¿Tienes .._algún_..... día libre la semana que viene?

1. No entiendo .... cosas de este libro. ¿Puedes ayudarme?

2. .... jóvenes son muy responsables, pero son pocos.

3. Te puedes llevar .... los diccionarios. No necesito ....

4. No me gustan los caramelos ni los pasteles. .... dulce me gusta.

5. ¿Qué te pasa? ¿Tienes .... problema?

6. Ten cuidado con el horno. En .... caso debes tocar el cristal. Quema.

7. A Jaime le gustan .... las películas de Rigoberto de Nilo.

8. Si necesitas .... chaqueta, yo te puedo prestar una.

9. El perro se escapó y no ocurrió nada al final, pero en .... momento pasamos muchísimo miedo.

3 Fátima Gómez ha estado en una reunión de antiguos alumnos. Completa con *todos, todas, algunos, algunas, ninguno, ninguna*.

A1

⮎ _Todos_.... , sin excepción, estamos más viejos. ¡Cómo pasa el tiempo! (1) .... se han quedado completamente calvos, aunque Fernando Dávila sigue con su impresionante mata de pelo; (2) .... están bastante más gorditas —Maite Céspedes y Conchi Moreno siguen pesando cincuenta kilos, ¿cómo lo harán?-, pero (3) .... se ha operado nada —al menos eso dicen ellas. ¡Hasta hay (4) .... embarazadas! En general , la verdad es que (5) ....

las chicas seguimos estando muy guapas. (6) .... ya se han divorciado, creo que José Miguel Lombardo y Paco Goikoetxea, y vinieron a la fiesta con sus segundas parejas. Es curioso, pero (7) .... de ellos vive en el extranjero, (8) .... se han quedado en España. Solo yo vivo fuera. (9)............... las chicas, sin excepción, trabajamos. Es una suerte. Sin embargo, no (10) .... los chicos tienen trabajo. (11) .... están en paro.

B *Alguien, nadie; algo, nada; todo.*

■ Estos indefinidos se usan como sustantivos y sirven para hablar de **personas** (*alguien, nadie*) o **cosas** (*algo, nada, todo*) **sin especificar de qué tipo de persona o cosa hablamos**:

Alguien	Nadie	Algo	Nada	Todo
[alguna persona]	[ninguna persona]	[alguna cosa]	[ninguna cosa]	[todas las cosas]

*Veo a **alguien**.*   *No veo a **nadie**.*   *Veo **algo**.*   *No veo **nada**.*   *Lo veo **todo**.*

■ *Alguien, nadie, algo, nada* y *todo* son invariables, y la concordancia se hace **siempre en masculino singular**:

- *¡Hola! ¿Hay **alguien** despiert<u>o</u>?*

  [Podemos estar hablando de: un hombre, una mujer, varios hombres, varias mujeres...]

- *Tenía **algo** roj<u>o</u> en la mano.*

  [Podemos estar hablando de: un juguete, una bola, varios lápices, varias cerezas...]

- *Me gusta este libro. **Todo** está muy clar<u>o</u>.*

  [Podemos estar hablando de: el texto, la presentación, los ejemplos...]

---

4 Este es un fragmento del guión de una película policíaca. **Completa con las formas *alguien, nadie, algo, nada* o *todo*.**

★ ★ A2

➲ *Alguien* pone, con mucho cuidado, (1) .... en el bolso de la agente del 069, Laura Ladrón. (2) .... se da cuenta: ni su compañero, el agente Cortés, ni su ayudante. Cuando la agente abre el bolso, ve que dentro hay (3) .... muy extraño, pero no dice (4) .... , porque Cortés siempre quiere saber (5) .... lo que ella hace. La agente cierra el bolso y va a su coche. Allí abre el bolso, pero ya no hay (6) .... El paquete ha desaparecido. Laura se pone muy nerviosa y, de repente, ve que en el asiento de atrás hay (7) .... Es el conocido Manazas, un ayudante del mafioso Gil.

● ¿Buscas (8) .... , muñeca?

○ No, no busco (9) ....

● Tengo un mensaje de mi jefe para ti. Me ha dicho que tiene (10) .... que decirte. Tienes que ir a su casa esta tarde, pero sola; (11) .... puede acompañarte.

○ ¿Y por qué tengo que ir a verlo? Gil es un mafioso y no tengo (12) .... que decirle.

● Pero Gil te interesa mucho. Tiene información sobre (13) .... , sobre una persona que estás buscando. A las cinco y media en su casa, sola, sin (14) .... ¿Lo has entendido (15) .... ?

○ Sí.

● Toma, tengo (16) .... para ti.

Laura ve que Manazas le da (17) .... Es el paquete que antes estaba en su bolso.

---

5 **Completa con el adjetivo más adecuado en el género apropiado.**

★ ★ A2

➲ Es verdad que no eres guapísima, pero **nadie** es *perfecto* .

1. Una persona .... es alguien que no quiere trabajar mucho.

2. **Algo** que es tan .... no puede ser de buena calidad.

3. Si miras las cosas con pesimismo, **todo** lo verás ....

4. Para atraer la atención de un toro necesitas una tela roja o **algo** ....

5. **Nada** es más .... que la velocidad de la luz.

rápido/-a
rojo/-a
barato/-a
perezoso/-a
perfecto/-a ✓
oscuro/-a

6 **Completa con la forma adecuada.**

A2

| alguien   nadie   algo   nada   algún/-o (-a, -os, -as)   ningún/-o (-a, -os, -as) |

➜ ● Necesito otro pañuelo.
¿Tienes *alguno* más?

○ Lo siento. Ya no me queda
ninguno .

● Si quieres una servilleta de
papel...

○ Bueno, *algo* es *algo* .

1. ● .... sabe lo
nuestro, Ernestina, tengo miedo.

○ No, hombre, tranquilo, no
lo sabe .... , solo nuestros
amigos íntimos.

● Bueno, es que ....
de ellos puede decir
.... , ¿no crees?

2. ● ¿Tienes .... para el
dolor?

○ Pues me parece que no tengo
.... Espera, sí,
tengo aspirinas.

● ¿Sólo aspirinas?

○ Pues sí, mejor es ....

que .... , ¿no?

3. ● ¿Tienes .... para
picar? ¿Aceitunas, por
ejemplo?

○ Aceitunas sí, creo que tengo
.... en el frigorífico.

4. ● ¿Quedan .... galletas? Estaban muy ricas.

○ Pues creo que no. He mirado
hace un momento y no quedaba
....

5. ● ¿Ha llamado .... ?

○ Sí.

● ¿Quién era?

○ No me lo ha dicho.
.... amigo tuyo,
supongo.

6. ● Esta sopa necesita ....
más. ¿Hay tomates?

○ Pues la verdad es que no
queda .... tomate.

● ¿En serio? ¿ .... ?

¿Y cebolla?

○ Ni tomates ni cebolla.
No queda ....

7. ● Buenas. Estaba buscando
.... bonito para una fiesta.

○ Muy bien. Tenemos unos
conjuntos muy modernos
y unos vestidos preciosos.

● ¿Puede enseñarme
.... barato?

○ ¿ .... vestido o
.... conjunto?

8. ● ¿Crees realmente que tus
compañeros de trabajo te
odian?

○ .... , sí.
Sobre todo el gerente.

● Pero, ¿tú les has hecho
.... malo?

○ ¿Yo? No, ...
Bueno, a ....
de ellos sí, ... vez.

C   **Doble negación:** *No hay ninguno*; *no hay nadie*; *no hay nada*.

■ Las formas negativas *nadie*, *nada* o *ningún/-o* (-*a*, -*os*, -*as*) pueden ir
antes o **después del verbo**. **Si van después,** también hay que expresar la
negación antes del verbo:

Ningún problema es grave.	PERO: *No existe ningún problema grave.* [~~Existe ningún problema grave.~~]
Nada le parece bien.	*No le parece bien nada.* [~~Le parece bien nada.~~]
Nadie me comprende.	*No me comprende nadie.* [~~Me comprende nadie.~~]

■ En español, la negación debe expresarse siempre antes del verbo. Para
eso usamos *no* y también **otras formas de significado negativo:**

No, ni, tampoco...	● *No me ha llamado ningún amigo. Tampoco me han hecho ningún regalo.* ● *Ni me ha llamado nadie ni me han regalado nada.*
Nunca, jamás...	● *Nunca / Jamás he tenido ningún problema con esta chica.* ● *Nunca / Jamás he hecho nada malo ni he ofendido a nadie.*
Nadie, nada...	● *Nadie ha dicho nada malo de ti.* ● *Había mucha comida, pero nada le ha gustado a nadie.*
Ningún/-o (-a, -os, -as)	● *Ningún empleado ha observado ninguna cosa extraña.* ● *En ningún caso debes dejar ninguna ventana abierta.* ● *Yo creo que en ningún momento he dicho nada en contra de ella, ¿no?* ● *De ningún modo va a entrar nadie en esta casa.*

7 Identifica los cuatro enunciados que necesitan doble negación y corrígelos como en el ejemplo.

★ **B1** ➔ Yo esperaba una visita, pero ha venido **nadie**. ......

....*no ha venido nadie*..........

Si no lo dices, **ninguno** de ellos lo sabrá.

..................✓..................

1. A **nadie** le importan mis problemas. ....

....

2. Bueno, yo esperaba tu ayuda, pero si no puedes,

pasa **nada**. ....

3. Llamé a Berta, a Julia y a Paco, pero **nadie** contestaba al teléfono. ....

4. Dicen que Rosa y aquel chico se besaron, pero yo vi **nada**. ....

5. Tiene cuatro gatos, pero quiere regalarme **ninguno**. ....

6. No lo dudo, será tu hijo, pero se parece en **nada** a ti. ....

D *Otro, otra, otros, otras.*

■ *Otro/-a /-os/-as* se refieren a uno o varios objetos distintos pero del mismo tipo:

¡Un billete! ¡Otro billete! ¡Anda! ¡Otros dos! ¡Y otro!

● *¿Sabe si hay **otra** <u>gasolinera</u> en este pueblo? En esta no hay gasolina para motos.*
[Pregunta por una gasolinera distinta de la gasolinera en la que está.]

● *¿Has cambiado de perfume? Creo que me gustaba más el **otro**.*
[El perfume anterior, distinto al que lleva.]

■ Estas formas concuerdan en género y número con el sustantivo al que se refieren:

● *Tengo que buscar **otro** <u>trabajo</u> mejor.*
● *¡Qué cola! ¿No hay **otros** <u>cajeros automáticos</u> cerca?*

● *Si quieres a Andrés, dale **otra** <u>oportunidad</u>.*
● *¿No tienen **otras** <u>gafas</u> más baratas?*

■ Cuando el sustantivo ya está claro, no es necesario repetirlo:

● *Ya no vivo en ese <u>piso</u>. Ahora vivo en **otro**.*

● *Los Hidalgo tienen una <u>casa</u> en la costa y **otra** en la montaña.*

■ *Otro/-a /-os/-as* pueden combinarse con otros determinantes (demostrativos, posesivos, artículos definidos, etc.) pero **nunca se combinan** con *un/-a /-os/-as*:

● *Hoy te han llamado **otras** <u>dos</u> chicas.*
● *Hay dos posibilidades: una, quedarnos en casa y <u>la</u> **otra**, salir.*

● *Es bonito, pero prefiero <u>ese</u> **otro**.*
● *El hijo mayor es muy simpático, pero <u>sus</u> **otros** hijos, no.*

● *Dame **otro** café.* [~~Dame un otro café.~~]
● *Tienes que venir **otra** vez.* [~~Tienes que venir una otra vez.~~]

👁 Los numerales cardinales (*dos, tres...*) se ponen **después de** *otros, otras*, no antes:

[*Tengo ~~dos otros~~ trabajos para ti.*]
otros dos

8 Isabel Préslez es una compradora muy exigente. Relaciona los enunciados y completa con
otro, otra, otros, otras. Subraya el sustantivo al que se refieren.

B1

➦ Estas <u>chaquetas</u> son muy bonitas, pero ——— ➦ ¿no tiene *otras* más baratas? No quiero gastar mucho.

1. Oh, qué jersey más mono, pero es un poco caro,   a. ¿no tiene .... más grande y más sofisticada?

2. Me gusta muchísimo esta pulsera de plata, pero   b. ¿no tiene .... más barato? Es para ir muy deportiva.

3. Estas botas son estupendas, pero   c. ¿no tiene .... un poco más anchos y más oscuros?

4. ¡Qué pantalones más divinos! Pero   d. ¿no tiene .... con el tacón alto? Son para una fiesta.

9 Los grandes almacenes Mercatoma están de oferta: por cada cosa que compras te dan varias más.
Completa el anuncio con lo que falta, fijándote en el número que está entre paréntesis.

B1

➦ Si se lleva un perfume de señora, le regalamos (I)
otro y si se lleva dos perfumes de caballero, le
regalamos (III) *otros tres* .

1. Si se lleva unas medias, le regalamos (I) ....

2. Si se lleva tres cedés, le regalamos (III) ....

3. Si se lleva un juego de cama, le regalamos (I) ....

4. Si se lleva dos colchas, le regalamos (II) ....

5. Si se lleva una maquinilla de afeitar, le regalamos
(I) ....

6. Y si se lleva una calculadora, le regalamos (II)
.... Así podrá descubrir todo lo que se ha
ahorrado.

10 Vicenta escribe a su hermano Manolo para contarle las novedades en el pueblo. Pon en orden
los elementos entre paréntesis y tacha solo los que no puedan utilizarse junto a *otro/-a/-os/-as*.

B1

Marmolejo, 29 de diciembre de 1970

Querido Manolo:

Te escribo (~~Una~~, vez, otra) ➦ *otra vez*
para contarte las últimas novedades en
Marmolejo. Papá y yo nos hemos mudado
a (una, casa, otra) (1) .... más
pequeña en (otra, la, parte) (2) ....
.... del pueblo. El tío Agapito ya no vive
con su hijo Paco sino con (otra, su, hija)
(3) .... , Elvira. Tu prima Felisa
ha tenido (hijos, otros, dos) (4) ....
.... y están todos muy bien. La vaca

también ha parido (ternero, un, otro)
(5) .... Tu hermano Aureliano ha
comprado (tres, casas, otras) (6) ....
.... y quiere hacer un hotel y un
restaurante para traer turistas a
Marmolejo. Y yo ya no salgo con Rogelio,
sino con (chico, otro, aquel) (7) ....
de Madrid que conociste en verano.
Ya ves que hay muchos cambios en el
pueblo. ¿Cuándo piensas venir a vernos?
Un beso de tu hermana,

Vicenta

11 Fránkez y Tristicia a veces tienen problemas de amor y, también, con *otro, otra, otros* y *otras*.
Corrige los tres errores que hay, además del ejemplo.

B1

➦ Fránkez: En las fiestas miras a unos <u>otros chicos</u>.
otros chicos .

1. Tristicia: Estás celoso, ojitos de rana. Miro a otros,
sí, pero no miro a nadie en especial. A mí los otros
no me interesan. ....

2. Fránkez: ¿Por qué te fijas en unos otros si me
tienes a mí? ....

3. Tristicia: Fránkez, yo no miro unos otros ojos,
no miro otra boca, no miro otras manos. Yo solo
te miro a ti. ....

4. Fránkez: Eso deseo yo, Tristicia. Porque tú eres
mi dulce cucaracha y no hay en todo el mundo
ninguna otra. Nunca podrá haber una otra. Solo
te quiero a ti. ....

9. Numerales cardinales: *uno, dos, tres...*

Los numerales cardinales sirven para expresar cantidades: **un** *globo*, **dos** *globos*, **tres** *globos*.
Se refieren siempre a un sustantivo, pero pueden usarse solos cuando ya está claro de qué estamos hablando:

- *Tengo **dos** <u>entradas</u> para el concierto, ¿y tú?*
- *Yo tengo **tres**.*

A De 0 a 15

0	*cero*	4	*cuatro*	8	*ocho*	12	*doce*
1	*uno*	5	*cinco*	9	*nueve*	13	*trece*
2	*dos*	6	*seis*	10	*diez*	14	*catorce*
3	*tres*	7	*siete*	11	*once*	15	*quince*

■ ***Uno**, **una*** tienen género y concuerdan con el sustantivo:

- *¿Qué van a tomar?*
- ***Una** <u>cerveza</u> y **dos** vinos, por favor.*

- *¿Cuántos <u>bocadillos</u> quieren?*
- ***Uno**.*

👁 ***Uno*** se convierte en ***un*** antes del sustantivo: ***Un** <u>té</u> y **tres** cafés, por favor.*

---

1 Claudio es muy envidioso y siempre quiere el doble que su amigo Julio. Completa escribiendo en letras el número.

A1

➲ Si Julio se come dos bocadillos, él se come *cuatro* bocadillos.

1. Si Julio se bebe cinco cafés, él se bebe .... cafés.

2. Si Julio se toma una cerveza, él se bebe .... cervezas.

3. Si Julio tiene tres novias, él tiene .... novias.

4. Si Julio invita a seis amigos, él invita a .... amigos.

5. Si Julio se come siete pasteles, él se come .... pasteles.

6. Si Julio compra cuatro botellas de vino, él compra .... botellas de vino.

7. Si Julio alquila cinco vídeos, él alquila .... vídeos.

8. Si Julio se come tres platos de pasta, él se come .... platos de pasta.

9. Si Julio se cae una vez, él se cae .... veces.

---

2 En el bar de Carlota se escuchan estas conversaciones entre los camareros y los clientes. Escribe los números y ten cuidado con *un, uno, una*.

A1

➲ ● Buenas tardes, quería **2** *.dos.* cafés y **1** *...un.* té con limón, por favor.

1. ○ ¿**2** .... tes?
   ● No, **1** ....

2. ● ¿Cuántas cervezas me ha dicho?
   ○ Solo **1** .... , y **3** .... vinos de Rioja.

3. ● **1** .... cerveza, por favor.
   ○ ¡Marchando!
   ● ¿Me pones también **1** .... vaso de agua?

4. ● ¿Qué van a tomar?
   ○ **1** .... bocadillo de queso y **1** .... limonada.

5. ● ¿Cuántos cafés?
   ○ **3** .... : **2** .... solos y **1** .... con leche.

6. ● ¿Cuánto es todo?
   ○ **2** .... bocadillos, **1** .... botella de vino y **1** .... carajillo. Espera, ahora te lo digo.

3 Ayuda a Jaime a hacer estas cuentas.

A1

dos + uno = ..*tres*............ seis + tres = ... diez + cuatro = ...

quince - ocho = ... dos + nueve = ... doce + tres = ...

nueve + cuatro = ... trece - siete = ... siete + cinco = ...

B   De 16 a 99

■ Del **16** al **29**, los números se escriben en **una sola palabra**:

16	*dieciséis*		
17	*diecisiete*		
18	*dieciocho*		
19	*diecinueve*		

20	*veinte*	25	*veinticinco*
21	*veintiuno*	26	*veintiséis*
22	*veintidós*	27	*veintisiete*
23	*veintitrés*	28	*veintiocho*
24	*veinticuatro*	29	*veintinueve*

- ● ¿Cuántos años tienes?
  ○ **Diecisiete**. ¿Y tú?
  ● **Veintitrés**.

- ● ¿Qué día es hoy?
  ○ **Diecinueve** de febrero.

- ● ¿Cuánto cuestan esos calendarios?
  ○ Los grandes **veinticinco** euros y los pequeños **dieciocho**.

■ Del **31** al **99**, los números se escriben en **dos palabras** unidas por *y*:

30	*treinta*
40	*cuarenta*
50	*cincuenta*
60	*sesenta*
70	*setenta*
80	*ochenta*
90	*noventa*

y

uno/a
dos
tres
cuatro
cinco
seis
siete
ocho
nueve

- ● Mi abuela Lupe tiene **ochenta y tres** años y mi abuelo **noventa**. La tía Amalia tiene unos **sesenta y cinco** años y su marido, el tío Paco, **setenta** o **setenta y dos**. Mi madre tiene **sesenta y siete** años. Mi hermana Blanca tiene **treinta y nueve** y Carlos, su ex-marido, **treinta y dos**. Mi prima Eloísa, que está a la derecha, es la más joven del grupo: tiene **treinta años**.

- 👁 Recuerda que cuando los números terminan en *uno/una* concuerdan en género con el sustantivo. *Uno* se convierte en *un* delante del sustantivo:

- ● Te has comido **treinta y una** <u>galletas</u> saladas. Te vas a poner malo.
- ● Carla cumple pasado mañana **veintiún** <u>años</u>.

Madre · Tía Amalia · Tío Paco · Abuelo · Abuela Lupe

Carlos

Blanca · Eloísa

4 Todas estas personas nacieron un 24 de marzo. Hoy, 24 de marzo de 2015, es el cumpleaños de todas ellas. Pero, ¿cuántos años cumple cada una?

A1

➜ Carmen: 24-03-1975: ..*cuarenta*......... años.

1. Pepe: 24-03-1976: .... años.

2. Celia: 24-03-1984: .... años.

3. Clara: 24-03-1988: .... años.

4. Marina: 24-03-1996: .... años.

5. Juan José: 24-03-1992: .... años.

6. Beatriz: 24-03-1990: .... años.

7. Pablo: 24-03-1999: .... años.

5 Carla se muda. Está haciendo la lista de las cosas que guarda en las cajas. Ayúdala. Ten cuidado con *un/una*.

⭐A1

➔ cuadros: 30 ...*treinta cuadros*...............

1. novelas: 71 ....

2. libros de arte: 63 ....

3. discos de jazz: 84 ....

4. discos de pop: 3 ....

5. botellas de vino: 9 ....

6. cubiertos: 52 ....

7. plantas: 5 ....

8. candelabros: 2 ....

6 Antoñito está aprendiendo a escribir los números pero tiene muchos problemas. ¿Puedes ayudarle?

⭐A1

➔ ~~veinte y dos~~: *veintidós*...............................

1. diez y siete: ....

2. sietenta y nueve: ....

3. nueventa y seis: ....

4. treintaytrés: ....

5. vientiuno: ....

6. cuarentacinco: ....

7. seisenta y uno: ....

8. ochoenta y dos: ....

9. cincuentaséis: ....

C De 100 a 999

▪ Usamos *cien* solo cuando nos referimos exactamente al número **100**:

● *Doña Pura tiene* **cien** *años, ni uno más ni uno menos.*

▪ Usamos *ciento* en los demás casos:

● *Ese reloj cuesta* **ciento dos** *euros.* [102]
● *De Granada a Córdoba hay* **ciento ochenta y cinco** *km.* [185]
● *El noventa* **por ciento** *de la población está en contra de la decisión.* [90%]

👁 Cuando hablamos de cantidades indeterminadas usamos **cientos**:

● *Había* **cientos** *de tortugas en la playa.*

▪ Los números del **200** al **999** concuerdan con el sustantivo al que se refieren:

● *Póngame trescient***os** *gramos de jamón.*
● *Necesito seiscient***as** *cincuenta copias de este documento.*

100	cien; ciento...
200	doscientos/as
300	trescientos/as
400	cuatrocientos/as
500	quinientos/as
600	seiscientos/as
700	setecientos/as
800	ochocientos/as
900	novecientos/as

👁 Las centenas (grupos de 100 cosas) y las decenas (grupos de 10 cosas) no están unidas por *y*:

450 *cuatrocientos cincuenta*
[*cuatrocientos ✗ cincuenta*]

583 *quinientos ochenta y tres*
[*quinientos ✗ ochenta y tres*]

7 Ana y Julie están ahorrando para ir de viaje (una en euros, la otra en libras). En sus cuadernos anotan las cantidades que van consiguiendo. Ayúdalas: escribe las siguientes cifras en el cuaderno que corresponde y escribe también el número al lado.

⭐A1

Cuaderno de Ana:

Euros:

Cuaderno de Julie:

Libras esterlinas:
trescientas veintiuna (321)

Trescientas veintiuna ✓
Doscientos cincuenta
Seiscientas doce
Ochocientos
Setecientos dos
Quinientas treinta y una
Novecientos veintidós
Setecientas
Cuatrocientas cincuenta

8 Fin de mes. ¡Socorro! Hay que pagar muchísimas cosas. Completa estos cheques con las cantidades en letras.

A1

Alquiler: 999 euros ...*novecientos noventa y nueve*....

Electricidad: 281 euros ....

Móvil: 789 euros ....

Teléfono: 411 euros ....

Agua: 576 euros ....

Droguería: 125 euros ....

D De 1.000 a 999.999

■ La palabra **mil** es invariable con cantidades exactas:

1.000	2.000	3.000	10.000	100.000	500.000
Mil	Dos mil	Tres mil	Diez mil	Cien mil	Quinientos/as mil

1.635 $ mil seiscientos treinta y cinco <u>dólares</u>.
38.751 m²   treinta y ocho mil setecientos cincuenta y un <u>metros</u> cuadrados.
912.182 £   novecien**tas** doce mil ciento ochenta y dos <u>libras</u>.

👁 Cuando hablamos de cantidades indeterminadas usamos **miles**:

• Había **miles** de personas en el concierto.

9 Escribe los siguientes números al revés.

A2

➔ (2.321) dos mil trescientos veintiuno ...*(1.232) mil doscientos treinta y dos*

1. (9.714) nueve mil setecientos catorce ....
2. (76.159) setenta y seis mil ciento cincuenta y nueve ....
3. (1.205) mil doscientos cinco ....
4. (48.118) cuarenta y ocho mil ciento dieciocho ....
5. (10.913) diez mil novecientos trece ....
6. (23.472) veintitrés mil cuatrocientos setenta y dos ....

Dos mil trescientos veintiuno.

Mil doscientos treinta y dos.

E *Millón, millones...*

■ La palabra **millón** solo se utiliza en singular cuando hablamos de **1 millón**. Para hablar de más de un millón se usa en plural: **millones**.

1.000.000	2.000.000	10.000.000	100.000.000	200.000.000	1.000.000.000
Un millón	Dos millones	Diez millones	Cien millones	Doscientos millones	Mil millones

👁 **Millón** es un sustantivo masculino y, por tanto, las centenas (doscientos, cuatrocientos...) que lo preceden van siempre en masculino:

200.340.000 personas: doscien**tos** <u>millones</u> trescien**tas** cuarenta mil <u>personas</u>.
700.278.000 palabras: setecien**tos** <u>millones</u> doscien**tas** setenta y ocho mil <u>palabras</u>.

■ Cuando las palabras **millón** o **millones** van seguidas inmediatamente por un sustantivo, llevan la preposición **de**:

• Más de cuatrocientos **millones de** <u>personas</u> hablan español.
• **Un millón de** <u>turistas</u> han visitado Mallorca este año.

👁 Un millón **cien mil** <u>turistas</u> han visitado Mallorca este año.

■ En español, un **billón** (1.000.000.000.000) es un millón de millones y se escribe, por tanto, con 12 ceros.

10 Estás colaborando con la Gran Enciclopedia Panhispánica. Tienes datos sobre el número de habitantes de estos países y tienes que escribirlos en palabras.

A2

➜ Argentina = 38.812.817 *Treinta y ocho millones ochocientos doce mil ochocientos diecisiete habitantes.*

1. México = 104.200.165 ....

2. Venezuela = 25.287.670 ....

3. Ecuador = 14.447.494 ....

4. Paraguay = 6.084.491 ....

5. Guatemala = 14.314.079 ....

6. España = 41.077.100 ....

7. Chile = 16.498.930 ....

F Cómo se lee una cifra en español.

■ 345 € = *trescientos cuarenta y cinco euros*.
579 personas = *quinientas setenta y nueve personas*.

■ Si se trata de **miles**, se separa en dos bloques la lectura:
96.345 € = *noventa y seis mil // trescientos cuarenta y cinco euros*.
269.579 personas = *doscientas sesenta y nueve mil // quinientas setenta y nueve personas*.

■ Si se trata de **millones**, se hace una pausa después de *millón/-es* y otra después de *mil/miles*:
204.796.345 € = *doscientos cuatro millones // setecientos noventa y seis mil // trescientos cuarenta y cinco euros*.

[Solo se unen con *y* las decenas y las unidades]

325.   456.   815
Trescient**os** veinticinco millones **cuatrocientos/as** cincuenta y seis mil ochocientos/**as** quince

[Las centenas de millón siempre son masculinas (*-os*) porque concuerdan con la palabra *millones*.]

[En plural, las centenas de millar y las centenas concuerdan con el sustantivo (*-os/-as*).]

11 Marc tiene un problema cuando escribe los números: no sabe cuándo tiene que escribir *y* griega. Ayúdalo tachando la *y* cuando no es necesaria. Escribe también el número en cifras.

A2

➜ Trescientos ~~y~~ veinte mil seiscientos ~~y~~ treinta y siete
.....*320.637*...............

1. Cuarenta y dos mil ciento y cinco ....

2. Tres millones y ochenta y ocho mil trescientos y cuarenta y seis ....

3. Cuatrocientos y cinco mil sesenta y uno ....

4. Cincuenta y nueve mil y once ....

5. Noventa y dos mil trescientos y quince ....

6. Ochocientos y cinco mil quinientos y ochenta ....

7. Trescientos y veintiséis ....

8. Setecientos y setenta mil ....

A2 **12** Lee el siguiente texto sobre la isla de Golandia y completa las cifras a medio escribir con las del recuadro.

Golandia tiene una superficie de ....*seiscientos*.... quince ...*mil*...... km² y un total de dos millones .... habitantes. La capital, Gola City, está situada al norte del país y tiene .... trescientos habitantes; la segunda ciudad importante de Golandia es Rúcola, con .... siete .... habitantes. El monte principal de la isla es El Golón con una altura de .... y ocho metros, y tiene dos ríos principales: el Gologolo, de .... setenta .... kilómetros y el Golín, de doscientos .... kilómetros.

4.058
615.000
849.300
235
307.000
2.565.000
479

10. Numerales ordinales: *primero, segundo, tercero...*

A Significado y formas

■ Los numerales ordinales expresan **orden** en una serie:

- *La **primera** novela de Clemente Bernad me gustó mucho más que la **segunda**.*
- *De los seis hijos del doctor Muñiz solo el **segundo** y la **cuarta** han estudiado Medicina.*

■ Los números ordinales más usados en español son los siguientes:

1º	primero/a	6º	sexto/a
2º	segundo/a	7º	séptimo/a
3º	tercero/a	8º	octavo/a
4º	cuarto/a	9º	noveno/a
5º	quinto/a	10º	décimo/a

Las formas masculinas se escriben con el signo º en la parte superior derecha: 1º, 5º, 10º, ...
Las formas femeninas, con el signo ª: 2ª, 4ª, 7ª...

👁 Delante de un sustantivo masculino, **primero** y **tercero** tienen una forma reducida: **primer** y **tercer**.

- *Mira, este es mi **primer** <u>trabajo</u> con el ordenador.*
- *Este es el **tercer** <u>año</u> que vivimos en el extranjero.*

Las formas femeninas, **primera** y **tercera**, no cambian:

- *Vivís en la **primera** <u>puerta</u> de la **tercera** <u>planta</u>, ¿verdad?*

➲ 4. Adjetivo

■ En la lengua hablada se usan generalmente los ordinales hasta el 10º. Para los ordinales superiores se usan los cardinales correspondientes:

➲ 9. Números cardinales

- *La oficina donde trabajo está en el **primer** piso.*
- *La **cuarta** sinfonía de Mahler.*
- *Ha batido el récord en el **tercer** intento.*

PERO:
- *Vivimos en el piso **quince** de ese edificio.*
- *La sinfonía **cuarenta** de Mozart.*
- *Ganó la edición **treinta y dos** del Festival de la TOTI.*

---

1 La familia Alonso Blanco tiene muchos hijos. Fíjate en las edades y ponlos en orden.

A1

Carlos tiene 25 años, María 18 y Juan 15. Francisco, no me acuerdo, pero es mayor que María y menor que Carlos. Laurita tiene 27, y Ana, la mayor, un año más. El más pequeño es Ricardo, que tiene 12 años.

Ana fue la ➲ ..*primera*...... en nacer; Carlos es el .... ; .... ; María es la .... ; Juan es el .... , Francisco es el .... ; Laura es la .... y Ricardo es el ....

2 La agenda cultural de un periódico informa de estos acontecimientos. ¿Puedes escribir el ordinal correspondiente? Cuidado con la concordancia.

A1

➲ 7º ...*séptimo*........ Premio de Novela Histórica "Marqués de Lozoya"

1. 2º .... Certamen de Pintura al aire libre ciudad de Pedraza

2. 9º .... Festival de la Canción Popular "Agapito Marazuela"

3. 8º .... Concurso de Cocina "Mesón de Cándido"

4. 3º .... Concurso de guitarra flamenca "Fuente y caudal"

5. 1ª .... Muestra de Trajes Regionales Españoles de la ciudad de Sepúlveda

6. 3ª .... Exhibición de gaita asturiana del Concejo de Escamplero

7. 1º .... Congreso Nacional de las Caras de Bélmez de la Moraleda

3 Escribe el ordinal o el cardinal correspondiente para cada uno de los siguientes reyes y reinas.

A1

➔ Juan Carlos I: *Juan Carlos Primero* .... [1]

1. Carlos III: .... [3]

2. Luis XV: .... [15]

3. Alfonso X: .... [10]

4. Isabel II: .... [2]

5. Alfonso XIII: .... [13]

B Funcionamiento

■ Concuerdan en género y número con el sustantivo:

- *Vivo en el **cuarto** <u>piso</u>, **segunda** <u>puerta</u>.*
- *Las **primeras** <u>gafas</u> que llevé eran cuadradas.*

■ Van acompañados de determinantes:

- *<u>Mi</u> **primera** sobrina se llama Carlota y <u>el</u> **segundo** sobrino, Arnau.*

■ Cuando acompañan al sustantivo, generalmente van antes:

- *¡Bien! Hoy es el **primer** <u>día</u> de las vacaciones...*

⤷ 4. Adjetivo

■ Cuando ya está claro de qué estamos hablando, no es necesario nombrar el sustantivo:

- *Esta es la **primera** <u>casa</u> construida por Gaudí en Barcelona.*
  *Y esta, la **segunda**.*

---

4 Mira el programa de esta semana de la Orquesta Filarmónica de Cañadahonda y completa después el texto. Cuidado con la concordancia.

A1
A2

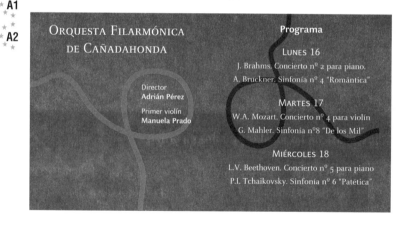

ORQUESTA FILARMÓNICA
DE CAÑADAHONDA

Director
Adrián Pérez

Primer violín
Manuela Prado

Programa

LUNES 16
J. Brahms. Concierto nº 2 para piano.
A. Bruckner. Sinfonía nº 4 "Romántica"

MARTES 17
W.A. Mozart. Concierto nº 4 para violín
G. Mahler. Sinfonía nº 8 "De los Mil"

MIÉRCOLES 18
L.V. Beethoven. Concierto nº 5 para piano
P.I. Tchaikovsky. Sinfonía nº 6 "Patética"

El ➔ *primer* .... día, la orquesta va a tocar el .... concierto para piano de Brahms y la .... sinfonía de Bruckner. El .... día, el .... concierto de violín de Mozart y la .... sinfonía de Mahler. Y el .... día va a tocar el .... concierto para piano de Beethoven y la .... sinfonía de Tchaikovsky.

C Usos

■ Los ordinales sirven para indicar el orden de algo en una secuencia (en el espacio y en el tiempo):

¿Dónde están los servicios?

La **segunda** <u>puerta</u> a la derecha.

Me enamoré de ti la **primera** <u>vez</u> que te vi.

👁 Para referirse a los días del mes, en español se usan los cardinales, **no** los ordinales:

- *¿Cuándo es el cumpleaños de Lourdes?*
- ○ *El <u>tres</u> de enero.* [El *Tercero* de enero]

■ Para ordenar el discurso podemos usar *primero*, *segundo*, *tercero*...

● ¿Cómo preparas el daiquiri?
○ **Primero**, pico cuatro cubitos de hielo y los meto en la coctelera; **segundo**, echo una cucharada de azúcar, un vasito de ron blanco y un poco de zumo de lima y lo agito bien; **tercero**, lo cuelo todo y, al final, lo pongo en copas de martini.

[En primer lugar...]
[Después...]
[Luego...]

5 Esta receta del pan con tomate y jamón no está bien. Pon en orden las instrucciones.

A2

.... se echa sal y aceite de oliva.

Primero,............ se corta una rebanada de pan.

.... se unta con tomate.

.... se cubre con lonchas finas de jamón.

D Ordinales a partir del 10º

■ En la lengua formal se usan los numerales ordinales a partir del 10º para hacer referencia a:

Acontecimientos
● *Duodécima (12º) Asamblea de Micología.*
● *Vigésimo cuarto (24º) Encuentro Nacional de Libreros.*

Aniversarios
● *Trigésimo (30º) aniversario de la muerte del poeta Alberto Mori.*
● *Undécimo (11º) aniversario de la Sociedad Bonaerense de Peletería.*

Posición en una serie
● *España asciende al vigésimo (20º) puesto de los países desarrollados.*
● *Décimo octavo (18º) día de guerra en Aquinostán.*
● *El corredor español llegó en el puesto trigésimo tercero (33º).*

11º *undécimo/a*
12º *duodécimo/a*
13º *décimo tercero/a*
14º *décimo cuarto/a*
15º *décimo quinto/a*
...
20º *vigésimo/a*
30º *trigésimo/a*
40º *cuadragésimo/a*
50º *quincuagésimo/a*
60º *sexagésimo/a*
70º *septuagésimo/a*
80º *octogésimo/a*
90º *nonagésimo/a*

6 Escribe al lado de cada ordinal el número que corresponde.

A2

➥ Vigésimo séptimo: ..*27º*..

1. Sexagésimo noveno: ....
2. Cuadragésimo sexto: ....
3. Nonagésimo primero: ....

4. Décimo octavo: ....
5. Undécimo: ....
6. Octogésimo segundo: ....
7. Septuagésimo sexto: ....

8. Trigésimo cuarto: ....
9. Quincuagésimo: ....
10. Duodécimo: ....
11. Nonagésimo noveno: ....

7 Escribe los ordinales que faltan en los siguientes titulares de periódico. Fíjate bien en los sustantivos masculinos y femeninos.

A2

➥ Un corredor bengalí gana la (22ª) *vigésimo segunda* carrera popular de Vallecas.

1. Se reúne la comisión para la celebración del (45º) .... aniversario del descubrimiento de la isla de Tacri.

2. El (26º) .... Congreso de

Medicina Natural tendrá lugar en Berlín, en marzo.

3. La novelista Alameda Robles gana la (19ª) .... edición del premio Ciudad de Murcia.

4. El motorista Nito Fons sufre un accidente y llega a la meta en la (31ª) .... posición.

Los cuantificadores se usan **para graduar la intensidad o la cantidad** del significado de un sustantivo, un adjetivo, un verbo o algunos adverbios.

A   Con sustantivos: *mucho chocolate / muchas galletas*

SUSTANTIVOS NO CONTABLES

Demasiado chocolate   **Mucho** chocolate   **Bastante** chocolate [Suficiente]   **Poco** chocolate [No suficiente]   *Nada de chocolate*

SUSTANTIVOS CONTABLES

Demasiadas galletas   **Muchas** galletas   **Bastantes** galletas [Suficientes]   **Pocas** galletas [No suficientes]   *Ninguna galleta Ningún plato*

■ Con los sustantivos, los cuantificadores —excepto **nada de**— funcionan como un adjetivo: **demasiado, mucho, poco** y **ningún** concuerdan en género y número, pero **bastante** concuerda solo en número.
Estas formas pueden usarse sin sustantivo cuando está claro de qué estamos hablando:

> ➲ **8. Indefinidos**

- ● ¿Tenemos **bastantes** <u>cervezas</u> para todos?
- ○ Sí, en la nevera hay **muchas**.
- ● Yo pensaba que había **pocas**.

- ● Date prisa. Tenemos **poco** <u>tiempo</u>.
- ○ Tenemos **bastante**. Todavía nos queda una hora.
- ● Sí, pero hay **mucho** <u>tráfico</u>.

---

1 **A1** Describe los dibujos usando en orden los cuantificadores *nada de/ningún, poco, bastante, mucho* y *demasiado*. Cuidado con la concordancia.

➲ *Hay poca agua y muchos cubitos.*

1. ....
....

2. ....
....

3. ....
....

4. ....
....

2 Completa con *ningún, ninguna* o *nada de*. Ten en cuenta si el sustantivo es contable o no.

A1 ➲ No hay ...nada de........ agua y tampoco queda ...ningún.......... vaso.

1. Puedes tomarlo. No lleva .... cafeína.

2. No puedo comprarlo. No tengo .... dinero.

3. Ya no queda .... botella de aceite.

4. Todavía no ha entrado .... cliente.

5. Sabe mejor así, sin .... azúcar.

6. Al final no ha hecho .... comentario.

B *Poco/un poco de* + sustantivos no contables: *Hay un poco de comida pero hay poca bebida.*

■ Con sustantivos no contables, *poco* y *un poco de* expresan pequeña cantidad, pero con *poco* damos importancia a lo que **no** hay, y con *un poco de* damos importancia a lo que **sí** hay. Es decir, con *poco* expresamos una visión negativa de la cantidad, mientras que con *un poco de* expresamos una visión positiva:

Hay **un poco de** limonada. Podemos probarla.

Hay **poca** limonada. No hay para los dos.

No hay mucha limonada pero **hay**.

Hay limonada, pero **no suficiente.**

👁 *Poco/a/os/as* concuerdan con el sustantivo. *Un poco de* no concuerda:

● *Queda **poca** leche.*

● *Dame un poco de leche.* [Dame ~~una poca~~ de leche]

---

3 Para los Jiménez es muy difícil hacer la lista de la compra. El marido, Bonifacio, siempre ve lo que hay, mientra que la mujer, Dolores, siempre ve lo que no hay. Completa lo que falta.

A2

Hay un poco de tortilla de patatas en la nevera.

➲ ...Bonifacio......

Nos queda un poco de leche.

1. ....

Hay poco vinagre.

2. ....

Hay muy poco tomate frito.

3. ....

Queda un poco de jamón serrano.

4. ....

Hay un poco de fruta.

5. ....

Tenemos poco atún.

6. ....

Hay poca sal.

7. ....

---

4 Completa con *un poco de* o con *poco, poca, pocos, pocas*.

A2 ➲ No veo casi nada. Hay ...poca........... luz.

1. Todavía puedo leer. Hay .... luz.

2. La sopa está sosa. Creo que tiene .... sal.

3. La sopa está sosa. Ponle .... sal.

4. Queda .... arroz. Tenemos que comprar más.

5. Queda .... arroz. Puedes probarlo.

6. Tenemos .... dinero. Voy al banco.

7. Tenemos .... dinero. Podemos tomar algo.

8. Hace .... frio. ¿Enciendo la calefacción?

9. Hace .... frio. ¿Vamos a dar un paseo?

65

C   Con adjetivos, adverbios y verbos: *Corre mucho; es muy rápido; está muy lejos.*

■ Cuando los cuantificadores se refieren a un adjetivo, a un adverbio o a un
verbo, son **invariables**:

- Mis vecinos son **muy** <u>agradables</u>.
- Ya estamos **bastante** <u>cerca</u> de mi pueblo.
- Las novelas policíacas me <u>gustan</u> **mucho**.

Muy solo con adjetivos y adverbios

Corre **demasiado**.
Es **demasiado** <u>rápido</u>.
Ha llegado **demasiado** <u>lejos</u>.

Corre **mucho**.
Es **muy** <u>rápido</u>.
Ha llegado **muy** <u>lejos</u>.

Corre **bastante**.
Es **bastante** <u>rápido</u>.
Ha llegado **bastante** <u>lejos</u>.

Corre **poco**.
Es **poco** <u>rápido</u>.
Ha llegado **poco** <u>lejos</u>.

No <u>corre</u> **nada**.
No es **nada** <u>rápido</u>.
No ha llegado **nada** <u>lejos</u>.

👁 Con los verbos, los cuantificadores
normalmente van después:

- Tu primo Rafael no <u>habla</u> **nada**.
- <u>Habla</u> **poco**, la verdad.

---

5 Completa los ejemplos con un cuantificador que exprese un grado mayor que el anterior.
Para escoger la forma adecuada, ten en cuenta si el cuantificador se refiere a un sustantivo o no.

A2

➥ ● Hace **bastante** calor, ¿verdad?
  ○ Sí, *mucho* .

1. ● ¿Has recibido **muchas** cartas?
  ○ ....: no he podido leerlas.

2. ● Esta chica habla **poco**.
  ○ Pues conmigo sí habla ....

3. ● Han venido **muchos** invitados.
  ○ .... ; ya no cabemos.

4. ● ¿Tu hermano es un chico **bastante** alto?
  ○ Sí, ... alto: mide dos metros.

5. ● ¿Come usted **muchos** dulces?
  ○ Como .... , pero dulces, no.

6. ● Últimamente trabajas **mucho**.
  ○ .... .Voy a buscar otro trabajo.

7. ● Este niño no come **nada**.
  ○ Es cierto. Come ....
  ¿Lo llevamos al médico?

8. ● Casi no nos vemos. Vivimos **muy** lejos.
  ○ ....: dos horas en avión.

9. ● Es **bastante** temprano, ¿verdad?
  ○ .... temprano; todavía no ha salido
  el sol.

10. ● Yo viajo **poco**, pero no me gusta viajar.
  ○ Pues yo por mi trabajo viajo ....

---

6 Completa con *poco, bastante* o *demasiado*. Cuidado con la concordancia.

A2

➥ Este barco puede llevar 2000 personas y hoy lleva
2500. Es *demasiado* peso.

1. Corres .... El límite de velocidad es
120 Km. por hora y tú vas a 150.

2. Son dos personas y cada uno toma 2 litros de agua
al día. Con 4 litros tienen .... agua para hoy.

3. Estudia .... Seguro que no pasa el
examen.

4. Estoy engordando. Como .... dulces y
hago .... deporte.

5. Todas las naranjas no caben en esta bolsa.
Son ....

Pronombres personales

Para usar bien los pronombres personales es necesario reconocer el sujeto y los distintos tipos de complemento de un verbo.

➲ 13. Pronombres sujeto

➲ 15. Pronombres complemento

A Sujeto, complemento directo y complemento indirecto

■ En algunos casos solo necesitamos decir el **sujeto** y el **verbo** que concuerda con él:

- *Laura pinta.*

SUJETO

[Solo hablamos de un sujeto (Laura) que realiza una actividad (pintar).]

➲ 19. Conjugación. Elementos básicos

■ En otros casos es necesario también hablar de un elemento, distinto del sujeto, que está **directamente relacionado con el verbo**. Ese otro elemento es el **complemento directo** (CD) o acusativo:

- *Laura pinta **paisajes**.*

SUJETO   CD

[Decimos que Laura pinta y también qué pinta: paisajes, a sus hijos...]

- *Laura pinta **a sus hijos**.*

SUJETO   CD

👁 **El CD puede referirse a personas o cosas.** Cuando se refiere a personas, se utiliza la preposición **a**:

- *Desde la ventana veo **mi coche**.*
- *Desde la ventana veo **a mi hijo**.*

■ En otros casos, el verbo puede tener otro complemento que normalmente se refiere al destinatario o receptor de la acción verbal. Este nuevo elemento se llama **complemento indirecto** (CI) o dativo y puede combinarse con el CD:

- *Laura les pinta paisajes **a sus hijos**.*

SUJETO   CD   CI

[Indicamos, además, los destinos de las cosas que pinta Laura.]

- *Laura les pinta hojas **a los árboles**.*

SUJETO   CD

👁 **El CI puede referirse a personas o cosas**, y siempre lleva la preposición **a**:

- *Les he comprado unos juguetes **a mis sobrinos**.*
- *Le he quitado la mancha **a la camisa**.*

1 Los Gómez son una familia numerosa y cada uno, excepto el bebé, tiene responsabilidades en la casa.

★ ★
★ **A1**
★ ★

Paco, el padre, hace la compra.

Dolores les prepara el desayuno a sus hermanos pequeños.

Eduardo pone la ropa en la lavadora.

Leonor les echa agua a las plantas cada día.

María, la madre, les hace la comida y la cena a todos.

Elisabeth lleva a los pequeños al cole.

Felipa, la asistenta, limpia la casa y cuida al bebé.

Así, la casa siempre funciona bien.

Ahora, contesta a estas preguntas. Con tus respuestas sabrás el sujeto de cada frase.

➲ ¿Quién limpia la casa y cuida al bebé?   ➲ .....*Felipa*......

1. ¿Quién les echa agua a las plantas?   1. ....

2. ¿Quién hace la compra?   2. ....

3. ¿Quién prepara el desayuno?   3. ....

4. ¿Quién lleva a los pequeños al cole?   4. ....

5. ¿Quién pone la ropa en la lavadora?   5. ....

6. ¿Quién hace la comida?   6. ....

7. ¿Qué funciona bien?   7. ....

Ahora, contesta a estas preguntas. Con tus repuestas sabrás el CD (acusativo) de cada frase.

➲ ¿Qué limpia Felipa?   ➲ .....*La casa*......

8. ¿Qué les echa Leonor a las plantas?   8. ....

9. ¿Qué prepara Dolores?   9. ....

10. ¿Qué hace el padre?   10. ....

11. ¿A quién lleva Elizabeth al cole?   11. ....

12. ¿Qué pone Eduardo en la lavadora?   12. ....

13. ¿A quién cuida Felipa?   13. ....

14. ¿Qué hace la madre?   14. ....

Ahora, contesta a estas preguntas. Con tus respuestas sabrás el CI (dativo) de cada frase.

➲ ¿A quién le hace María la comida?   ➲ .....*A todos*......

15. ¿A qué le echa agua Leonor?   15. ....

16. ¿A quién le prepara Dolores el desayuno?   16. ....

17. ¿A quién le hace María la cena?   17. ....

2 Relaciona las frases con su continuación como en el ejemplo. Decide si las palabras de la columna derecha son CD o CI.

★ ★
★ **A2**
★ ★

➲ Andrés riega cada dos días...   a. a sus amigos que están de viaje ...*CI*....

   Andrés les riega las plantas...   b. el jardín ..*CD*..

1. El secretario anota siempre...   a. todas las citas ....

   El secretario le anota sus citas...   b. a la directora ....

2. El profesor les enseña música jugando...   a. las matemáticas ....

   El profesor enseña con juegos...   b. a los niños ....

3. El hijo les lava y les plancha la ropa...   a. a sus padres ....

   La lavadora lava y seca en dos horas...   b. las camisas ....

4. Paco pone en la mesa...   a. la comida ....

   Paco le pone la comida...   b. a Marta ....

B Construcciones reflexivas: *Ella se pinta*.

■ Con las formas reflexivas (*acostarse, lavarse, vestirse...*), el **complemento** (directo o indirecto) y el **sujeto** se refieren a la **misma persona o cosa**:

● *Laura __se__ pinta en sus cuadros.*
SUJETO = CD

● *Laura __se__ pinta **los labios**.*
SUJETO = CI

3 Relaciona como en el ejemplo y señala qué frases de la izquierda son reflexivas.

★ ★
★ **A2**
★ ★

→ a. Raúl se ata los zapatos. *Reflx.*   a. Son pequeños y tiene que ayudarles.

    b. Raúl les ata los zapatos. ....   b. Es ya mayor y puede hacerlo solo.

1. a. Tú siempre me pones la comida primero. ......   a. Eres muy amable conmigo.

    b. Tú siempre te pones la comida primero. ......   b. Eres un maleducado.

2. a. Me he cortado el pelo. ......   a. Con mi nueva máquina no necesito a nadie.

    b. Me han cortado el pelo. ......   b. Mis peluqueros son muy buenos.

3. a. Nos hemos despertado pronto esta mañana. ......   a. Nos hemos enfadado mucho con ellos.

    b. Nos han despertado pronto esta mañana. ......   b. Pusimos el despertador a las 6:30 para salir temprano.

C Construcciones valorativas: *A Jaime le gustan las motos*.

■ En los **verbos** como *apetecer, doler, encantar, gustar, molestar, preocupar*, etc., el sujeto es algo que produce un efecto (sensación, sentimiento, emoción o reacción) en alguien, y el complemento indirecto (**CI**) se refiere al receptor, a la persona que experimenta ese efecto:

● *A Alfredo le gusta__n__ los cuadros de Laura.*
   CI   SUJETO

↪ 18. Construcciones reflexivas y valorativas

4 Subraya el sujeto de las siguientes oraciones.

★ ★
★ **A2**
★ ★

→ a. Eduardo tiene muchas plantas.

    b. A Eduardo le gustan las plantas.

1. a. Esta mañana me duele la cabeza.

    b. Alicia tiene la cabeza muy pequeña, ¿verdad?

2. a. A los niños les apetecen unos helados.

    b. Los niños han pedido unos helados.

3. a. A nosotros ese problema no nos preocupa.

    b. Nosotros resolveremos ese problema.

4. a. ¿Tu madre ha llamado a los niños?

    b. A Rocío le encantan los niños.

5. a. ¿Les molesta a ustedes el ruido?

    b. Los niños hacen mucho ruido.

6. a. Las chicas prefieren la música disco.

    b. A las chicas les encanta la música disco.

7. a. La tele le molesta a tu madre.

    b. Tu madre no quiere ver la tele.

13. Pronombres sujeto: *yo, tú, él...*

A Formas: *yo, tú, él...*

■ Los pronombres personales que funcionan como sujeto de la oración y que, por tanto, concuerdan con el verbo, son:

	SINGULAR	PLURAL
1ª PERSONA	*yo*	*nosotros, nosotras*
2ª PERSONA	*tú*	*vosotros, vosotras*
3ª PERSONA	*él, ella*	*ellos, ellas*

➔ 14. Pronombres con preposición

■ En español peninsular se usan *tú* y *vosotros/vosotras* en relaciones menos formales o de confianza. *Usted* y *ustedes* se usan en relaciones más formales o jerarquizadas:

¿Vosotros queréis algo más?

¿Ustedes quieren algo más?

	INFORMAL	FORMAL
	tú	*usted*
	vosotros/vosotras	*ustedes*

👁 *Usted*, *ustedes* van siempre con verbos en 3ª persona:

MÉDICO: *Se <u>encuentra</u> usted estupendamente.*
PACIENTE: *¿<u>Está</u> usted seguro, don Dimas?*

> El médico y el paciente mantienen una relación formal. *Encuentra* y *está* son formas de la tercera persona del singular.

MANUEL: *¿Te <u>encuentras</u> bien?*
PACO: *Yo, estupendamente; ¿y <u>tú</u>?, ¿cómo <u>estás</u>?*

> Manuel y Paco tienen una relación informal. *Encuentras* y *estás* son formas de la segunda persona del singular.

---

1 Claudia está hablando con su amiga Marta. ¿Qué pronombre usa para hablar de...?

A1

➔ Claudia .....*Yo*.....

1. Claudia y Marta ....
2. Claudia y el novio de Claudia ....
3. unos amigos de Claudia ....
4. Marta ....

5. el ex-novio de Claudia ....
6. una amiga de Marta ....
7. las hermanas de Marta ....
8. Marta y el novio de Marta ....
9. Marta y su hermana ....

> yo ✓   nosotras   ellos   vosotros   vosotras   nosotros   tú   él   ellas   ella

2 ¿*Tú* o *usted*? Relaciona e indica qué forma se emplea para hablar con cada una de estas personas.

A1

➔ Con una dependienta de una tienda. ....*usted*....

1. Con la novia de un amigo. ....
2. Con un compañero de la universidad. ....
3. Con una vecina de setenta años. ....
4. Con un policía de tráfico. ....
5. Con un vecino de dieciocho años. ....
6. Con un camarero en un restaurante. ....
7. Con un niño pequeño. ....

a. ¿Sabe cómo se sale hacia Madrid?
b. ¿Y vas a venir mañana a clase?
c. ¿No me puede hacer una rebaja?
d. ¿Necesita ayuda, doña Reme?
e. Por favor, ¿nos trae la cuenta?
f. Te vas a caer. Ten cuidado.
g. Aquí tienes el aceite que me ha pedido tu madre.
h. Eres la persona perfecta para Pepe, de verdad.

B Presencia y ausencia del pronombre: *¿Cómo te llamas?/¿Tú cómo te llamas?*

■ A diferencia de lo que pasa en otras lenguas, en español **no se emplea siempre** el pronombre sujeto con el verbo. Su uso es **necesario** cuando queremos **distinguir** o **contrastar** la persona o personas que identificamos como sujeto frente a otras personas:

Hola, soy Pepe. Llámame.

> No hay contraste de personas. Solo *Pepe*.

Hola, **Yo** soy Pepe y **él** es Javier.

> Hay contraste de personas. *Yo/él.*

PACO: *Alicia y yo vamos a cenar fuera, ¿os venís?*
SONIA: *Es que **nosotras** habíamos pensado ir al concierto de Gamberries.*

> Sonia dice *nosotras* para contrastar los planes de ella y su amiga con la propuesta de Paco.

❂ Las formas ***usted/ustedes*** no siempre tienen valor contrastivo. También se usan para expresar claramente el tratamiento formal:

- *Adelante, pase **usted**, pase. Siéntese **usted**.*
- *¿Vendrán **ustedes** a la inauguración?*
- *¿Han reservado **ustedes** mesa?*
- *Debe traer **usted** el pasaporte.*

---

3 Completa con la opción más adecuada.

A1

➲ a. yo voy después
   b. voy después

- La próxima semana voy a París y, si tengo tiempo, *voy después* a Bruselas.
- ¿Ah sí? Qué suerte.

- La próxima semana Carlos se va unos días a París.
- Sí, ya lo sé. *Yo voy después*, del diez al veinte de mayo.

1. a. **nosotras** no queremos
   b. no queremos

- El jefe ha propuesto venir a trabajar los sábados; y algunos en la oficina han dicho que sí, pero ....
- ¿Y si venís el sábado también tenéis que trabajar el lunes?

- ¿Tenemos que venir el sábado a trabajar? ¿Es obligatorio?
- Bueno, obligatorio no. Si .... , podemos quedarnos el lunes hasta las nueve.

2. a. sabe cocinar
   b. **ella** sabe cocinar

- Lucía es fantástica: trabaja muy bien, ... , y, además, baila.
- Tú también bailas muy bien.

- Yo no tengo ni idea de cocina, y tú tampoco. ¿ .... ?
- Espero que sí. Esta cena es importante para nosotras.

3. a. **él** no se levanta
   b. no se levanta

- Carlos dice que si quieres ir tú a pescar a las seis, que muy bien, pero que .... tan temprano un domingo.
- Carlos últimamente está muy raro: .... hasta las once, fuma sin parar, no me habla... No sé, chica, muy raro.

4. a. **ellas** no vinieron
   b. no vinieron

- Marina y Antonia me dijeron que iban a venir, pero al final ....
- Avisamos a las chicas y a los chicos, pero .... Solo los chicos.

5. a. lo has roto **tú**
   b. lo has roto

- No le eches la culpa al perro. El jarrón .... Solo quiero saber por qué ....

14. Pronombres con preposición: *a mí, para ti, con él...*

A Formas

■ Cuando los pronombres personales se emplean después de una preposición, usamos las formas de los pronombres personales sujeto, excepto *yo* y *tú*:

PREPOSICIÓN	PRONOMBRES
a	**mí**
de	**ti**
en	él, ella
para	usted
por	nosotros/-as
sin	vosotros/-as
contra	ellos, ellas
desde	ustedes
...	

👁 [*a* ~~mí~~   *a mí*]
[*para* ~~ti~~   *para ti*]

→ 13. Pronombres sujeto

¿Son para mí?

No, no son para ti.

- *Estoy segura de que mi novio piensa mucho **en mí**.*
- *Me han hablado muy bien **de ti**.*
- *¿Puedo hacer algo **por usted**?*
- *No sé qué van a hacer **sin nosotros**.*
- *Esto me lo han dado en la fotocopiadora **para vosotras**.*
- *Ellos no están **contra usted** están **contra mí**.*
- ***A mí** me han regalado un bolígrafo, ¿y **a vosotros**?*
- *Si te pones delante **de ella**, no va a ver nada. Eres muy alto.*

👁 Las preposiciones *entre*, *hasta* (cuando significa *incluso*) y *según* no se combinan con las formas *mí* y *ti* sino con las formas *yo* y *tú*:

- ***Entre tú y yo** no hay nada.*
- *Eso, **hasta yo** lo entiendo.*
- ***Según tú**, ¿quién ganará las elecciones?*

---

1 Completa con los pronombres adecuados. Luego relaciona cada frase de la primera columna con su continuación en la segunda columna.

★ ★
★ **A1**
★ ★ ★

vosotras   vosotros   tú   ti ✓   mí   usted   ustedes

yo ✓   mí   nosotros   nosotras   ti   vosotros

➲ ● Mira, he comprado estos pasteles pensando en *ti*...... , que te gustan tanto.

1. ● Mirad, me he acordado de .... y he traído la tarta que os gusta tanto a las dos.

2. ● Señora Cuevas, le he traído rosas porque sé que a .... le encantan.

3. ● Me he comprado esos dulces que .... compras siempre, a ver qué tal están.

4. ● Dime la verdad, ¿hay algo entre .... dos? Porque todo el mundo dice que sois novios.

5. ● Para .... es muy importante: tienen que venir a mi boda. No sería igual sin ....

a. ○ Ah, ¿son para .... ? Muchas gracias, es verdad que son preciosas.

b. ○ Muchas gracias. ¿Te quedarás a comerla con .... verdad?

c. ○ *Yo*...... también te he comprado una cosa: mira.

d. ○ Entre .... no hay absolutamente nada. Te lo prometo. Somos simplemente amigos.

e. ○ Muchas gracias. Nosotros ya no salimos nunca. Pero iremos por .... Os queremos mucho a los dos.

f. ○ Te van a encantar, son buenísimos. ¿Y son todos para .... o me dejarás comer uno?

B Conmigo, contigo, con él...

conmigo [ᴄᴏɴᴍɪ]
contigo [ᴄᴏɴᴛɪ]
con él, ella
con usted
con nosotros/-as
con vosotros/-as
con ellos/-as
con ustedes

> Ni contigo ni sin ti
> tienen mis males remedio.
> Contigo porque me matas,
> sin ti porque yo me muero.

- *Clara va a venir **conmigo** al ginecólogo. Menos mal, porque no quiero ir sola.*
- *Voy a ir **con ella** al ginecólogo, porque no quiere ir sola.*

- *No pienso irme a vivir **contigo**. Eres un desastre.*
- *No me voy a vivir **con él** porque es un desastre.*

- *Stephan no quiere salir ni **contigo** ni **conmigo**.*
- *Stephan no quiere salir **con nosotras**. ¿Estará enfadado?*

2 Lee la carta de Ana y Montse a su hermano Daniel y elige la opción que corresponda en cada caso.

A1

Querido Daniel:

> *Sin ..ti.. ya nada es igual en casa. Desde que te fuiste con esa chica sueca, la tía Berta no para de hablar (1) de .... Dice que (2) para .... eres el más simpático de la familia, el más inteligente. (3) A .... casi ni nos habla y a tía Rita solo le grita. Tú sabes que (4) con .... siempre ha tenido una relación difícil, pero ahora es insoportable. El abuelo dice que tenemos que hablar en serio (5) con .... , y que si no dejas a la sueca, toda la herencia, al final, será (6) para .... y tú te quedarás sin nada. Pero no te preocupes porque no es mucho y ya sabes que el abuelo siempre piensa que todos estamos (7) contra .... , y cambia de opinión con frecuencia. Mamá insiste en que solo podemos confiar (8) en .... porque es la única que puede poner orden en esta casa, pero sigue yendo al bingo todas las tardes.*

> *Un abrazo de tus hermanas y recuerdos a Inge,*

> *Ana + Montse*

> tú / (ti) / te   5. tú / ___tigo / ti
> 1. te / ti / tú   6. nosotras / nos
> 2. la / ella / le   7. lo / él / le
> 3. nosotras / nos   8. ella / la / le
> 4. ella / la / le

3 Escribe la preposición y el pronombre en la forma adecuada, como en el ejemplo, y colócalos después en la frase correspondiente.

A1

Preposición + Pronombre		
para	+ yo ✓	*para mí*
a	+ tú	....
con	+ yo	....
sin	+ nosotras	....
entre	+ tú y yo	....
con	+ tú	....
según	+ tú	....
de	+ tú	....
hasta	+ yo	....
sobre	+ tú	....
de	+ yo	....
por	+ yo	....
para	+ ellos	....

> ¿El regalo es *para mí* .... ? ¡Muchísimas gracias!

1. ¿Quieres venir .... al cine esta tarde?

2. No puedo salir .... esta noche. Lo siento.

3. Los espárragos que hay en la nevera son ....

4. Gracias .... ahora soy una mujer feliz.

5. Este secreto debe quedar ....

6. Nuestros maridos no podrían vivir ....

7. Cada día te siento más lejos ....

8. Estos ejercicios son muy fáciles, ... los hago bien.

9. Cuidado, tienes un camión detrás ....

10. ¿Y, ... , cuál es la mejor solución al problema?

11. Venga, por favor, apúntate a la excursión. Hazlo ....

12. Mira, mira, en el periódico de hoy hay un artículo ....

15. Pronombres complemento: *me, te, nos... lo, la, le, los...*

A Primera y segunda persona: *me, te, nos, os.*

■ Cuando los complementos de una oración se refieren a las personas *yo, tú, nosotros/-as, vosotros/-as*, usamos **la misma forma** de pronombre tanto para el complemento directo (CD) como para el complemento indirecto (CI):

PERSONA GRAMATICAL	*yo*	*tú*	*nosotros/-as*	*vosotros/-as*
FORMAS DE CD Y CI	*me*	*te*	*nos*	*os*

➡ 12. Pronombres personales

➡ 16. Posición y combinación

➡ 17. Presencia y reduplicación

Me pinta.

Me pinta un paisaje.

- ¿*Me* han llamado?
- Sí, *te* han llamado tres clientes.

- ¿*Me das* las señas de Enrique?
- *Te doy* el móvil y la dirección de casa.

- Renata *nos* ha invitado a su casa. *Os* recojo a las nueve, ¿vale?

- Los ladrones *nos* dieron un susto tremendo.
- ¿Y *os* robaron algo?

---

1 Unos extraterrestres visitan el planeta Tierra. Completa las frases con *me, te, nos, os.*

➡ ¿ ..Me.. has llamado tú a mi antena telepática?

1. Sí, he sido yo. ¿ .... prestas tu pistola de rayos?

2. ¿ .... lleváis a los dos a vuestro planeta? Queremos conocerlo.

3. ¿ .... enseñáis vuestro platillo volante a mi hermano y a mí?

4. ¿Vosotros coméis comida como la nuestra? ¿......... preparo algo?

5. ¿ .... controlan mucho tus jefes?, ¿y tu mujer?

6. ¿......... enseño una foto de mi hijo? ¿Vosotros también tenéis hijos como los humanos?

7. Los terrícolas .... hacen preguntas muy raras. Creemos que tienen miedo.

8. Queridos terrícolas: .... invadiremos en el año 2040 y .... quitaremos la Tierra para siempre.

B   Tercera persona: *lo, la, los, las / le, les*.

■ Cuando el complemento de una oración se refiere a terceras personas (*él, ella, ellos, ellas*) o a las formas de tratamiento *usted, ustedes*, usamos **formas de pronombre distintas para el complemento directo** (CD) **y para el complemento indirecto** (CI):

PERSONA GRAMATICAL	FORMAS DE CD MASCULINO	FEMENINO	FORMAS DE CI MASCULINO Y FEMENINO
Él, ella, usted	*lo*	*la*	*le*
Ellos, ellas, ustedes	*los*	*las*	*les*

Lo pinta.

Le pinta un paisaje.

■ Usamos los pronombres para referirnos a <u>una persona</u> o <u>una cosa</u> de la que ya hemos hablado antes o tenemos perfectamente identificada:

CD

lo
- ¿Has recibido <u>mi e-mail</u>?
  ○ Sí, *lo* he leído. Es muy interesante.

- ¿Y <u>Juan</u>? No *lo* encuentro.

la
- ¿Llevas <u>la cartera</u>?
  ○ Sí, *la* llevo en el bolso.

- ¿Ha venido <u>Elisa</u>? Todavía no *la* he visto.
  ○ Ha venido, pero *la* han llamado y se ha tenido que ir.

- ¿*La* acompaño en coche, <u>señora Cueto</u>?

los
- ¿Y <u>los documentos</u>? ¿*Los* habéis visto?

- He quedado con <u>tus primos</u>. *Los* he invitado a comer.

- ¿Qué tal <u>Ángela y Alfredo</u>?
  ○ Pues ayer *los* llamé y están muy bien.

las
- ¿<u>Estas gafas</u> son tuyas? *Las* he encontrado en el coche.

- ¿Sabes algo de <u>las hermanas de Sofía</u>?
  ○ Ayer *las* vi. Fuimos a dar una vuelta.

CI

le
- ¿Y <u>el coche</u>?
  ○ *Le* están cambiando el aceite.

- ¿Has hablado con <u>tu hermano</u>?
  ○ No, *le* he escrito un e-mail.

- ¿Ya has hecho <u>la ensalada</u>? ¿*Le* has echado sal?

- Hoy es el cumpleaños de <u>Julia</u>. Y no *le* he comprado nada.

- ¿Quiere que *le* traiga un café, <u>señor Pérez</u>?

les
- Aquí tienes <u>los sobres</u>. ¿*Les* pones el sello?

- Ayer quedé con <u>mis amigos</u> y *les* devolví las llaves del piso.

- ¿Has avisado <u>a sus padres</u>?
  ○ Sí, *les* he dejado un mensaje.

- ¿Has regado ya <u>las plantas</u>?
  ○ No, *les* estoy quitando los bichos.

- <u>Las chicas</u> están muy contentas. *Les* han dado un premio.

2 La abuela de Victoria es un poco sorda. Completa como en el ejemplo.

A1

A2

➡ Victoria: Víctor baila la rumba con mucho estilo.

Abuela: ¿Qué? ¿Que ..*la*.... baila vestido?

1. Victoria: Víctor plancha las camisas mejor que mi madre.

   Abuela: ¿Qué? ¿Que .... plancha con vinagre?

2. Victoria: Víctor corta el pelo como un profesional.

   Abuela: ¿Qué? ¿Que .... corta en un funeral?

3. Victoria: Víctor ayuda a las ancianitas a ir a la iglesia.

   Abuela: ¿Qué? ¿Que .... ayuda con la anestesia?

4. Víctor: Conocí a Victoria en un gimnasio.

   Abuela: ¿Qué? ¿Que .... conociste en un armario?

5. Víctor: Victoria cuida a sus sobrinos todas las noches.

   Abuela: ¿Qué? ¿Que .... lleva en coche?

6. Víctor: Victoria lleva a su madre a jugar al mus.

   Abuela: ¿Qué? ¿Que .... lleva en autobús?

7. Víctor: Victoria prepara los macarrones como nadie.

   Abuela: ¿Qué? ¿Que .... prepara con alguien?

3 Completa los siguientes diálogos con el pronombre correspondiente.

A1

A2

➡ Víctor: ¿Y mi pijama? No lo veo.

Victoria: Está secándose. ..*Le*.... he quitado las manchas.

1. Víctor: ¿Vas a ver a tus sobrinos este fin de semana?

   Victoria: Claro, ¿no te acuerdas? .... doy clases de natación todos los sábados.

2. Victoria: ¿No te parece que la sopa está un poco sosa?

   Víctor: Es que .... he echado poca sal. Es más sano.

3. Victoria: ¿Cómo están tus tíos?

   Víctor: No lo sé. Esta semana no .... he llevado el correo y no los he visto.

4. Víctor: Ha llamado un tal Javier preguntando por ti.

   Victoria: ¡Anda, se me había olvidado! .... pedí unos libros prestados y no se los he devuelto.

5. Victoria: El perro está muy nervioso.

   Víctor: No pasa nada. Ahora .... pongo la correa y salimos a dar una vuelta.

4 Completa las siguientes frases con *lo, la, los, las, le, les*.

A1

Nuestro robot C3PO hace cosas extrañas:

A2

➡ Ha aprendido a preparar natillas. ..*Las*... hace muy ricas.

1. Se enfadó y .... rompió la antena a mi coche.

2. Alquiló un vídeo y .... metió en el microondas.

3. .... dio un susto tremendo a mi tía Eugenia.

4. Se ha comido mi radio y .... ha vomitado.

5. .... ha regalado una cama de agua a mis padres.

6. .... ha echado aceite lubricante a las plantas de mi abuela.

7. Sacó a pasear a los niños y .... llevó al bingo.

8. Discutió con el abuelo y .... encerró en el armario.

9. Se ha enamorado de mi hermana Fernanda. Esta noche .... ha invitado a cenar.

10. Ha cogido los discos de Julio Iglesias de mi padre y .... ha tirado por la ventana.

11. No soporta a las amigas de mi madre. El otro día .... echó a la calle.

C Lo neutro: *Yo eso no lo entiendo. Parece fácil, pero no lo es.*

■ El pronombre de CD *lo* puede referirse a cosas que nombramos con sustantivos masculinos y singulares, pero también a cosas de las que hablamos sin usar nombres (ni masculinos ni femeninos):

- *No puedo entender <u>su libro</u>.*   *No puedo entenderlo.*   **Lo** = <u>su libro</u> (masculino)
- *No puedo entender <u>a ese hombre</u>.*   *No puedo entenderlo.*   **Lo** = <u>ese hombre</u> (masculino)
- *No puedo entender <u>por qué no vienes</u>.*   *No puedo entenderlo.*   **Lo** = <u>por qué no vienes</u> = eso (neutro)

■ Usamos el pronombre de CD *lo* **neutro** cuando nos referimos a objetos que no marcamos como masculinos ni femeninos, porque:

NO SABEMOS EL NOMBRE DEL OBJETO.	● *¿Qué ha sido <u>eso</u>?, ¿**lo** has visto?*	● *¿Me das <u>esto</u>? **Lo** necesito.*
NO IMPORTA EL NOMBRE DEL OBJETO.	● *¿Puedes tú recoger <u>todo eso</u>?* ○ *Sí, ya **lo** recojo yo mañana.*	● *¿Me acercas <u>aquello de allí</u>?* ○ *Sí, ahora mismo te **lo** doy.*
NO ES UN OBJETO CONCRETO (hechos, situaciones; cosas que decimos, pensamos, sabemos, sentimos, etc.).	● *¿Sabes qué? Al final, <u>Carlos se ha casado</u>.* ○ *No **lo** puedo creer. ¿Con quién? No me **lo** digas... ¡Con Adelina!*	● *¿Qué pasó el sábado <u>en la piscina</u>?* ○ *No **lo** sé. ¿Por qué **lo** dices?*

■ También usamos *lo* cuando nos referimos al complemento de los verbos *ser, estar* y *parecer*:

- *Es <u>muy rico</u>, pero no **lo** parece.*
- *Mira, tu jefe está <u>completamente loco</u>.* ○ *No, no **lo** está.*
- *Ya no eres <u>cariñoso conmigo</u>.* ○ *Sí que **lo** soy, pero tú no te das cuenta.*

5 La actriz Margarita Bosque ha sido asesinada. La policía está interrogando a su amante Amadeo Sanjosé. Señala a qué se refiere *lo* en cada caso e indica si es neutro (N) o masculino (M).

★★ **A2** ★★

A= Amadeo   P= el policía

➲ P: ¿Cuándo durmió en su chalet por última vez?
 A: No lo recuerdo. Hace poco. (.N..)
 a. su chalet
 b. el último día que durmió en su chalet ✓

1. P: ¿Había otro hombre en la vida de Margarita Bosque?
 A: Lo siento. No tengo esa información. (....)
 a. el hecho de tener Margarita otro amante
 b. el hecho de no tener esa información

2. P: El cadáver tenía esto en un bolsillo. ¿Sabe qué es?
 A: No lo he visto en mi vida. (....)
 a. el cadáver
 b. el objeto encontrado en el bolsillo

3. P: ¿Y entiende eso que hay apuntado en su diario?
 A: ¿Cómo se atreve a tocarlo? (....)
 a. el diario
 b. las cosas escritas en el diario

4. P: ¿A usted este asesinato le parece sorprendente?
 A: Claro que me lo parece. (....)
 a. el asesinato
 b. sorprendente

5. P: Yo creo que este crimen no es un asesinato profesional.
 A: Pues, yo creo que sí lo es. (....)
 a. este crimen
 b. un asesinato profesional

6. P: Le aseguro que muy pronto vamos a detener al culpable.
 A: Así lo espero. (....)
 a. al culpable
 b. el hecho de detener al culpable

7. A: ¿Puedo llamar a mi abogado?
 P: Si lo tiene, está en su derecho. (....)
 a. el abogado
 b. el hecho de llamar al abogado

16. Posición y combinación de pronombres complemento

A   Un pronombre: *Te he visto. Os he visto.*

■ Los pronombres complemento se colocan **antes de las formas conjugadas del verbo**, excepto con las formas de imperativo positivo:

➲ 17. Presencia y reduplicación

CD + VERBO

- ¿*Me* <u>llevas</u> a la estación?
- *Te* <u>he visto</u> en El Corting Less.
- No *nos* <u>llames</u> tan tarde.
- *Os* <u>necesito</u> ahora.

- Tú abres el frigorífico pero no *lo* <u>cierras</u>.
- La ensalada está muy rica. ¿*La* <u>has hecho</u> tú?
- Los niños están con mi madre. ¿*Los* <u>recojo</u> yo?
- Las camisas están ahí, pero no *las* <u>he planchado</u>.
- *Se* <u>ducha</u> tres veces al año.

CI + VERBO

- ¿*Me* <u>haces</u> un favor?
- *Te* <u>he mandado</u> un e-mail.
- Nos <u>regaló</u> una mesa horrorosa.
- ¿*Os* <u>leo</u> un cuento?

- Ayer quedé con Paco y *le* <u>devolví</u> su libro.
- Hoy es el santo de Pepa. ¿*Le* <u>envío</u> un SMS?
- Si ves a los vecinos, no *les* <u>digas</u> nada.
- Llamé a tus tías y *les* <u>di</u> el móvil del pintor.
- A José María *le* <u>encantan</u> los caracoles.

---

1 Ordena estas frases. Luego decide a qué dibujo corresponden.

★ ★
★ **A1**
★ ★

 A ......
 B ......
 C ......
 D ......

I

➲ ¿compro-le-entradas-para la ópera?
  ¿Le compro entradas para la ópera?
  ....

1. ¿en su restaurante de siempre-reservo-mesa-le?
   ....

2. ¿a alguna parte-llevo-lo?
   ....

3. ¿un baño caliente-preparo-le?
   ....

II

4. ¿a la peluquería-llevo-te?
   ....

5. ¿música-pongo-te?
   ....

6. ¿enciendo-te-el aire acondicionado?
   ....

7. ¿el cinturón de seguridad-abrocho-te?
   ....

III

8. ¿laváis-los dientes-os?
   ....

9. ¿acostáis-temprano-os?
   ....

10. ¿llevan-os-al médico?
    ....

11. ¿os-hacen regalos-en Navidad?
    ....

IV

12. han aplaudido-nos-durante veinte minutos
    ....

13. han tirado-ropa interior-al escenario-me
    ....

14. muchos autógrafos-han pedido-nos
    ....

15. han hecho-me-miles de fotos
    ....

B Combinación de dos pronombres: *Te lo compro. Os lo compro.*

■ Cuando necesitamos usar **dos pronombres** (uno de CD y otro de CI) el orden es:

CI	+	CD	+	VERBO
Te		**lo**		**compro**
me/te/nos/os		*lo/la/los/las*		

➜ 12. Pronombres personales

➜ 15. Pronombres complemento

- Oye, me gusta mucho esa <u>camisa</u> tuya. ¿*Me la* dejas?

- Necesitamos tu <u>ordenador</u>. ¿*Nos lo* prestas?

- He recibido unas <u>fotos</u> preciosas de José. ¿*Te las* mando?

- Sé dos <u>chistes</u> nuevos. ¿*Os los* cuento?

2 Ana y Andrés están a punto de tener una hija. Andrés está muy nervioso y quiere asegurarse de que todo está bien. Completa las respuestas.

★ ★
★ **A1**
★ ★
★
★ **A2**
★ ★

En casa

➜ Andrés: ¿Has preparado la ropa de la niña?

Ana: Sí, ya *la* he preparado.

1. Andrés: ¿Llevas todos los documentos?

Ana: Sí, ... llevo todos: el informe médico, la ecografía, todo.

2. Andrés: ¿Has cogido la cámara de vídeo?

Ana: No, no .... he cogido. ¿Dónde está?

3. Andrés: ¿Llevas el osito de peluche?

Ana: Claro que .... llevo.

En el hospital

4. Andrés: ¿Te ha traído el agua la enfermera?

Ana: Sí, ... ha traído, pero está muy fría.

5. Ana: ¿Nos van a devolver los documentos?

Enfermera: Sí, no os preocupéis. El médico .... devolverá enseguida.

6. Andrés: ¿Os han traído el café?

Abuelos: Sí, ... han traído, no te preocupes.

7. Ana: ¿Me puedes abrir la ventana?

Andrés: Ahora mismo .... abro.

C Combinación de dos pronombres: *Se lo compro. Se la compro.*

■ Cuando el pronombre de CI se refiere a una tercera persona (*él, ella, ellos, ellas*) o a la segunda persona con tratamiento formal (*usted, ustedes*) y se combina con un pronombre de CD (*lo/la/los/las*), la forma del pronombre de CI es siempre *se*:

CI (3ª PERSONA)	+	CD	+	VERBO
~~Le/Les~~ **Se**		**lo**		**compro**
		lo/la/los/las		

Se ... a él / a ella / a ellos / a ellas / a usted / a ustedes ¿?

Se los he dado ...

¿Qué has hecho con los exámenes, Jaimito?

¿A quién?

- ¿*Le* mandaron por fin el paquete?
  ○ Sí, *se lo* mandaron ayer.

- ¿*Le* diste a Linus la receta?
  ○ Sí, *se la* di por teléfono.

- ¿*Les* robaron las joyas a tus padres?
  ○ Sí, *se las* robaron todas.

- ¿Podrían cambiar las toallas?
  ○ Por supuesto, señores, ahora mismo *se las* subimos a la habitación.

- Señora, ¿*le* llevo el paquete al coche? ¿O *se lo* enviamos a su casa?

- ¿*Les* has comprado los bombones ya?
  ○ Todavía no.
- Ah, ¿no? Pues no *se los* compres, que son alérgicos al chocolate.

3 Ha nacido Lucía, la niña de Ana y Andrés; está estupendamente, pero Andrés no para de hacerle preguntas a Ana.

★ ★
★ **A2**
★ ★

➡ Andrés: ¿Le has dado la manzanilla?

Ana: Sí, _se_ _la_ he dado hace un rato.

1. Andrés: ¿Le has puesto el chupete?

Ana: Sí, ... he puesto, pero no le gusta.

2. Andrés: ¿Le has cambiado el pañal?

Ana: No, Andrés, todavía no .... he cambiado.

3. Andrés: ¿Le has limpiado los oídos?

Ana: Sí, ... he limpiado.

4. Andrés: ¿Le han hecho los agujeros en las orejas?

Ana: No, no .... han hecho. ¿ .... vamos a hacer?

5. Andrés: ¿Le has dado el masaje?

Ana: Sí, ... he dado y le ha encantado.

4 Ana es educadora en una guardería. Completa como en el modelo.

★ ★
★ **A2**
★ ★

➡ Lucía: Señorita Ana, ¿me puedes quitar el abrigo?

Ana: Sí, Lucía, ahora mismo _te lo quito_ .

1. Ana: Miguel, ¿le has devuelto las tijeras a Omar?

Miguel: Sí, seño, ... Creo que está cortando las cortinas de la ventana.

2. Ángela: Seño, ¿me puedes limpiar los mocos?

Ana: Sí, Ángela, ahora mismo ....

3. Sara y Sofía: Seño, ¿nos pones el vídeo de Cenicienta?

Ana: Dentro de un rato .... , ¿vale?

4. Ana: ¿Queréis leer un cuento?

Niños: No, seño. Tú .... Es que nosotros no sabemos leer todavía.

5. Ana: ¿Le has dado el rotulador verde a Adrián?

Leo: No, seño, no .... Es mio.

6. Lara: Seño, ¿me das una galleta?

Ana: Claro, Lara. .... ahora mismo.

7. Carmen y Andrés: Seño, ¿nos das la plastilina?

Ana: Sí, enseguida ....

8. Ana: ¿Os habéis lavado las manos?

Niños: No, seño, no ....

9. Ana: Omar, ¿les has echado la comida a los peces?

Omar: Sí, ... y .... han comido en un minuto.

10. Ana: Carmen, ¿tú le has dado un empujón a Sofía?

Carmen: No, yo no .... Ha sido Miguel.

D   Con imperativo positivo, infinitivo y gerundio: *déjasela, dejársela, dejándosela*...

■ Con las formas de **imperativo positivo**, **infinitivo** y **gerundio** los pronombres complemento se colocan después del verbo, formando una sola palabra con él:

IMPERATIVO POSITIVO + CD/CI	INFINITIVO + CD/CI	GERUNDIO + CD/CI
Escríbela	*Escribirla*	*Escribiéndola*
Escríbele	*Escribirle*	*Escribiéndole*

IMPERATIVO POSITIVO + CI + CD	INFINITIVO + CI + CD	GERUNDIO + CI + CD
Escríbesela	*Escribírsela*	*Escribiéndosela*

● *Déjasela un momento a ella.*   ● *Dejársela fue un error.*   ● *Dejándosela no soluciones nada.*

👁 Cuando añadimos los pronombres al verbo, el acento de la palabra no cambia. Por esa razón, cuando la sílaba acentuada se convierte en la ter-cera o cuarta sílaba, hay que poner tilde (acento gráfico):

Deja   *Dejar*   *Dejando*
Déjasela   *Dejársela*   *Dejándosela.*
    4   3   4

👁 Con el pronombre *os* la **-d** final del imperativo de **vosotros** se pierde:

● *Poneos los abrigos.* [*Poned̶os los abrigos*]

➥ 34. Imperativo

➥ 20. Formas no personales

5 Este es el baile de más éxito del verano: *El baile del cachimbo*. El coro repite las acciones usando pronombres. Completa como en el ejemplo.

★ ★
★ A2
★ ★

1ª estrofa	El coro dice:	El coro repite:
		¡ahora házselo a tu pareja!

Y uno, dos y tres. Levanta los brazos,   ➜ a. *Levantándolos*   ➜ b. *Levantándoselos*

mueve las manitas,   1 a. ....   1 b. ....

ahora dobla las rodillas   2 a. ....   2 b. ....

y un, dos, tres. Gira la cabecita.   3 a. ....   3 b. ....

Adelante y atrás, mueve las caderas,   4 a. ....   4 b. ....

sube la pierna derecha al compás,   5 a. ....   5 b. ....

y mueve el cuello sin parar.   6 a. ....   6 b. ....

¡Ay!, ¡qué gustito!, ¡ay!, ¡qué gustito!

6 El director de *La Bella Durmiente* y de *La Cenicienta* da instrucciones a los actores. Pon los pronombres adecuados en su sitio y no olvides los acentos gráficos.

★ ★
★ A2
★ ★

La Bella Durmiente

- Acércate despacio a la princesa. ➜ ..... Bésa.*la*. (1) ......coge...... la mano para ayudarla a levantarse. Estupendo, muy bien... Ahora (2) ....mira....... intensamente y (3) ....di....... que la quieres... ¡Genial, estupendo!
- A ver, ahora, todos vosotros (4) ....despertad.......; venga, (5) ...... levantad....... Si la Bella Durmiente está despierta, vosotros también.

La Cenicienta

- Bien, ahora tú, (6) ....prueba....... el zapato de cristal a Anastasia, la hermanastra. (7) ....coge....... el pie con mucha suavidad... Eso es, muy bien. Ahora (8) ....pon .... el zapato. Así, con delicadeza. Muy bien, estupendo...
- Ahora tú, Anastasia, muy enfadada, (9) ....tira....... el zapato a la cabeza. (10) ....di....... que es un inútil. ¡Espléndido! ¡Sublime!

E   **Con perífrasis verbales:** *Tienes que comértelo / Te lo tienes que comer*

■ Con las **perífrasis verbales** (combinaciones de un verbo conjugado y un verbo no conjugado), los pronombres complemento se pueden poner antes de la forma conjugada o después de la forma no conjugada:

vas a comprar

+

te lo

Te lo <u>vas</u> a comprar.

Vas a <u>comprár</u>telo.

- *Te lo tengo que decir.*
- *Se lo voy a decir.*
- *Te lo estoy diciendo.*
- *Os la puedo enseñar.*

- *Tengo que decírtelo.*
- *Voy a decírselo.*
- *Estoy diciéndotelo.*
- *Puedo enseñárosla.*

👁 Cuando los pronombres se sitúan después del verbo, forman una sola palabra con él (*Voy a regalárselo*); sin embargo, cuando los pronombres se sitúan antes del verbo, se escriben separados (*Se lo voy a regalar*).

⟳ 37. Perífrasis verbales

7 Bea y Miguel visitan al psicólogo. Pon los pronombres adecuados en su sitio y no olvides los acentos gráficos.

B1

➲ Bea: Miguel, ... lláma..me. alguna vez al trabajo.

1. Miguel: Bea, ... deja...... salir con mis amigos algún día. No pasa nada.

2. Bea: Tú siempre ...... estás regañando...... por hablar por teléfono con mis amigas.

3. Miguel: Y tú, ¿ ...... puedes dejar...... ver el fútbol en paz?

4. Bea: ....compra.... flores y .....di..... cosas bonitas.

5. Psicólogo: Tranquilos. No os enfadéis. ..... tenéis que decir..... siempre lo que pensáis el uno al otro.

6. Bea y Miguel: ¿ ..... tenemos que decir..... siempre, siempre lo que pensamos?, ¿en serio?

7. Psicólogo: Pues claro. Tenéis que recuperar el romanticismo. Tú, Bea, ... manda..... mensajes al móvil, ... diciendo..... que lo quieres. Y tú, Miguel, ... llama.... para ..... decir..... que estás deseando verla.

8 Lucía es un poco rebelde. Coloca los pronombres y no olvides poner los acentos gráficos.

B1

Mamá: Lucía, recoge tus juguetes. ➲ .....Recóge-.los, por favor, Lucía. (1) ¿ No ..... quieres recoger..... ? (2) Pues ..... vas a recoger..... , por las buenas o por las malas. (3) Venga, Lucía, ... tienes que recoger..... .

Lucía: (4) Ya ..... estoy recogiendo..... , mamá.

Mamá: Tómate la leche, Lucía.

Mamá: (5) Lucía, ¿ ..... vas a tomar..... la leche?

Lucía: (6) Ya ..... estoy tomando ..... , mamá.

Mamá: Lucía, apaga la televisión. (7) ..... Apaga..... , por favor. Lucía, (8) ..... tienes que apagar..... , ya es muy tarde. (9) ¿ ..... vas a apagar..... o no?

Lucía: (10) Ya ..... estoy apagando..... , mamá.

F En construcciones reflexivas y valorativas: *Se las lava. Le gusta el chocolate.*

■ En las construcciones reflexivas podemos combinar pronombres de CI y de CD. En ese caso, **el pronombre reflexivo va antes del pronombre no reflexivo**:

- *Se ha cortado las uñas pero no se las ha pintado.*
- *Ese vestido está muy bien. ¿Te lo pruebas?*
- *Me aprietan los zapatos.*
  - *Pues, quítatelos.*
- *Me lo puedo tocar pero no puedo vérmelo.*

■ En construcciones valorativas, con verbos como *gustar, encantar, interesar, apetecer, preocupar, molestar, doler,* etc., solo se usan los pronombres de CI. Nunca se combinan con pronombres de CD (*lo/la/los/las*), porque en estas estructuras no hay CD, solo sujeto y CI:

➲ 18. Construcciones reflexivas y valorativas

- *Me gustan mucho los garbanzos, pero es que ahora no me apetecen.*
- *¿Te duele la garganta?*
  - *Me molesta un poco, sí.*

[Me ̶l̶o̶s̶ apetecen.]
[Me ̶l̶a̶ molesta.]

Los garbanzos y la garganta son SUJETO y no CD.

9 Esta familia tiene unas costumbres bastante peculiares. Completa con uno o dos pronombres.

B1

➲ Mi madre se lava las manos continuamente. .Se... .las. lava unas veinte veces al día.

1. A mi padre .... duelen los huesos cuando va a llover. Le molestan especialmente las rodillas.

2. Yo me pongo normalmente dos pares de calcetines de lana. Siempre tengo los pies fríos. ¡ .... pongo incluso en verano!

3. A mis hermanos les gustan mucho los animales. .... interesan sobre todo los insectos. Son grandes coleccionistas.

4. A mi abuela le dan mucho miedo las tormentas. .... da pánico que le caiga un rayo en la cabeza.

5. Mis hermanas y yo nos pintamos las uñas de los pies de colores. .... pintamos así porque somos muy modernas.

6. En mi casa, nos acostamos todas las noches a las 10.30, y .... levantamos a las 6.30. En eso, mi padre es inflexible.

7. A mí me encanta mi familia. Y a vosotros, ¿qué .... parece?

17. Presencia y reduplicación de pronombres

A Uso de *lo, la, los, las / le, les*: *Lo ha comprado. Le ha dado un regalo a María.*

■ Si nos referimos al CD, usamos los **pronombres complemento** (*lo/la/los/las*) cuando se trata de **cosas** o **personas identificadas** antes:

- ● ¿Dónde has puesto *la caja*?
- ○ *La* he tirado. Estaba rota.

- ● ¿Y *mi equipaje*?
- ○ Ya *lo* he guardado.

- ● *Las toallas las* he cambiado. Estaban mojadas.

- ● ¿Has encontrado *a tus amigos*?
- ○ No, *los* estoy buscando.

👁 A diferencia de los pronombres de CI, no usamos los pronombres de CD si el CD no ha sido identificado antes:

- ● He cogido *las fotocopias*.
- ● ¿Has llamado *al camarero*?
- ● Lleva *a tus padres al cine*.

[~~La~~ he cogido las fotocopias.]
[¿~~La~~ has llamado al camarero?]
[Lléva~~la~~ a tus padres al cine.]

■ Si nos referimos al CI, usamos los **pronombres complemento** (*le, les* o *se+lo/la/los/las*) con CI **identificados** antes pero **también con** CI **que identificamos** después del pronombre:

COMPLEMENTO IDENTIFICADO ANTES DEL PRONOMBRE

- ● Quedé con *mis amigas* y *les* enseñé mi casa.

- ● Llama *a tu hermano* y di*le* que ya está la cena.

- ● Esto ya lo sabe *tu jefa*. *Se* lo he explicado yo.

- ● Ese libro es de *tu padre*. *Se* lo pedí prestado.

COMPLEMENTO IDENTIFICADO DESPUÉS DEL PRONOMBRE

- ● ¿*Le* dejarás el recado *a la secretaria*?

- ● *Le* he comprado este brillante *a Ana*.

- ● Lléva*les* estos vasos *a tus padres*.

- ● *Le* he cambiado la rueda *al coche*.

- ● ¿Y el niño?
- ○ *Se* lo he llevado *a mis tías*.

- ● Esto tengo que decír*se*lo *a mi marido*.

- ● ¿*Le* has echado sal *a la comida*?

➲ 12. Pronombres personales   ➲ 15. Pronombres complemento

---

1 Sustituye las palabras subrayadas por *lo/la/los/las* en unos casos y por *le/les* (*se*) en otros.

A1

➲ Mamá: ¡Luis! ¿Has cogido tú *las tijeras*?
Luis: No, mamá, yo no *las* he cogido.

1. Mamá: ¡Luis! ¿Has escondido *el mando a distancia*?
Luis: No, mamá, no .... he escondido.

2. Mamá: ¡Luis! ¿Has encerrado *a tu hermana* en el armario de vuestro dormitorio?
Luis: Sí, mamá, ... he encerrado yo. Me estaba molestando todo el rato.

3. Mamá: ¡Carmen! ¿Has visto *las llaves del coche*?
Carmen: Creo que Luis .... ha tirado por la ventana hace un rato.

4. Mamá: ¡Luis! ¿Has visto *al gato*?
Luis: Creo que Carmen .... ha metido en la lavadora.

➲ Carmen: Hoy me he peleado con *Álvaro* en clase y *le* he dado una patada.

1. Luis: Pues yo me he caído de *la bici* y .... he roto el faro.

2. Luis: Y lo peor es que la bici no era mía, era de *José Enrique*. .... la había pedido prestada.

3. Carmen: ¿Por qué no llamamos *a los abuelos* y .... pedimos algo de dinero para chucherías?

4. Luis: No, mejor llamamos *a la tía Adoración* y .... decimos que nos lleve al cine.

5. Carmen: ¿Y las llaves del coche de *mamá*? ¿ .... las has devuelto?

6. Luis: *Las llaves del coche* están llenas de barro. ¿........ lo quitas tú o .... lo quito yo?

2 Tacha los pronombres que sobran.

A1 ➲ No sé dónde las he puesto las gafas.

1. Ponle un poco más de sal al gazpacho.

2. Lo han descolgado el teléfono. No paraba de sonar.

3. Voy a comprarle un hueso de plástico nuevo al perro.

4. ¡Qué roscos más ricos! ¡Y qué buenos los hacía la abuela! ¿Te acuerdas?

5. A mi cuñada no la puedo soportar, es que es imbécil.

6. Les di mi más sincera enhorabuena a los novios.

7. La prepararé la ensaladilla y la meteré enseguida en el frigorífico.

8. Le hemos inflado las ruedas al coche y le hemos cambiado el aceite.

9. No las he metido las sábanas en la secadora. Las he tendido.

B Reduplicación: *Me ha mirado a mí.*

■ Cuando queremos **distinguir o contrastar** a la persona que identificamos como CD o CI frente a otras personas, usamos *a mí, a ti, a él, a ella, a usted, a nosotros/-as, a vosotros/-as, a ellos, a ellas, a ustedes*, además de los pronombres complemento:

[No a ellos]

Me pinta un paisaje.

Me pinta un paisaje **a mí**.

[No a él]

- *Me ha mirado **a mí** y no **a ti**.*
- *Les ha comprado el regalo **a ellos**, no **a ellas**.*
- *A nuestros vecinos no les gusta el nuevo ascensor, pero **a nosotros nos** encanta.*

- *Lo llamó **a él**, y no **a su hermano**. Estoy segura.*
- *Yo **os** mandé el fax **a vosotras**, pero lo recibió la secretaria.*
- *Les enseñaré el piso **a ustedes** a las dos, porque a las cuatro vienen otros señores a verlo.*

■ La reduplicación también sirve para aclarar el significado de los pronombres complemento de 3ª persona:

lo ⟶ *a él, a usted* (masc.)

la ⟶ *a ella, a usted* (fem.)

los ⟶ *a ellos, a ustedes* (masc.)

las ⟶ *a ellas, a ustedes* (fem.)

le ⟶ *a él, a ella, a usted*

se

les ⟶ *a ellos, a ellas, a ustedes*

Buenas tardes, señora. Soy Carlos, compañero de trabajo de su hijo y amigo de su hija. Resulta que **la** llamé por teléfono **a ella** y **le** dejé un mensaje, pero no contestó. Ya **se lo** dije **a su hijo**, pero **la** llamo ahora **a usted** para que **se lo** recuerde **a ella**.

👁 Los pronombres con preposición nunca pueden usarse solos para identificar al CD o al CI:

- *Me traerá un regalo **a mí**.*
- *¿Nos ha llamado Pedro **a nosotros**?*
- *Les pidieron un consejo **a ellos**.*

[Traerá un regalo a mí.]
[¿Ha llamado Pedro a nosotros?]
[Pidieron un consejo a ellos.]

3 Completa según el modelo.

A2

➡ I. ● Concha, ¿me quieres?　　　　　　　　　　　　　　　　　　　a. te quiero

　　　○ Claro que *te quiero* .　　　　　　　　　　　　　　　　　b. te quiero a ti

　　II. ● Es verdad que en mi vida hay muchas mujeres, pero yo solo *te quiero a ti* .

1. I. ● Fíjate qué mala suerte: de todo el bloque de vecinos solo ....　　a. nos han robado

　　II. ● ¿Qué os pasa?　　　　　　　　　　　　　　　　　　　　　b. nos han robado a nosotros

　　　○ Es que .... la cámara de vídeo.

2. I. ● ¡Camarero, la cuenta! Yo ....　　　　　　a. os invito

　　II. ● Es que a mi fiesta .... , no a ellas.　　　　b. os invito a vosotras

3. I. ● A Rosa le preocupa mucho el dinero, pero ....　　a. a mí me da igual

　　II. ● ¿Qué prefieres? ¿Pollo o ternera?　　　　　　　　　　　　b. me da igual

　　　○ Pues, no sé, ...

4. I. ● Perdone, señor, ¿quiere ver la nueva enciclopedia que tenemos en oferta?　　a. no me interesa

　　　○ No, gracias, ...　　　　　　　　b. a mí no me interesa

　　II. ● A mi novio le encanta el fútbol, pero ....

5. I. ● A ti no, porque tú estás acostumbrado, pero ....　　a. le molesta mucho

　　hablar en público.　　　　　　　　　　　　　　　　　　　　b. a ella le molesta mucho

　　II. ● El humo .... Tiene un problema respiratorio.

4 Las instrucciones de este juego son un poco complicadas. Completa como en el modelo.

A2

➡ Vamos a ver, Carmen, yo *te* doy a ti la pelota y
tú *se* la das a Luis.

1. Y si no ...... encuentro a ti, ¿a quién se la doy?

2. No importa. Luis ...... la da a mí y yo ...... la doy
a vosotras, ¿vale? Sara y Sofía, ¿lo habéis entendi-

do?

3. No, no lo hemos entendido. ¿Tú ...... la das a
nosotras? ¿Sí? Y nosotras, ¿a quién se la damos?

4. Vosotras ...... la dais a nosotros, a Luis y a mí.

5. Perdona, mamá, pero desde aquí no ...... veo a
Luis y a ti.

5 Fránkez y Tristicia tienen problemas entre ellos y con los pronombres. ¿Puedes ayudarlos a usarlos bien?

B1

Tristicia:　➡ Fránkez, ya no llevas a mí a los funerales.　　➡ *No me llevas a los funerales...*

Fránkez:　➡ Tristicia, ¿por qué ya no miras a mí como antes?　➡ *No me miras como antes*

Tristicia:　(1) Pasa algo a nosotros. (2) Antes besábamos a nosotros más.　　1. ....

Fránkez:　(3) Yo adoro a ti, mi dulce cucaracha.　　2. ....

Tristicia:　(4) Y yo también te quiero a ti mucho, más que a una
　　　　　　tormenta con truenos y relámpagos.　　3. ....

　　　　　　　　　　　　　　　　　　　　　　　　4. ....

Fránkez:　(5) Pues si queremos tanto a nosotros, (6) ¿por qué no
　　　　　　compramos a nosotros un helado gigante de tela de araña　　5. ....
　　　　　　y vamos al cementerio a ver salir la luna entre las tumbas?　　6. ....

6 Señala a quién puede referirse el pronombre subrayado de cada frase.

B1

➡ Le di la enhorabuena...　　a. a Leticia ✓　　b. a Felipe ✓　　c. a ustedes　　d. a usted ✓　　e. a los Reyes

1. Lo felicitó por su victoria...　a. a él　　　　b. a ella　　　c. a ustedes　　d. a usted　　e. a las animadoras

2. Les dieron el pésame...　　a. a su madre　　b. a sus hijos　c. a ellas　　　d. a usted　　e. a ustedes

3. La quise mucho...　　　　a. a mi novio　　b. a Corina　　c. a usted　　　d. a mis gatas　e. a mis canarios

4. Se la enseñó...　　　　　a. a ella　　　　b. a su marido　c. a ustedes　　d. a ellos　　e. a sus amigas

5. Los he suspendido...　　a. a ustedes　　b. a ella　　　c. a ellos　　　d. a usted　　e. a mi alumno

6. Las he aprobado...　　　a. a él　　　　　b. a ustedes　　c. a ellos　　　d. a ellas　　e. a mi alumna

18. Construcciones reflexivas y valorativas

A   Construcciones reflexivas: *Me baño. Me lavo los dientes*.

■ En las construcciones reflexivas, **sujeto** y **complemento** (directo o indirecto) **coinciden**; es decir, se refieren a la misma persona o cosa. Cuando conjugamos un verbo en forma reflexiva, **los efectos de ese verbo se limitan al espacio del sujeto**:

Yo me afeito por las mañanas.

● *Poncio se lava las manos*.

■ Estos son los **pronombres** que usamos en la conjugación reflexiva:

yo	me acuesto
tú	te acuestas
él/ella/usted	se acuesta
nosotros/-as	nos acostamos
vosotros/-as	os acostáis
ellos/ellas/ustedes	se acuestan

👁 La terminación del verbo y el pronombre se refieren a la misma persona.

➲ 15. Pronombres complemento

---

1 Señala qué verbos son reflexivos en estos enunciados. Fíjate en la concordancia del pronombre y el verbo.

A1

➲ Mañana <u>me despierto</u> a las diez.

1. ¿Me dejas cincuenta euros?

2. Te acuestas siempre tempranísimo.

3. Te he visto esta tarde en el centro comercial.

4. ¿Se ha puesto ya Laura el abrigo?

5. Le he comprado un gorro a Encarna.

6. Nos vestimos y salimos, ¿vale?

7. La gente nos mira de una forma rara.

8. Si salimos, os llamo.

9. Si os ponéis delante, no veo nada.

10. A mis padres no les gusta esta música.

11. Mis padres se levantan a eso de las 7.

---

2 Relaciona como en el ejemplo.

A1

➲ a. Nos pintamos toda la cara de blanco.   a. Parecían fantasmas.

b. Les pintamos toda la cara de blanco.   b. Parecíamos fantasmas.

1. a. Se ahogó en la piscina del hotel.

    b. Lo ahogó en la piscina del hotel.

a. Fue un accidente. Él mismo se entregó a la policía.

b. Fue un accidente. Tropezó y se dio un golpe en la cabeza.

2. a. Todas las noches se limpiaba los zapatos antes de acostarse.

    b. Todas las noches le limpiaba los zapatos antes de acostarse.

a. Era un hombre muy metódico, obsesionado por su aseo personal.

b. Estaba siempre pendiente de él.

3. a. Le tiró una copa encima y le manchó el pantalón.

    b. Se tiró una copa encima y se manchó el pantalón.

a. Era muy torpe. Siempre llevaba la ropa sucia.

b. Así fue como se conocieron.

4. a. Se quitaron la ropa.

    b. Les quitaron la ropa.

a. Para meterse en la cama.

b. Les robaron todo.

B Usos: *Te has mojado. Te has mojado el pelo. Te has mojado la blusa.*

■ En español, con la conjugación reflexiva indicamos que el sujeto realiza la acción sobre sí mismo, sobre una parte de su cuerpo o sobre algo que lleva o tiene:

EL SUJETO SOBRE SÍ MISMO	EL SUJETO SOBRE UNA PARTE DE SU CUERPO	EL SUJETO SOBRE ALGO QUE LLEVA O TIENE

VERBOS

bañarse
ducharse
vestirse
etc.

- *Yo me baño todos los días, nunca me ducho.*
- *Amalia se viste siempre de negro.*

afeitarse
depilarse
tatuarse
etc.

- *¿Todavía no te has afeitado?*
- *Estoy harto de depilarme.*

- *Pepe se está afeitando el bigote.*
- *Ana se depiló las piernas y las axilas.*

cortarse
lavarse
mancharse
mojarse
pintarse
ponerse
quitarse
secarse
etc.

- *¿Me esperas un momento mientras me lavo?*
- *Vaya, ya te has manchado otra vez.*

- *¿Os habéis lavado las manos?*
- *Nos vamos a manchar las manos.*

- *Joan se lava la ropa a mano.*
- *¡Me he manchado el bolso con el café!*

- *¿Te pones al lado de Cati? Os voy a sacar una foto.*
- *¿Por qué nunca te secas al salir de la ducha?*

- *Se puso la dentadura.*
- *Pablo se seca el pelo con secador.*

- *¿Nos ponemos el pijama?*
- *¿Te has secado los zapatos antes de entrar?*

■ Con este tipo de construcciones podemos usar los pronombres de complemento directo *lo, la, los, las*:

- *¿Pepe se ha afeitado <u>el bigote</u>?, ¿en serio?*
- ○ *Sí, se lo afeitó ayer.*

- *¿Me pinto <u>las uñas</u> o me las corto?*

👁 En español usamos esta construcción para referirnos a acciones que en otros idiomas se expresan con el posesivo:

- *Me pongo la chaqueta.* ~~Pongo mi chaqueta.~~
- *Quitaos el abrigo.* ~~Quitad vuestros abrigos.~~

- *¿Te has cortado el pelo?* ~~¿Has cortado tu pelo?~~
- *Se rompió la nariz.* ~~Rompió su nariz.~~

◗ 7. Posesivos   ◗ 16. Posición y combinación

---

3 Completa las construcciones reflexivas de esta canción infantil con el pronombre y/o la terminación del verbo adecuados.

★ ★ ★
A2
★ ★ ★

Mamá ➜ *Se* lav*a* los dientes.

Papá (1) se duch..... cantando.

Mis hermanitos (2) se acuest.....

y (3) ..... duerm..... en su cuarto.

Todos en casa bien pronto

(4) ..... metemos en la cama,

pues siempre (5) ..... levanta.....

a las seis de la mañana.

En cuanto el sol (6) ..... despierta,

yo (7) ..... levant..... y (8) ..... vist..... ,

papá (9) ..... afeit..... la barba,

mamá (10) ..... bañ..... y ..... pein..... .

Y tú, ¿cómo (11) ..... levant..... ?

4 Martita tiene una adolescencia difícil. Fíjate en las cosas que hace y completa con las palabras que faltan.

A2

➲ ..Se... come ..las.. uñas.

1. No .... quita nunca .... gafas de sol.

2. No .... lava .... manos antes de cenar.

3. No .... corta .... pelo nunca.

4. .... pone .... vaqueros más viejos que tiene.

5. .... pinta .... labios de color naranja.

6. .... ha tatuado .... brazos.

7. .... ha teñido .... pelo de lila.

5 ¿Quién despierta a quién mañana por la mañana?

A2

➲ (Yo solo)	a. Los despierto.
1. (Yo a ti)	b. Os despierta.
2. (Tú a mí)	c. La despiertas.
3. (Yo a mis amigos)	d. Me despierto.
4. (Tú a tu hermana)	e. Os despertáis.
5. (Nosotros a ti)	f. Te despierto.
6. (Ella a vosotros)	g. Me despiertas.
7. (Vosotros solos)	h. Te despertamos.

¿Y quién le corta el pelo a quién en la peluquería de Pepe?

8. (Pepe a mí)	a. Le cortas el pelo.
9. (Pepe a sí mismo)	b. Te corta el pelo.
10. (Vosotros a vosotros mismos)	c. Me corta el pelo.
11. (Pepe a ti)	d. Se corta el pelo.
12. (Tú a Pepe)	e. Le corta el pelo.
13. (Laura y Pepe a sus hijos)	f. Les cortan el pelo.
14. (Laura a Pepe)	g. Les corta el pelo.
15. (Laura a unos clientes)	h. Os cortáis el pelo.

C La reciprocidad: *Nos conocemos. Nos queremos.*

■ Con la conjugación recíproca podemos expresar que dos o más sujetos realizan una acción de manera recíproca, es decir, el uno al otro:

- *Pepe y su primo se pegan por todo.*
  [Pepe pega a su primo + Su primo pega a Pepe.]

- *Ana y tú os escribís, ¿no?*
  [Ana te escribe cartas a ti + Tú le escribes cartas a Ana.]

- *Isabel y Fernando se quieren.*
  [Isabel quiere a Fernando + Fernando quiere a Isabel.]

FERNANDO ❤ ISABEL

---

6 Montse le cuenta a Elvira cosas de su relación con Ercan. Escribe el pronombre que corresponda.

B1

Elvira: ¿Dónde ➲ ..os...... conocisteis Ercan y tú?

Montse: (1) .... vimos por primera vez en un viaje a Turquía. Él era el guía.

Elvira: ¿Y (2) .... enamorasteis enseguida?

Montse: ¡No, qué va! A principio solo (3) ....

Elvira, después, le hace un resumen a Begoña.

Montse y Ercan ➲ ..se conocieron.... en un viaje a Estambul, pero no (6) .... enseguida, al principio solo (7) .... bien. El primer

caímos bien, pero un día me invitó a cenar, dimos un paseo y...

Elvira: Y (4) .... besasteis.

Montse: No, no: ¡me llevó a ver a su madre! Desde ese día su madre y yo no (5) .... entendemos.

día que salieron juntos no (8) .... ; él es muy tradicional y la llevó a conocer a su madre. Y desde ese día la madre de Ercan y Montse no (9) ....

D Cambios de estado: *El fuego se ha apagado y la comida se ha enfriado.*

■ Con verbos como:

> *abrir, cerrar, calentar, enfriar, encender, apagar, instalar, borrar, mojar, secar, romper, derramar, manchar, parar, mover, dormir, despertar, acostar, levantar, bajar, divertir, aburrir, marear, preocupar, cansar, alegrar, sorprender, enamorar, etc.*

nos referimos a un **SUJETO**-**agente**, que realiza una acción, y a un **CD**-**paciente**, que cambia de estado como consecuencia de esa acción:

- *¿Tú has calentado los macarrones?*
  ["Tú", la persona que realiza la acción, es el **SUJETO**-**agente**; "los macarrones" es el **CD**-**paciente**: pasan de estar fríos a estar calientes.]

- *Borrad ese párrafo, por favor.*
  ["Vosotros", la persona que causará un cambio, es el **SUJETO**-**agente**; "el párrafo", que desaparecerá, es el **CD**-**paciente**.]

- *Alberto nos alegró con esa noticia.*
  ["Alberto", la persona que produce una emoción, es el **SUJETO**-**agente**; "nosotros", las personas afectadas por esa emoción, es el **CD**-**paciente**.]

- *Marisa derrama el café y mancha el bolso.*

■ Con estos verbos, cuando solo queremos hablar del cambio de estado que le ocurre a una persona o una cosa, y no pensamos en quién o qué causa ese cambio, usamos la conjugación reflexiva y, en este caso, el **SUJETO** es el paciente, **la persona o cosa afectada por el cambio de estado:**

- *Los macarrones ya se han calentado.*
  ["Los macarrones", la cosa afectada por un cambio, que pasan de estar fríos a calientes, es el **SUJETO**-**paciente**.]

- *El párrafo se borrará.*
  ["El párrafo", la cosa afectada por el cambio, que ahora está y después no, es el **SUJETO**-**paciente**.]

- *Nosotros nos alegramos con esa noticia.*
  ["Nosotros", la persona afectada por la noticia, la que experimenta una emoción, es el **SUJETO**-**paciente**.]

- *El café se derrama y el bolso se mancha.*

	CONJUGACIÓN NO REFLEXIVA	CONJUGACIÓN REFLEXIVA
	Calentar	*Calentarse*
Yo	caliento	me caliento
Tú	calientas	te calientas
Él, ella, usted	calienta + algo	se calienta
Nosotros/-as	calentamos	nos calentamos
Vosotros/-as	calentáis	os calentáis
Ellos/-as, ustedes	calientan	se calientan

- *La fiesta es genial. Me estoy divirtiendo mucho.*
- *Papá, ¿ya te has dormido?*
- *La puerta se ha abierto con el viento.*
- *Aquí, sin calefacción, nos enfriaremos muy pronto.*
- *Si no paráis un poco, os cansaréis.*
- *Hoy los niños se han despertado solos.*

7 En una escena de una película un hombre invisible entra en la habitación de un niño. Lee con atención
el relato de la escena, subraya todas las cosas que hace el hombre invisible para asustar al niño, y después
B1 describe tú las 10 cosas increíbles que el pobre niño ve, como en el ejemplo.

Esto es lo que el hombre invisible hace:

El hombre invisible <u>abre</u> la puerta. Entra silenciosamente y <u>enciende</u> la luz. El niño mira
asustado. El hombre invisible conecta la radio.
Hay un vaso en la mesita de noche. El hombre
invisible llena el vaso de agua. Después acerca el
vaso a la cama del niño y luego aleja la mesita
de la cama. Todo esto asusta muchísimo al niño.
Ahora el hombre invisible eleva el vaso sobre la
cama del niño, derrama el agua sobre la manta
y rompe el vaso. El niño está a punto de gritar
cuando el hombre invisible desconecta la radio,
apaga la luz, cierra la puerta y se va.

Esto es lo que el niño ve:

➲ *La puerta se abre.* ....

➲ *La luz se enciende.* ....

1. ....

2. ....

3. ....

4. ....

5. ....

6. ....

7. ....

8. ....

9. ....

10. ....

8 Elige el verbo adecuado en la persona y tiempo correspondientes, como en el ejemplo.
En un caso debes usar la conjugación reflexiva y en otro la no reflexiva del mismo verbo.
B1

> alegrar(se)   cansar(se) ✓   mojar(se)   despertar(se)
> instalar(se)   secar(se)   acostar(se)   curar(se)

➲ • ...*Me canso*... muchísimo en esta clase de gimnasia.

  ○ Es que este tipo de ejercicio .....*cansa*..... muchísimo.

1. Esa herida .... con el tiempo, pero la infección de oído solo
   la puede .... el médico.

2. ¿Por qué sales ahora? Está lloviendo. .... tú y ....
   al perro.

3. Yo .... cuando me dijeron que te habías casado. Esas noticias
   siempre ....

4. ¿Cada noche .... tan tarde como hoy? ¿No os vais a la cama
   en cuanto .... al bebé?

5. Puedes .... tú personalmente el programa o puedes darle a este
   botón y el programa .... automáticamente.

6. Esta secadora es rapidísima. .... en menos de quince minutos.
   Y la ropa .... completamente.

7. Mi mujer y yo .... a las ocho, y luego, media hora más tarde,
   .... a los niños.

E   *Ir(se), llevar(se) / venir(se), traer(se)*

■ Los verbos *ir* y *llevar* sirven para indicar un movimiento hacia '**ALLÍ**', es decir, hacia un espacio distinto al espacio donde está la persona que habla ('**AQUÍ**'):

Bueno, mamá, **voy** a casa de la abuela a **llevar**le la tarta.

'ALLÍ'

'AQUÍ'

Caperucita Roja **iba** todos los días a la casa de su abuela y le **llevaba** comida.

'ALLÍ'

'ALLÍ'

■ Los verbos *venir* y *traer* sirven para indicar un movimiento hacia '**AQUÍ**', hacia el espacio donde está la persona que habla:

¡Qué pronto **vienes** hoy, Caperucita!
¿Qué me **has traído**?

'ALLÍ'

'AQUÍ'

■ También usamos *venir* o *traer* cuando hablamos de movimientos hacia un espacio en el que se sitúa mentalmente la persona que habla y en el que piensa como su espacio (el lugar donde nos situamos en el futuro, nuestra casa, nuestro despacho, con nosotros, conmigo, etc.):

¿Puedes **venir** a MI CASA mañana y **traer**me la carta?

¡Claro que puedo **ir** a TU CASA mañana y **llevar**te la carta!

- ¿Quieres **venir** <u>conmigo</u> al teatro?
- Me encantaría **ir** <u>contigo</u>, pero no puedo.

👁 ¡Claro que puedo venir a tu casa y traerte la carta!

■ 'AQUÍ', el lugar donde está la persona que habla, puede ser un espacio más grande o más pequeño, depende de con qué otro espacio se compara:

Tienes que venir a mi galaxia, a mi sistema solar, a mi planeta, a mi país, a mi casa...

- *Ven aquí, a mi dormitorio. No vayas a la terraza ahora.* [mi dormitorio = AQUÍ / la terraza = ALLÍ]

- *Tenéis que venir primero a ver mi piso y luego iremos nosotros a ver el vuestro.* [mi piso = AQUÍ / vuestro piso = ALLÍ]

- *¿Cuándo vienen a Madrid tus padres? ¿Van a un hotel o van a tu casa? Si quieres, pueden venir a casa.* [Madrid = AQUÍ / Su ciudad = ALLÍ; hotel y tu casa = ALLÍ / casa = AQUÍ]

- *Cuando vengas a España, no vayas a Palencia. Ven a Barcelona primero y, luego, ve a Granada.* [España = AQUÍ / tu país = ALLÍ; Palencia = ALLÍ / Barcelona = AQUÍ; Granada = ALLÍ...]

9 ¿A qué lugar se refiere Adela?

A2

	AQUÍ	ALLÍ
	A donde ella está	A otro lugar
➔ ¡¿Emilio?! ¿Vas a **traer** a ese tipo? No me gusta nada.	✓	....
1. ¿Puedes **llevarme** el libro que te presté, por favor?	....	....
2. **Ven** mañana y hablamos. ¡Ah! Y **tráeme** el CD, si te acuerdas.	....	....
3. Espera, parece que ha sonado el timbre. ¡Un momento, ya **voy**!	....	....
4. Las gemelas, sí. Ellas **vienen** a verme de vez en cuando.	....	....
5. Rosa, no. Ella nunca **fue** a verme.	....	....
6. El otro día Jorge me **llevó** un ramo de flores. ¿No es encantador?	....	....
7. Si quieres puedes **llevarte** ya la plancha. He comprado una.	....	....
8. Es una larga historia. Si **vienes** luego, te lo explico.	....	....

10 Brian está en una clase de español en París. *¿Ir, venir, llevar* o *traer?*

A2

➔ Tengo que ....*ir*.......... a casa.

1. Tengo que .... al baño un momento.
2. Tengo que .... unos libros a la biblioteca.
3. Tengo que .... el diccionario a clase.
4. Tengo que .... a Madrid.
5. Tengo que .... a Francia cada año.
6. Tengo que .... a Europa cada año.
7. Tengo que .... comida a mi gato.
8. Tengo que .... a mirar por la ventana.
9. Tengo que .... a la mesa del profesor.

11 Adela habla con varias personas. Completa con la forma adecuada de *ir, venir, llevar* o *traer.*

A2

➔ Mira, creo que no voy a ...*ir*............. a la fiesta. Está lloviendo mucho.

1. Oye, al final .... a la cena de Jorge. ¿Tenemos que .... algo?
2. ¿Te .... el fin de semana conmigo a casa de mis padres? Son muy simpáticos. Ya verás.
3. Bueno, el jueves yo voy a estar todo el día en la oficina. ¿Por qué no .... y salimos a desayunar juntas?
4. ¿Te dejaste el anillo? Pues no lo he visto por aquí. No sé dónde puede estar. A lo mejor lo olvidaste en la cocina. Espera, ... a ver.
5. Lo pasamos muy bien en la playa. Por cierto, que estuvimos esperándote y nada. ¿Por qué no .... ?
6. ¿ .... al cine conmigo mañana?

■ Con los verbos que significan movimiento *(ir, venir, llevar, traer,* etc.) usamos la conjugación reflexiva para destacar que se abandona el lugar de origen del movimiento:

No importa la idea de dejar el lugar de origen.

Va corriendo. Lleva el tesoro.

Viene corriendo. Trae el tesoro.

El hablante está en el lugar de destino del movimiento.

El hablante no está en el lugar de destino del movimiento.

Sí importa la idea de dejar el lugar de origen.

Se va corriendo.
Se lleva el tesoro.

Se viene corriendo. Se trae el tesoro.

El hablante está en el lugar de destino del movimiento.

El hablante no está en el lugar de destino del movimiento.

12 ¿Qué dice Jennifer? Lee atentamente las siguientes situaciones y decide en cada caso la opción más probable.

B1

1. Jennifer vive en Londres, pero encuentra un buen trabajo en Madrid y decide cambiar de ciudad.

    a. ¡Voy a Madrid!   b. ¡Me voy a Madrid!

2. Cuando se está vistiendo para salir, tiene una duda.

    a. ¿Qué ropa es mejor para llevar?   b. ¿Qué ropa es mejor para llevarme?

3. Cuando está haciendo la maleta, ve que no puede meter toda la ropa que tiene, y tiene que elegir.

    a. ¿Qué ropa llevo?   b. ¿Qué ropa me llevo?

4. Antes de salir para el aeropuerto, quiere despedirse de su madre.

    a. Primero voy a casa de mi madre.   b. Primero me voy a casa de mi madre.

5. En el aeropuerto, alguien le pregunta sobre su vuelo.

    a. Voy a Madrid.   b. Me voy a Madrid.

6. Ya en Madrid, recuerda que no se despidió de su amiga Jessica en Londres.

    a. ¡Me he venido sin decirle adiós!

    b. ¡He venido sin decirle adiós!

7. Su amigo Eddie la espera en el aeropuerto.

    a. Mira, he traído un regalo para ti.

    b. Mira, me he traído un regalo para ti.

8. Le pide ayuda a Eddie con las maletas.

    a. ¿Tú puedes llevar esta?

    b. ¿Tú puedes llevarte esta?

13 **¿Qué dice Jennifer? Lee atentamente las siguientes situaciones y decide en cada caso la opción más probable.**

B1

⊃ Lo siento, pero tengo que irme a las cuatro. Me esperan en casa.   ⊃ .... ✓

⊃ ¡No soporto más tu maldita música! ¡Mañana mismo voy a casa de mi madre!   ⊃ ..*me voy*....

1. ¿A dónde va Liz con esas maletas? ¿Es que se va?   1. ....

2. El niño no puede estar solo ni un segundo. En cuanto me voy, se pone a llorar.   2. ....

3. ● ¿Sabéis que Andrew hace hoy una fiesta con comida brasileña?

   ○ Es la primera noticia que tengo. ¿Tú piensas irte?

4. ● Pues no sé. Si tú vas, quizá yo también.   4. ....

5. Espera un momento. Voy a comprar el periódico y ahora vuelvo.   5. ....

6. No quiero hablar más contigo. Voy a mi casa.   6. ....

7. Las chicas buenas van al cielo. Las malas, a todas partes.   7. ....

8. Yo vengo mucho a este bar porque es barato.   8. ....

9. ¡A dormir, niños! ¡Que los Reyes Magos se vienen mañana!   9. ....

10. Antes de irte a Sevilla, deberías llevarte el coche al taller para una revisión.   10. ....

11. Marga se va a enfadar. He traído sus discos sin darme cuenta.   11. ....

F   Verbos de ingestión: *comer(se)*, *beber(se)*, *tomar(se)*...

■ Con verbos como *comer, beber, fumar, tomar, tragar*, etc., usamos la conjugación no reflexiva cuando:

No especificamos el alimento que se toma:
- ● *Come con la boca cerrada, por favor.*
- ● *No comas mucho.*
- ● *Come despacio.*

Hablamos de tipos de alimentos, clases de platos, etc.:
- ● *No puedo tomar azúcar, porque soy diabético.*
- ● *Mis hijas solo toman cereales en el desayuno.*
- ● *Hoy vamos a comer salmón. ¿Te apetece?*
- ● *Ya no fuma tabaco negro.*

Hablamos de cantidades no determinadas:
- ● *Comieron muchos caramelos y se pusieron malos.*
- ● *Si vas en un avión, a veces tienes que tragar saliva para oír mejor.*
- ● *¿Has probado mi tarta?*
- ○ *He tomado un poco. Está muy rica.*
- ● *Has comido pocas cerezas. Toma más.*
- ● *¿Has visto? Ese niño tan pequeño está comiendo pasta, él solo y sin mancharse.*

He comido un poco en casa. Creo que no voy a **tomar** nada.

Pues yo, de primero voy a **tomar** ensalada y de segundo pescado con patatas.

Creo que primero voy a **tomar**me el pescado.

■ Sin embargo, usamos la conjugación reflexiva solo cuando hablamos de ingerir cosas determinadas y concretas:
- ● *¿Todavía no te has tomado el zumo?*
- ● *Yo me estoy comiendo este muslo de pollo.*
- ● *¿Me puedo comer tu fruta?*
- ● *¿Y mi chocolate?*
- ○ *Me lo he comido.*
- ● *Trágate lo que tienes en la boca.*
- ● *En la cena se come un plato de pasta entero.*
- ● *Me tomé dos manzanas riquísimas.*
- ● *Se bebe toda la botella sin parar.*

14 *¿Comer* o *comerse*? Coloca cada expresión en la columna correspondiente, como en el ejemplo.

A2

	Comer	Comerse
➲ mucho	*mucho*	....
➲ lo que tienes en la mano	....	*lo que tienes en la mano*
1. carne de pollo	....	....
2. un filete de ternera riquísimo	....	....
3. esa manzana	....	....
4. manzanas	....	....
5. poco pan	....	....
6. un poco de pan en las cenas	....	....
7. pescado frito	....	....
8. el pescado de ayer	....	....
9. todo eso	....	....
10. nada	....	....
11. su bocadillo	....	....
12. rápido	....	....
13. de mi plato	....	....
14. el martes	....	....
15. 35 aceitunas seguidas	....	....
16. muchas aceitunas	....	....

15 Decide usar *comer* o *comerse* en la forma más adecuada.

B1

➲ ¿Ese niño va a *comerse* .... ese bocadillo tan grande él solo?

1. Si te apetece .... pescado, vente a mi casa. Tengo salmón.

2. ¿Te gusta el caviar? Puedes .... el mío. Yo lo odio.

3. Si no cabemos todos en la mesa, los niños pueden ....
antes y luego nosotros .... tranquilamente.

4. Tienes que .... lo que queda en el plato. Si no, tu padre
se enfadará.

5. Yo .... todas las mañanas un ajo crudo. Es bueno para todo.

6. Desde que la dejó el novio, no .... nada, la pobre.

7. No pude envenenarlo: no .... ni uno solo de los pasteles
que le ofrecí.

8. De repente, se puso a .... huevos como un loco,
y .... veinte.

16 Elige la forma más adecuada en cada caso.

B1

➲ (Tomo/Me tomo) *Me tomo* .... esta cerveza mientras tú (1) (fumas/te fumas) .... el cigarrillo, y
ya no (2) (bebemos/nos bebemos) .... ni (fumamos/nos fumamos) .... más hasta mañana.

(3) Yo normalmente (tomo/me tomo) .... vino tinto (4) (comiendo/comiéndome) .... ,
y blanco si lo que (5) (tomo/me tomo) .... es pescado o sopa. ¿Tú vas a (6) (tomar/tomarte)
.... tu sopa sin nada? ¿Quieres (7) (beber/beberte) .... un poco de agua quizás?

(8) Aquí tienes, abuela, (toma/tómate) .... el jarabe primero y, luego, (9) (tomas/te tomas)
.... la pastilla, pero (10) (la tragas/te la tragas) .... entera, ¿eh?

G Construcciones impersonales con *se*: *Aquí se vive bien / Se invitó a toda la familia.*

■ Cuando no queremos identificar al "agente" que realiza una acción, usamos el verbo
en tercera persona de la conjugación reflexiva (*se vende/n*):

CONSTRUCCIÓN PERSONAL
Identificamos al agente:

CONSTRUCCIÓN IMPERSONAL
No identificamos al agente:

● *Mis vecinos venden* la casa.

■ Con verbos que se refieren a un agente que realiza la acción –SUJETO– y a un paciente
afectado por la acción –CD– (*buscamos* algo / a alguien, *traemos* algo / a alguien,
pintamos algo / a alguien, etc.), **en la construcción impersonal con *se*** el agente no
se identifica y **el paciente puede ser** CD O SUJETO:

Si el paciente es **cosa** o **persona indeterminada**, concuerda con el verbo como SUJETO:
  ● *Se vende coche de segunda mano.*
  ● *Se compra ropa usada.*
  ● *Se busca ayudante.*
  ● *Se venden motos.*
  ● *Se compran muebles.*
  ● *Se buscan camareros que sepan inglés.*

Si el paciente es una **persona determinada**, lo marcamos como CD con la preposición *a*
y usamos el verbo siempre en singular:
  ● *Se contrató a un nuevo profesor de chino, el Sr. Chang.*
  ● *¿Se ha avisado también al vecino del 5º?*
  ● *Así no se trata a los profesores.*
  ● *¿Se ha avisado a todos los vecinos?*

● *Así se riegan las plantas.*
[Las plantas son la cosa afectada.
Son SUJETO-paciente.]

● *Así se alimenta a los bebés.*
[Los bebés son la persona afectada.
Son CD-paciente.]

■ Los verbos que no necesitan cᴅ (*vivir, crecer, estar, salir, hablar,* etc.) siempre se usan en singular en la construcción impersonal con **se**:

- *En las ciudades pequeñas se vive sin estrés.*
- *En esta empresa se discute de todo.*
- *Se está bien en la terraza. Podemos comer fuera.*

■ Usamos la construcción impersonal con **se** para **generalizar** con el mismo sentido que cuando generalizamos diciendo *la gente, todo el mundo, nadie, las personas,* etc.

- *Aquí en invierno no se sale a la calle.*

- *Aquí en invierno la gente no sale a la calle.*
- *Aquí en invierno nadie sale a la calle.*
- *Aquí en invierno las personas no salen a la calle.*

Generalizando con se (agente omitido o borrado)
- *Aquí no se puede jugar con la pelota.*
- *Se duerme mejor en invierno.*
- *Cada día se lee menos.*
- *¡Eso no se toca!*

Particularizando (agente explícito)
Pero yo siempre juego.
¿Tú no duermes mejor?
Excepto nosotros, que leemos muchísimo.
No lo toques, por favor.

17 Escribe en un cartel para cada uno de los siguientes propósitos, como en el ejemplo:

A2

↪ Vender coche usado.

1. Adivinar el futuro.

2. Comprar oro.

3. Hacer fotocopias.

4. Alquilar motos de agua.

5. Vender billetes de lotería.

6. Cuidar a personas enfermas.

7. Regalar dos perritos.

8. Prohibir tirar basura.

18 Dale a la siguiente receta de ceviche un estilo más impersonal usando construcciones con *se*.

★ ★
★ B1
★ ★

Ingredientes:
1/2 kilo de pescado (blanco o azul) cortado en cuadros pequeños
2 cebollas rojas, muy picadas
4 tomates, muy picados
2 pimientos (uno amarillo y otro naranja), muy picados
20 limones
Un poco de cilantro, muy picado
Sal y aceite de girasol

➲ Ponga / *se ponen*............ los pedacitos de pescado crudo en una fuente de cristal.

1. Cúbralos / .... con sal y el jugo de unos diez o doce limones.

2. Tape / .... la fuente con plástico de cocina.

3. Poner / .... en el frigorífico durante al menos 4 horas.

4. Mezcle / .... las cebollas, los tomates, los pimientos y el cilantro con el jugo de los limones que quedan.

5. Póngale / .... un poco de sal.

6. Deje / .... reposar una hora.

7. Saque/ .... el pescado de la nevera y lávelo / .... bien.

8. Mezcle .... con los ingredientes anteriores.

9. Añada / .... sal y aceite al gusto.

10. Puede / .... servir inmediatamente o dejar reposar para que todos los sabores se combinen.

19 Lee atentamente las siguientes situaciones y decide en cada caso la opción más probable.

★ ★
★ B1
★ ★

➲ Últimamente *se edifican*.......... muchas viviendas, pero están carísimas.

1. Para este puesto .... personas muy capacitadas.

2. En España .... pocos puestos de investigación.

3. .... los bomberos para toda clase de accidentes.

4. Al sur de Marruecos casi no .... español.

5. .... un niño de cinco años que en el momento de su desaparición llevaba pantalón blanco y abrigo azul. Se llama Pepito.

6. .... préstamos a las víctimas del terremoto.

7. Desde aquí .... su ventana.

8. No _____ quién es el autor. .... que es un sabio del siglo XV.

9. En verano .... muchas frutas.

10. Cuando .... demasiadas cosas, ... pocas.

dar
crear
necesitar
buscar
✓ edificar
avisar
hablar
ver
saber
comer
esperar
obtener
pensar

20 Cambia las frases como en el ejemplo, usando el verbo en la forma impersonal sin identificar al agente.

★ ★
★ B1
★ ★

➲ Dentro de unos años **nadie** escribirá en papel. ...*no se escribirá*....

1. En el maratón **los corredores** llegan agotados. ....

2. En España **los hombres** hablan todo el tiempo de fútbol. ....

3. No te preocupes por los gritos. Es que en mi casa **discutimos** así. ....

4. **Los estudiantes** estudian mucho en el instituto pero fracasan en la prueba de acceso a la universidad. ....

5. Aquí por las tardes **la gente** pasea por ese parque. ....

6. Donde **las personas** están bien de verdad es en casa. ....

H Construcciones valorativas: *Me gusta… Les da miedo… Nos parece bien…*

■ En este tipo de construcciones hay un elemento (el **sujeto**) que produce una emoción, una sensación, un sentimiento o una reacción… (expresados por el **verbo**) en alguien (el **complemento indirecto**):

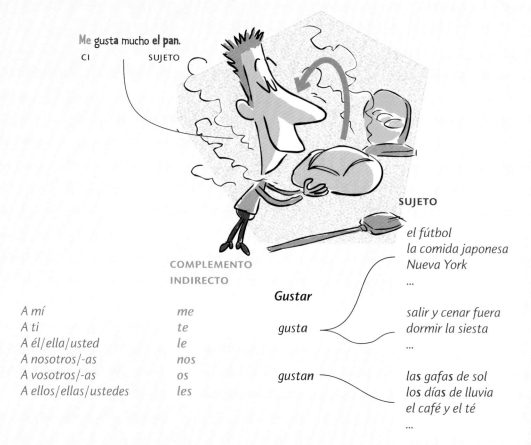

Me gusta mucho **el pan**.
CI · · · · · SUJETO

SUJETO

el fútbol
la comida japonesa
Nueva York
…

COMPLEMENTO INDIRECTO

Gustar

A mí	me
A ti	te
A él/ella/usted	le
A nosotros/-as	nos
A vosotros/-as	os
A ellos/ellas/ustedes	les

gusta

salir y cenar fuera
dormir la siesta
…

gustan

las gafas de sol
los días de lluvia
el café y el té
…

■ Además de *gustar*, funcionan así otros verbos como **apetecer, doler, encantar, fastidiar, interesar, molestar, preocupar**, etc.:

- *Pues hoy no **nos** apetece nada salir.*
- *A mi madre **le** duelen los huesos cuando cambia el tiempo.*
- *¿A usted **le** interesan las películas de ciencia ficción?*
- *¿No **te** preocupa nada el futuro?*

○ 16. Posición y combinación

○ 17. Presencia y reduplicación

👁 En estas construcciones, cuando el sujeto es una combinación de varios infinitivos, o de infinitivo y sustantivo, el verbo va en singular. El verbo solo va en plural si hay un sustantivo plural más cerca del verbo que el infinitivo:

- *Me gusta **ir** al cine y **leer** en la cama.*
- *Me gusta **el cine** y **leer** en la cama.*
- *Me gusta **ir** al cine y **las novelas de misterio.***
  PERO: *Me gusta**n** **las novelas de misterio** y **leer** en la cama.*

■ En algunas construcciones de este tipo, el efecto (emoción, reacción, sensación, etc.) que el sujeto provoca en alguien se expresa con el verbo más un adjetivo, un sustantivo o un adverbio:

Dar + igual, miedo, pena, rabia, risa, vergüenza…
Resultar/Parecer + estupendo, increíble, raro…
Caer + bien, mal, regular…

- *Me dan asco las ratas.*
- *Les parece fatal ir a la cena sin un regalo.*
- *¿A ti te cae bien mi padre?*

21 Sofía va a hacer un intercambio con un chico francés, Pierre. Apunta en una lista lo que quiere contar de su familia y lo que quiere preguntar a Pierre de la suya.

A2

➔ A mi padre ENCANTAR cocinar y beber vino. ✓

1. A mi madre NO GUSTAR los chicos con el pelo largo.

2. A mis hermanas GUSTAR la ropa y salir por la noche.

3. A mí ENCANTAR sobre todo viajar y dormir.

4. A todos nosotros GUSTAR mucho el queso francés.

5. A todos nosotros DOLER a menudo la cabeza.

➔ ¿A ti GUSTAR las motos? ✓

6. ¿A tus padres MOLESTAR el tabaco?

7. ¿A tus hermanos INTERESAR la ecología?

8. ¿A vosotros GUSTAR la sangría y la paella?

9. ¿A vosotros MOLESTAR los gatos?

10. ¿A tu hermana GUSTAR esquiar?

COSAS DE MÍ Y DE MI FAMILIA

A mi padre le encanta cocinar
y beber vino...

COSAS QUE ME GUSTARÍA SABER DE TI
Y DE TU FAMILIA

¿Te gustan las motos?

22 Aquí tienes fragmentos de un debate sobre tópicos de hombres y mujeres. Completa con pronombres y con la forma del verbo adecuada. Después, relaciona cada enunciado con su continuación.

B1

Los hombres dicen:

➔ No es verdad. A nosotros sí (GUSTAR) *nos gusta* la ropa.

1. ¡Qué tontería! A mí (ENCANTAR) .... ocuparme de las cosas de la casa. (GUSTAR) .... mucho ordenar los armarios.

2. ¿A vosotros (FASTIDIAR) .... hablar de vuestros sentimientos? ¿(DAR VERGÜENZA) .... compartir vuestros secretos?

3. No sé si a todos nosotros (MOLESTAR) .... cuidar a los niños.

4. ¿A ti no (GUSTAR) .... tomar algo con los amigos?

a. Yo creo que a nosotros no (MOLESTAR) .... contar nuestras cosas, pero somos más reservados.

b. A mí, por ejemplo, (ENCANTAR) *me encanta* ir de tiendas.

c. No obstante, reconozco que a muchos amigos míos (MOLESTAR) .... Sobre todo, planchar.

d. Pues a mí (ENCANTAR) .... ir al bar y charlar un poco después del trabajo. Es la mejor terapia.

e. A mí, la verdad, (FASTIDIAR) .... tener que ver la misma película de dibujos veinte veces.

Las mujeres dicen:

➲ A nosotras (ENCANTAR) *nos encanta* ir a la peluquería.

6. A mí personalmente (FASTIDIAR) .... ir de compras.

7. ¿Has dicho que a ti (MOLESTAR) .... el desorden?

8. A mí (ENCANTAR) .... meterme en la cocina y preparar la comida. (RELAJAR) .... ensayar nuevos platos.

9. ¿En serio piensas que a todas nosotras (GUSTAR) .... los bebés?

f. ¿A ti no (GUSTAR) *te gusta* cambiarte el color del pelo?

g. Porque a mí no (GUSTAR) .... mucho, la verdad; y eso que he tenido dos hijos.

h. A mí marido también, pero (MOLESTAR) .... mucho cómo deja el fregadero después.

i. A mí no (MOLESTAR) .... nada. Mi marido es igual. Nunca pongo nada en su sitio y a él no (IMPORTAR) ....

j. Pero a muchas amigas mías (ENCANTAR) .... comprar ropa.

23 Fránkez y Tristicia chatean con sus bolas de cristal. Aquí tienes varios de sus mensajes. Ayúdalos a "traducir" sus palabras a un buen español.

*** B1**

➲ Encantar las fiestas de Jálogüin y los gritos en la noche. ..... *Me encantan* .....

1. Dar rabia llevar cadenas y asustar ancianitas en los parques. ....

2. Alegrar la luna llena en el cementerio y tus ojos. ....

3. Caer fatal Lobezna, la sobrina menor del Hombre Lobo. ....

4. Apasionar la Noche de Difuntos, viajar en escoba y tus ojos. ....

5. Parecer espantoso lavarme los dientes y visitar al doctor Chéquil. ....

6. Dar alergia los yogures de hormigas negras y el champú. ....

Ahora Fránkez le cuenta a Vic Fut cómo es Tristicia.

Ahora Tristicia le cuenta a La Momia cómo es Fránkez.

A Fránkez le encantan las fiestas de Jálogüin y los gritos en la noche.

Verbos

19. Conjugación. Elementos básicos.

A Referirse a un verbo: el infinitivo.

■ Cuando nos **referimos a un verbo**, usamos **infinitivo**. Esa es la forma en la que los verbos están en los diccionarios. Es una forma no personal (no conjugada) del verbo.

→ 20. Formas no personales

■ El infinitivo en español tiene **tres terminaciones**, cada una con una vocal temática. Todos los verbos se clasifican según estas terminaciones:

TERMINADOS EN -*ar*	TERMINADOS EN -*er*	TERMINADOS EN -*ir*
Estudiar	*Aprender*	*Decidir*
Hablar	*Comer*	*Decir*
Jugar	*Correr*	*Escribir*
Pasear	*Leer*	*Salir*
Trabajar	*Ver*	*Pedir*

pasear. (De *paso*.) intr. Ir andando por distracción o por ejercicio. **2.** Ir c

ver. (Del lat. *videre*.) tr. Percibir por los ojos los objetos mediante

decir. (Del lat. *dicere*.) tr. Manifestar con palabras el pensamiento. **2.** Asegurar

Los verbos con forma reflexiva añaden el pronombre -*se* al infinitivo. Por ejemplo: *duchar<u>se</u>, mover<u>se</u>, vestir<u>se</u>.*

→ 18. Construcciones reflexivas y valorativas

1 La profesora Morfema trabaja en el gimnasio Grámex. Hoy ha preparado una tabla de ejercicios para perfeccionar la conjugación... Tabla 1: Aquí tienes una serie de infinitivos, ordénalos en el grupo correspondiente.

★★ **A1**

salir escuchar ✓ poner ser conducir oír entrar llamar tener poder decir aprender reproducir haber partir

-ar .... escuchar ....

-er ....

-ir ....

Ordena, en el mismo cuadro, estos otros. Todos ellos son verbos con forma reflexiva.

levantarse irse ocuparse cortarse vestirse acostarse perderse ducharse ponerse

Busca algunos de estos verbos en tu diccionario. Fíjate en las abreviaturas que hay al lado.

2 Este concurso es la segunda tabla que la profesora Morfema ha preparado para hoy. En tres minutos
tienes que adivinar y escribir el infinitivo de estos verbos. Para saberlo, fíjate en la vocal que está
★ ★
★ **A1** en la terminación.

| estudiamos ✓ salís cocina aprenden estás escribimos pedís vemos bebe |
| trabajan traen dormís comemos vivimos sentamos sentimos cantas lee |

-ar .....estudiar..........................   **-er** ....   **-ir** ....
....
....
....
....
....

B   Conjugar un verbo

■ En español, las **terminaciones** de los tiempos verbales son muy importantes
porque informan del tiempo y de la persona a la que nos referimos. Por tanto,
conjugar un verbo es usar la forma adecuada al tiempo y a la persona de la que
hablamos.
Para conjugar un **verbo regular**, cambiamos la terminación del infinitivo por las
terminaciones de tiempo y persona. Por ejemplo:

Estudiar   *Aprender*   *Escribir*
estudi + TERMINACIÓN   *aprend* + TERMINACIÓN   *escrib* + TERMINACIÓN

estudio   [yo Presente]   *aprendo*   [yo Presente]   *escribo*   [yo Presente]
estudias   [tú Presente]   *aprendes*   [tú Presente]   *escribes*   [tú Presente]
estudié   [yo Indefinido]   *aprendí*   [yo Indefinido]   *escribí*   [yo Indefinido]
estudiaste [tú Indefinido]   *aprendiste* [tú Indefinido]   *escribiste* [tú Indefinido]

■ Para conjugar un **verbo irregular**, además de cambiar las terminaciones, tenemos que saber qué tipo de irregularidad tiene. Esa irregularidad, generalmente,
afecta a la primera parte del verbo, a la raíz. Por ejemplo:

> *Jugar*, en Presente, en algunas personas, cambia la -*u*- por -*ue*-:
> *jugar* → [*jueg* + TERMINACIÓN DE TIEMPO Y PERSONA]
>
> *Querer*, en Presente, en algunas personas, cambia la -*e* por -*ie*-:
> *querer* → [*quie* + TERMINACIÓN DE TIEMPO Y PERSONA]
>
> *Pedir*, en algunos tiempos, en algunas personas, cambia la -*e*- por -*i*-:
> *pedir* → [*pid* + TERMINACIÓN DE TIEMPO Y PERSONA]

3 Esta es la tabla 3. Para conjugar es muy importante saber separar los verbos. Aquí tienes algunos:
★ ★
★ **A1** separa la raíz de la terminación.

cambiar	.....cambi + ar............	poder	....	nacer	....
abrir	....	conducir	....	encantar	....
terminar	....	pedir	....	romper	....
escribir	....	recibir	....	prohibir	....
aprender	....	salir	....	soñar	....
comer	....	querer	....	dormir	....
desayunar	....	poner	....	pensar	....

C Concordar el verbo con el sujeto

■ En español, la conjugación del verbo tiene **seis terminaciones** diferentes para las seis personas que pueden ser el sujeto. El verbo siempre **concuerda con el sujeto**, con la persona a la que se refiere:

SINGULAR			
	1ª persona	*Yo*	como
	2ª persona	*Tú*	comes
	3ª persona	*Él, ella, usted*	come

PLURAL			
	1ª persona	*Nosotros/-as*	comemos
	2ª persona	*Vosotros/-as*	coméis
	3ª persona	*Ellos, ellas, ustedes*	comen

- *Tú* sab**es** más de lo que dices.
- *Lola y yo* no sab**emos** nada de eso.
- ¿Sab**en** *ellos* ya lo que pasó?

¡Creo que he descubierto algo importante! Pero no sé qué...

CANTABA-S

■ Algunas terminaciones de persona son siempre las mismas y se repiten en todos los tiempos. Si te fijas en esas terminaciones, la conjugación es más fácil:

PERSONA VERBAL		MARCA VERBAL
yo	→	*-vocal**
tú	→	*-s***
él, ella, usted	→	*-vocal**
nosotros/-as	→	*-mos*
vosotros/-as	→	*-is*
ellos, ellas, ustedes	→	*-n*

* No hay una vocal específica. Cambia con el tiempo verbal.

** Excepto en el Pretérito indefinido y en el Imperativo.

4 **Y esta es la última tabla de los ejercicios gimnásticos de hoy. Relaciona cada una de estas formas verbales con las personas correspondientes. Hay formas de muchos tiempos distintos. Fíjate en las marcas de persona exclusivamente.**

A1

desayunas ✓	salimos	hacéis	tenemos	escribes	cantamos	envías	comunicáis	creo
llamarán	sabe	sabemos	fueron	decían	saldremos	tradujeron	sabes	estaban	venís

Yo ....

Tú *Desayunas* ....

Él, ella, usted ....

Nosotros/as ....

Vosotros/as ....

Ellos, ellas, ustedes ....

5 **Esta noche hay una cena en casa de Mar. Sus amigos hablan de esa cena. Aquí tienes algunos fragmentos de lo que dicen. Completa los enunciados con los verbos y ten cuidado con la concordancia con el sujeto.**

A1

➜ ¿Vosotros a qué hora .*.vais*.......... a llegar?

1. Nosotros .... sobre las ocho.

2. ¿Tú .... llegar a esa hora?

   Como .... tan tarde del trabajo...

3. ¿Y Mar y su familia por qué .... tan pronto?

4. Bueno, ¿qué les ....?: ¿vino, postre, unas flores...?

5. Nada de chocolate, que los niños de Mar no .... comer.

6. Un buen vino siempre lo .... , ¿no?

7. ¿Vosotros .... en coche?

vais ✓	pueden	iréis	podrás	cenan
llegaremos	sales	llevamos	agradecerán	

20. Formas no personales: *hablar, hablando, hablado.*

A — Significado y forma del infinitivo: *hablar, comer, vivir.*

■ El infinitivo es un sustantivo verbal. Es el **nombre** de un **proceso**.

■ El infinitivo es la forma básica del verbo y, por eso, es la forma que se encuentra en el diccionario. En español, el infinitivo puede tener tres terminaciones diferentes:

1ª CONJUGACIÓN *-ar*	2ª CONJUGACIÓN *-er*	3ª CONJUGACIÓN *-ir*
Cantar	Comer	Salir
Saltar	Saber	Dormir
Volar	Tener	Venir
Soñar	Volver	Elegir
Comprar	Conocer	Abrir

• *Pintar es hacer dibujos.*

➲ 19. Conjugación. Elementos básicos

➲ 37. Perífrasis verbales

---

❶ **¿Puedes encontrar el infinitivo correspondiente a cada uno de estos sustantivos, como en el ejemplo?**

A1

la canción	➲ *cantar*	la entrada	5.	la ida	10. ....
el salto	1.	la venida	6.	el amor	11. ....
el cuento	2.	la venta	7.	la carrera	12. ....
la rueda	3.	el hecho	8.	la vuelta	13. ....
la salida	4.	el sentimiento	9.	el sudor	14. ....

B — El infinitivo como sustantivo

■ Como sustantivo, el infinitivo se usa en funciones propias de un sustantivo:

Como SUJETO	Como COMPLEMENTO DIRECTO	Con PREPOSICIONES
• <u>La salida</u> fue difícil.	• ¿Quieres <u>agua</u>?	• No puedes salir <u>sin paraguas</u>.
• **Salir** fue difícil.	• ¿Quieres **beber**?	• No puedes salir <u>sin **llevar** paraguas</u>.
• <u>El descanso</u> ayuda mucho.	• No sabe <u>nada</u>.	• ¿Vas <u>a Madrid</u>?
• **Descansar** ayuda mucho.	• No sabe **escribir**.	• ¿Vas <u>a **salir**</u>?
• Está prohibido <u>el baño</u>.	• Prefiero <u>la soledad</u>.	• Es la hora <u>de la comida</u>.
• Está prohibido **bañarse**.	• Prefiero **estar** solo.	• Es la hora <u>de **comer**</u>.

■ Con construcciones valorativas del tipo *me gusta, me encanta, me pone nervioso, me da miedo*, etc., la cosa que *gusta, encanta, pone nervioso* o *da miedo* es el **sujeto**. Por eso, en estos casos usamos sustantivos o *infinitivos*:

Pues no sé... **salir** con los amigos, **hacer** deporte, **dormir** mucho, **ver** la tele... Lo normal.

• Me gusta mucho <u>la natación</u>.
• Me gusta mucho **<u>nadar</u>**.

• A mí no me da miedo <u>la oscuridad</u>.
• A mí no me da miedo **<u>salir</u>** de noche.

¿Que es lo que más te gusta **hacer** los fines de semana?

• Me tranquilizan <u>tus palabras</u>.
• Me tranquiliza **saber** que estás bien.

➲ 18. Construcciones reflexivas y valorativas

2 Tacha la única opción que no es posible para responder a estas preguntas.

A2

➡ ¿Qué quieres ahora?   ~~Comiendo un poco~~ / Comer un poco / Un poco de comida

1. ¿Qué te gusta más?   El coche rojo / Ver la tele / Conduciendo motos

2. ¿Qué es lo que te preocupa?   La carrera de mañana / Correr mañana / Corriendo mañana

3. ¿Qué haces?   Acabo de comer / Acabo de comiendo / Voy a comer

4. ¿Qué es lo que te da miedo?   Durmiendo sola / Estar contigo / Las moscas

5. ¿Qué es bueno para el resfriado?   Una infusión de menta / Durmiendo mucho / Llevar poca ropa

---

C   El infinitivo como verbo

■ Como verbo, el infinitivo tiene **sujeto**. Normalmente, el contexto es suficiente para saber cuál es el sujeto del infinitivo. Solo lo mencionamos explícitamente si pensamos que puede haber confusión:

No mencionamos el sujeto porque está claro por el contexto

- *Si quieres **comer**, tengo algo en el frigorífico.*   [comer-tú]
- *No **le** gusta **esperar**.*   [esperar-él/ella]
- *El sueño de **Javi** es **no trabajar**.*   [no trabajar-Javi]
- *Los policías **nos** obligaron a **salir**.*   [salir-nosotros]
- *¿Está prohibido **fumar**?*   [fumar-en general]
- *Antes de **llegar**, la llamé.*   [llegar-yo]

Mencionamos el sujeto para evitar confusión

- *Antes de **llegar** <u>ellos</u>, la llamé.*   [si digo solo *llegar*, pensaremos que hablo de 'llegar-yo']
- *Después de **llegar** <u>yo</u>, se fueron.*   [si digo solo *llegar*, no sabemos si hablo de 'yo' o de 'ellos']

NO FUMAR

■ Igualmente, el infinitivo puede tener cualquier otro complemento propio de un verbo:

COMPLEMENTO DIRECTO (CD):   ● ***Decir*** <u>eso</u> *me parece maleducado.*

COMPLEMENTO INDIRECTO (CI):   ● ***Decir**le eso <u>a tu madre</u> me parece maleducado.*

COMPLEMENTOS CIRCUNSTANCIALES: ● ***Decir**le eso a tu madre <u>a las cuatro de la madrugada</u> <u>y en su propia casa</u> me parece maleducado.*

ORACIONES SUBORDINADAS: ● ***Decir**le <u>que nunca vas a volver</u> a tu madre a las cuatro de la madrugada y en su propia casa me parece maleducado.*

---

3 Escribe el significado de las siguientes señales. Las frases en el cuadro de la derecha pueden ayudarte para elegir el verbo.

A2

➡ *no girar a la izquierda*   1. ....   2. ....   3. ....

4. ....   5. ....   6. ....   7. ....

> ● No me **beses** aquí. No se puede.
> ● No pasa nada. Vamos un poco más lejos y **comemos** allí.
> ● No **gires** a la izquierda. Está prohibido. ✓
> ● ¿Te estás **haciendo pipí**? Pues espérate un poco a llegar a casa.
> ● Si te **duermes**, vamos a otro sitio.
> ● No es posible el **giro a la derecha**.
> ● ¿Por qué estás **tocando el claxon**?
> ● Si **adelantas**, nos multarán.

4 Decide el sujeto de los siguientes Infinitivos.

B1

➲ **Trabajar** tanto no debe ser bueno. ...*En general*...........

➲ Siéntense. ¿Les apetece **tomar** algo? ...*Ustedes*...........

1. Me encanta **andar** por las montañas. ....

2. Yo dije que me iba antes de **salir** Cristina. ....

3. Yo dije que me iba antes de **salir**. ....

4. **Tener** hijos es una experiencia inolvidable. ....

5. Tus amigos saben **ser** muy amables con la gente. ....

6. ¿Os prohibió **pasar** la policía? ....

7. ¿Me permite **entrar**, Sra. López? ....

8. Mi profesor dice que es muy útil **hablar** varias lenguas. ....

9. No me obligues a **hacer** eso. ....

10. ¿No os ha invitado Pepe a **comer** en su casa, chicas? ....

11. ¡Antonio! ¡Luis! ¡Venid a **ayudar**me! ....

12. Ese trabajo es bueno. El problema es que te piden **tener** estudios superiores. ....

¡Me encanta andar por las montañas!

D Significado y forma del gerundio: *hablando, comiendo, viviendo*

■ El gerundio es un adverbio verbal que expresa **un proceso en su desarrollo**:

■ Su **forma regular** se hace cambiando la terminación del infinitivo por estas terminaciones:

● *Francisco se relaja **pintando** cuadros.*

-ar	*-ando*	*Hablar* → *hablando*
-er, -ir	*-iendo*	*Comer* → *comiendo*
		Vivir → *viviendo*
👁 (vocal + *-iendo*) = *-yendo*		*Caer* → *cayendo*
		Ir → *yendo*

■ Los verbos en *-ir* con una *-e-* o una *-o-* en la última sílaba de la raíz (*e...ir, o...ir*) tienen una **forma irregular**: cierran estas vocales en *-i-* y *-u-* respectivamente:

-e- → *-i-*	*-o-* → *-u-*
Decir diciendo [~~diciendo~~]	*Morir muriendo* [~~moriendo~~]
Reír riendo [~~riendo~~]	*Dormir durmiendo* [~~dormiendo~~]

👁 Son verbos como *pedir, repetir, seguir, sentir, mentir, competir, elegir, herir, medir, preferir, podrir,* o sus compuestos: *contra**decir**, son**reír**, im**pedir**, perse**guir**, pre**sentir**,* etc.

---

5 ¿Qué ves en cada imagen? Elige de entre los siguientes verbos.

A2

B1

nadar
hacer
hablar ✓
poner
morder

➲ Veo a un chico *hablando* con una chica.

1. Veo a un niño .... en la piscina.

2. Veo a una niña .... dibujitos.

3. Veo a un policía .... una multa.

4. Veo un perro .... un hueso.

6 Todos estos verbos terminan en *-ir*. Identifica con un círculo los irregulares (*e...ir, o...ir*)
y escribe en cada caso la forma correspondiente del gerundio.

A1

➜ vivir ....*viviendo*....   4. reír ....   8. ir ....   12. producir ....

1. (morir) ....*muriendo*....   5. sufrir ....   9. salir ....   13. mentir ....

2. repetir ....   6. oír ....   10. competir ....   14. compartir ....

3. dormir ....   7. decidir ....   11. seguir ....   15. sentir ....

E   Usos del gerundio: *Está subiendo. Subiendo a la derecha*.

■ Con *estar* + GERUNDIO podemos hablar del **desarrollo** de una acción
en cualquier tiempo verbal:

> 37 Perífrasis verbales

ACCIONES NO TERMINADAS

- No hagas ruido. Los niños **están** durmiendo.
- **Estábamos viendo** el partido tranquilamente y, de pronto, se fue.

ACCIONES TERMINADAS

- El pobre está muy cansado. **Ha estado trabajando** todo el día.
- **Estuve hablando** dos horas con ella, pero no conseguí nada.

¿Puedes venir un segundo?

Ahora no puedo. Me **estoy duchando**.

---

7 Transforma los verbos que están en negrita, como en el ejemplo.

B1

Acciones en sí mismas

- Mi primo **ha trabajado** tres años como camarero.
- Me encontré con Patricia cuando **entraba** al cine.
- Ilsa **estudia** español desde el mes pasado.
- Yo **salí** con una chica francesa dos años.
- Yo ya me **iba**, cuando de pronto ella me llamó.
- **Trabajé** en esa empresa hasta que me casé.

Acciones consideradas en su desarrollo

➜ ....*Ha estado trabajando*........ tres años...

1. ... cuando ....

2. Ilsa .... español...

3. Yo .... con una chica francesa...

4. Yo ya me .... cuando...

5. .... en esa empresa...

■ También usamos el gerundio para expresar **la manera** de hacer algo o de
llegar a un lugar:

¿**Cómo** se aprende mejor una lengua?

Estudiando y, sobre todo, **hablando** mucho.

Perdone, ¿**dónde** están los servicios?

Bajando las escaleras, a la izquierda.

---

8 Relaciona cada pregunta con la respuesta más lógica.

B1

➜ ¿Cómo has solucionado el problema?

1. ¿Cómo puedo mejorar, doctor?

2. Aparicio, ¿dónde está mi maleta?

3. Eso está muy lejos. ¿Cómo voy a ir?

4. ¿Dónde hay una farmacia, por favor?

5. ¿Cómo has conseguido adelgazar tanto?

a. Cuidando su alimentación y durmiendo 8 horas al día.

b. Pues fácil, yendo al gimnasio tres veces por semana.

c. Cogiendo un taxi. Solo así llegarás a tiempo.

d. Pues siga recto y, subiendo aquella calle, a la derecha.

e. Mira, entrando al comedor, a la derecha de la puerta.

f. Simplemente hablando con ella.

➜ *f*....

1. .....

2. .....

3. .....

4. .....

5. .....

■ No usamos el gerundio, usamos el **infinitivo**:

Como SUJETO: • ___Pilotar__ aviones_ es emocionante. [~~Pilotando~~ aviones es emocionante.]

Como CD: • Ella odia **__llegar__ tarde**. [Ella odia ~~llegando~~ tarde.]

Con PREPOSICIONES: • Perdona _por_ no **llamarte**. [Perdona por no ~~llamándote~~]
  • Lávate antes _de_ **comer**. [Lávate antes de ~~comiendo~~]

9 Margaret estudia español y todavía tiene algunos problemas con el infinitivo y el gerundio.
Corrige los que ha usado mal.

★ ★
★ B1
★ ★

A mí me gusta mucho (➜) ~~haciendo~~ deporte,
porque (➜) **haciendo** deporte estás mejor
físicamente. Antes de (1) **viniendo** a España,
yo jugaba en un equipo de baloncesto.
(2) **Jugando** al baloncesto es muy divertido.
Ahora estoy (3) **buscando** aquí gente para
(4) **hacer** un equipo y poder jugar otra vez.
Empecé a (5) **buscando** hace una semana,
y ya somos seis. También me gusta (6) **estudiar**
lenguas, claro, y (7) **hablando** con los españoles.
Después de (8) **estando** en España dos meses,
voy a ir a Argentina. (9) **Viajar** es muy
interesante para mí.

➜ *hacer*
➜ ___✓___
1. ....
2. ....
3. ....
4. ....
5. ....
6. ....
7. ....
8. ....
9. ....

F Significado y forma del participio: *hablado, comido, vivido*.

■ El participio es un adjetivo verbal que expresa el **resultado de un proceso**:

• Un cuadro **pintado**.

■ Su **forma regular** se hace cambiando la terminación
del infinitivo por estas terminaciones:

[El resultado de la acción de
pintar es un cuadro pintado]

-**ar**	-ado	Hablar → hablado
-**er, -ir**	-ido	Comer → comido
		Vivir → vivido

■ Los principales **participios irregulares** son los siguientes:

Hacer → **h**echo   Romper → **roto**   Morir → **muerto**
Satisfacer → **satisf**echo   Volver → **vuelto**   Abrir → **abierto**
Decir → **d**icho   Poner → **puesto**   Cubrir → **cub**ierto
Ver → **visto**   Escribir → **escrito**   Freír → **frito** (o freído)
    Resolver → **resuelto**   Imprimir → **impreso** (o imprimido)

👁 Todos sus compuestos tienen la misma irregularidad:
Deshacer → **deshecho** Contradecir → **contradicho** Prever → **previsto**
Devolver → **devuelto** Descubrir → **descubierto** Reabrir → **reabierto**

111

10 Carmencita es todavía muy pequeña, y cree que todos los participios son regulares. Ayúdale, identificando y corrigiendo los 7 errores que ha hecho.

⭐⭐ **A1**
⭐ ⭐
⭐⭐

➲ Esta mañana he ~~hacido~~ ...*hecho*.... un dibujo muy bonito, y la profesora

me ha **dicho** ....✓..... que dibujo muy bien.

1. Mi perrito Güili se ha **escapado** .... y no ha **volvido** ....

Nadie lo ha **visto** .... A lo mejor se ha **morido** .... , el pobre.

2. Mi mamá me ha **ponido** .... hoy pollo **frito** ....

para comer, pero no me gusta, y no he **comido** .... nada.

3. Yo estaba jugando y he **rompido** .... una lámpara del comedor,

pero mis papás han **ido** .... a comprar y todavía no lo han

descubrido ....

4. He **encontrado** .... una carta en un sobre. Entonces he **abrido**

.... la carta, pero todavía no sé leer y no sé quién la

ha **escribido** ....

G **Uso como adjetivo:** *Una cosa terminada. Está terminada. La tengo terminada.*

■ Cuando se usa como adjetivo, el participio **siempre concuerda en género y número** con el sustantivo al que se refiere. Aquí tienes ejemplos de algunas construcciones con participio adjetivo:

Sustantivo + PARTICIPIO

- *Los <u>archivos</u> **protegidos** con contraseña no se pueden abrir fácilmente.*
- *En verano hay muchos <u>perros</u> **abandonados** en la carretera.*

Estar + PARTICIPIO

- *No puedes abrir los <u>archivos</u> de mi ordenador. Están **protegidos** con contraseña.*
- *Mira esa pobre <u>perrita</u>. Está **abandonada**.*

Tener + PARTICIPIO

- *No puedes abrir los <u>archivos</u> de mi ordenador. Los tengo **protegidos** con contraseña.*
- *Tienes **abandonadas** esas pobres <u>plantas</u>. Cuídalas un poco más, hombre, que son muy bonitas.*

Ya tengo los platos **fregados**. ¿Qué más hago ahora?

11 Si alguien hace una cosa, esta cosa está hecha. Completa la descripción de los resultados de los siguientes hechos con la forma adecuada del participio.

⭐⭐ **A2**
⭐ ⭐
⭐⭐
⭐ ⭐ **B1**
⭐⭐

- Alguien ha abierto una ventana.
- Has puesto la comida en la mesa.
- Ya has dicho todo lo que tenías que decir.
- Alguien ha roto tres platos en tu cocina.
- Borja ha hecho todas las tareas de casa esta mañana.
- Has sorprendido a tus amigos con una visita inesperada.
- Tu compañero te ha resuelto varias dudas sobre los pronombres.
- Ya has estudiado la mitad de los temas de Historia.

➲ Hay una ventana ...*abierta*........ .

1. La comida está .... en la mesa.

2. Todo está ya ....

3. Hay tres platos .... en la cocina.

4. Ya las tiene ....

5. Están ....

6. Esas dudas ya están ....

7. Ya tienes .... la mitad de los temas.

H Uso en las formas compuestas del verbo: *he salido, había salido, habré salido...*

■ Con el verbo auxiliar **haber** + PARTICIPIO construimos las formas compuestas del verbo:

Pretérito perfecto:	Presente de **haber** + PARTICIPIO	He **comido**, has **comido**, ha **comido**...
Pretérito pluscuamperfecto:	Imperfecto de **haber** + PARTICIPIO	Había **sido**, habías **sido**, había **sido**...
Futuro perfecto:	Futuro de **haber**	Habré **ido**, habrás **ido**, habrá **ido**...

■ En estas formas, el participio **no se puede separar** del auxiliar **haber**:

- **Hemos hablado** mucho. [~~Hemos mucho hablado.~~]
- **Han llegado** recientemente. [~~Han recientemente llegado.~~]

➡ 22. Pretérito perfecto

➡ 27. Pretérito pluscuamperfecto

➡ 29. Futuro perfecto

■ Y, además, **es invariable**. Es decir, **no concuerda** con ningún otro elemento de la oración:

- <u>Nosotras</u> hemos **salido** tarde. [Nosotras hemos ~~salidas~~ tarde.]
- A <u>María</u> la he **llamado** ya. [A María la he ~~llamada~~ ya.]

---

12 Formula enunciados con sentido ordenando las siguientes series de palabras. Debes poner el infinitivo en la forma adecuada del participio.

★★★ **B1** ★★★

- Retrasar / Os / mucho / habéis. ➡ *Os habéis retrasado mucho.*
- Resolver / han / bien / el / Los / problema / científicos 1. ....
- Convencer / Elena / me / había / explicación / no / con / su 2. ....
- Devolver / ¿no / Todavía / libros / has / los? 3. ....
- Asustar / habrá / la / Pedro / con / gritos / sus 4. ....
- Prever / Los / habían / economistas / crisis / una 5. ....

---

13 Completa con la forma adecuada del participio del verbo correspondiente.

★★★ **B1** ★★★

publicar
- ➡ La editorial Infusión ha *publicado* muchos libros sobre comida dietética.
- ➡ Ese es un libro *publicado* en Infusión.
- ➡ Ese libro que tú dices está *publicado* en Infusión.
- ➡ Infusión tiene *publicadas* muchas obras sobre comida dietética.

romper
1. ¿Qué le habrá pasado? ¿Tendrá las dos piernas .... ?
2. ¿La pierna derecha también está ....?
3. Con las dos piernas .... no se puede ni mover, el pobre.
4. Pobre Javi. Yo creo que se ha .... las dos piernas.

abrir
5. Si tienes niños, una ventana .... es un peligro.
6. ¿Por qué has .... la ventana?
7. ¿Por qué tienes todas las ventanas .... ?
8. ¿La ventana del dormitorio está .... ?

resolver
9. Si tú quieres, el problema está ....
10. Todavía no tengo los dos problemas más importantes ....
11. Se lo he dicho claramente y ya está. Problema ....
12. ¿Has .... tus problemas ya?

A   Verbos regulares: *hablo, como, vivo*...

■ Para formar el Presente de indicativo sustituimos la terminación del infinitivo
por las siguientes **terminaciones**:

	-ar	-er	-ir	Hablar	Comer	Vivir
Yo	-o	-o	-o	*hablo*	*como*	*vivo*
Tú	-as	-es	-es	*hablas*	*comes*	*vives*
Él, ella, usted	-a	-e	-e	*habla*	*come*	*vive*
Nosotros/-as	-amos	-emos	-imos	*hablamos*	*comemos*	*vivimos*
Vosotros/-as	-áis	-éis	-ís	*habláis*	*coméis*	*vivís*
Ellos, ellas, ustedes	-an	-en	-en	*hablan*	*comen*	*viven*

■ El **acento está** siempre en la raíz para *yo, tú, él, ellos*, y en la terminación para
nosotros y *vosotros*, como muestra el subrayado en los ejemplos anteriores.

1 ¿De qué persona habla la forma del verbo? Elige el sujeto o sujetos posibles en cada caso
★ ★
★**A1** y marca la terminación que indica esa persona.
★ ★

Tú	Lucía y Sole	Usted	Usted y su marido	Yo	El amigo de Hans	Elena y yo	Vosotros tres

➲ ¿Habla español? (....*Usted.* /. *El amigo de Hans*.......)

1. Como a las dos, más o menos, y **ceno** sobre las diez. (..)
2. No **puede** aprender español si no **estudia**, no **lee**, no **escribe**, no **practica**. (.......................... / ....)
3. Si **vives** en Móstoles, seguro que **comes** muchas empanadillas. (..)
4. Mira: **subes** hasta el segundo piso, **llamas** a la puerta C o **abres** con la llave, y **entras**. (................................)
5. ¿Qué **miráis**? (..)
6. Si **cantan** (.......................... / ....) , entonces **bailamos**. (................................)
7. ¿Dónde **vivís**? (..)

2 Completa con la terminación adecuada del verbo en Presente de indicativo. Puedes adivinar
★ ★
★**A1** la persona por el contexto.
★ ★

➲ Mira, te present*o*..... a Sasha. Enseñ*a*..... búlgaro en una escuela privada.

1. ● Perdona mis errores, es que todavía no toc...... la guitarra muy bien.
   ○ Es verdad que no toc...... muy bien. ¿Por qué no dej...... la música
   para más tarde?
2. ● ¿Qué signific...... madrugar?
   ○ Si un día tú te levant...... temprano, eso signific...... que madrug...... .
3. Por aquí pas...... un autobús cada cinco minutos.
4. ● Perdona, pero yo deb...... irme. Me esper...... mis padres arriba.
   ○ Bueno, pero antes nos beb...... una cerveza más, ¿vale?
5. Alberto, ¿por qué no me escuch......? ¿Es que yo no signific......
   nada para ti?
6. ● Miroslaw y tú habl...... muy bien inglés.
   ○ Bueno, ni él ni yo habl...... tan bien, pero es verdad que practic...... mucho.
7. Mafalda y tú hacéis muy buena pareja. ¿Cuánto tiempo llev...... de novios?
   ¿Viv...... juntos?

B   Verbos con alteraciones vocálicas: *quiero* / *puedo*, *juego*...

■ En muchos verbos, **la última vocal de la raíz cambia cuando tiene el acento**, es decir, en todas las personas excepto *nosotros* y *vosotros*:

¡No cambian!

Entender

~~entiendo~~	→	en*tie*ndo
~~entiendes~~	→	en*tie*ndes
~~entiende~~	→	en*tie*nde
enten*de*mos		
enten*déis*		
~~entienden~~	→	en*tie*nden

■ Unas veces, el cambio consiste en que las vocales *e, o, u* del final de la raíz **se abren** en un diptongo -*ie*-, -*ue*- cuando llevan el acento:

-*e*- → -*ie*-		-*o*- → -*ue*-		-*u*- → -*ue*-	
Querer	*Querer*	*Poder*	*Poder*	*Jugar*	*Jugar*
Sentar		*Doler*			
Cerrar	*qui*ero	*Morir*	*pue*do		*jue*go
Pensar	*qui*eres	*Dormir*	*pue*des		*jue*gas
Empezar	*qui*ere	*Volar*	*pue*de		*jue*ga
Comenzar	que*re*mos	*Recordar*	po*de*mos		ju*ga*mos
Perder	que*réis*	*Encontrar*	po*déis*		ju*gáis*
Entender	*qui*eren	*Costar*	*pue*den		*jue*gan
Sentir		*Volver...*			
Preferir...					

3 ¿Cambia la vocal o no? Adivina el verbo, fíjate en las marcas de persona y decide.

★★★ **A1**
★★★ **A2**

-e- → -ie-

➔ Qu.*ie*...ro comer temprano.

1. P.......rden el tiempo.

2. ¿Emp.......zo ya?

3. P.......nsamos que no.

4. Pref......ren salir mañana.

5. Después c.......rras la puerta.

6. No ent.......ndéis nada.

7. Lo s.......ntimos mucho.

-o-, -u- → -ue

8. Me d.........le la cabeza.

9. ¿Rec.........rdáis a Javi?

10. Sin agua, las plantas se m.....ren.

11. ¿J.......gamos al Trivial?

12. Me enc.......ntro cansado.

13. D.......rmes demasiado.

14. C.....sta mucho dinero.

15. ¿Cuándo v.......lves a Almería?

16. V.......lamos a 700 km/h.

C   Verbos con alteraciones vocálicas: *pido*, *repito*...

■ Otras veces, la vocal -*e*- del final de la raíz **se cierra** en -*i*- cuando lleva el acento:

-*e*- → -*i*-   (Solo verbos en ...*e*...*ir*)

Pedir	*Pedir*	*Repetir*	*Reír*
Impedir			
Seguir	*pi*do	re*pi*to	*rí*o
Perseguir	*pi*des	re*pi*tes	*rí*es
Repetir	*pi*de	re*pi*te	*rí*e
Competir	pe*di*mos	repe*ti*mos	re*í*mos
Reír	pe*dís*	repe*tís*	re*ís*
Sonreír...	*pi*den	re*pi*ten	*rí*en

👁 Todos los verbos en ...*e*...*ir* y ...*o*...*ir* sufren una de las alteraciones descritas en los apartados **B** y **C**.

4 Ayuda a "traducir" las siguientes opiniones de Fránkez y Tristicia sobre sus vecinos con la forma adecuada del verbo en Presente de Indicativo.

A1
A2

→ *Familia Dráculez siempre nerviosa, no **sonreír**.*
Nosotros alegres, sonreír continuamente.

1. *Familia Dráculez **reír** de nuestras costumbres.*
   Nosotros no reír de costumbres de familia Dráculez.

2. *Los Dráculez **pedir** sangre humana fresca.*
   Nosotros solo pedir sangría.

3. *Familia Dráculez **perseguir** murciélagos para meterlos en jaulas. Nosotros solo perseguir para divertirnos.*

4. *Los Dráculez **repetir** los mismos chistes mil veces.*
   Nosotros no repetir los mismos chistes nunca.

5. *Los Dráculez **competir** contra otros vampiros.*
   Nosotros no competir. Colaborar.

6. *Familia Dráculez **medir** menos de dos metros*
   Nosotros medir mucho más: ser grandes y hermosos.

→ La familia Dráculez siempre está nerviosa, no *sonríe* .
Nosotros somos alegres, *sonreímos* continuamente.

1. La familia Dráculez se .... de nuestras costumbres. Nosotros no nos .... de las suyas.

2. Los Dráculez .... sangre humana fresca. Nosotros solo .... sangría.

3. La Familia Dráculez .... murciélagos para meterlos en jaulas. Nosotros solo los .... para divertirnos.

4. Los Dráculez .... los mismos chistes mil veces. Nosotros no los .... nunca.

5. Los Dráculez .... contra otros vampiros. Nosotros no .... Colaboramos.

6. La familia Dráculez .... menos de dos metros. Nosotros .... mucho más: somos grandes y hermosos.

D Primera persona irregular: *hago, pongo, salgo*...

■ Un grupo de verbos de uso muy frecuente tiene **solo la primera persona irregular**:

-ecer, -ocer, -ucir: *-zco*

Hacer	*hago, haces, hace...*	**Ver**	*veo, ves, ve...*	*Pa**recer***	*parezco, pareces...*
Poner	*pongo, pones, pone...*	**Dar**	*doy, das, da...*	*Agrad**ecer***	*agradezco, agradeces...*
Salir	*salgo, sales, sale...*	**Saber**	*sé, sabes, sabe...*	*Con**ocer***	*conozco, conoces...*
Valer	*valgo, vales, vale...*	**Caber**	*quepo, cabes, cabe...*	*Cond**ucir***	*conduzco, conduces...*
Traer	*traigo, traes, trae...*			*Introd**ucir***	*introduzco, introduces...*
Caer	*caigo, caes, cae...*			*Trad**ucir***	*traduzco, traduces...*
				*Prod**ucir***	*produzco, produces...*

■ Cuando un verbo tiene esta irregularidad, también sus correspondientes **verbos compuestos** la tienen:

*Des**hacer** → des**hago**   Re**hacer** → re**hago***
*A**traer** → a**traigo**   Dis**traer** → dis**traigo***

*Su**poner** → su**pongo**   Com**poner** → com**pongo***
*A**parecer** → a**parezco**   Des**aparecer** → des**aparezco***

---

5 Joselito está aprendiendo a hablar. Ayúdalo, identificando y corrigiendo sus pequeños errores, cuando los hace (tienes que encontrar 5 más).

A1
A2

→ Ahora **pono** .*pongo*... el papel aquí.
y escribo ......✓..... , ¿ves?

1. Yo **hablo** .... mejor que Hanna, porque **sabo** .... más.

2. Hanna se **parece** .... a su papá, y yo me **parezo** .... a mi mamá.

3. Yo no **conozo** .... Alemania.

4. Yo no **salo** .... a la calle solo porque me **caio** ....

6 Completa con la forma adecuada del verbo.

A1
A2

¡Qué diferentes somos tú y yo!

➜ Tú siempre **haces** lo que quieres. Yo *hago* lo que es necesario hacer.

1. Tú **ves** problemas en todo. Yo .... problemas solo donde realmente los hay.

2. Tú nunca **das** sin recibir algo a cambio. Cuando yo .... algo, no espero nada.

3. Tú **traes** a casa a todo el mundo. Yo solo .... a mis mejores amigos.

4. Tú no **sabes** reconocer tus defectos. Yo .... perfectamente cuándo hago algo mal.

5. Tú **conduces** pensando que no hay nadie más en la carretera. Yo .... con cuidado.

6. Tú **desapareces** de pronto sin decirme nada. Yo nunca .... Siempre estoy cuando me llamas.

7. Tú siempre **supones** que todo está bien. Yo no .... nada.

8. Tú eres muy egoísta, pero no lo **reconoces**. Yo, por lo menos, ... que soy una pesada.

E **Primera persona irregular y otras alteraciones:** *Tener, venir, decir, oír, estar.*

■ Algunos verbos tienen la **primera persona irregular** y, además, algún otro tipo de **alteración**. La sílaba que tiene el acento está subrayada:

	1ª pers. / *e → -ie-*		1ª pers. / *e → -i-*	1ª pers. / *+ -y-*	1ª pers. / *acento*
	Tener	**Venir**	**Decir**	**Oír**	**Estar**
Yo	*ten*go	*ven*go	*di*go	*oi*go	*es*toy
Tú	*tie*nes	*vie*nes	*di*ces	*o*yes	*es*tás
Él, ella, usted	*tie*ne	*vie*ne	*di*ce	*o*ye	*es*tá
Nosotros/-as	*te*nemos	*ve*nimos	*de*cimos	*oí*mos	*es*tamos
Vosotros/-as	*te*néis	*ve*nís	*de*cís	*oís*	*es*táis
Ellos, ellas, ustedes	*tie*nen	*vie*nen	*di*cen	*o*yen	*es*tán
	1ª persona irregular y alteraciones vocálicas			1ª persona irregular y se añade -*y*-	1ª persona irregular y cambio de acento

---

7 Elige el verbo más adecuado para cada caso y complétalo con la forma del Presente de indicativo.

A1
A2

decir	oír	venir	estar	tener

➜ Yo *vengo* aquí cada día solo para verte. Tú *vienes* para verme también. Tú y yo *venimos* con la esperanza de vernos.

1. Cuando hablo de ti siempre .... cosas bonitas. Tú también .... cosas bonitas de mí. Tanto tú como yo .... cosas hermosas el uno del otro.

2. Yo .... bonitos recuerdos de ti, y tú .... bonitos recuerdos de mí. Es decir, que los dos .... bonitos recuerdos.

3. Yo me pongo nervioso cuando .... tu voz. Tú cierras los ojos cuando .... mi nombre. Nosotros dos sentimos algo cuando .... nuestras voces.

4. Creo que yo .... enamorado de ti y que tú también .... enamorada de mí. Está claro que tú y yo .... enamorados.

5. Si tú .... a mi casa, yo .... contento. Cuando yo te .... "te quiero", tú .... campanas en tu corazón. Cuando tú .... conmigo, yo no .... miedo.

¿Te quieres casar conmigo?

¡Vale!

117

F   Verbos totalmente irregulares: *ir*, *ser*, *haber*.

	Ir	**Ser**	**Haber**
Yo	*voy*	*soy*	*he...*
Tú	*vas*	*eres*	*has...*
Él, ella, usted	*va*	*es*	*ha...* (hay)
Nosotros/-as	*vamos*	*somos*	*hemos...*
Vosotros/-as	*vais*	*sois*	*habéis...*
Ellos, ellas, ustedes	*van*	*son*	*han...*

Haber es un verbo auxiliar. Con el Presente de *haber* formamos el Pretérito perfecto: **he** comido, **has** ido, **ha** dicho...

Hay es una forma impersonal:
● *Aquí hay mucha gente.*

�» 36. *Haber y estar*

�» 35. *Ser y estar*

Ser no es un verbo auxiliar.

---

8 Completa con el verbo adecuado, en la persona correspondiente.

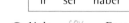

| ir   ser   haber |

➡ Hola, ...*soy*...... Ernesto. ¿Tú cómo te llamas?

1. ● ¿Por qué me dices eso ahora? ¡Todas las mujeres .... iguales!
   ○ Bueno, Antonio, tranquilo.

2. ● ¿Podéis hacerlo solas o .... yo a ayudaros?
   ○ No, gracias, ya .... terminado. Nos .... Adiós.

3. ● Perdone, ¿ .... un banco cerca de aquí?
   ○ Sí, ... dos al final de esta calle.

4. ● ¡Hola, guapa! ¿ .... venido para felicitarme por mi cumpleaños?
   ○ Pues no exactamente. Solo .... venido a recoger mis cosas.

5. Carolina .... alemana, pero sus abuelos .... españoles.

6. Quiero comprarme una lámpara en Yanokea, pero no tengo coche. ¿Cuándo .... vosotros?

G   Usos. Afirmar el presente: *Mi novio está en Madrid*.

■ Usamos el Presente para afirmar cosas del presente cronológico que presentamos como seguras y totalmente controladas. Declaramos así **lo que sabemos sobre el presente** o preguntamos lo que otros saben.

Cómo **es** el PRESENTE:

CUALIDADES DE LAS COSAS
● *Es una casa antigua y **tiene** un patio interior precioso.*
● *Me gusta más el otro coche. **Corre** más y **gasta** menos gasolina.*

SITUACIONES REGULARES
● *Yo **duermo** normalmente ocho o nueve horas al día.*
● *¿**Vives** todavía en aquella casa tan incómoda y fría?*

SITUACIONES MOMENTÁNEAS
● *Podemos vernos ahora. Mi novio **está** en Madrid.*
● *Manuela **tiene** fiebre y no **puede** ponerse al teléfono en este momento.*
● *¿**Está** todavía abierto el supermercado?*

¿Qué gato **es** ese?

Es Julio César, el gatito de mi hermano.

■ Si queremos presentar la información como no totalmente controlada, usamos el **Futuro**:

● *No sé. **Será** un gato jugando.*

�» 28. *Futuro*

■ Si afirmamos situaciones referidas a una escena pasada, usamos el **Pretérito imperfecto**:

● *Aquel gatito **era** Julio César.*

�» 25. *Pretérito imperfecto*

9 ¿Qué sabemos seguro ahora?

A2 → A Claudio le **encantaba** el Real Madrid.

1. Las llaves **están** en el bolso de Carmen.

2. Estuve en casa de Juan. **Tenía** un jardín precioso.

3. Rosa **es** una estupenda bailarina.

4. ¿Gerardo y Luisa? Hace mucho tiempo que se casaron. Ya **tendrán** hijos.

5. Ernestina **tiene** fiebre.

¿Es verdad ahora?	Es verdad	No lo sabemos
→ Claudio **es** del Real Madrid.	....	✓
1. Carmen **tiene** las llaves.	....	....
2. Juan tiene un bonito jardín.	....	....
3. Rosa **baila** muy bien.	....	....
4. Gerardo y Luisa **son** padres.	....	....
5. Ernestina **está** enferma.	....	....

H Usos. Afirmar el futuro: *Mi novio vuelve mañana*.

■ También usamos el Presente para hablar del futuro cronológico (dejando claro que hablamos del futuro), cuando queremos **presentar la información como segura y totalmente controlada**. Hablamos de algo que conocemos y que no depende del tiempo para ser verdad. Declaramos así **lo que sabemos sobre el futuro** o preguntamos lo que otros saben.

Cómo **es** el FUTURO:

INFORMACIONES YA SEGURAS
- *Mi novio* **vuelve** <u>mañana</u>. *Si quieres, nos vemos esta tarde.*
- <u>*El martes*</u> *no* **hay** *clase, pero* <u>*el jueves*</u> **tenemos** *dos exámenes.*
- <u>*El día 23*</u> **es** *el cumpleaños de Samuel.* **Cumple** *un año.*
- *Lola, ¿qué* **haces** <u>*mañana por la tarde*</u>? ¿**Trabajas**?

INSTRUCCIONES
- *Mira,* **sales** *por esa puerta,* **giras** *a la izquierda y* **sigues** *hasta el final...*
- *¿Primero* **apago** *la tele y luego le* **doy** *al botón o al contrario?*

¿Te vienes a estudiar mañana a mi casa?

Vale, a las cuatro en punto **estoy** allí.

■ Si queremos presentar la información como una predicción, usamos el **Futuro**:

- *A las cuatro* **estaré** *allí.*

→ 28. Futuro

---

10 Completa con la forma adecuada del Presente. Toma los verbos de esta lista.

A2 ● ¿Cuándo tienes un par de días para terminar nuestro trabajo?

○ Pues por ahora lo tengo difícil. A ver: el martes *...ceno...* con Marta. El miércoles no .... nada, pero el jueves .... mis padres de Mallorca y tengo que ir a recogerlos al aeropuerto, y el viernes .... el cumpleaños de Mari. Luego, la semana siguiente, el lunes .... una reunión de trabajo muy importante. El día 11 .... el concierto de Rosa, y eso no me lo pierdo, y al día siguiente me .... a la playa al apartamento de Ramón, que está libre ese día. Pero el martes 9 y el miércoles 10 no .... ninguna obligación especial. ¿Trabajamos esos días?

cenar ✓
ir
tener
tener
tener
ser
ser
volver

1 Lunes	8 Lunes
	8:30 → Reunión de trabajo
2 Martes	9 Martes
Cena con Marta a las nueve	
3 Miércoles	10 Miércoles
4 Jueves	11 Jueves
Mis padres...	*Concierto de Rosa*
5 Viernes	12 Viernes
Cumpleaños de Mari	*PLAYA!!!!!!*
6 Sábado	13 Sábado
7 Domingo	14 Domingo
Septiembre Semana 35	Septiembre Semana 36

I Usos. Afirmar en general: *Los hombres son así*.

■ Usamos el Presente para hacer o pedir declaraciones sobre cosas generales que presentamos como seguras y controladas. Decimos **lo que sabemos sobre las cosas en general**.

Cómo **son** las cosas SIEMPRE:

HECHOS COMPROBADOS
- *Los niños **son** niños.*
- *Un león nunca **ataca** a un elefante.*
- *¿Cuánto **es** 9 x 8?*

11 Elige el verbo adecuado, completa el texto, y aprenderás algo sobre el gato bengalí. Usa el diccionario si es necesario.

★ ★
★ **B1**
★ ★

| ser ✓ | tener | pesar | poder | poder | ayudar | medir |

El Gato de Bengala ...es........... un felino salvaje, natural de Asia, pero también .... vivir como gato doméstico. Las madres .... de 2 a 4 cachorros después de una gestación de unos 65 días. A veces, el padre .... a criar a los cachorros. .... vivir de 12 a 15 años. .... normalmente 60 cm, aunque algunos autores indican hasta un metro, más la cola que alcanza los 45 cm. .... entre 3 y 8 kg.

| nadar | mantener | necesitar | alimentar | amar | encantar |

Se .... de mamíferos medianos y pequeños, aves, reptiles y peces. Es de hábitos nocturnos, se .... activo desde el atardecer hasta el amanecer. A pesar de ser un animal de origen salvaje, es de carácter noble, ... la vida familiar y .... cariño. Lo más curioso, quizá, es que le .... el agua y .... con gran agilidad.

12 ¿De qué momento hablamos con estas formas de Presente?

★ ★
★ **B1**
★ ★

| Momento presente (P) | Momento futuro (F) | En general (G) |

➲ Los triángulos **tienen** tres lados. (..G......)

1. Recuerda que **estamos** en una iglesia. (.........)
2. No te **preocupes**. **Estoy** en tu casa a las seis en punto. (.........)
3. Ya sé que la comida se **está** quemando. Ahora mismo **voy**. (.........)

4. Me **duele** la cabeza. ¿**Tienes** una aspirina? (.........)
5. Los elefantes no **vuelan**, hijo. (.........)
6. **Vas**, le **das** un beso y te **vienes** corriendo otra vez, ¿vale? (.........)
7. Oye, si **seguís** con ese tema, me **levanto** y me **voy**. (.........)
8. La paciencia **es** la madre de la ciencia. (.........)
9. ¿A qué hora **empieza** el partido? (.........)

13 Aquí tienes las definiciones de distintos tipos de personas. Complétalas con los verbos del recuadro y relaciónalas con la frase correspondiente.

★ ★
★ **B1**
★ ★

➲ Una persona muy metódica... ➲ siempre .hace....... las cosas de la misma manera.

1. Una persona egoísta...
2. Una persona sensible...
3. Una persona tacaña...
4. Una persona con sentido del humor...
5. Una persona pesimista...

a. .... las emociones con mucha intensidad.
b. .... de todo y también de sí misma.
c. .... mucho en sí misma y poco en los demás.
d. lo .... todo negro.
e. .... mucho y .... poco con los demás.

| hacer ✓ |
| gastar |
| ver |
| reírse |
| pensar |
| ahorrar |
| sentir |

22. Pretérito perfecto de indicativo

A Significado y formas: *he hablado, he comido, he vivido...*

■ El Pretérito perfecto se forma con:

El **Presente de indicativo**
del verbo auxiliar *haber*.

he
has
ha
hemos
habéis
han

hablado
comido
vivido

El **participio** correspondiente
al hecho <u>terminado</u>.

→ 20. Formas no personales

Ha llovido
mucho.

Con el Perfecto afirmamos
hechos **terminados** en un
espacio actual ('AQUÍ').

■ Si presentamos el hecho **en sí mismo** y **no
en relación con un espacio actual**, usamos el
Indefinido.

→ 23. Pretérito indefinido

→ 24. ¿Perfecto o Indefinido?

---

1 La fiesta sorpresa para el cumpleaños de Blas está lista. ¿Quién ha hecho cada cosa?

A1

| Yo | Todos nosotros ✓ | Su novia | Sus hermanos | Tú | Alejandro y tú |

➡ **Hemos** puesto dinero para comprar las cosas. (*Todos nosotros*.........)

1. **He** colocado globos de colores por toda la casa. (...........................)
2. **Han** llamado por teléfono a todos los invitados. (...........................)
3. **Habéis** traído un montón de discos de flamenco. (.....................)
4. **Ha** hecho su comida preferida. (..........................)
5. No **has** hecho nada porque nunca tienes tiempo. (........................)

---

2 Completa con el verbo y la persona adecuados en Perfecto y relaciona cada enunciado con una imagen.

A1

| meter | salir | encender | tener | beber | llegar | hacer ✓ | ganar |

➡ ¿*Habéis hecho*.......... las tareas para casa? (..*e*..)

1. .... la estufa porque tengo frío. (.....)
2. Rebeca, ¿te .... en el agua tú sola? (.....)
3. ¡Qué suerte .... esta chica! (.....)
4. Eres un egoísta. Te lo .... todo (.....)
5. ¡ ....! ¡Somos los mejores! (.....)
6. ¡Qué bien! ¡......................... el sol! (.....)
7. Señoras y señores, ... al aeropuerto
   de Düsseldorf. (.....)

121

B   El pasado del presente: *Ha llovido mucho. Este verano ha llovido mucho.*

■ Usamos el Perfecto cuando un hecho terminado no nos interesa en sí mismo, sino como **parte de la situación actual**:

* ● ¿Conoces Tasmania?
  ○ *Sí, yo **he viajado** mucho.*   [Conozco muchos países]

* ● ¿Tienes las llaves?
  ○ *Pues no, las **he perdido**.*   [No tengo las llaves]

* ● ¿Y cómo está Granada ahora?
  ○ *Pues **ha cambiado** mucho.*   [Está muy diferente]

Situación actual: *Está muy grande.*

Este árbol **ha crecido** mucho.

3 Relaciona los siguientes enunciados para completar estos diálogos.

A1
A2

→ Bueno, ya podemos irnos.

1. ¿Dónde **ha ido** Jesús?

2. ¿Por qué **has abierto** la ventana?

3. ¡Pepe, el niño se **ha caído**!

4. ¿Tu hija ya se **ha dormido**?

5. ¿**Has visto** mis gafas? No las encuentro.

6. ¿Ya estáis aquí?

a. Es que tengo mucho calor.

b. Sí, **hemos llegado** a las cuatro y cuarto, más o menos.

c. ¿Seguro? ¿**Has cerrado** bien la puerta? ¿**Has apagado** las luces?

d. Me parece que las **has puesto** al lado del teléfono.

e. No sé. Yo lo **he visto** antes en la cafetería.

f. Sí, se **ha levantado** muy temprano y estaba muy cansada.

g. Tranquila, no le **ha pasado** nada.

4 ¿Qué ha pasado? Completa como en el ejemplo.

A1
A2

| Comer muchos dulces | Seguir un régimen ✓ | Ganar el gordo de la lotería |
| Bailar toda la noche | Ir a la playa | Salir en televisión muchas veces |

→ Está mucho más delgado que antes.   *Ha seguido un régimen*

1. Están cansados.   ....

2. A los niños les duele el estómago.   ....

3. Lleva un coche carísimo.   ....

4. Están muy morenos.   ....

5. Ahora es muy famosa.   ....

He pasado una noche estupenda...

¡Hmmm!

... pero no ha sido esta.

■ También usamos el Perfecto cuando queremos situar hechos terminados en **un espacio actual**:

ESPACIO ACTUAL: **hoy**

Hoy he plantado un árbol.

Esta mañana **he plantado** un árbol.

MAÑANA   TARDE   NOCHE

Hoy
Esta mañana
Esta tarde
Esta noche

ESPACIO ACTUAL: **esta semana**

Este martes
he plantado un árbol.

Esta semana
he plantado un árbol.

Este fin de semana
Esta semana
Esta Navidad
Este mes...

LUNES   MARTES   MIÉRCOLES   JUEVES   VIERNES

ESPACIO ACTUAL: **este año**

Esta primavera
he plantado un árbol.

Este año
he plantado un árbol.

Este verano
Este año
Este curso...

PRIMAVERA   VERANO   OTOÑO   INVIERNO

ESPACIO ACTUAL: **hasta ahora**

En mi vida **he plantado** árboles muchas veces.

He plantado árboles muchas veces.

Siempre, nunca, toda la vida, alguna vez, muchas veces, últimamente, en los últimos días/meses/años, desde el martes, hasta ahora...

5 Pedro es un hombre afortunado. Ángel siempre tiene mala suerte. ¿Puedes decidir qué le ha pasado a cada uno?

A2

➔ Pedro *ha tenido muchos amores* .... en su vida.   a. Estar solo.

   Ángel *ha estado solo* .... toda su vida.   b. Tener muchos amores.

1. Pedro siempre .... hasta ahora.   a. Conseguir buenos trabajos.

   Ángel .... muchas veces.   b. Tener trabajos difíciles.

2. Pedro .... en los últimos años.   a. Perder mucho dinero.

   Ángel .... últimamente.   b. Ganar mucho dinero.

3. Pedro .... este año.   a. Ponerse enfermo tres veces.

   Ángel .... en los últimos meses.   b. Tener muy buena salud.

4. Pedro .... esta semana.   a. Conocer a una chica fantástica.

   Ángel .... esta semana.   b. Separarse de su mujer.

5. Pedro .... esta mañana.   a. Encontrar una billetera.

   Ángel .... esta mañana.   b. Perder su billetera.

123

C El pasado del futuro: *A las cinco he terminado*.

■ También usamos el Perfecto para afirmar, de modo seguro y controlado, **sucesos futuros anteriores a otro momento futuro**. Hacemos esto cuando partimos explícitamente de un punto de referencia preciso en el futuro y queremos declarar lo que está terminado en ese punto:

A las cinco ya **he llegado**.

- ● ¿Cómo va eso?
- ○ Casi terminado. <u>En dos horas</u> lo **hemos pintado** todo.

- ● Oye, dejadme algún dulce, ¿vale?
- ○ No te hagas ilusiones. Seguro que <u>cuando vuelvas</u>, la tarta **ha desaparecido**.

- ● ¿Si salimos <u>mañana a las siete</u> está bien? ¿Estarás cansado para conducir?
- ○ No, con seis horas **he dormido** suficiente, no te preocupes.

■ Para hacer lo mismo sin marcar seguridad ni control, usamos el Futuro perfecto:

- ● A las cinco habré llegado. ⊘ 29. Futuro perfecto

---

6 De qué tiempo hablan: ¿del pasado o del futuro?

 B1

⮑ ¿Tú crees que para la cena **hemos llegado**? Es para avisar a mi madre... (*Futuro*....)

⮑ Si estás tan seguro de que **han llegado** ya, ¿por qué no te das más prisa? (*Pasado*...)

1. Yo **he hecho** todo lo que podía hacer. Ahora termina tú. (.............)

2. Si veis un restaurante pintado de verde, eso significa que ya **habéis llegado** al pueblo. (.............)

3. ¿**Has encendido** la calefacción? Aquí hace mucho frío... (.............)

4. Pepe, que **han llamado** a la puerta. ¿Por qué no abres? (.............)

5. Este tren es muy rápido. Antes de que nos demos cuenta, **hemos llegado** a Bilbao. (.............)

6. ¡Vaya, hombre! ¡Ya **he olvidado** decirle a Rosa que los frenos del coche no funcionan! (.............)

7. Venga, un poco de ánimo. Para las siete ya **hemos limpiado** toda la casa. (.............)

8. ¿Qué **has dicho** de las siete? ¡Tenemos que irnos ya! (.............)

---

7 Alguien hizo las predicciones que tienes a la izquierda. La realidad fue lo que tienes a la derecha. ¿Predijo correctamente o no?

B1

⮑ No te preocupes: a las siete lo **he terminado**, seguro. Terminó a las 6:30. (.*Sí*......)

⮑ Ahora no puedo, pero a las siete lo **termino**, no te preocupes. (..*No*....)

1. Te digo que para Navidad ya **ha nacido** Luisito, ya verás. Nació en noviembre. (.........)

2. Te digo que Luisito **nace** en Navidad, ya verás. (.........)

3. Su avión **aterriza** a las 11:15 en el aeropuerto de Jizro. Aterrizó a las 11:05 (.........)

4. A las 11:15, seguro que el avión ya **ha aterrizado**. (.........)

5. ● Evaristo, ¿recuerdas que mi madre viene a comer el domingo Lo arregló el jueves. (.........)
y que el horno no funciona? (.........)

   ○ Que sí, mujer, que para el domingo ya **he arreglado** el horno...

6. El fin de semana, que tengo tiempo, **arreglo** el horno.

23. Pretérito indefinido

A Significado y formas regulares: *hablé*, *comí*, *viví*...

■ El Pretérito indefinido representa un hecho **terminado** y **sin relación** con el espacio actual.

Llovió mucho aquel día.

> Con el Indefinido contamos hechos **terminados** en el **espacio pasado** en que se produjeron ('ALLÍ').

■ Para formar el Indefinido **regular** sustituimos la terminación del infinitivo por las siguientes **terminaciones**:

	-ar	-er / -ir
Yo	-é	-í
Tú	-aste	-iste
Él, ella, usted	-ó	-ió → -yó
Nosotros/-as	-amos	-imos
Vosotros/-as	-asteis	-isteis
Ellos, ellas, ustedes	-aron	-ieron → -yeron

> Cuando la raíz termina en vocal, la *-i-* se transforma en *-y-*: *caer, construir, creer, huir, influir, leer, oír, sustituir*...
>
> Caer → cayó   ~~caió~~
> Oír → oyó   ~~oió~~
>
> Caer → cayeron   ~~caieron~~
> Oír → oyeron   ~~oieron~~

> 👁 En el Indefinido no hay *-s* final para la 2ª persona singular (*tú*).

■ Además, en el Indefinido regular **el acento está siempre en la terminación**, como muestra el subrayado en los ejemplos:

	Hablar	Comer	Vivir
Yo	Hablé	Comí	Viví
Tú	Hablaste	Comiste	Viviste
Él, ella, usted	Habló	Comió	Vivió
Nosotros/-as	Hablamos*	Comimos	Vivimos*
Vosotros/-as	Hablasteis	Comisteis	Vivisteis
Ellos, ellas, ustedes	Hablaron	Comieron	Vivieron

> 👁 Muchas veces, el acento es la única marca para diferenciar el Indefinido de otras formas verbales:
>
> | [yo Presente] | [él Indefinido] |
> |---|---|
> | Hablo | → Habló |
> | Entro | → Entró |
> | Bailo | → Bailó |

> * Estas formas coinciden con las del Presente de indicativo.

1 Identifica primero todas las formas que son Indefinido. Luego, pon el resto en la forma correspondiente del Indefinido, como en el ejemplo.

★ A1
★ A2

compraron	➜ ......✓......	he decidido	9.	ha leído	19. ....
llamo	➜ ...*llamé*......	pasó	10.	vimos	20. ....
abres	1.	invitabas	11.	encontrarás	21. ....
cerrábamos	2.	ha salido	12.	entraban	22. ....
baila	3.	comíamos	13.	estudió	23. ....
canto	4.	dejaste	14.	han construido	24. ....
acabasteis	5.	terminarán	15.	saludé	25. ....
oías	6.	vivíamos	16.	estudiabais	26. ....
hablo	7.	cree	17.	escondes	27. ....
han huido	8.	habéis bebido	18.	decidiréis	28. ....

2 ¿Es Presente o es Indefinido la forma que está en negrita? Decídelo por el contexto.

A1 ➔ Mi mujer y yo **dormimos** mucho. Si no dormimos, estamos siempre muy cansados. ➔ .....*Presente*.....

➔ Mi mujer y yo **dormimos** mucho. Ellos casi no dormían. Estaban haciendo turismo
A2 a todas horas. ➔ ....*Indefinido*....

1. **Hablamos** de los problemas entre hombres y mujeres. ¿Te apetece participar?   1. ....
2. **Hablamos** de los problemas entre hombres y mujeres. Pero nadie dijo nada interesante.   2. ....
3. **Llegamos** a Madrid el martes y todavía no hemos visto el museo del Prado.   3. ....
4. **Llegamos** a Madrid el martes. ¿Nos vas a recoger en el aeropuerto?   4. ....
5. **Compramos** una botella de agua mineral y nos vamos, ¿vale?   5. ....
6. **Compramos** una botella de agua mineral que nos costó carísima.   6. ....
7. Le **escribimos** un e-mail y todavía no nos ha contestado.   7. ....
8. Le **escribimos** un e-mail y nos vamos, ¿de acuerdo?   8. ....

B   Verbos con raíz irregular: *dijo, puso, estuvo*...

■ La mayor parte de los verbos irregulares en Indefinido tienen una **raíz irregular**:

Verbos en *-ducir* → *-duj-*

Saber → sup-	Tener → tuv-	Querer → quis-	Conducir → conduj-
Poder → pud-	Estar → estuv-	Venir → vin-	Producir → produj-
Poner → pus-	Andar → anduv-	Hacer → hic- e	Traducir → traduj-
Haber → hub-	Decir → dij-	hic- iste	Introducir → introduj-
Caber → cup-	Traer → traj-	hiz- o	Reducir → reduj-

👁 Y sus correspondientes verbos compuestos: *contener, intervenir, deshacer, contradecir, reproducir*, etc.

■ Todos estos verbos toman una única **terminación especial** en el Indefinido:

		Estar	Hacer	Decir
Yo	-e	est<u>u</u>ve	<u>hi</u>ce	<u>di</u>je
Tú	-iste	estu<u>vi</u>ste	hi<u>ci</u>ste	di<u>ji</u>ste
Él, ella, usted	-o	est<u>u</u>vo	<u>hi</u>zo	<u>di</u>jo
Nosotros/-as	-imos	estu<u>vi</u>mos	hi<u>ci</u>mos	di<u>ji</u>mos
Vosotros/-as	-isteis	estu<u>vi</u>steis	hi<u>ci</u>steis	di<u>ji</u>steis
Ellos, ellas, ustedes	-ieron (-eron*)	estu<u>vi</u>eron	hi<u>ci</u>eron	di<u>je</u>ron

* Si la raíz termina en *-j*.

■ Además, a diferencia de la conjugación regular, el acento está en la raíz en la 1ª y 3ª personas (*yo* y *él-ella-usted*), como muestra el subrayado en los ejemplos anteriores.

3 **Lourdes es todavía muy pequeña y cree que todos los Indefinidos son regulares.**
A2 **Ayúdala, identificando y corrigiendo los seis errores que ha hecho (además del ejemplo).**

➔ Ayer **estuvimos** ....✓..... en casa
de Susi y sus papás nos ~~ponieron~~ ....
...*pusieron*... una película de dibujos animados muy bonita.

1. ¿Por qué no **veniste** .... con
nosotras a la playa? **Hacimos** ....
un castillo de arena y nos **bañamos** ....
....

2. Montse **condució** .... el cochecito
de Rosendo, y yo **quise** .... también
conducirlo, pero no **podí** ....
porque Rosendo me lo **quitó** ....

3. Papá me **dició** .... que me ibas a
comprar un regalo. ¿Por qué no me lo **compraste** .... ? ¿Es que no **teniste**
.... tiempo?

4 Elige el verbo adecuado y completa las frases con la forma correspondiente del Indefinido.

A2

➲ Cuando vi el fuego y el humo, me ..*puse*........ muy nervioso y no ..*supe*........ qué hacer.

1. El otro día me pasó una cosa muy rara en el ordenador del trabajo: cuando .... la contraseña, se .... un fallo general en el servidor de la oficina.

2. Yo te .... que tú sí podías venir conmigo. Si no .... , es porque no ....

3. Lo pasamos muy bien y, además, ... un viaje muy bueno, porque .... Miguel, y él conduce muy bien.

4. Me dieron un montón de folios para traducir, pero tenía demasiado trabajo en aquel momento. Solo .... cuatro páginas. No .... hacer más.

5. Mira, es que se puso muy nerviosa. No .... manera de calmarla. Yo .... todo lo que pude.

> venir/decir/querer
> saber/poner ✓
> producir/introducir
> traducir/poder
> haber/hacer
> tener/conducir

C Verbos con alteraciones vocálicas: *pidió*, *durmió*...

■ **Los verbos en -*ir* que tienen una -*e*- o una -*o*- en la última sílaba de la raíz** (*e...ir, o...ir*, también irregulares en Presente), **cierran esta vocal en la tercera persona del singular y del plural:**

$e \rightarrow i$	Pedir	$o \rightarrow u$	Dormir
	pedí		dormí
	pediste		dormiste
	pidió		durmió
	pedimos		dormimos
	pedisteis		dormisteis
	pidieron		durmieron

Ah, pues nosotros **dormimos** muy bien.

!Qué mal **dormí** ese día!

Pues el pobre Joaquín no **durmió** nada, ¿os acordáis?

👁 Son verbos como *repetir*, *sentir*, *seguir*, *mentir*, *competir*, *elegir*, *herir*, *medir*, *reír*, *preferir*, *morir*, o sus compuestos: *sonreír*, *impedir*, *perseguir*, *presentir*, etc. El verbo **oír** es regular (*oyó*, *oyeron*).

---

5 Todos estos verbos son de la tercera conjugación (en -*ir*), pero hay seis regulares y once irregulares. Identifícalos y escribe en cada caso la forma de la tercera persona singular y plural.

A2

➲ morir *murió*...........
(irr.).. *murieron*.....

➲ vivir ... *vivió*.........
(r.).. *vivieron*.....

1. repetir ....
....

2. herir ....
....

3. discutir ....
....

4. oír ....
....

5. impedir ....
....

6. medir ....
....

7. salir ....
....

8. repartir ....
....

9. mentir ....
....

10. decidir ....
....

11. preferir ....
....

12. perseguir ....
....

13. reír ....
....

14. presentir ....
....

15. competir ....
....

D *Dar, ir, ser*

Dar	Ir / Ser
di	fui
diste	fuiste
dio	fue
dimos	fuimos
disteis	fuisteis
dieron	fueron

Ir y *ser* tienen **la misma forma** en el Indefinido.

● *La manifestación* **fue** *un éxito:* **fue** *mucha gente.*

6 Completa con el Indefinido del verbo adecuado en cada caso.

A2

| ser | | ir | | dar |

➡ Lo pasé muy bien, de verdad. ....*Fue*..... una fiesta de cumpleaños estupenda.

1. ● ¿Os ha dado Alberto algo para mí?
   ○ Pues no. .... los dos con él al cine ayer, pero no nos .... nada.

2. ● ¿Qué tal ayer con Celia?
   ○ Muy mal. Marta y yo .... a su casa para hablar tranquilamente. .... muy amables y muy educados, pero ella empezó a insultarnos y nos ....

3. Nosotros le .... una pastilla, pero ella empezó a temblar y se puso roja, roja... .... horrible.

E Usos: *El viernes pasado los vi. Cuando entraba, los vi.*

■ Usamos el Indefinido **para situar hechos completos y terminados 'ALLÍ'** donde se produjeron. Por eso, el Indefinido se opone al Perfecto, que sitúa los hechos en un espacio actual ('AQUÍ'):

   ● *Aquel día me **asusté** mucho. He tenido pesadillas desde entonces.*
   ● *El verano pasado **vi** dos o tres veces a Valeria, pero este verano no la he visto.*
   ● *Lo que te ha dicho hoy no me ha sorprendido. Lo que te **dijo** el otro día sí me **sorprendió**.*

⊙ 22. Pretérito perfecto

⊙ 24. ¿Perfecto o Indefinido?

7 Cambia la perspectiva de presente por una perspectiva de pasado, utilizando la misma persona gramatical.

('ALLÍ')

A2

B1

Pensando en un espacio actual

➡ **Hemos comido** demasiado, ¿no crees?

1. Oye, **he oído** que te vas. ¿Es verdad?
2. Esta mañana no **he tomado** café. ¿Me invitas?
3. ¡Mirad, es Juan! ¡Por fin **ha llegado**!
4. ¿**Has llamado** al médico?

Pensando en un espacio pasado

➡ Ayer ....*comí*..... demasiado.

1. El otro día .... que Lola se iba, ¿es verdad?
2. Aquella mañana no .... café. No tenía dinero.
3. Juan no aparecía, pero a las doce por fin ....
4. ¿.............. al médico el lunes?

('AQUÍ')

■ También usamos el Indefinido para **contar hechos completos y terminados** en el pasado. Entendemos siempre que el hecho empezó, se desarrolló y terminó en el punto de la historia donde estamos. Por eso, el Indefinido se opone al Imperfecto, que describe hechos no terminados en ese punto:

   ● *Cuando ya estaba llegando al trabajo, me **acordé** de Luis y **volví** a su casa a recogerlo.*
   ● *Antes me llamaba todos los fines de semana, pero el fin de semana pasado no me **llamó**.*
   ● *No tenía las llaves. Por eso **entré** por la ventana y **abrí** desde dentro.*

⊙ 25. Pretérito imperfecto

⊙ 26. ¿Imperfecto, Indefinido o Pretérito perfecto?

8 Cambia la perspectiva de describir por una perspectiva de contar en el pasado, utilizando la misma persona gramatical.

A2

B1

Describiendo (Procesos no terminados)

➡ Mientras ella se **duchaba**, yo limpié el cuarto.

1. Antes **hablabas** francés peor que ahora.
2. En Galicia, todos los días **comíamos** marisco.
3. En aquel tiempo esas cosas **influían** mucho sobre mí.
4. Yo os estaba llamando, pero no me **oíais**.
5. Nosotros **bebíamos** y **bebíamos**, y ellas nos miraban.

Contando (Hechos completos)

➡ Cuando se .....*duchó*....... , nos fuimos.

1. ¿.................. francés en tu viaje a Marsella?
2. Ayer .... marisco en el restaurante de Luis.
3. Esas cosas .... mucho en mi decisión.
4. ¿................. las voces de Javi?
5. Al final, nos lo .... todo.

■ Con el Pretérito perfecto y el Indefinido podemos afirmar la misma realidad (hechos pasados y **terminados**) desde dos perspectivas diferentes:

Cuando usamos el Indefinido, estamos pensando en el **hecho en sí mismo** y en el espacio pasado en que ese hecho se produjo (**terminado 'ALLÍ'**).

Cuando usamos el Perfecto, estamos pensando en ese **hecho en relación con el presente** y en un espacio actual más grande que incluye el espacio donde estamos (**terminado 'AQUÍ'**).

■ Si presentamos el hecho como no terminado, usamos el **Imperfecto**.

➲ 25. Pretérito imperfecto

➲ 22. Pretérito perfecto

➲ 23. Pretérito indefinido

➲ 26. ¿Imperfecto, Indefinido o Pretérito perfecto?

A   Espacios actuales y no actuales: *Este año ha sido horrible / El año pasado fue horrible*

■ Algunos de los marcadores temporales que usamos o que tenemos en mente cuando hablamos de hechos del pasado, se pueden identificar fácilmente con uno de los dos espacios ('AQUÍ'= el espacio donde estamos y 'ALLÍ'= un espacio pasado):

CUANDO HABLAMOS DE...
Hoy, Esta tarde, Esta semana, Este mes, Este año, Este siglo, Esta Navidad, Este verano, Esta vez, Hasta ahora, Últimamente, Todavía no...

■ usamos **PERFECTO** porque hablamos de 'AQUÍ': El día, la semana, el mes, la Navidad, el verano, el año, el siglo... **donde estamos.**

CUANDO HABLAMOS DE...
Ayer, El jueves, La semana pasada, El mes pasado, En febrero, El 7 de abril, El otro día, Ese/Aquel día/mes/año..., En ese/aquel momento, Esa/aquella vez, La última vez, En 1987, Hace dos años, Cuando vivía en Madrid...

■ usamos **INDEFINIDO** porque hablamos de 'ALLÍ': Un día, una semana, un mes, un verano, una navidad, un año... **en el pasado.**

1 **¿De qué están hablando? Subraya la opción más probable.**

A2

➔ ¿Has visto mis gafas de sol?

   a. La semana pasada.

   b. Hoy.

1. Alguien **ha matado** a Julio César.

   a. Julio César es el Emperador romano.

   b. Julio César es su gato.

2. Nadie **bailó**.

   a. En la fiesta del fin de semana pasado.

   b. En esta fiesta donde estamos.

3. **He conocido** a un chico maravilloso.

   a. El lunes pasado.

   b. Este verano.

4. Nos **compramos** un Mercedes.

   a. En 1999.

   b. Esta misma mañana.

5. **Fue** muy importante para la humanidad.

   a. El descubrimiento del fuego.

   b. La era de la informática.

6. No **ha dicho** ni una sola palabra.

   a. El día de su último cumpleaños.

   b. Desde esta mañana hasta ahora.

7. ¿**Comprasteis** toda la comida vosotros?

   a. Para la cena de hoy.

   b. Para la cena del otro día.

2 **Subraya la forma más adecuada en cada contexto.**

A2

➔ ● ¿Sabes si va a venir Julia al cine?

   ○ Esta tarde no la **he visto/vi**, pero ayer **he hablado/hablé** con ella y me **ha dicho/dijo** que sí.

1. ● Estamos ya a viernes. ¿Todavía no **has arreglado/arreglaste** el grifo?

   ○ Es que esta semana no **he tenido/tuve** tiempo.

2. ● Este fin de semana lo **hemos pasado/pasamos** muy bien con mis hermanas, ¿verdad?

   ○ Yo creo que el fin de semana pasado **ha sido/fue** mejor, sin tus hermanas.

3. ● Montserrat, ¿y tú? ¿No **has ido/fuiste** este año a ningún concierto?

   ○ Pues sí, en febrero **he ido/fui** a uno de Plácido Carreras, y este mes **he estado/estuve** en otro de José Domingo.

4. ● ¿Qué **has hecho/hiciste** hoy?

   ○ Nada interesante. Pero ayer **he salido/salí** con Rebeca a cenar, para celebrar nuestro aniversario. Nos **hemos casado/casamos** un 11 de julio, ¿no te acuerdas?

B   **Espacios ambiguos:** *Nunca ha pasado nada / Nunca pasó nada*

■ Con otros marcadores de significado más amplio e indeterminado podemos referirnos a períodos actuales o no actuales, dependiendo del contexto. En estos casos podemos usar el Perfecto o el Indefinido para indicar claramente de qué espacio estamos hablando ('aquí'= hasta ahora /'allí'= en un espacio pasado):

CUANDO HABLAMOS DE…	*Siempre, Nunca, En la vida, Alguna vez, Varias veces, En los últimos días / meses / años, Al final…*	■ usamos **PERFECTO** si hablamos de **AQUÍ.**	■ usamos **INDEFINIDO** si hablamos de **ALLÍ.**
		Hasta ahora.	En un **espacio pasado**.

¿Has visto a Cristina últimamente?

Sí, estas Navidades **he salido** muchas veces con ella. ['AQUÍ']

El año pasado **pasé** las Navidades en Madrid, y **salí** muchas veces con Cristina. ['ALLÍ']

Navidades 2004   2005

3 ¿Hablamos de 'AQUÍ' o de 'ALLÍ'?

A2

➡ Dos veces la semana pasada... (...`ALLÍ`....)

1. Dos veces este año... (..............)

2. Ahora mismo... (..............)

3. Un día, hace 5 años... (..............)

4. Nunca en mi vida... (..............)

5. Alguna vez hasta ahora... (..............)

6. Cuando terminé el curso, al final... (..............)

7. Cervantes, durante toda su vida... (..............)

8. Nunca en mi antigua relación con Susana... (..............)

9. Ese verano, ninguna vez... (..............)

10. De pequeño, yo nunca... (..............)

11. Con aquel amigo de la escuela primaria, siempre... (..............)

12. Esta semana, al final... (..............)

13. En aquellos tres últimos días... (..............)

14. El primer coche que tuve... (..............)

15. La política social del actual presidente... (..............)

4 Completa con la forma correspondiente del Indefinido o el Perfecto, eligiendo el verbo apropiado.

B1

estar
ir
ir

➡ • ¿Tú ......`has ido`.. alguna vez a Disneylandia?
○ Yo sí, cuando era pequeño .... `fui` tres veces.
• Pues yo no ..`he estado`.. nunca.

dar
funcionar

1. • ¿Qué tal va tu ordenador nuevo?
○ Fatal, siempre está dando problemas.
• A mí el mío me .... muy bien hasta ahora.
○ Pues me alegro por ti. Yo echo de menos el que tenía antes. Aquel nunca me .... ningún problema.

decir
decir
decir

2. • Te .... mil veces que está muy feo meterse el dedo en la nariz.
○ Mil veces no. Hoy me lo .... una vez, y ayer me lo .... dos veces. Total, tres. ¡Prffrrrrffrrff!

pasar
pasar
casarse

3. Mi bisabuelo, y también sus padres, ... la mayor parte de su vida en Argentina. Pero mi madre .... hace muchos años con un español. Por eso yo nací aquí en España y .... toda mi vida en Madrid.

estar
decir
tener

4. • ¿Cómo va la cosa con Julieta?
○ Mal. En este último mes .... muchos problemas. La última vez que nos vimos .... discutiendo todo el día, y el otro día, me .... que me dejaba.

cambiar
enfadarse

5. • ¿Por qué .... la familia cuando murió?
○ Es que, antes de morir, Aureliano .... su testamento a favor de su amante.

5 Escribe los resultados de Villatripas de Arriba en sus competiciones con Villatripas de Abajo. Usa los verbos *ganar*, *perder* y *empatar* en Perfecto o Indefinido.

B1

	Cuándo	Qué
Competiciones ganadas	➡ Siempre.	El concurso anual de baile.
	1. En los años 90, siete veces.	El campeonato de fútbol.
	2. En los últimos diez años, dos veces.	El concurso de levantar piedras.
Competiciones perdidas	3. En las fiestas del verano pasado.	La carrera de sacos.
	4. Casi siempre en los últimos años.	El concurso de belleza masculina.
	5. Siempre hasta ahora.	El tiro al plato de espaldas.
Competiciones empatadas	6. En el año 2004.	En el concurso de paellas de marisco.
	7. Últimamente, muchas veces.	En el concurso de bandas de música.

➡ *Siempre hemos ganado el concurso anual de baile.*

1. ....

2. ....

3. ....

4. ....

5. ....

6. ....

7. ....

131

C **Espacios inmediatos**: *Ya he terminado / Ya terminé*

■ Para hablar de un suceso muy cercano al momento actual podemos usar **el Pretérito perfecto**, pero también el **Indefinido**. Solo hay una pequeña diferencia de perspectiva.

Con el **Perfecto** presentamos ese suceso como **parte de la situación actual**:

- *¿Dónde está Pedro?*
- ○ *No sé. Se **ha ido** <u>hace un par de minutos</u>.*

Con el **Indefinido** presentamos el suceso **en sí mismo**:

- *¿Dónde está Pedro?*
- ○ *No sé. Se **fue** <u>hace un par de minutos</u>.*

He hablado con Bea <u>hace un rato</u>, y me **ha dicho** que...

3:30   3:45

<u>Hace un rato</u> **hablé** con Bea, y me **dijo** que...

3:30   3:45

CUANDO HABLAMOS DE...	*Ya...* *A las diez y media* (de 'hoy')... *Hace un rato...* *Hace un momento...*	■ podemos usar **Perfecto o Indefinido**

- *¡Vaya! ¡Se **ha ido** / **fue** la luz!* ['ahora mismo']
- *¿**Has apagado** / **Apagaste** el horno?* ['ya']
- *¡Por fin! ¡<u>Ya</u> **ha funcionado** / **funcionó**!*

- *Ya están aquí tus padres. **Han llegado** / **Llegaron** <u>a las diez</u>.*
- *¿Luis? Pues, mira, <u>hace solo un momento</u> que se **ha ido** / **fue**.*

6 Cuando habla de un suceso inmediato, Fránkez siempre lo piensa como algo que tiene que ver con el momento actual, y Tristicia siempre lo piensa como un suceso en sí mismo. Ellos solo pueden pensarlo, porque no conocen el Perfecto y el Indefinido, pero tú sí puedes expresarlo. Completa con la forma adecuada del verbo, como en los ejemplos.

B1

Fránkez: ¡Dios mío, ya **empezar** (➜) (.....*ha empezado*.....) a llover!

Tristicia: Sí, ya **empezar** (➜) (.....*empezó*.....) a llover. ¿Y qué?

Fránkez: Pues que nosotros no **traer** (1) (...............................) paraguas.

Tristicia: Pues en la casa yo **recordártelo** (2) (...*te lo*...............) .

Fránkez: Sí, pero yo **olvidarlo** (3) (...*lo*...............) .

Tristicia: Hace un momento yo **ver** (4) (...............................) un castillo

para refugiarnos de la lluvia.

Fránkez: ¿Dónde, allí? Ir rápido. **Empezar** (5) (...............................) a llover

más fuerte. ¡Menos mal! Vamos dentro!

¿**Mojarte** (6) (...*¿Te*...............) mucho?

Tristicia: No, **taparme** (7) (...*Me*...............) la cabeza con una bolsa de plástico.

Fránkez: ¿Tú **cerrar** (8) (...............................) la puerta?

Tristicia: Sí, **cerrar** (9) (...............................) al **entrar**.

Fránkez: ¡Uf! ¡Nosotros **tener** (10) (...............................) suerte!

Tristicia: Sí. ¡Menos mal que yo **encontrar** (11) (...............................) el castillo.

25. Pretérito imperfecto de indicativo

A   Significado del Imperfecto

El Presente representa hechos
no terminados en el momento actual:

- Sí, **hace** frío porque esta casa **es** un poco vieja y, además, por las noches no **funciona** la calefacción.

■ El Imperfecto traslada esa perspectiva a **un momento del pasado:**

- Sí, en aquella casa **hacía** frío porque **era** un poco vieja y, además, por las noches no **funcionaba** la calefacción.

¡Cuánto **llueve**!

Llovía mucho aquel día...

Con el Imperfecto describimos hechos NO TERMINADOS **en un momento del pasado.**

Mi novia **es** una chica muy inteligente.

Mi primera novia **era** muy inteligente.

Todas las noches **estudio** una hora.

Antes **estudiaba** una hora todas las noches. Ahora no.

Está un poco nervioso. **Es** la hora de su comida.

A las cinco ya **estaba** un poco nervioso. **Era** la hora de su comida.

---

1 José Luis se casó y ha cambiado mucho. Descubre los cambios colocando estas informaciones en la columna correspondiente.

★ ★
★ **A1**
★ ★ ★

➲ Nunca leía novelas. ✓
a. No le gustaba ir a los restaurantes.
b. Llevaba una ropa muy clásica.
c. Nunca come en casa.
d. Tiene tres perros.

e. Sale todas las noches con sus amigos.
f. No tenía amigos.
g. Le encanta leer. ✓
h. Viste muy moderno.
i. Quería tener muchos hijos.

José Luis **antes** de casarse:

➲ *Nunca leía novelas* ....

1. ....

2. ....

3. ....

4. ....

José Luis **ahora:**

Le encanta leer ....

....

....

....

....

B   Formas regulares: *hablaba*, *comía*, *vivía*...

■ Para formar el Imperfecto regular sustituimos la terminación del Infinitivo por las siguientes **terminaciones**:

	-ar	-er / -ir	Hablar	Comer	Vivir
Yo	-aba	-ía	ha<u>bla</u>ba	co<u>mí</u>a	vi<u>ví</u>a
Tú	-abas	-ías	ha<u>bla</u>bas	co<u>mí</u>as	vi<u>ví</u>as
Él, ella, usted	-aba	-ía	ha<u>bla</u>ba	co<u>mí</u>a	vi<u>ví</u>a
Nosotros/-as	-ábamos	-íamos	ha<u>blá</u>bamos	co<u>mí</u>amos	vi<u>ví</u>amos
Vosotros/-as	-abais	-íais	ha<u>bla</u>bais	co<u>mí</u>ais	vi<u>ví</u>as
Ellos, ellas, ustedes	-aban	-ían	ha<u>bla</u>ban	co<u>mí</u>an	vi<u>ví</u>an

La 1ª y la 3ª personas del singular tienen la misma forma.

Además, **el acento está siempre en la terminación**, como muestra el subrayado en los ejemplos.

2 En la fiesta de Blas, todo ha cambiado en dos minutos: sus padres han llamado a la puerta. Describe la primera escena recordando estas informaciones.

A1
A2

Son las 5:45 pm

Blas y Silvia **están** bailando muy pegados. Casimiro, el novio de Silvia, no **para** de mirar a Blas. **Hay** varias botellas de cerveza en la mesa y el cenicero **está** lleno de colillas. La música **está** muy alta y todo el mundo se **ríe** sin parar. La hermana de Silvia y el hermano de Blas **duermen** en el sofá, cogidos de la mano. La foto de los padres de Blas **tiene** tres chicles pegados. En la cocina, cuatro chicos **están** tirándose aceitunas unos a otros.

Son las 5:47 pm
¿Qué estaba pasando a las 5:45?

Cuando los padres de Blas llamaron a la puerta, él y Silvia ....*estaban*.... bailando muy pegados. Casimiro, el novio de Silvia, no .... de mirar a Blas. .... varias botellas de cerveza en la mesa y el cenice-ro .... lleno de colillas. La música .... muy alta y todo el mundo se .... sin parar. La hermana de Silvia y el hermano de Blas .... en el sofá, cogidos de la mano. La foto de los padres de Blas .... tres chicles pegados. En la cocina, cuatro chicos .... tirándose aceitunas unos a otros.

3 ¿De quién hablan con el verbo marcado en negrita? Descúbrelo por el contexto.

A1

Yo	Usted	Ella	Él

A2

➔ ¿No lo **sabía**, Sra. Elgorriaga? (...*usted*...)

1. ¿No **sabía** que teníamos una fiesta? Qué despistada es, ¿no crees? (............)
2. Buenas tardes. ¿Qué **quería**? (............)
3. ● ¿Qué **quería**? (............)
   ○ No sé. Se ha quedado callado y se ha ido.
4. La admiraban porque **jugaba** al tenis muy bien, ¿recuerdas? (............)
5. ● ¿Juegas al tenis los fines de semana?
   ○ **Jugaba**. Ya no. (............)
6. En realidad, no me **quería**. Solo se quería a sí mismo. (............)
7. Nos separamos un año después de conocernos. No la **quería** de verdad. (............)
8. **Tenía** una perrita preciosa, pero se la regaló a su novio. (............)
9. **Tenía** un gato, pero donde vivo ahora no puedo tener animales. (............)

He venido porque tenía muchas ganas de verte.

¿Quién? ¿Tú o Toby?

C Verbos totalmente irregulares: *ir*, *ser*, *ver*.

	Ir	Ser	Ver
Yo	iba	era	veía
Tú	ibas	eras	veías
Él, ella, usted	iba	era	veía
Nosotros/-as	íbamos	éramos	veíamos
Vosotros/-as	ibais	erais	veíais
Ellos, ellas, ustedes	iban	eran	veían

● Juan **era** un poco raro: **iba** al cementerio los días de luna llena y solo **veía** películas de zombis.

Ir y **Ser** tienen el acento en la raíz.

4 Completa con la forma adecuada del Imperfecto.

A2

➔ Ya no vemos mucho a nuestra hija. Antes sí la .veíamos. .

1. Ya no voy a la playa en verano. Antes sí ....

2. Ya no soy tan optimista. Antes sí lo ....

3. Sois muy antipáticos conmigo. Antes .... más simpáticos.

4. No veo nada con esta luz. Con la que has puesto antes .... mejor.

5. Mis padres ya no son tan estrictos conmigo. Antes .... mucho más estrictos.

6. ¿Veis mucho a Roberta ahora? Antes la .... todos los días, ¿no?

7. Ya somos mayores. Cuando .... jóvenes, era diferente.

8. ¿Ya no vais a Madrid en Navidades? Antes .... siempre.

■ Cuando usamos el Presente estamos dentro de una escena actual, describiendo lo que pasa en este momento. Con el Imperfecto trasladamos este punto de vista al pasado: nos situamos **dentro de una escena pasada** y **describimos** lo que pasaba **en aquel momento**. Por eso, los usos del Imperfecto son los mismos que los usos del Presente, pero trasladados a un momento del pasado.

➔ 21. Presente de indicativo

D Usos del Imperfecto. Describir cualidades: *Era una chica muy guapa*.

Usamos el Presente para describir cómo son actualmente las personas o las cosas:

■ Usamos el Imperfecto para hacer eso mismo recordando **personas o cosas del pasado**:

Es un ordenador muy bueno. **Tiene** un disco duro de 500 Mb y el procesador **va** a 348 MHz. **Puedes** hacer un montón de cosas con él.

Mi primer ordenador **era** muy malo. **Tenía** solo 500 Mb de disco duro y el procesador **iba** lentísimo. No **podías** hacer casi nada con él.

5 Luisa recuerda las siguientes personas y cosas y describe cómo eran. Completa su descripción usando los verbos que se indican.

1. La CASA donde vivía de pequeña.

2. Un CHICO que conoció en una fiesta de disfraces.

3. Su primer JEFE.

4. El COCHE que tenía su jefe.

ser	estar
haber	tener

Estaba en las afueras de la ciudad. .... unas vistas preciosas. .... un parque muy cerca. .... muy fresca en verano.

parecerse	ir
llevar	ser

Manuel .... el hermano de mi mejor amiga, pero no .... en nada a ella. En aquella fiesta .... disfrazado de pollo y .... zapatos de tacón.

tener	gustar
saber	llamarse

.... Casimiro. .... una mirada un poco extraña. Le .... mucho mandar y .... que todos le teníamos mucho miedo.

llegar	gastar
costar	ser

.... un deportivo rojo precioso. .... 25.000 euros, ... hasta 200 Km/h, y solo .... 6,5 litros de gasolina cada 100 Km.

E **Usos del Imperfecto**. Describir situaciones regulares: *Antes dormía mucho*.

Usamos el Presente para describir situaciones y hechos que se desarrollan habitual o regularmente en la actualidad:

Me **encanta** el agua. Mi madre me **lleva** todas las semanas a la piscina. Algunas veces **vamos** con mis amigos. Mi mamá **está** casi siempre conmigo, pero a veces me **baño** yo sola con mi flotador.

■ Usamos el Imperfecto para hacer eso mismo recordando hechos que presentamos como habituales o regulares **en una situación pasada**:

Cuando era pequeña me **encantaba** el agua. Mi madre me **llevaba** todas las semanas a la piscina. Algunas veces **íbamos** con mis amigos. Mi madre **estaba** casi siempre conmigo, pero muchas veces me **bañaba** yo sola con mi flotador.

---

6 Fránkez y Tristicia tienen castillo nuevo y están muy contentos. "Traduce" sus palabras.

➲ Antes **tener** coser a mano nuestras cicatrices. Ahora **tener** una máquina de coser.

1. Antes **cocinar** con fuego y **ser** muy difícil. Ahora **tener** horno y microondas.

2. Ahora **poder** ver el mundo entero en una televisión. Antes siempre **ver** el mismo cementerio.

3. Antes **buscar** cucarachas por la calle. Ahora **comprar** ranas tiernas en la tienda de la esquina.

4. Ahora **estar** calientes todo el invierno. Antes **pasar** frío si no **hacer** fuego con los árboles de los cementerios.

➲ Antes *teníamos* que coser a mano nuestras cicatrices. Ahora *tenemos* una máquina de coser.

1. Antes .... con fuego y .... muy difícil. Ahora .... horno y microondas.

2. Ahora .... ver el mundo entero en una televisión. Antes siempre .... el mismo cementerio.

3. Antes .... cucarachas por la calle. Ahora .... ranas tiernas en la tienda de la esquina.

4. Ahora .... calientes todo el invierno. Antes .... frío si no .... fuego con los árboles de los cementerios.

F   Usos del Imperfecto. Describir situaciones momentáneas: *A las dos estaba durmiendo*.

Usamos el Presente para describir lo que está pasando en un momento concreto del presente:

Mira, creo que no **voy** a ir a la fiesta. **Estoy** cansada, **tengo** un montón de trabajo y, además, **hace** mucho frío y **está** lloviendo.

■ Usamos el Imperfecto para hacer eso mismo recordando lo que estaba pasando en **un momento concreto del pasado**:

Me llamó Guada a las cinco porque no **iba** a venir a mi fiesta. **Estaba** cansada, **tenía** un montón de trabajo y, además, **hacía** mucho frío y **estaba** lloviendo.

➲ 37. Perífrasis verbales

7 Ayer hubo cinco crímenes en la ciudad. ¿Dónde estabas tú en esos momentos?
Completa este pequeño informe para la policía.

★★
★ **B1**
★★

8:40	11:05	14:20	16:00	21:45
En el Bar Ranco, desayunando con dos amigos.	En la oficina, hablando con el jefe.	En casa, comiendo solo.	En unos grandes almacenes, comprando ropa.	En el coche, besando a una chica.

¿Dónde estaba usted?   **¿Qué hacía en ese momento?**

➜ A las 8:40 *Estaba en el Bar Ranco.*   *Estaba desayunando con dos amigos.*

1. A las 11:05 ....

2. A las 14:20 ....

3. A las 16:00 ....

4. A las 21:45 ....

8 Lidia recuerda el momento en que conoció a los dos grandes amores de su vida.
Completa sus recuerdos con el verbo adecuado en Imperfecto.

★★
★ **B1**
★★

Yo ➜ ...*estaba*... sentada en un banco del parque. (1) .... las cinco de la tarde. (2) .... primavera. (3) .... un sol espléndido. En el parque (4) .... un olor maravilloso a hierba fresca y a flores. En los árboles, los pajaritos (5) .... La gente (6) ...., los niños (7) .... de un lado a otro, jugando. Ella (8) .... leyendo un libro en un banco enfrente de mí, y de vez en cuando me (9) .... Entonces llegó un hombre con un bebé y le dio un beso en la mejilla.

Ser	Estar
Ser	Mirar
Haber	Correr
Hacer	Cantar
Estar ✓	Pasear

Conocer	Poder
Bailar	Gustar
Parecer	Querer
Ser	Estar
Mirar	Ser

Aquella noche yo estaba con unos amigos en una discoteca. Ella (10) .... amiga del amigo de una amiga, y yo no la (11) .... , pero me (12) .... una chica muy atractiva. Mientras yo (13) .... , ella me (14) .... , y yo no (15) .... dejar de mirarla a ella tampoco. (16) .... ya muy tarde, y yo (17) .... cansada y (18) .... irme a casa, pero me (19) .... aquel juego de miradas. De pronto, ella sacó unas gafas de miope de su bolso, se las puso y se fue corriendo.

■ **Imperfecto** para **describir** el pasado:

> Con el **Imperfecto** nos situamos 'DENTRO' de un hecho pasado y describimos un proceso no terminado 'ALLÍ'.

Llovía mucho aquel día.

No terminado 'ALLÍ'

■ **Indefinido** para **contar** el pasado:

> Con el **Indefinido** nos situamos 'DESPUÉS' de un hecho pasado y contamos un acto o un proceso terminado 'ALLÍ'.

Llovió mucho aquel día.

Terminado 'ALLÍ'

A   Describir situaciones momentáneas (**Imperfecto**) o contar hechos completos (**Indefinido**)

■ Con el Imperfecto presentamos un hecho como **no terminado todavía** en un momento específico del pasado.
Describimos una situación momentánea:

- *Ayer, a las cinco, todavía estaba estudiando.*

- *Cuando bajaba las escaleras, [bajando] me encontré una maleta.*

■ Con el Indefinido presentamos ese proceso como **ya terminado** en aquel momento. Contamos un hecho completo:

- *Ayer estuve estudiando hasta las siete.*

> ➲ 37. Perífrasis verbales

- *Cuando bajé las escaleras, [completamente] me encontré una maleta.*

1 Decide qué forma verbal se corresponde con cada interpretación, como en el ejemplo.

¡Casimirooo!

Cuando **cruzaba** la calle, escuché una voz que me llamaba...

¡Casimiroooo!

Cuando **crucé** la calle, escuché una voz que me llamaba.

Forma verbal:	Interpretación:

➲ Ayer iba a la farmacia, y cuando **cruzaba/crucé** la calle, escuché una voz que me llamaba...

  a. (...*crucé*...)   Ya estaba al otro lado de la calle.
  b. (...*cruzaba*...)   No había terminado de cruzar.

1. Cuando **volvíamos/volvimos** a casa nos encontramos un maletín lleno de joyas...

  a. (................)   El maletín estaba en su casa.
  b. (................)   El maletín estaba en la calle.

2. Cuando la **llevábamos/llevamos** al hospital, dijo que ya se sentía bien y volvimos a casa...

  a. (................)   Llegaron al hospital.
  b. (................)   No llegaron al hospital.

3. La pobre María estaba muy triste y yo muy nervioso. No **sabía/supe** qué decirle...

  a. (................)   No le dijo nada.
  b. (................)   No sabemos si le dijo algo o no.

4. El otro día fui a ver "Continuator III". La película me **parecía/pareció** muy interesante...

  a. (................)   Finalmente le gustó la película.
  b. (................)   No sabemos si finalmente le gustó.

5. Cuando los atracadores **escondían/escondieron** el dinero, apareció la policía...

  a. (................)   La policía vio dónde lo escondieron.
  b. (................)   La policía no vio el dinero.

B   **Procesos completos (Indefinido) y partes de un proceso (Imperfecto)**

■ Podemos hablar de procesos breves (*comerse un bocadillo*) o más largos (*estudiar Medicina durante cinco años*). La duración no importa:

PROCESOS BREVES   PROCESOS LARGOS

PROCESO COMPLETO: nos situamos 'DESPUÉS' de ese proceso y usamos Indefinido.

Me *comí* el bocadillo **en tres minutos**.

Juan José *estuvo* estudiando Medicina **cinco años**.

·····1:06····1:07····1:08·····   ···1995·····1996·····1997·····1998·····1999···

PARTE DE UN PROCESO: nos situamos 'DENTRO' de ese proceso y usamos Imperfecto.

A la 1:07 estaba comiéndome un bocadillo.

En 1998 estaba estudiando Medicina.

👁 Por esta razón, cuando nos referimos a la **duración total** de un proceso (*en una hora, durante tres años, toda la tarde, dos días, tres veces, mucho tiempo*, etc.), usamos **Indefinido**, y no **Imperfecto**:

- *Ayer **trabajé** <u>todo el día</u>.*   [Ayer ~~trabajaba~~ <u>todo el día</u>.]
- *Anoche **estuvimos** jugando <u>hasta muy tarde</u>.*   [Anoche ~~estábamos~~ jugando <u>hasta muy tarde</u>.]
- ***Estuvo** en el hospital <u>tres meses</u>*   [~~Estaba~~ en el hospital <u>tres meses</u>.]

2 ¿Hablamos de una parte de un proceso o de un proceso completo?
Fíjate en el ejemplo y formula enunciados con el verbo *estar* en Imperfecto o Indefinido.

A2

B1

18:06   18:15   18:38   18:40

→ Cuando nos llamaste al móvil, Daniela y yo *estábamos* esperando a Marta en la parada del autobús. *Estuvimos* esperándola **más de media hora**, hasta que, al final, nos cansamos y nos fuimos.

1. Estoy cansado, sí. Es que ayer .... trabajando **desde las 8 hasta** casi las 11. Vamos, que a las **diez y media** de la noche todavía .... revisando papeles allí solo, en la oficina, como un idiota.

2. Mi jefe .... de viaje en Canadá **tres meses** el año pasado. Cuando tuvimos el accidente en la empresa nos llamó desde Toronto, porque **en aquel momento** .... allí visitando a una hermana suya.

3. ● Cuando nació Carmen, nosotros .... viviendo en París.
   ○ Ah, ¿sí? ¿Y cuánto tiempo .... allí?
   ● Pues .... viviendo allí **hasta** que Carmen cumplió dos años, y entonces volvimos a Almería.

4. ● Oye, te llamé el domingo **a las nueve** y no .... en casa.
   ○ Sí, es que **a esa hora** .... durmiendo. .... en la cama **toda la mañana**.

5. El día de mi último cumpleaños yo .... haciendo un curso de español de dos semanas en Granada. Pero solo .... allí **diez días**.

6. Mira **esta foto**: aquí .... todos celebrando la boda de Bea. .... bailando y contando chistes **toda la noche**. Fue una noche magnífica.

C **Cualidades estáticas (Imperfecto) y cualidades dinámicas (Indefinido)**

■ Cuando nos referimos a las cualidades o características estáticas de un objeto, recuperamos del pasado **una imagen y describimos cómo era** ese objeto:

CUALIDADES ESTÁTICAS: **objetos**

Una chica preciosa

● *La chica que conocí ayer* **era** *preciosa.*

[*La chica que conocí ayer* ~~fue~~ *preciosa.*]

■ Cuando nos referimos a las cualidades o características dinámicas de un proceso, recuperamos del pasado **una secuencia de imágenes** de principio a fin y **contamos cómo fue** ese proceso:

CUALIDADES DINÁMICAS: **procesos**

Una fiesta preciosa

● *La fiesta del sábado* **fue** *preciosa.*

[*La fiesta del sábado* ~~era~~ *preciosa.*]

3 ¿Cómo preguntas por las cualidades de estas cosas? Decide entre *¿Cómo era?* o *¿Cómo fue?*, como en los ejemplos.

★★ A2
★★ B1

⮕ La fiesta de cumpleaños • *¿Cómo fue la fiesta de cumpleaños?* ○ Estupenda. Lo pasamos muy bien.

⮕ Tu profesora de español • *¿Cómo era tu profesora?* ○ Un poco seria, pero muy buena profesional.

1. Tu primera casa • .... ○ Enorme. Teníamos cinco dormitorios.

2. El partido de fútbol • .... ○ Aburridísimo. No metieron ningún gol.

3. El perrito que tenías • .... ○ Pequeñito, con mucho pelo y un poco tonto.

4. La falda que llevaba Elena • .... ○ Roja, creo, y muy cortita.

5. Tu primer día de trabajo • .... ○ Un poco duro, porque no conocía a nadie.

6. Tu hermana de pequeña • .... ○ Muy alegre y muy cariñosa.

7. El ladrón • .... ○ Rubio, alto, con los ojos azules.

8. La conferencia • .... ○ Horrible. No había nadie, y ahora lo comprendo.

9. El hotel donde dormiste • .... ○ De tres estrellas, bastante nuevo.

10. El viaje • .... ○ Muy tranquilo. Un poco largo, pero tranquilo.

11. El curso de alemán • .... ○ Fue muy difícil. Y el profesor era horrible.

12. El reloj que te regalaron • .... ○ Bonito, pero muy malo: solo funcionó dos días.

👁 Si nos referimos a la **duración total** de una cualidad (*una hora, durante dos semanas, todo el día, mucho tiempo...*), entonces hablamos de un proceso completo y **el Indefinido es la única opción**:

- • *Yo antes **tenía** el pelo largo.*
- • ***Tuve** el pelo largo <u>dos o tres años</u>, pero luego me cansé.*
  [*~~Tenía~~ el pelo largo dos o tres años.*]

4 ¿Imperfecto o Indefinido? Completa con el verbo de la izquierda, como en el ejemplo.

★★ B1

llevar ⮕ Recuerdo perfectamente que en aquella fiesta *llevabas* .... puesto tu abrigo negro.

⮕ *Llevó* .... puesto su abrigo negro toda la noche.

ser 1. Cuando yo la conocí, Elisa .... una buena estudiante. Luego cambió mucho.

2. .... una buena estudiante durante un par de años. Luego cambió mucho.

estar 3. Gonzalo .... muy gordo una temporada, pero se puso a régimen y adelgazó.

4. Gonzalo .... muy gordo, por eso se puso a régimen, para adelgazar.

ser 5. Cuando se construyó, el edificio del Ayuntamiento .... azul.

6. El edificio del Ayuntamiento .... azul durante varios siglos, pero ahora es blanco.

llamarse 7. Este pueblo .... Guarromán mucho tiempo, pero le cambiaron el nombre por Limpiadillo.

8. Antes, este pueblo .... Guarromán, pero ahora se llama Limpiadillo.

D Describir situaciones regulares (Imperfecto)

■ Cuando hablamos de hechos que queremos presentar como regulares en una época del pasado, nos situamos 'DENTRO' de aquella época y describimos cómo era la situación 'ALLÍ':

● *Yo, de pequeño, era muy buen estudiante. Escribía y leía todas las tardes...*

■ Por esta razón **usamos Imperfecto** para indicar regularidad (*antes, habitualmente, normalmente, frecuentemente, siempre, nunca, cada día, a veces, dos veces al día, una vez por semana...*):

● *En aquella empresa* **trabajaba** *normalmente todo el día.*

[*En aquella empresa* ~~trabajé~~ *normalmente todo el día.*]

● *Cuando éramos pequeños* _siempre_ **estábamos** *jugando hasta muy tarde.*

[*Cuando éramos pequeños siempre* ~~estuvimos~~ *jugando hasta muy tarde.*]

● _Antes_ **íbamos** *al cine* _todos los fines de semana_.

[*Antes* ~~fuimos~~ *al cine todos los fines de semana.*]

⑤ ¿Identifica de qué hablamos en cada enunciado y marca con un círculo la forma adecuada del verbo en cada caso.

★ ★
★ **B1**
★ ★

Imperfecto →	Situación regular
Indefinido →	Hecho completo

➲ a. Antes (iba)/fui mucho al cine Ideal. (*situación regular*...)

➲ b. Ayer iba/(fui) al cine Ideal. (*hecho completo*.....)

1. a. Cuando era pequeño solo **iba/fui** a un parque de atracciones una vez. (.............................)

   b. Cuando era pequeño, cada fin de semana **iba/fui** a los parques de atracciones. (.............................)

2. a. El verano pasado **estábamos/estuvimos** 15 días en la playa y 15 días en la sierra, pero este año no hemos salido de casa. (.............................)

   b. Cuando Carmen era pequeña, todos los veranos **estábamos/estuvimos** 15 días en la playa y 15 días en la sierra, pero ahora no quiere viajar con nosotros y nos quedamos en casa. (.............................)

3. a. Los padres no sabían qué nombre ponerle, pero al final la **llamaban/llamaron** Nicasia. (.............................)

   b. Se llamaba Nicasia, pero sus amigos la **llamaban/llamaron** normalmente "Casi". (.............................)

4. a. Estaba loco con su gato. Lo **llevaba/llevó** al veterinario dos veces al mes. (.............................)

   b. No cuidaba nada a su gato. Lo **llevaba/llevó** dos veces al veterinario en toda su vida. (.............................)

5. a. Aquel primer concierto de Broos Printing **era/fue** genial. (.............................)

   b. Cuando era más joven, sus conciertos **eran/fueron** geniales, pero ya no es lo mismo. (.............................)

E Contar historias

■ Con el Imperfecto **detenemos el tiempo** de una historia para describir una situación momentánea; con el Indefinido indicamos que algo pasó completamente y **hacemos avanzar el tiempo** hasta una nueva situación:

EL OTRO DÍA salíamos DEL CINE [en este punto de la historia, ellos están saliendo] CUANDO, DE PRONTO, UN SEÑOR CON UN ASPECTO MUY RARO se acercó A NOSOTROS [en este punto de la historia, el señor está junto a ellos] Y empezó A CANTARNOS UNA CANCIÓN [en este punto de la historia, el señor ya está cantando] EN UNA LENGUA MUY EXTRAÑA. NOSOTROS NO entendíamos NADA Y NO sabíamos QUÉ HACER [en este punto de la historia, ellos están sorpendidos y desconcertados]. Estuvo CANTANDO

ASÍ DOS O TRES MINUTOS [en este punto de la historia, el señor ya ha terminado de cantar], Y CUANDO YA se iba [en este punto de la historia, el hombre ya se va] llegó UNA AMBULANCIA [en este punto de la historia, la ambulancia ya está con ellos] Y SE LO llevó [en este punto de la historia, el señor ya está dentro de la ambulancia y la ambulancia se ha ido]...

6 Fránkez está contando una cosa increíble que le pasó ayer. ¿Puedes "traducir" su pequeña historia? Tendrás que escoger, para cada verbo, la forma adecuada del Imperfecto o del Indefinido.

B1

Ayer, yo **caminar** tranquilamente por el cementerio, porque **ir** al castillo de Tristicia para llevarle pasteles de serpiente, y, de pronto, en el camino, un Hombre Lobo muy malo **salir** de entre las tumbas y **ponerse** enfrente de mí, enseñándome los dientes. Yo **estar** muerto de miedo, pero **salir** corriendo y, al final, **conseguir** escapar de él. **Poder** hacer dos cosas: o vol-

a mi casa o **intentar** llegar al castillo de Tristicia, a pesar de todo. **Decidir** seguir andando para visitarla. Cuando **entrar** en el castillo, ella **estar** acostada en la cama, pero **tener** una cara muy extraña con muchos pelos. Por eso yo, rápidamente, **dejar** la comida al lado de su cama y **volver** a mi castillo corriendo. Yo soy Fránkez, no soy Brus Güilis.

Ayer, yo caminaba tranquilamente por el cementerio...

....

....

....

....

....

....

F   ¿Imperfecto o Pretérito perfecto? *Salía / Ha salido*

■ Decidimos entre Imperfecto o Perfecto exactamente con las mismas reglas que usamos para decidir entre Imperfecto o Indefinido:

DESCRIBIR **SITUACIONES MOMENTÁNEAS**   CONTAR **HECHOS COMPLETOS**

- **Hoy**, _a las cinco_, todavía *estaba* estudiando.   • **Hoy** *he estado* estudiando _hasta las siete_.

7 Decide qué forma verbal se corresponde con cada interpretación, como en el ejemplo.

B1

➥ Pues iba yo a la farmacia, y cuando **cruzaba/he cruzado** la calle, he escuchado una voz que me llamaba...

   a. (*cruzaba*.......) Ha escuchado la voz cruzando la calle.
   b. (*he cruzado*..) Ya estaba al otro lado de la calle cuando ha escuchado la voz.

1. Cuando la **llevábamos/hemos llevado** al hospital, ha dicho que ya se sentía bien y hemos vuelto...

   a. (.................) No han llegado al hospital.
   b. (.................) Sí han estado en el hospital.

2. La pobre María estaba muy triste, y yo muy nervioso. No **sabía/he sabido** qué decirle...

   a. (.................) No sabemos si le ha dicho algo o no.
   b. (.................) Sabemos que no le ha dicho nada.

3. La última novela de Agapito Tristán me **parecía/ha parecido** muy mala...

   a. (.................) Ha leído la novela completa.
   b. (.................) No sabemos si ha terminado de leerla.

143

8 ¿Hablamos de una parte de un proceso o de un proceso completo?

B1 Fíjate en el ejemplo y formula enunciados con el verbo *estar* en Imperfecto o en Perfecto.

➡ Cuando nos has llamado al móvil, Daniela y yo _estábamos_ esperando a Marta en la plaza Nueva. _Hemos estado_ esperándola **más de media hora**, hasta que, al final, nos hemos cansado y nos hemos ido.

1. Mi jefe .... en Canadá **tres meses** este año. Precisamente el día del accidente .... en Toronto.

2. ● ¿Cuánto tiempo .... encerrados

Rosa y tú en la casa?
○ ¡Toda la tarde .... encerrados! Cuando Jenaro ha llegado con la llave todos .... ya desesperados.

3. ● Oye, te he llamado esta mañana **a las nueve** y no .... en casa.
○ Sí, lo que pasa es que **a esa hora** .... durmiendo. .... en la cama hasta las diez y media, más o menos.

G Historias actuales y no actuales

■ Si el hecho todavía <u>no está terminado</u> en el punto de la historia donde estamos, usamos el **Imperfecto**:

■ Si el hecho <u>está ya terminado y completo</u> en el punto de la historia donde estamos, usamos el Indefinido o el Perfecto:

Perfecto para situar la historia <u>en un espacio actual</u>:

Indefinido para situar la historia <u>en un espacio pasado</u>:

Cualidades de las cosas Hechos regulares Situaciones momentáneas	Hechos terminados 'AQUÍ' (*Hoy, esta mañana, este mes, este año...*)	Hechos terminados 'ALLÍ' (*Ayer, aquel día, el lunes pasado, el mes pasado...*)

HABLANDO DE UN ESPACIO ACTUAL

Hoy...

Para:
CC:
Asunto:

Querido Evaristo:
No he podido ir con vosotros porque he estado toda la noche con Elena. Sí, aquella profesora de español que era tan guapa y que me gustaba tanto. Ya sabes que desde que la conocí hemos salido algunas veces a tomar café, que ella siempre me hablaba de sus alumnos y que yo muchas veces intentaba sacar el tema de los novios sin resultado. Pues esta tarde hemos ido al cine y la he invitado a cenar después en mi casa. Lo tenía todo preparado: una comida perfecta, velas, música romántica... Pero Elena ha llegado a casa con un chico. Yo no sabía qué hacer ni qué decir, pero ella ha aclarado inmediatamente la situación: era su novio. Al final ha sido una cena un poco accidentada, como ves.

HABLANDO DE UN ESPACIO PASADO

Cuando estaba en Berlín...

Conocí a Elena en Berlín. Yo estaba en una oficina de la embajada y ella trabajaba como profesora de español en una universidad. Elena tenía entonces unos 25 años. Era un poco más joven que yo. Ella estaba muy contenta con su trabajo allí, y muchas tardes salíamos a tomar un café para hablar de sus alumnos. Me gustaba mucho aquella chica. Un día salimos para ir al cine y la invité a cenar a mi casa. Lo tenía todo preparado: una comida perfecta, velas, música romántica... Pero ella llegó a casa con un chico. Yo no sabía qué hacer ni qué decir. Entonces ella aclaró la situación: era su novio. Al final fue una cena estupenda. La comida, quiero decir.

9 ¿Imperfecto o Perfecto? Decide en cada caso.

B1

Para:	
CC:	
Asunto:	

Hola, Carolina. Te escribo este mail para contarte por qué no ➲ *he podido* ir a tu fiesta. Es que esta tarde (1) .... al cine con Mario. Sí, ese chico que (2) .... tan feo, ¿recuerdas? Te lo presenté el otro día en el café y, después, te (3) .... varias veces de él. Bueno, pues resulta que, después del cine, Mario me (4) .... a cenar en su casa. Yo no (5) .... , pero, al final, (6) .... a cenar a su casa con Hans. Mario no lo (7) .... , así que le (8) .... que Hans (9) .... mi novio, y el pobre se lo (10) .... Al final, la cena (11) .... realmente horrible. El pollo (12) .... quemado y la Coca-Cola (13) .... light sin cafeína y, además de todo, (14) .... que escuchar durante toda la cena un disco de grandes éxitos de Julio Iglesias. Creo que (15) .... mi peor noche en los últimos seis meses. Bueno, nos vemos mañana y te cuento más.

| ➲ poder ✓ | 1. ir | 2. ser | 3. hablar | 4. invitar | 5. querer | 6. ir | 7. conocer |
| 8. decir | 9. ser | 10. creer | 11. ser | 12. estar | 13. ser | 14. tener | 15. ser |

10 ¿Imperfecto o Indefinido? Decide en cada caso.

B1

➲ .... *Conocí* .... a Mario en Berlín. Yo (1) .... como camarera en una cervecería y él (2) .... empleado en una oficina de la embajada. En aquel tiempo, yo (3) .... 32 años, y él 28. Un día me (4) .... mi edad y le (5) .... Yo no (6) .... contenta con mi trabajo, incluso me daba un poco de vergüenza decírselo, así que le (7) .... que (8) .... profesora de español. Él (9) .... muy enamorado de mí, pero yo no. (10) .... demasiado feo para mi gusto, y no (11) .... una mente demasiado brillante tampoco. Pero él siempre me (12) .... a tomar café, y yo cada vez le (13) .... mentiras y más mentiras. Un día (14) .... al cine y después él me (15) .... a su casa para cenar. Yo no (16) .... qué hacer para no decirle directamente que él no me (17) .... Así que (18) .... a un amigo alemán y (19) .... los dos juntos a su casa. Le (20) .... que (21) .... mi novio. El pobre Mario se (22) .... muy triste. Al final, la cena (23) .... un desastre. Sobre todo la comida.

➲ conocer ✓	8. ser	16. saber
1. trabajar	9. estar	17. gustar
2. ser	10. ser	18. llamar
3. tener	11. tener	19. ir
4. preguntar	12. invitar	20. decir
5. mentir	13. contar	21. ser
6. estar	14. ir	22. poner
7. decir	15. invitar	23. ser

27. Pluscuamperfecto de indicativo

⊙ 20. Formas no personales

A Significado y formas: *había hablado*, *había comido*, *había vivido*...

■ El Pretérito pluscuamperfecto se forma con:

El **Pretérito imperfecto** del verbo auxiliar ***haber***.

había
habías
había
habíamos
habíais
habían

hablado
comido
vivido

El **participio** correspondiente al hecho <u>terminado</u>.

Estaba todo mojado porque **había llovido**.

Con el Pluscuamperfecto afirmamos hechos terminados en un **momento anterior** a otro momento en el pasado.

Antes de aquel momento:
Había llovido.

En aquel momento:
Estaba todo mojado.

1 Completa con la forma del Pluscuamperfecto en la persona correspondiente y relaciona cada verbo con su imagen.

★★
★ **B1**
★★
★★

● ¿Sabes que Toby se escapó ayer por la tarde? No me lo explico.

○ Pues es fácil. Cuando se escapó, **tú** ➲ ..*habías salido (c)*.. con Antonio a dar una vuelta. Toby pudo salir perfectamente por la puerta principal, porque, cuando yo volví, me di cuenta de que **Antonio y tú** os (1) ....*dejado*..... la puerta abierta al salir. Yo, por mi parte, (2) ....*ido*........ a comprar al supermercado porque necesitábamos comida para la noche. También **las ventanas** se (3) ....*quedado*...... abiertas porque también las encontré abiertas al volver. Y **Marisa** se (4) ....*quedado*..... dormida después de la comida y ella, cuando duerme, duerme. Si, además de todo esto, recuerdas que **Toby** ya (5) ....*visto*... por la ventana a Mopa, la nueva perrita de la vecina, está ya todo explicado, ¿o no?

B Uso: el pasado del pasado.

■ Desde el presente, podemos afirmar sucesos pasados y terminados con el **Perfecto** o el **Indefinido**. Pero, cuando nos situamos en un punto concreto del pasado, utilizamos el **Pluscuamperfecto** para referirnos a hechos que ya estaban terminados **antes de ese punto del pasado**:

En aquel momento, mi padre no estaba en casa. Se **había ido** a trabajar.

No está. Se <u>ha ido</u> a trabajar esta mañana.

¿Y papá?

Antes de aquel momento:
Se había ido a trabajar.

En aquel momento:
Mi papá no estaba.

¿Y papá?

No está. Se <u>fue</u> anoche a trabajar.

2 Traslada a una escena pasada estos sucesos contados con Perfecto, cambiando la forma del verbo al tiempo y la persona adecuados.

★ ★
★ **B1**
★ ★

Antes de ahora

● "Oye, son las seis y todavía no **ha llegado** nadie".

● "¡Ya estoy aquí! ¡Qué bien, lo **habéis arreglado** ya todo!"

● "**He preparado** unas tapas. ¿Os apetecen?"

● "Sí, ella siempre **ha sido** muy buena " conmigo.

● "Si tienes buenas notas es porque **has estudiado** mucho."

● "Nos **hemos dejado** las llaves dentro. ¿Cómo entramos ahora?"

● "Horror. Nuestro tren ya se **ha ido**. ¡Menudo lío! ¿Qué hacemos ahora?"

Antes de aquel momento

➜ A las seis todavía no *había llegado* nadie.

1. Cuando llegué, lo .... ya todo.

2. .... unas tapas, pero no comieron nada.

3. Le mentí diciéndole que .... muy buena conmigo.

4. Tenía muy buenas notas. Es lógico: .... mucho.

5. No pudimos entrar porque nos .... las llaves dentro.

6. Llegaron a la hora exacta a la estación, pero el tren se ....

147

3 Traslada a una escena pasada estos sucesos contados con Indefinido, cambiando la forma del verbo.

B1

En un momento pasado	Antes de aquel momento
➡ Lo siento. Patricia no está. **Salió** hace un rato.	➡ Corrí todo lo que pude, pero Patricia ya *había salido* cuando llegué a su casa.

1. Tenemos que ir a casa de Ángela. Se **compraron** un coche ayer y quieren enseñárnoslo.

1. Fuimos a casa de Ángela. Se .... un coche nuevo y querían enseñárnoslo.

2. Tranquila, se lo **conté** todo a Paco ayer.

2. Me aseguró que ya se lo .... todo a Paco.

3. ● ¿Entiendes lo que dice en este papel?
   ○ Más o menos. Yo **estudié** dos años ruso.

3. Casimiro pudo entender lo que decía aquel papel porque .... ruso dos años.

4. La semana pasada **hice** mi primera donación de sangre.

4. Estaba muy orgulloso porque la semana anterior .... su primera donación de sangre.

5. **Estuvimos** en la playa de Mónsul el año pasado y el anterior.

5. Ellos conocían muy bien el camino porque ya .... allí dos veces.

■ Solo podemos usar el Pluscuamperfecto si presentamos un hecho como **anterior a un punto muy concreto** en el pasado:

Antes de llegar ● *Cuando llegué, ya se habían comido toda la tarta.*

Antes de decírmelo ● *El otro día me encontré a Paco. Me dijo que había estado enfermo.*

Antes de llamarla ● *A las seis la volví a llamar, pero se había ido.*

■ Si ese punto de referencia en el pasado no está claro, no usamos el Pluscuamperfecto, sino el Indefinido:

● *Ayer fui al cine.*
○ *¡Ah! ¿Sí? ¿Y qué película fuiste a ver?*

Ayer había ido al cine.

¿Habías ido?

¿Antes de qué?

4 Interpreta y decide: ¿tiene sentido el enunciado o necesitamos un Indefinido?

B1

➡ La sopa no estaba buena porque le **había echado** mucha sal. (.......✓...........)

➡ El sábado ~~habíamos ido~~ a un restaurante muy bueno, pero este restaurante es horrible. (...*fuimos*........)

1. Estábamos ya en la puerta, pero no pudimos entrar al concierto porque Jorge se **había dejado** las entradas en casa. (....................)

2. En marzo **había viajado** por primera vez a Madrid y, después, visité Valencia y Barcelona. (....................)

3. Le puso la dirección y el sello a la carta y la **había echado** en el buzón. (....................)

4. Héctor nació muy flaco, pero cuando lo vi por segunda vez, ya **había engordado** un montón. (....................)

5. Nosotros **habíamos comido** cuando llegamos. (....................)

6. El fin de semana pasado mi novio **había venido** a verme. (....................)

7. El programa no te funcionó porque no lo **habías instalado** correctamente. (....................)

28. Futuro

A Significado

■ Al igual que el Presente, el Futuro habla de una realidad presente o futura. Pero, a diferencia del Presente, con el Futuro solo **predecimos o suponemos cómo puede ser** una realidad de la que todavía no tenemos experiencia completa.

Afirmando sobre el presente o el futuro:	Haciendo una suposición sobre el presente o una predicción sobre el futuro:
• _Ahora_ **tiene** mucho trabajo. [Afirmación sobre algo presente.]	• _Ahora_ **tendrá** mucho trabajo. [Suposición sobre algo presente.]
• _Mañana_ **acaba** el trabajo. [Afirmación sobre algo futuro.]	• _Mañana_ **acabará** el trabajo. [Predicción sobre algo futuro.]

1 ¿De qué momento hablamos con estas formas de Futuro? | Momento presente (P) | | Momento futuro (F) |

A1 ➲ Al mundo **vendrán** trece millones de naves. **Vendrá** una confederación intergaláctica de Ganímedes, de la constelación Orión, de Raticulín, de Alfa y de Beta. (...F...)

1. ● ¿El hijo pequeño de Alfredo es rubio?

   ○ Pues no sé, pero si todos sus hijos son rubios, éste también **será** rubio. (......)

2. Si tú se lo pides, no **dirá** nada. (......)

3. ● ¿Y tus amigos? No los veo.

   ○ **Estarán** en el banco. Tenían que sacar dinero. (......)

4. ● No nos queda dinero.

   ○ **Iré** al banco, no te preocupes. (......)

5. Mi hijo se **llamará** Nemesio. Me encanta ese nombre. (......)

6. ● ¿Cómo se llama el hijo de Inma?

   ○ Pues no sé, pero se **llamará** Nemesio. A ella le encanta ese nombre. (......)

B Formas regulares: _hablaré_, _comeré_, _viviré_...

■ Para formar el Futuro regular usamos el **infinitivo** más las **terminaciones** del Presente de _haber_:

	Presente de _haber_		-ar/-er/-ir	Hablar	Comer	Vivir
Yo	he		-é	habla<u>ré</u>	come<u>ré</u>	vivi<u>ré</u>
Tú	has		-ás	habla<u>rás</u>	come<u>rás</u>	vivi<u>rás</u>
Él, ella, usted	ha	Hablar	-á	habla<u>rá</u>	come<u>rá</u>	vivi<u>rá</u>
Nosotros/-as	hemos	Comer	-emos	habla<u>remos</u>	come<u>remos</u>	vivi<u>remos</u>
Vosotros/-as	habéis	Vivir	-éis	habla<u>réis</u>	come<u>réis</u>	vivi<u>réis</u>
Ellos, ellas, ustedes	han		-án	habla<u>rán</u>	come<u>rán</u>	vivi<u>rán</u>

■ Además, **el acento está siempre en la terminación**, como muestra el subrayado en los ejemplos anteriores.

2 Convierte las siguientes afirmaciones en predicciones o suposiciones con la forma correspondiente del Futuro.

A1
A2

Afirmaciones	Predicciones o suposiciones
⮕ Si no estudias, no **llegas** a ninguna parte.	⮕ Si no estudias, nunca ...*llegarás*... a ninguna parte.
María Elena **vuelve** a las cinco.	1. María Elena .... a las cinco, más o menos.
Nunca **cambio** de opinión.	2. Nunca .... de opinión, nunca.
No hay problema. Si llueve, **comemos** dentro.	3. Mejor fuera, pero, si llueve, ... dentro.
No puede correr mucho. Le **duele** la rodilla.	4. Le .... la rodilla y, por eso, no corre mucho.
¿Me **invitas** a cenar esta noche?	5. ¿Me .... a cenar algún día?
Si no quieres hablar tú, **hablo** yo.	6. Si no quieres hablar tú, ... yo.
¿Puedo ir a veros mañana? ¿**Estáis** en casa?	7. ¿Puedo ir a veros mañana? ¿ .... en casa?
No se hablan. **Están** enfadados.	8. No sé. Si no se hablan, es que .... enfadados.

C Verbos irregulares: *diré*, *querré*, *tendré*...

■ Las irregularidades en el Futuro afectan siempre a la primera parte del verbo, a la raíz. Las **raíces irregulares** más frecuentes son las de estos verbos:

Decir	→ *dir-*	Querer	→ *querr-*	Tener	→ *tendr-*
Hacer	→ *har-*	Haber	→ *habr-*	Poner	→ *pondr-*
		Poder	→ *podr-*	Venir	→ *vendr-*
		Saber	→ *sabr-*	Salir	→ *saldr-*
		Caber	→ *cabr-*	Valer	→ *valdr-*

Todavía eres muy pequeña, pero dentro de poco **sabrás** lo que quieres ser y **podrás** elegir. Y estoy segura de que **harás** cosas importantes. **Habrá** muchas cosas nuevas en tu vida. **Saldrás** de casa para vivir sola y **vendrás** a visitarme alguna vez, espero.

■ La **terminación** siempre es regular:

Decir	Querer	Tener
diré	*querré*	*tendré*
dirás	*querrás*	*tendrás*
dirá	*querrá*	*tendrá*
diremos	*querremos*	*tendremos*
diréis	*querréis*	*tendréis*
dirán	*querrán*	*tendrán*

¿Cómo **seré** de mayor, mamá? ¿**Seré** guapa? ¿**Seré** rica?

👁 Los verbos compuestos correspondientes tienen la misma irregularidad:

Des**hacer** → desharé   Re**hacer** → reharé
Man**tener** → mantendré   Su**poner** → supondré, etc.

3 El pequeño Samuel José cree que todos los Futuros son regulares. Ayúdale a aprender, identificando y corrigiendo sus pequeños errores, cuando los hace (hay ocho errores más).

A1
A2

⮕ Yo **teneré** ...*tendré*... una moto como mi papá, y **seré** ....✓........ muy fuerte, como mi papá.

1. Si me quitas mi libro de animales, se lo **deciré** .... a mi tito José, y **venirá** .... y te lo **quitará** .... y me **dará** .... muchos besos.

2. Mi mamá **volverá** .... pronto y me **ponerá** .... la tele para ver los dibujos animados.

3. Después de comer **saliré** .... a la calle y **jugaré** .... con mis amigos.

4. El año que viene **iré** .... a la escuela y así **saberé** .... leer cuentos y **poderé** .... escribir cartas a los Reyes Magos.

5. Los Reyes Magos me **traerán** .... juguetes, y los **poneré** .... en el suelo para jugar y luego los **recogeré** ....

Y mi mamá me **quererá** .... mucho.

4 Completa con la forma adecuada.

A1
A2

➲ Si tú no me **quieres**, alguien me ...*querrá*.... .

1. Si el amor no **cabe** en tu corazón, en otro corazón ....

2. Si no **tienes** paciencia conmigo, otros la ....

3. Si tú no me **dices** cosas románticas, alguien me las ....

4. Si no **vienes** a buscarme cuando estoy triste, alguien ....

5. Si no **sales** al balcón para recibirme, otros ....

6. Si tú no **haces** lo que yo quiero, alguien lo ....

7. Si tú no **sabes** cómo tratarme, estoy segura de que alguien ....

8. Si tú no **vales** para ser un buen marido, alguien ....

9. Si contigo no **puedo** ser feliz, con otros .... serlo.

10. Si contigo no **hay** esperanza, con otros la ....

D   Usos. Predecir el futuro: *Mi novio volverá mañana*.

■ Cuando usamos el Futuro para hablar del futuro cronológico estamos prediciendo el futuro. Hacemos esto para indicar que hablamos de hechos que
dependen del paso del tiempo para confirmarse. Estamos **prediciendo** cómo
va a ser el futuro o pidiendo predicciones a otros:

CÓMO PUEDE SER EL FUTURO	Predicciones	• *No debes preocuparte.* **Volverá** *mañana.* • *El martes* **tendremos** *sol en la mitad sur y* **habrá** *nubes en el norte.* • *Al final no se* **casará** *con ella, ya* **verás**. • *A las cuatro y media* **estaré** *esperándote en el aeropuerto.* • *¿Voy contigo o* **sabrás** *hacerlo tú solo?*

¿Te vienes a estudiar mañana a mi casa?

Vale, a las cuatro en punto **estaré** allí.

PRESENTE   FUTURO

■ Si queremos presentar la
información más objetiva-
mente, usamos el **Presente**
o **Ir a** + INFINITIVO:

• *A las cuatro* **estoy** *allí.*
• *A las cuatro* **voy a**
estar *allí.*

➲ 21. Presente de indicativo

➲ 37. Perífrasis verbales

---

5 Relaciona los enunciados de la izquierda con los de la derecha.

A2

➲ Ven a tu concesionario Aupel y prueba
nuestros coches.   (..*g*...)   a. A tu novio le encantará.

1. Estás muy guapa con ese vestido.   (.......)   b. Otro día me lo dirás.

2. Préstame el libro de cocina.   (.......)   c. ¡No irás a ninguna parte con el dinero del banco!

3. ¿Tendrás tiempo mañana para ayudarme? (.......)   d. Ella me necesita.

4. Este niño será médico.   (.......)   e. Te lo devolveré mañana.

5. Bueno, si no quieres hablar ahora, vale. (.......)   f. Dentro de media hora te sentirás mejor.

6. Tómate estas pastillas.   (.......)   g. Vivirás experiencias inolvidables. ✓

7. ¡Alto, Flanagan! ¡Deja el revólver!   (.......)   h. Yo no puedo mover estos muebles solo.

8. Tarde o temprano, volverá.   (.......)   i. Se pasa todo el día examinando a su prima.

6 Completa las predicciones de esta vidente con el verbo y la forma adecuadas.

A2

➔ Pronto te ...*quedarás*... calvo.

	Quedar ✓
	Sentir
	Cambiar
	Conocer

1. Antes de un mes .... a una mujer guapísima y te .... muy enamorado de ella.

2. En ese momento tu vida .... completamente.

Morir	3. Tu mujer te ....
Tener	4. .... 100.000 euros en un concurso de televisión.
Querer	5. Tu mujer .... volver contigo.
Ganar	6. .... siete hijos y cuatro perros.
Abandonar	7. Y si no me pagas, ... joven.

7 El matrimonio Rocamora-Holehole no va bien. Esto es lo que les pasa... Pero, ¿cómo terminará? Escoge la consecuencia adecuada en cada caso.

A2

➔ Casi no se hablan. ....*Se romperá la comunicación*..........

1. Él sale mucho y conoce a mucha gente nueva. ....

2. Ella esquía y navega con nuevos amigos. ....

3. Los dos gastan demasiado. ....

4. Nunca están juntos en las fiestas importantes. ....

5. Cada vez tienen menos cosas en común. ....

Romperse la comunicación ✓
La próxima Navidad no estar juntos
Arruinarse
Salir con otra
Separarse
Conocer a otra persona más interesante que él

E Usos. Suponer el presente: *Mi novio estará en Madrid ahora.*

■ Usamos el Futuro para hablar del presente cronológico cuando hablamos de una realidad que no controlamos totalmente, que no consideramos segura. Estamos solamente **suponiendo** cómo puede ser el presente o preguntando lo que otros suponen:

Estará en Madrid ahora. = *Supongo que está en Madrid ahora.*

CÓMO PUEDE SER EL PRESENTE	Suposiciones	• No debes preocuparte por el niño. **Estará** con su hermano mayor. • **Será** una casa antigua, porque le ha costado muy poco dinero. • Este coche no está mal, pero ¿no crees que el Peyó **correrá** más? • Yo duermo ocho horas diarias, pero Rosa **dormirá** más. • ¿**Vivirá** Claudio todavía en aquella casa tan incómoda y fría? • Manuela se encuentra mal. **Tendrá** fiebre. • ¿**Estará** todavía abierto el supermercado? ¿Tú qué crees?

¿Qué **será** eso que se mueve?

No sé, **será** un gato buscando comida.

REALIDAD NO CONOCIDA COMPLETAMENTE

■ Si hablamos de hechos actuales, pero de modo objetivo y seguro, usamos el **Presente**:

• **Es** un gato buscando comida.

➔ 21. Presente de indicativo

8 Sé económico. Sustituye la parte destacada por el Futuro correspondiente.

★ ★
★ B1
★ ★

➲ Me da la impresión de que no le gusta estar con nosotros.   ➲ No le ...*gustará*... estar con nosotros.

1. Me imagino que tiene cosas más interesantes que hacer.
1. .... cosas más interesantes que hacer.

2. Yo pienso que no sabe dónde estamos.
2. No .... dónde estamos.

3. Posiblemente tiene demasiado trabajo.
3. .... demasiado trabajo.

4. Supongo que no le gustan las fiestas.
4. No le .... las fiestas.

5. Seguro que viene más tarde.
5. .... más tarde.

6. Quizá está enfermo, ¿no?
6. .... enfermo.

7. A mí me parece que no quiere encontrarse con Rosa.
7. No .... encontrarse con Rosa.

8. Probablemente no sabe nada sobre la fiesta.
8. No .... nada sobre la fiesta.

9. A lo mejor tiene que cuidar a su hermanito.
9. .... que cuidar a su hermanito.

9 Relaciona lo que dice Pepe (a la izquierda) con la situación más probable en cada caso (a la derecha).

★ ★
★ B1
★ ★

➲ Es mejor no molestar a Luis ahora.
   Estará cenando. ———————————

a. Pepe sabe qué está haciendo Luis ahora.
b. Pepe imagina qué puede estar haciendo Luis.

1. ● ¿Quién llama a la puerta?
   ○ Será el cartero.

a. Pepe está mirando por la ventana.
b. Pepe está duchándose.

2. ● ¿De quién es este bolígrafo?
   ○ Será mío. Déjalo ahí.

a. Pepe reconoce perfectamente su bolígrafo.
b. Pepe no recuerda exactamente si ese boli es suyo.

3. ● Pepe, ¿quién sabe que somos novios?
   ○ Tranquilo, solo lo sabe Emilio.

a. Sin duda, Emilio conoce su relación.
b. Posiblemente, Emilio conoce su relación.

4. ● Barti no ha comido nada.
   ○ No le gustará el pescado.

a. Barti es el gato de Pepe.
b. Barti es el gato del amigo de Pepe.

5. ● Oye, Claudia, ¿cuántos años tendrá Alonso?

a. Alonso es el hijo de Claudia.
b. Alonso es el vecino del cuarto piso.

6. ● ¿Tiene sal la carne, Pepe?
   ○ Tendrá un poco.

a. Pepe ha probado ya la carne.
b. Pepe no ha probado todavía la carne, pero conoce los gustos del cocinero.

7. ● A Rosita le duele mucho la cabeza.
   ○ Es que está con gripe. Tendrá fiebre.

a. Pepe conoce la enfermedad de Rosita, pero no tiene termómetro.
b. Pepe no sabe qué le pasa a Rosita, pero ha comprobado su temperatura con un termómetro.

10 Vas a una fiesta con un amigo tuyo. En la fiesta te gusta mucho una persona que ninguno de los dos conocéis. Puedes hablar con ella directamente o hablar de ella con tu amigo. Pon los verbos en la forma correcta.

★ ★
★ B1
★ ★

Si hablas con ella:

➲ ¿Cómo te ...*llamas*..?

1. ¿Cuántos años ....?

2. ¿De dónde ....?

3. ¿A quién .... en esta fiesta?

4. ¿Te .... bailar?

5. ¿Qué perfume ....?

6. ¿........... con alguien?

7. ¿........... salir a tomar algo fuera de aquí?

8. ¿Me .... tu número de móvil?

9. ¿Te .... que te llame?

Si hablas con tu amigo:

➲. ¿Cómo se ...*llamará*..?

1. ¿Cuántos años ....?

2. ¿De dónde ....?

3. ¿A quién .... en esta fiesta?

4. ¿Le .... bailar?

5. ¿Qué perfume ....?

6. ¿................ con alguien?

7. ¿ .... salir a tomar algo fuera de aquí?

8. ¿Me .... su número de móvil?

9. ¿Le .... que la llame?

| querer |
| salir |
| ser |
| tener |
| importar |
| conocer |
| gustar |
| dar |
| llamar ✓ |
| usar |

153

A Significado y formas: *habré hablado*, *habré comido*, *habré vivido*...

■ El Futuro perfecto se forma con:

→ **20. Formas no personales**

El **Futuro** del verbo auxiliar ***haber***.

habré
habrás
habrá
habremos
habréis
habrán

hablado
comido
vivido

El **participio** correspondiente al hecho <u>terminado</u>.

¿Porqué está todo tan mojado?

No sé. **Habrá llovido.**

Con el Futuro perfecto **predecimos** o **suponemos** sucesos TERMINADOS antes de ahora o antes de un momento futuro.

① Transforma las siguientes afirmaciones en suposiciones con la forma correspondiente del verbo en Futuro perfecto.

Si lo afirmamos...

➲ Esto no funciona. **Hemos hecho** algo mal.

1. **Has trabajado** mucho, pero no veo el resultado.
2. La perra está ladrando. ¿La **habéis asustado**?
3. Creo que **hemos tomado** la carretera equivocada.
4. Ya no me llama. Me **ha olvidado**.
5. Tus amigos no van a llegar. Se **han perdido**.
6. María **ha salido** un momento a comprar pan.

Si solo lo suponemos...

➲ Esto no funciona. ....*Habremos hecho*.... algo mal.

1. .... mucho, pero no veo el resultado.
2. La perra está ladrando. ¿No la ....?
3. .... la carretera equivocada, no sé.
4. Ya no me llama. Me ....
5. Si no llegan, es que se ....
6. ¿María? No sé. .... un momento.

B Usos. Suponer el pasado del presente: *Habrá dormido poco, supongo.*

■ Usamos el Futuro perfecto **en los mismos casos en que usamos el Pretérito perfecto**, pero con una **diferencia**:

→ **22. Pretérito perfecto**

Pretérito perfecto: Hablamos de una realidad pasada que controlamos: afirmamos esa realidad.

Futuro perfecto: Hablamos de una realidad pasada que no controlamos totalmente: solo **suponemos** esa realidad.

Habrá salido = *Supongo que ha salido*

Afirmando el hecho: **controlamos** la información.

● *¿Por qué estás tan cansado?*
○ *Es que esta noche <u>he dormido</u> poco.*

● *¿Dónde están las llaves?*
○ *Las <u>he puesto</u> encima del televisor.*

● *Ayer no vinieron para arreglar el grifo.*
○ *No, pero <u>han venido</u> esta mañana.*

Suponiendo el hecho: **no controlamos** totalmente la información.

● *¿Por qué está Luisa tan cansada?*
○ ***Habrá dormido** poco.*

● *¿Dónde están las llaves?*
○ *Las **habré puesto** encima del televisor.*

● *Ayer no vinieron para arreglar el grifo.*
○ *No, pero **habrán venido** esta mañana.*

2 Lee detenidamente lo que cuenta Ana sobre su novio y demuestra que la entiendes bien:
¿qué cosas sabe Ana y qué cosas está solo imaginando?

★ ★
★ **A2**
★ ★
★ **B1**
★ ★

| Para: |
| CC: |
| Asunto: |

Hola, Andrea.
Te escribo porque estoy desesperada. Esteban está últimamente muy raro conmigo. No ha salido con sus amigos en las últimas semanas y, sin embargo, siempre está fuera y dice que no tiene tiempo de nada. Se habrá creído que soy tonta y que no me doy cuenta de nada. Tampoco me ha regalado nada para mi cumpleaños. Dice que es culpa de su mala memoria. Seguramente se le habrá olvidado, pero es que son tantas cosas…
Habrá conocido a alguna chica y se habrá enamorado, seguro. Esta semana ha estado todas las tardes con una compañera de trabajo que no me gusta nada. Ella le ha ayudado mucho siempre, pero ya es demasiado tiempo juntos, ¿no crees? Dime qué piensas.
Besos, Ana.

➲ Su novio no sale últimamente con sus amigos.
(*Lo sabe*........)

➲ Su novio cree que es tonta. (*Lo imagina*...)

1. Su novio no le ha hecho ningún regalo de cumpleaños. (.................)

2. Su novio ha olvidado hacerle el regalo.
(.................)

3. Su novio ha conocido a otra chica.
(.................)

4. Su novio se ha enamorado de otra persona.
(.................)

5. Su novio ha estado esta semana muchas veces con una compañera de trabajo. (.................)

6. La compañera de su novio le ha ayudado muchas veces. (.................)

C Usos. Predecir el pasado del futuro: *Mañana habré terminado*.

■ Usamos el Futuro perfecto para declarar **sucesos futuros anteriores a otro momento futuro**. Hacemos esto cuando nos situamos explícitamente en **un punto de referencia preciso** en el futuro y queremos declarar que lo que predecimos estará terminado en ese punto:

- ● *¿Cómo va eso?*
- ○ *Ya queda poco. <u>En dos horas</u> lo **habremos pintado** todo.*

- ● *Oye, dejadme algo de tarta, ¿vale?*
- ○ *No sé. Me temo que <u>cuando vuelvas</u> la tarta **habrá desaparecido**.*

- ● *¿Si salimos <u>mañana a las siete</u> está bien? ¿Estarás cansado para conducir?*
- ○ *No, con seis horas **habré dormido** suficiente.*

■ Para hacer lo mismo con mayor seguridad, usamos el Pretérito perfecto:

- ● *A las cinco he llegado.* ➲ **22. Pretérito perfecto**

A las cinco ya **habré llegado**.

---

3 Alguien hizo las predicciones que tienes a la izquierda. La realidad fue lo que tienes a la derecha.
★ ★
★ **B1**
★ ★ ¿Predijo correctamente o no?

➲ A las siete **habré terminado**.   Terminó a las 6:30. (.*Sí*......)

➲ Terminaré a las 7.   (.*No*....)

1. En marzo ya **habrá nacido** Luisito.   Nació en febrero.   (.........)

2. En marzo **nacerá** Luisito.   (.........)

3. Cuando venga tu madre el domingo **arreglaré** el horno.   Lo arregló el jueves. (.........)

4. Cuando venga tu madre el domingo, ya **habré arreglado** el horno.   (.........)

5. El avión **aterrizará** a las 11:15 en el aeropuerto de Jizro.   Aterrizó a las 11:05 (.........)

6. A las 11:15, el avión ya **habrá aterrizado** en Jizro.   (.........)

155

30. Condicional

A Formas regulares e irregulares: *hablaría*, *comería*, *viviría*, *querría*…

■ Para formar el Condicional simple regular usamos el **infinitivo** más las **termi-naciones** del Imperfecto de *haber*:

	Imperfecto de *haber*		-ar/-er/-ir	Hablar	Comer	Vivir
Yo	había		-ía	hablaría	comería	viviría
Tú	habías	Hablar	-ías	hablarías	comerías	vivirías
Él, ella, usted	había	Comer	-ía	hablaría	comería	viviría
Nosotros/-as	habíamos	Vivir	-íamos	hablaríamos	comeríamos	viviríamos
Vosotros/-as	habíais		-íais	hablaríais	comeríais	viviríais
Ellos, ellas, ustedes	habían		-ían	hablarían	comerían	vivirían

■ Además, **el acento está siempre en la terminación**, como muestra el subrayado en los ejemplos anteriores.

● *Después de vuestra experiencia allí, ¿**volveríais** a vivir en
un pueblecito?*
○ *Pues **dependería** de las circunstancias.*

● 28. Futuro

■ Los **verbos irregulares** en Condicional simple son exactamente los mismos que los irregulares en Futuro:

Decir → diría   Querer → querría   Tener → tendría
Hacer → haría   Haber → habría   Poner → pondría

● *¿Tú qué **harías**? ¿**Saldrías** con ella y le **dirías** algo?*
○ *Yo tampoco **sabría** qué hacer, la verdad.*

● *¿Dónde **pondrías** el sofá? ¿Al lado de la ventana o en esa pared?*

1 El pequeño Pablito cree que todos los Condicionales son regulares. Ayúdale a aprender, identificando
y corrigiendo sus pequeños errores, cuando los hace, como en el ejemplo (tienes que encontrar
A2 nueve errores más).

➲ Si yo fuera grande, ~~tenería~~ ...*tendría*...... muchos libros muy gordos, y **leería** ......✓.........
mucho todos los días.

1. Y así **sabería** .... mucho de gramática y **podría** .... hablar perfectamente.

2. Y también **salería** .... yo solo a la calle, porque ahora no me dejan mis papás, y
pasearía .... por toda la ciudad, y **hacería** .... todo lo que me gusta, y
tú **venirías** .... conmigo.

3. Si yo fuera ya mayor, **sería** .... un profesor muy inteligente y **daría** ....
conferencias y **decería** .... cosas muy interesantes.

4. Yo **querería** .... escribir una gramática, pero no sé escribir todavía.
En esa gramática **ponería** .... cosas muy interesantes, y no **habería** ....
ninguna gramática mejor que esa, y me **haría** .... rico.

5. Yo, en tu lugar, no me **reiría** .... tanto de mí y de mi hermano. **Poderías**
.... tener problemas si se lo decimos a nuestra mamá.

B Hacer suposiciones sobre el pasado: *Serían las cinco, más o menos.*

Con el Futuro hacemos o pedimos suposiciones sobre cosas del presente de las que no estamos seguros:

■ Con el Condicional simple **suponemos una realidad pasada** o pedimos una suposición sobre ese tiempo pasado:

Saldría	=	*Supongo que* salía/ salió

Afirmando el pasado:

● *Eran* las cinco, más o menos.

● *Estaba muy caliente. ¿Tenía fiebre?*

● *Llegamos tarde porque perdimos el autobús.*

Suponiendo el pasado:

● *En aquel momento serían las cinco, más o menos.*
● *Estaba muy caliente. ¿Tendría fiebre?*
● *Perderían el autobús y, por eso, llegaron tarde.*

---

2 Cambia la forma del verbo para marcar que están suponiendo sobre algo pasado.

A2

B1

Fiesta del domingo

¿Por qué no ha venido Jorge a la fiesta?

➲ Pues no sé, **estará** enfermo...

o no **sabrá** la dirección...

o **estará** enfadado con nosotros...

o **tendrá** cosas más interesantes que hacer...

o no le **apetecerá**... ¿Quién sabe...?

Un día después

¿Por qué no vendría Jorge a la fiesta de ayer?

➲ Pues no sé, *estaría* enfermo...

1. o no .... la dirección...

2. o .... enfadado con nosotros...

3. o .... cosas más interesantes que hacer...

4. o no le .... ¿Quién sabe...?

3 La gente dice que Jorge estaba ayer besando escandalosamente a alguien en la plaza del pueblo.
¿Cómo cambia la forma del verbo si las personas que hablan saben qué pasaba o solo lo suponen?

A2
B1

Si lo saben, dicen...

No ➡ ...*era*...... Jorge. ➡ ..*Era*..... otro chico.

(1) .... su novia y (2) .... despidiéndose.

Es que no la **veía** desde hacía mucho tiempo.

(4) .... un poco bebidos.

No (5) .... besando a una chica.

(6) .... a un chico.

Querían escandalizar a la gente.

Si solo lo suponen, dicen...

No ➡ ..*sería*...... Jorge. ➡ ..*Sería*..... otro chico.

Sería su novia, y **estarían** despidiéndose.

No la (3) .... desde hacía mucho tiempo.

Estarían un poco bebidos.

No **estaría** besando a una chica.

Sería a un chico.

(7) .... escandalizar a la gente.

C **Hacer declaraciones hipotéticas sobre el presente y el futuro**: *Yo no diría nada*...

■ Cuando utilizamos un Condicional simple para referirnos a algo presente o
futuro, estamos declarando una **realidad hipotética** o preguntando por ella:

Declaramos (o preguntamos) hipotéticamente:

- *Yo, en tu lugar, **iría** al médico.*
- *Te **ayudaría** con mucho gusto, pero es que tengo que irme.*
- *Eres muy alta. **Serías** muy buena como jugadora de baloncesto.*
- *Si tuvieras tiempo, ¿**harías** más deporte?*

[Pero yo no soy tú y no puedo ir por ti.]

[Y no puedo ayudarte.]

[Pero no eres jugadora de baloncesto.]

[Porque no haces mucho deporte.]

■ Gracias a este sentido hipotético, podemos usar el Condicional simple también para hacer **más indirecta o cortés** una petición o una sugerencia:

Sugerimos más cortésmente:

- *¿Puedes ayudarme a cambiar este mueble?*
- *¿Tienes un boli rojo, por casualidad?*
- *¿Le importa si abro un poco la ventana?*
- *Yo creo que lo mejor es no decir nada.*

- *¿**Podrías** ayudarme a cambiar este mueble?*
- *¿**Tendrías** un boli rojo, por casualidad?*
- *¿Le **importaría** si abro un poco la ventana?*
- *Yo creo que lo mejor **sería** no decir nada.*

---

4 Decide si las dos opciones son posibles o no. Si hay una que no es posible, táchala.

B1

➡ ¿(Tienes/Tendrías) unas monedas para prestarme?

➡ ¿Tienes/Tendrías muchos hijos si fueras rico?

1. Me **gusta/Me gustaría** mucho tu camisa. ¿Dónde la has comprado?

2. Si fueras un animal, ¿qué animal **serás/serías**?

3. ¿Qué tres cosas os **llevaréis/llevaríais** a una isla desierta?

4. Mi mujer ideal es la actriz Charo Nestón. Me **casaré/casaría** ahora mismo con ella.

5. Si yo pudiera, no lo **contrataré/contrataría**.

6. ¿Cómo **será/sería** tu mundo ideal?

7. Me **gusta/gustaría** ser muy guapa y atractiva, y quedarme embarazada, pero soy un hombre.

8. ¿Os **importa/importaría** hablar más alto?

9. ¿**Puedes/Podrías** venir conmigo mañana al banco?

10. Ha sido muy amable con nosotros. Yo creo que **debemos/deberíamos** regalarle algo.

11. **Me encantaría/Me encanta** ser rubia y alta. Pero soy japonesa.

12. Han estado muy antipáticos durante todo el día. **Podríamos/Podemos** hablar con ellos para aclarar las cosas.

31. Condicional compuesto

A — Formas: *habría hablado*, *habría comido*, *habría vivido*...

■ El Condicional compuesto se forma con:

el **Condicional** del verbo
auxiliar **haber**.

habría
habrías
habría
habríamos
habríais
habrían

El **participio** correspondiente
al hecho <u>terminado</u>.

hablado
comido
vivido

⮕ 20. Formas no personales

1 Completa la forma del Condicional compuesto en la persona adecuada.

★ A2
★ B1

● ¿Recuerdas cuando el león se enfadó y casi se sale de la jaula? ¡Qué miedo!, ¿no?
¿Te imaginas que se hubiera escapado? ¿Qué habría pasado?
○ Bueno, todos los que estábamos allí ⮕ <u>*habríamos*</u> salido corriendo, supongo. En concreto, yo me (1) .... metido inmediatamente en el coche, y creo que Rosa también. Y tú también te (2) .... asustado. No digas que no.

Rosa y tú os (3) .... asustado tanto como yo.
● Es posible. Pero estoy seguro de que Lou no (4) .... tenido tanto miedo.
○ No, ella no se asusta fácilmente, es verdad. ¿Y Alex y Jenaro?
● Pues seguro que le (5) .... explicado al león que no está bien comer personas. Ellos son así...

B — Hacer suposiciones sobre el pasado del pasado: *Habría salido, porque no abría*.

Con el Futuro perfecto hacemos o pedimos suposiciones sobre el pasado del presente:

■ Con el Condicional compuesto suponemos una realidad anterior a una escena pasada, o pedimos una suposición sobre este tiempo:

¿Por qué está todo tan mojado?

No sé. Habrá llovido.

Pues no sé. **Habría llovido.**

¿Por qué estaba todo tan mojado aquel día?

Habría salido = *Supongo que había salido*

Afirmando el pasado del pasado:

- *Ya lo sabía, porque se lo <u>había dicho</u> Rosario.*
- *Ayer tenías mala cara. ¿Es que <u>habías dormido</u> mal?*
- *No pudo llamar: le <u>habías dado</u> el número equivocado.*

Suponiendo el pasado del pasado:

- *¿Ya lo sabía? Se lo **habría dicho** Rosario, seguro.*
- *Tenía mala cara, el pobre. ¿**Habría dormido** mal?*
- *Le **habrías dado** el número equivocado y no pudo llamar.*

2 Cambia la forma del verbo para marcar que están suponiendo sobre una realidad anterior a una escena pasada.

B1

Fiesta del domingo

● ¿Por qué no ha venido Jorge a la fiesta?

○ Pues no sé, **habrá tenido** algún problema...

   o no le **habrán avisado** a tiempo...

   o se **habrá puesto** enfermo...

   o **habrá tenido** que ir a otro sitio...

   o **habrá olvidado** que era hoy... ¿Quién sabe...?

Un día después

● ¿Por qué no vendría Jorge a la fiesta del domingo?

○ Pues no sé, *habría tenido* algún problema...

   1. o no le .... a tiempo...

   2. o se .... enfermo...

   3. o .... que ir a otro sitio...

   4. o .... que era ayer... Quién sabe...

C Hacer declaraciones hipotéticas sobre el pasado del presente: *Yo no habría dicho nada*...

■ Cuando utilizamos un Condicional compuesto para referirnos al pasado del presente, estamos declarando o preguntando por una **realidad hipotética** que ya no puede ser verdad, porque la verdad fue otra:

➲ 42. Unir frases

Declaramos (o preguntamos) hipotéticamente:

● *Yo, <u>en tu lugar</u>, **habría ido** al médico hace ya meses.*   [Pero yo no soy tú y no he ido.]

● *Te **habría ayudado** con mucho gusto, pero es que <u>tenía mucha prisa</u>.*   [Y no pude ayudarte.]

● *Eres muy alta. **Habrías sido** muy buena <u>como jugadora de baloncesto</u>.*   [Pero no has sido jugadora de baloncesto.]

● *<u>Si hubieras tenido tiempo</u>, ¿**habrías hecho** más deporte?*   [Porque nunca has hecho mucho deporte.]

---

3 Fránkez y Tristicia tienen un amor platónico. Anoche estuvieron juntos tres horas y solo se miraron a los ojos. ¿Qué habría hecho Tristicia si Fránkez se hubiera comportado de otra manera? Completa lo que habría pasado "traduciendo" sus pensamientos a un buen español.

B1

➲ Si Fránkez le hubiera propuesto casarse, *Tristicia no habría aceptado, porque es joven todavía.*

  1. Si le hubiera recitado un poema, ...

  2. Si se hubiera enfadado con ella, ...

  3. Si le hubiera dicho que amaba a otra, ...

  4. Si le hubiera dado un beso, ...

  5. Si hubiera llorado, ...

  6. Si le hubiera confesado que es un espia, ...

  7. Si le hubiera hecho proposiciones deshonestas, ...

  8. Si le hubiera prometido amor eterno, ...

| Yo darle otro a él |

| Yo consolarlo a él |

| Yo también enfadarme con él |

| Yo escuchar con mucho gusto | Yo sentirme ofendida y rechazarlas | Yo no aceptar, porque ser joven todavía ✓ |

| Yo sorprenderme mucho, pero comprender | Yo jurar también quererlo siempre | Yo preguntarle a quién |

32. Formas de subjuntivo: *hable, haya hablado...*

A Formas regulares del Presente de subjuntivo: *hable, coma, viva...*

■ Formamos el Presente de subjuntivo cambiando las vocales temáticas del Presente de indicativo de la siguiente manera:

Presente de indicativo	-ar	-er		Hablar	Comer	Vivir
Yo	-o	-o		hablo	como	vivo
Tú	-as	-es		hablas	comes	vives
Él, ella, usted	-a	-e		habla	come	vive
Nosotros/-as	-amos	-emos		hablamos	comemos	vivimos
Vosotros/-as	-áis	-éis		habláis	coméis	vivís
Ellos, ellas, ustedes	-an	-en		hablan	comen	viven

Presente de subjuntivo	-ar	-er/-ir		-ar → e	-er/-ir → a	
Yo	-e	-a		hable	coma	viva
Tú	-es	-as		hables	comas	vivas
Él, ella, usted	-e	-a		hable	coma	viva
Nosotros/-as	-emos	-amos		hablemos	comamos	vivamos
Vosotros/-as	-éis	-áis		habléis	comáis	viváis
Ellos, ellas, ustedes	-en	-an		hablen	coman	vivan

■ **El acento** está también en la misma posición que en el Presente de indicativo: en las personas *yo, tú, él* y *ellos*, en la raíz; en las personas *nosotros* y *vosotros*, en la terminación, como muestra el subrayado en los ejemplos anteriores.

■ Si necesitamos usar el subjuntivo, utilizamos el Presente para hablar del **presente** y del **futuro** según la siguiente correspondencia:

Si en **indicativo** decimos...	En **subjuntivo** decimos...

***Está** en Berlín.* / ***Estará** en Berlín.* ⟶ *No creo que **esté** allí.* (⟳ 33. ¿Indicativo o subjuntivo?)

---

1 ¿Presente de indicativo o Presente de subjuntivo? Identifica el modo del verbo en cada caso y completa la otra casilla con la forma correspondiente a la misma persona.

★ ★
★ **A2**
★ ★
★ ★
★ **B1**
★ ★

	Indicativo	Subjuntivo		Indicativo	Subjuntivo
cantan	➔ ....✓....	*canten*	camines	10. camines	✓
hablemos	➔ hablamos	....✓....	corras	11. corres	✓
bebes	1. bebas	....	rompáis	12. rompéis	s
camina	2. camine	....	limpiamos	13. ....✓....	limpiemos
perdona	3. perdone	....	mires	14. miras	✓
rompo	4. rompa	....	perdone	15. perdona	✓
vivís	5. viva	....	partimos	16. ....✓....	partamos
miráis	6. mire	mire	beban	17. beben	✓
limpies	7. limpias	limpia	corro	18. ....✓....	corra
cocina	8. cocine	....	mejoran	19.	mejoren
cuide	9. cuida	cuida	saludemos	20. saludamos	✓

B Verbos con alteraciones vocálicas: *pedir*, *sentir*, *dormir...*

Los verbos que tienen alteraciones vocálicas en el Presente de indicativo tienen también alteraciones en el Presente de subjuntivo. Casi todos los cambios son iguales, pero con algunos verbos hay alguna alteración más.

➔ 21. Presente de indicativo

■ Si en Presente de indicativo la vocal -*e*- del final de la raíz **se cierra** en -*i*- en *yo*, *tú*, *él* y *ellos*, en Presente de subjuntivo la vocal se cierra en todas las personas:

Pedir *Impedir* *Seguir* *Perseguir* *Repetir* *Competir* *Reír* *Sonreír* *Medir...*		Presente de indicativo	*Pedir* **Presente de subjuntivo**
	Yo	*pido*	*pida*
	Tú	*pides*	*pidas*
	Él, ella, usted	*pide*	*pida*
	Nosotros/-as	*pedimos*	*pidamos*
	Vosotros/-as	*pedís*	*pidáis*
	Ellos, ellas, ustedes	*piden*	*pidan*

¡También cambian!

■ Otros verbos en ...*e*...*ir* y ...*o*...*ir*, que no cierran esta vocal en las personas *nosotros* y *vosotros*, sí la cierran en Presente de subjuntivo:

	e → i			o → u	
	Mentir	*Sentir*	*Preferir*	*Dormir*	*Morir*
Nosotros/-as	*mintamos*	*sintamos*	*prefiramos*	*durmamos*	*muramos*
Vosotros/-as	*mintáis*	*sintáis*	*prefiráis*	*durmáis*	*muráis*

2 Fránkez y Tristicia discuten con sus vecinos el conde y la condesa Dráculez. Completa los verbos que faltan en la persona adecuada.

★ **A2**
★ **B1**

Es verdad que nos **reímos** mucho pero no es verdad que nos **riamos** de vosotros.

Vosotros reír de nosotros.

➔ ● Vosotros **mentir** siempre.
1. ● Nosotros **sonreír** por cualquier cosa.
2. ● Nosotros **amar** naturaleza y **sentir** gran respeto por animales.
3. ● Nosotros **ser** solidarios y vosotros **competir** continuamente.
4. ● Nosotros **ser** ecológicos: **preferir** reciclar a tirar y pasear a conducir.
5. ● Nosotros **dormir** sin problemas, pero vosotros **dormir** de día y después de chupar sangre humana.

Presente de indicativo	Presente de subjuntivo
➔ ○ Bueno, a veces sí *mentimos*, pero no es verdad que siempre *mintamos*.	
1. ○ Sí, muchas veces *sonreímos*, pero es mentira que *sonriamos* por cualquier cosa.	
2. ○ Sí, es verdad que vosotros *amáis* la naturaleza,	pero es falso que *compitamos* tanto respeto por los animales: ayer os comisteis dos pollos...
3. ○ Vale, nosotros *competimos* muchas veces,	pero no creemos que *compitamos* continuamente.
4. ○ Sí, es evidente que vosotros *preferís* reciclar, a tirar,	pero no vemos que *prefiráis* pasear a conducir. ¿Por qué tenéis un coche deportivo?
5. ○ Es cierto que nosotros, *dormimos* de día,	pero no es cierto que solo *durmamos* después de chupar sangre. A veces bebemos leche y nos vamos a la cama.

C   Verbos con raíz irregular: *salga*, *diga*, *ponga*...

■ Cuando un verbo tiene la raíz de la primera persona irregular en el Presente de indicativo, formamos **todo el Presente de subjuntivo** con esa raíz irregular:

➔ 21. Presente de indicativo

Hacer	Presente de indicativo	Presente de subjuntivo
Yo	**hag**o →	*haga*
Tú	*haces*	*hagas*
Él, ella, usted	*hace*	*haga*
Nosotros/-as	*hacemos*	*hagamos*
Vosotros/-as	*hacéis*	*hagáis*
Ellos, ellas, ustedes	*hacen*	*hagan*

■ Son verbos como:

Decir	→ *dig-*	*Venir*	→ *veng-*	*Conocer*	→ *conozc-*
Traer	→ *traig-*	*Caer*	→ *caig-*	*Parecer*	→ *parezc-*
Poner	→ *pong-*	*Tener*	→ *teng-*	*Agradecer*	→ *agradezc-*
Salir	→ *salg-*	*Oír*	→ *oig-*	*Conducir*	→ *conduzc-*

Y sus compuestos:

*Contra**decir***	→ *contradig-*
*Supon**er***	→ *supong-*
*Desa**parecer***	→ *desaparezc-*
...	

3 Las pequeñas Lucía y Ángela se equivocan a veces con algunos subjuntivos irregulares. ¿Puedes corregir sus errores cuando los hacen? Hay 5, además del ejemplo.

★ ★
★ **A2**
★ ★
★ ★
★ **B1**
★ ★

➔ ● Mira a papá, Ángela. ¿No ves cómo te pareces a él?

➔ ○ Es extraño que **digas** ....✓....... eso. Yo no veo que me ~~pareza~~ *parezca* a papá en nada.

1. ● ¿Quieres que ~~ponamos~~ *pongamos* el vídeo de dibujos animados?

   ○ Sí, está en el cajón. Espera que lo **traiga** *traiga* y lo ponemos.

2. ● ¿Quieres que ~~salamos~~ *salgamos* a jugar al parque con papá?

   ○ Vale, pero no creo que papá **tena** *tenga* tiempo. Está siempre jugando con el ordenador.

   ● Voy a decirle que **vena** *venga* con nosotras, a ver qué dice...

3. ● Papá conduce mucho mejor que mamá.

   ○ Yo no creo que ~~conduza~~ *conduzca* mejor. Si no sabe ni aparcar...

   ● ¡Calla! Es mejor que no te **oiga** .... decir eso...

D   Verbos totalmente irregulares: *ser*, *estar*, *ver*, *ir*, *haber*, *saber*.

	Ser	*Estar*	*Ver*	*Ir*	*Haber*	*Saber*
Yo	*sea*	*esté*	*vea*	*vaya*	*haya...*	*sepa*
Tú	*seas*	*estés*	*veas*	*vayas*	*hayas...*	*sepas*
Él, ella, usted	*sea*	*esté*	*vea*	*vaya*	*haya...*	*sepa*
Nosotros/-as	*seamos*	*estemos*	*veamos*	*vayamos*	*hayamos...*	*sepamos*
Vosotros/-as	*seáis*	*estéis*	*veáis*	*vayáis*	*hayáis...*	*sepáis*
Ellos, ellas, ustedes	*sean*	*estén*	*vean*	*vayan*	*hayan...*	*sepan*

El verbo *estar* es irregular solo en el acento: siempre está en la terminación.

Haber es un verbo auxiliar. Con el Presente de subjuntivo de *haber* formamos el Pretérito perfecto de subjuntivo: ***haya*** comido, ***hayas*** ido...

Haya corresponde tanto a la forma personal (*ha*) como a la forma impersonal (*hay*) del Presente de indicativo.

163

4 María ha recibido una extraña declaración de amor. Completa su indignada respuesta con el Presente de subjuntivo en la persona adecuada.

Quiero **saber** si me amas,
quiero **verte** cada día.
Quiero **estar** en tu pijama,
quiero **ir** contigo, María.
Quiero **ser** el que te llama,
pues sin ti no **hay** luz del día.

Corazón de Melón

Querido Corazón de Melón:
Comprendo tus deseos, y haré lo posible para no satisfacerlos. Te diré que me pareces ridículo y quiero que ➔ ...*sepas*..... que no te amo. Me iré a otra ciudad para que no me (1) ...*veas*....... cada día. Quemaré toda mi ropa, si es necesario, para que no (2) *estés*.... nunca en mi pijama. Llamaré a la policía para que no (3) ...*vayas*.... conmigo a ninguna parte. Te taparé la boca para que no (4) *seas*... el que me llama. Y te regalaré una buena lámpara para que por fin (5) ...*haya*..... luz suficiente en tu vida y no vuelvas a escribirme nunca más.

María

E Formas del Pretérito imperfecto de subjuntivo: *hablara(-se), comiera(-se), viviera(-se)...*

■ Para formar el Pretérito imperfecto de subjuntivo podemos seguir una regla simple y totalmente regular: tomamos la **3ª persona del plural** (*ellos*) del **Indefinido** (regular o irregular) del verbo que queremos conjugar, y cambiamos el final *-ron* por las siguientes terminaciones:

Hablar *hablaron*	Imperfecto de subjuntivo	*Ser* *fueron*	Imperfecto de subjuntivo	*Salir* *salieron*	Imperfecto de subjuntivo
	hablara		*fuera*		*saliera*
	hablaras		*fueras*		*salieras*
	hablara		*fuera*		*saliera*
	habláramos		*fuéramos*		*saliéramos*
	hablarais		*fuerais*		*salierais*
	hablaran		*fueran*		*salieran*

■ Además, **el acento** en el Imperfecto de subjuntivo está siempre en la misma posición que en el Indefinido, como muestra el subrayado en los ejemplos anteriores.

■ Si necesitamos usar el subjuntivo, utilizamos el Imperfecto para hablar del **pasado** o de un **presente o futuro hipotéticos** según la siguiente correspondencia:

Si en **indicativo** decimos...		En **subjuntivo** decimos...
Estuvo/Estaba en Berlín.	*Estaría* en Berlín ayer. [Supongo.] *Estaría* en Berlín ahora. [Pero ha perdido el avión.] *Estaría* en Berlín mañana. [Cogiendo el avión a tiempo.]	*Es posible que* **estuviera** *allí*.

➔ 33. ¿Indicativo o subjuntivo?

5 Escribe en Indefinido y en la persona *ellos* los verbos en negrita de la izquierda.
Después, a partir de esa forma, completa en Imperfecto de subjuntivo las respuestas de la derecha.

B1

	Indefinido (ellos)	Imperfecto de subjuntivo
➲ ● ¿Pudiste ver si **estaban** ya preparados?	*estuvie-ron*	➲ ○ No, no parecía que *estuvieran* todavía preparados.
1. ● Mi perro **vivió** 20 años.	....	1. ○ No es posible que .... tanto...
2. ● ¿De verdad **probasteis** los gusanos fritos?	....	2. ○ Sí, pero solo dos o tres. Ellos querían que .... la comida típica de allí.
3. ● Yo, en tu lugar, le **mentiría**.	....	3. ○ No. Sería muy injusto que le ....
4. ● Antes **veníamos** mucho aquí.	....	4. ○ Sí, y a tu madre no le gustaba que nosotros ....
5. ● ¿**Elegisteis** vosotros el color para pintar la casa?	....	5. ○ ¡Qué va! No nos dejaron que lo ....
6. ● Y cuando se lo dije, se **rió** de mí.	....	6. ○ ¡No puedo creer que se .... de ti!
7. ● ¿Tú crees que yo **podría** conseguir ese trabajo si hablara búlgaro?	....	7. ○ No, la verdad es que no creo que .... conseguirlo.
8. ● ¿Recuerdas el viaje a Lisboa? ¡Qué mal **conducía** Ana!	....	8. ○ Sí, fue horrible. Nadie quería que .... ella, pero condujo...
9. ● Me propuso ir a su casa, pero yo no **quería**.	....	9. ○ Pues me parece muy raro que tú no .... , la verdad.
10. ● No sé qué pasó con Toby. Supongo que se **escaparía**.	....	10. ○ Sí, es muy posible que se .... No le dabas casi nada de comer...

■ Además de la forma en *-ra,* el Imperfecto de subjuntivo tiene también otra forma equivalente en *-se*. Hacemos esta forma cambiando la terminación *-ron* del Indefinido en la persona *ellos* por las siguientes terminaciones:

Hablar **hablaron**	Imperfecto de subjuntivo	*Ser* **fueron**	Imperfecto de subjuntivo	*Salir* **salieron**	Imperfecto de subjuntivo
	habla*se*		fue*se*		salie*se*
	habla*ses*		fue*ses*		salie*ses*
	habla*se*		fue*se*		salie*se*
	hablá*semos*		fué*semos*		salié*semos*
	habla*seis*		fue*seis*		salie*seis*
	habla*sen*		fue*sen*		salie*sen*

6 ¿Cuál es diferente?

B1

➲ aceptara	estuviese	tenga	(salimos)	*Es la única forma que no es subjuntivo*
1. hubiera	dijéramos	supiesen	tuvisteis	....
2. vieron	fuese	oyéramos	agradecieseis	....
3. trajeras	trajeses	conduzca	viniéramos	....
4. cayese	caería	caíamos	caigo	....
5. oyes	oís	oiremos	oyera	....

¡Ojalá lloviera!

¡Sí, ojalá lloviese!

F Formas del Pretérito perfecto de subjuntivo: *haya hablado/comido/vivido...*

■ El Pretérito perfecto de subjuntivo se forma con:

El **Presente de subjuntivo** del verbo auxiliar *haber*.

haya
hayas
haya
hayamos
hayáis
hayan

hablado
comido
vivido

El **participio** correspondiente al hecho <u>terminado</u>.

⮕ **20. Formas no personales**

■ Si necesitamos usar el subjuntivo, utilizamos el Perfecto para hablar del **pasado del presente** o del **pasado del futuro**, según la siguiente correspondencia:

⮕ **33. ¿Indicativo o subjuntivo?**

Si en **indicativo** decimos...

Ha estado en Berlín. / *Habrá estado* en Berlín.

En **subjuntivo** decimos...

No creo que haya estado allí.

7 Transforma los verbos en negrita de los siguientes diálogos en la forma correspondiente de subjuntivo.

B1

⮕ ● Dicen que **han estado** un año viviendo en Oslo.
○ No creo que *hayan estado* tanto tiempo allí.

1. ● ¡Ya **hemos encontrado** la película de Jarri Sonfor!
○ ¡Es imposible que la .... tan pronto!

2. ● ¿**Ha llegado** ya el paquete de la tía Remedios?
○ No recuerdo que .... ningún paquete...

3. ● No te preocupes: a las dos lo **he terminado** todo.
○ Dudo mucho que para esa hora lo ....

4. ● No sé dónde están las llaves. Las **habrás perdido**.
○ Es imposible que yo las ....

5. ● **Habéis acertado** totalmente con el regalo. Gracias.
○ ¡Pues qué bien que .... !

G Formas del Pluscuamperfecto de subjuntivo: *hubiera(-se) hablado/comido/vivido...*

■ El Pretérito pluscuamperfecto de subjuntivo se forma con:

El **Imperfecto de subjuntivo** del verbo auxiliar *haber*.

hubiera (-se)
hubieras (-ses)
hubiera (-se)
hubiéramos (-semos)
hubierais (-seis)
hubieran (-sen)

hablado
comido
vivido

El **participio** correspondiente al hecho <u>terminado</u>.

⮕ **20. Formas no personales**

■ Si necesitamos subjuntivo, usamos el Pluscuamperfecto **para hablar del pasado del pasado**, según la siguiente correspondencia:

⮕ **33. ¿Indicativo o subjuntivo?**

Si en **indicativo** decimos...

Había estado en Berlín. / *Habría estado* en Berlín.

En **subjuntivo** decimos...

No creo que hubiera estado allí.

8 José Rodríguez tenía que preparar la comida pero no lo hizo. Su mujer piensa que todo lo que dice son excusas. ¿Puedes completar sus respuestas con la forma correspondiente del subjuntivo?

B1

¿Por qué no hiciste la comida?

⮕ Es que las sartenes se **habían perdido**...

1. Es que me **había cortado** un dedo con el cuchillo...

2. Es que la luz se **había ido**...

3. Es que pensé que quizá **habrías cambiado** de opinión...

4. Es que **habíamos decidido** comer fuera...

⮕ No es verdad que las sartenes se *hubieran perdido* ...

1. No es verdad que te .... un dedo con el cuchillo...

2. No es verdad que la luz se ....

3. No es verdad que yo .... de opinión...

4. No es verdad que .... eso.

33. ¿Indicativo o subjuntivo?

A   Declarar (indicativo) o no declarar (subjuntivo)

■ Usamos un verbo en **indicativo** cuando **queremos declarar** el contenido de ese verbo: queremos expresar lo que alguien sabe (una afirmación) o piensa (una suposición) sobre una determinada realidad.
Podemos declarar informaciones directamente (en una oración independiente) o después de una MATRIZ que anuncia una declaración (en una oración subordinada):

ORACIÓN INDEPENDIENTE DECLARAMOS (INDICATIVO)	MATRIZ		ORACIÓN SUBORDINADA DECLARAMOS (INDICATIVO)
Afirmamos Suponemos — Susana **tiene / tendrá** novio.	Está claro Yo creo Él piensa Supongo	que	Susana **tiene / tendrá** novio.

¿Qué gato **es** ese?   **Es** Julio César.

¿Qué será eso que se mueve ahí?   Me imagino que **será** Julio César.

■ Usamos un verbo en **subjuntivo** (o infinitivo) cuando **no queremos declarar** el contenido de ese verbo, porque no queremos expresar con él ni una afirmación ni una suposición: es solo **una idea virtual**.
Un verbo en subjuntivo siempre depende de una MATRIZ con la que expresamos deseos, rechazo, posibilidad o valoraciones:

MATRIZ		ORACIÓN SUBORDINADA NO DECLARAMOS (SUBJUNTIVO)
Queremos No creo Es posible Es mentira	que	Susana *tenga* novio.

👁 **Nunca usamos subjuntivo** para expresar una opinión directamente (en una oración independiente):

Susana ~~tenga~~ novio.

Es posible que **sea** Julio César.

Yo no creo que **sea** Julio César.
A él no le gusta *jugar* con la basura.

1 El famoso inspector Cherlog Jol interroga a uno de los detenidos por un importante robo.
¿Son exactas las notas que ha tomado el secretario durante la declaración?

A2

Lo que ha dicho el detenido:	Lo que ha escrito el secretario:	Sí/No
⮕ Me **llamo** Mario Roldán..	⮕ Ha declarado que se **llama** Mario Roldán	*Sí*
1. **Tenga** paciencia conmigo, inspector.	1. Ha declarado que el inspector **tiene** paciencia con él.	....
2. <u>Sé que</u> Pablo Margi **tiene** una parte del dinero.	2. Ha declarado que Pablo **tiene** una parte del dinero.	....
3. <u>Creo que</u> Alejandro Cascas se **llevó** las joyas.	3. Ha declarado que, en su opinón, Alejandro se **llevó** las joyas.	....
4. <u>Supongo que</u> Jenaro Orol **estará** ya en otro país.	4. Ha declarado que, en su opinión, Jenaro **está** ya en otro país.	....
5. <u>Es posible que</u> Lourdes Milo **esté** todavía en España.	5. Ha declarado que Lourdes todavía **está** en España.	....
6. La verdad es que <u>yo necesitaba</u> **conseguir** dinero.	6. Ha declarado que **consiguió** dinero.	....
7. <u>Me alegro de que</u> me **haga** esa pregunta.	7. Ha declarado que el inspector le **hace** esa pregunta.	....
8. <u>No creo que</u> Rosa Alora **esté** implicada en el robo.	8. Ha declarado que Rosa **está** implicada en el robo.	....
9. <u>Quiero que</u> **venga** mi abogado inmediatamente.	9. Ha declarado que su abogado **viene** inmediatamente.	....
10. <u>Es muy triste</u> **ir** a la cárcel.	10. Ha declarado que **va** a la cárcel.	....

B   Expresar deseos y objetivos: *Quiero que venga*.

■ Cuando hablamos de querer algo, ese algo **no es nunca una declaración**. Es solo una **idea virtual** sobre algo que puede pasar o no, y que planteamos solo como un objetivo eventual:

(Objetivo)

- ● **Quiero** <u>*que me ayudes*</u>.
  [No puedo declarar que "me ayudes".
  Es solo un deseo.]

Quiero...
Deseo...
Necesito...

[**No es** una declaración.
Es **solo una idea virtual**.]

que te ~~cases~~ *conmigo /casarme contigo.*

■ Por eso, utilizamos siempre el subjuntivo (o el infinitivo) con los verbos
subordinados a MATRICES que expresan deseos u objetivos:

(No) Quiero...
(No) Desea...
(No) Esperan...
Él (no) prefiere...
(No) Me apetece...
(No) Tiene ganas de...
...

[Lo que voy a decir **no es una declaración**: es
solo **algo que se desea o que no se desea**.]

que te cases conmigo.

(No) Te pido...
(No) Te ha prohibido...
(No) Permite...
(No) Te aconsejo...
(No) Es importante...
(No) Es necesario...
...para...
...

[Lo que voy a decir **no es una declaración**: es
algo que debe o **no debe pasar**.]

---

2 **Distribuye las matrices en el lugar correspondiente de la tabla, según su significado.**

A2

No le exijo que... ✓   Está claro que... ✓   Ellos creen que... ✓   ¿Le han propuesto que...? ✓

¿Me permite que...?   ¿Me recomiendas que...?   Estamos seguros de que...   Sé que...

Es fundamental que...   Me parece que...   No me puedes pedir que...   Me han contado que...

¿No preferís que...?   ¿Necesitas que...?   Todos imaginan que...   Pensamos que...

Introducimos una afirmación o suposición

Está claro que...
Ellos creen que...
....
....
....

...**habla** con ella.

(indicativo)

Introducimos un deseo o un objetivo

No le exijo que...
¿Le han propuesto que...?
....
....
....
....
....
....

...**hable** con ella.

(subjuntivo)

■ Cuando expresamos deseos u objetivos, podemos usar para el verbo subordinado
una forma personal en **subjuntivo** (introducida por *que*), o solamente **infinitivo**:

	Usamos el **infinitivo**	Usamos el **subjuntivo**
Con MATRICES como estas...	Si el sujeto del verbo principal y el del verbo subordinado son el mismo:	Si el sujeto del verbo principal y el del verbo subordinado son diferentes:
Querer..., Desear..., Necesitar, Pedir..., Preferir..., Tener ganas de..., Intentar..., Conseguir..., Tratar de...,	*Quiero salir.* (yo) = (**yo**)	*Quiero* **que** *salgas / salgan...* (yo)⟷(**tú**) (**ellos**)
Con MATRICES como estas...	Para generalizar:	Para concretar la persona:
Es importante/necesario/mejor... Hay que intentar/conseguir...	*¿Es necesario pasar por ahí?* (en general) = (**tú, yo, nosotros...**)	*¿Es necesario* **que** *pasemos por ahí?* (en general)⟷(**nosotros, en concreto**)

3 ¿Puedes identificar el sujeto de los verbos que están en negrita?

A2

➲ ¡No te vayas, Mariana, que Elena quiere que le **cortes** el pelo! ➲ *Mariana*

➲ Vamos a esperar. Es mejor **tomar**se las cosas con calma. ➲ *En general*

1. Se ha puesto muy nerviosa. Vamos a intentar **tranquilizar**la. 1. ....

2. Trata de **tranquilizar**te, Pitita. Tu marido vendrá pronto... 2. ....

3. Para aprender español es necesario **estudiar** con una buena gramática. 3. ....

4. Creo que ella debe saberlo. Es mejor que se lo **digas** ya. 4. ....

5. Si conseguimos **aprobar** el examen, vamos a hacer una fiesta. 5. ....

6. Tengo unas ganas locas de que **vengáis** a visitarme. 6. ....

7. ¿Te apetece **descansar** un poco antes de seguir? 7. ....

8. No te rindas, mujer. ¿Por qué no intentas **hablar** con ella otra vez? 8. ....

9. No me gusta nada la idea de comer en Mcdonuts. Prefiero que **comamos** aquí. 9. ....

4 Pesadilla es la mejor amiga de Tristicia. Quiere escribirle una carta, pero no tiene claro cómo formular los verbos que están en negrita: ¿se usa infinitivo o se usa *que* + subjuntivo? ¿Puedes ayudarla?

A2

➲ <u>Necesito</u> yo **escribir** mi tristeza. ➲ Necesito *escribir mi tristeza.*

➲ <u>Deseo</u> tú **saber** mis sentimientos. ➲ Deseo *que sepas mis sentimientos.*

1. Estoy enamorada de Zombi, y yo <u>tengo ganas de</u> yo **ver** a Toro Cansado.

2. Pero él no me <u>permite</u> yo **hablar** por teléfono con él.

3. Mi hermana no <u>quiere</u> yo **hablar** por teléfono con él.

4. Ella <u>prefiere</u> yo **no pensar** más en él.

5. Me <u>prohíbe</u> yo **llamar** a su casa.

6. Pero yo <u>espero</u> él **llamar** a mi casa.

7. Tengo que <u>intentar</u> él **pensar** en mí.

8. Tienes que ayudarme <u>para</u> él y yo **poder** ser novios.

9. ¿Me <u>recomiendas</u> yo **confesar** mi amor?

10. ¿Crees que <u>es mejor</u> yo **esperar** un poco?

11. <u>Es</u> muy importante yo **saber** tu opinión.

1. Tengo ganas de .... a Zombi.

2. Pero él no me permite .... por teléfono con él.

3. No quiere .... por teléfono con él.

4. Prefiere .... más en él.

5. Me prohíbe .... a su casa.

6. Espero .... a mi casa.

7. Tenemos que intentar .... en mí.

8. Tienes que ayudarme para .... ser novios.

9. ¿Me recomiendas .... mi amor?

10. ¿O crees que es mejor .... un poco?

11. Es muy importante .... tu opinión.

5 Tristicia ha recibido ya la carta de Pesadilla, y estas son las recomendaciones que quiere hacerle. Ayúdala también, decidiendo para cada caso entre infinitivo, indicativo o subjuntivo.

A2

Querida Pesadilla:

En mi opinión, está claro Zombi **no estar** enamorado de ti. Pero tenemos que hacer algo, porque yo quiero tú **ser** feliz. Creo que lo mejor es **actuar** con tranquilidad. En primer lugar, si él no quiere **hablar** por teléfono contigo, te recomiendo tú **no insistir** en llamarlo y tú **buscar** otra forma de comunicarte con él. En segundo lugar, tienes que intentar tu hermana **cambiar** de actitud y ella **no estar** siempre diciéndote qué tienes que hacer. Finalmente, no te aconsejo tú **confesar** tu amor todavía. Es mejor tú **esperar** unos meses, porque yo creo él **no estar** preparado todavía para comprender este amor. Pero puedes estar tranquila: tú sabes yo siempre intento tú **estar** bien y yo **ayudar** a ti en lo posible. Tu amiga,

Tristicia

Querida Pesadilla:

En mi opinión, está claro que Zombi ...no está... enamorado de ti. Pero tenemos que hacer algo, porque yo quiero que ...seas... feliz. Creo que lo mejor es ...actuar... con tranquilidad. En primer lugar, si él no quiere .... (1) por teléfono contigo, te recomiendo que .... (2) en llamarlo y que .... (3) otra forma de comunicar con él. En segundo lugar, tienes que intentar que tu hermana .... (4) de actitud y que .... (5) siempre diciéndote qué tienes que hacer. Finalmente, no te aconsejo que .... (6) tu amor todavía. Es mejor que .... (7) unos meses, porque creo que él .... (8) preparado todavía para comprender este amor. Pero puedes estar tranquila: tú sabes que yo siempre intento que .... (9) bien y .... (10) en lo posible.

Tu amiga,

Tristicia.

■ Con la fórmula *Que* + **Presente de subjuntivo** podemos expresar deseos rituales en ciertas situaciones de comunicación estereotipadas, y también advertencias:

Buenos deseos

- ¡*Que aproveche*!
  ['Deseo que disfrutes de la comida': cuando alguien va a comer.]
- ¡*Que te lo pases bien*!
  ['Pásalo bien', 'diviértete': cuando alguien va a una fiesta, por ejemplo.]

Advertencias

- ¡*Que tengas cuidado*!
  ['Debes tener cuidado': cuando alguien va a hacer algo peligroso.]
- ¡*Que no corráis*!
  ['No debéis correr': cuando alguien va de viaje con el coche.]

6 Tristicia está siempre atenta a todo lo que hace Fránkez, y siempre le expresa sus mejores deseos. "Traduce" a un buen español sus expresiones y, después, adivina en qué circunstancias se lo dice.

★ ★
★ **B1**
★ ★

➲ ¡Tú **mejorarte**! ¡Que te ...mejores...! ...e...

1. ¡Tú **cumplir** muchos más! ¡Que .... muchos más! ....

2. ¡Tú **tener** suerte! ¡Que .... suerte! ....

3. ¡Tú **divertirte**! ¡Que te ....! ....

4. ¡Tú **descansar**! ¡Que ....! ....

5. ¡Tú **tener** buen viaje! ¡Que ....buen viaje! ....

6. ¡Tú **pasar** buen fin de semana! ¡Que .... buen fin de semana! ....

a) Fránkez se va a una fiesta.	e) Está enfermo y Tristicia se despide de él. ✓
b) Va a hacer un examen.	f) Tristicia despide a Fránkez en el aeropuerto.
c) Ha dicho "buenas noches": se va a la cama.	g) Es el día del cumpleaños de Fránkez.
d) Fránkez estará fuera sábado y domingo.	

7 La pequeña Camilita va de excursión con sus compañeros de colegio, y su mamá le hace cinco advertencias. Adivina cuáles pueden ser y formúlalas después con *Que* + Presente de subjuntivo, como en el ejemplo.

★ ★
★ **B1**
★ ★

- Tienes que comer muchos caramelos.
- Tienes que ser buena. ✓
- No debes pelearte con nadie.
- Debes comerte tu bocadillo entero.
- Tienes que decir muchas palabras feas.
- Tienes que ir siempre cerca de la maestra.
- No debes obedecer a tu maestra.
- No quiero que te ensucies la ropa.

➲ ...Que seas buena...............

1. ....

2. ....

3. ....

4. ....

171

C Declarar o cuestionar informaciones: *Creo que viene / No creo que venga*

■ Usamos un verbo subordinado en **indicativo** cuando **queremos declarar** la información que ese verbo expresa:

Todos saben
Está claro
Yo creo
Es verdad
...

verbo subordinado

que **tienes** *novio.*

[Esto es una **declaración**.
Es la opinión del sujeto.]

■ Usamos un verbo subordinado en **subjuntivo** cuando **no queremos declarar** la información que ese verbo expresa:

Puede ser
Dudo
No creo
Es mentira
...

verbo subordinado

que **tengas** *novio.*

~~tienes~~

[Esto **no** es una **declaración**.
No es la opinión del sujeto.
Es **solo una idea.**]

■ Por eso, usamos indicativo después de MATRICES **que introducen opiniones** (más o menos seguras), pero usamos subjuntivo con MATRICES **que expresan que el sujeto pone en cuestión** en alguna medida la información subordinada:

MATRICES que introducen una información

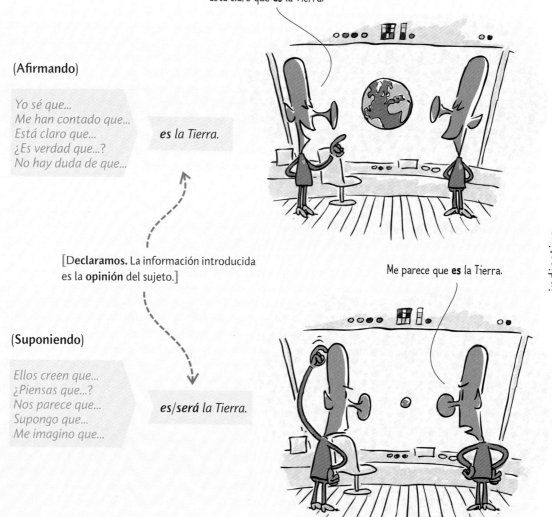

Está claro que **es** la Tierra.

(Afirmando)

Yo sé que...
Me han contado que...
Está claro que...
¿Es verdad que...?
No hay duda de que...

es *la Tierra.*

[**D**eclaramos. La información introducida es la **opinión** del sujeto.]

Me parece que **es** la Tierra.

(Suponiendo)

Ellos creen que...
¿Piensas que...?
Nos parece que...
Supongo que...
Me imagino que...

es/será *la Tierra.*

indicativo

MATRICES que cuestionan una información

Es posible que **sea** la Tierra.

(Considerando solo la **posibilidad**)

Es posible que...
¿Es probable que...?
Puede ser que...
Dudo que...

sea la Tierra.

[**No declaramos.** La información introducida **no es la opinión** del sujeto.]

No está claro que **sea** la Tierra.

(Rechazando)

Es mentira que...
No es verdad que...
No creemos que...
No está segura de que...
No está claro que...
No me imagino que...

sea la Tierra.

subjuntivo

---

8 Completa la tabla con las siguientes matrices según su significado.

Es indudable que... ✓   No es verdad que... ✓   ¿Puede ser que...? ✓   Pensamos que... ✓

Suponen que...   A ellas les parece que...   Es falso que...   Es posible que...

No es cierto que...   Me parece probable que...   Te aseguro que...

Es evidente que...   Sospecho que...   Es bastante posible que...

Introducimos una afirmación
Es indudable que...
....
....

Introducimos una suposición   **...es** la Tierra.
Pensamos que...
.... (indicativo)
....
....

Rechazamos una idea
No es verdad que...
....
....

Consideramos una posibilidad   **...sea** la Tierra.
¿Puede ser que...?
.... (subjuntivo)
....
....

9 La doctora Ginés Labella ha dado una conferencia sobre la igualdad de sexos. Después de la conferencia, seis de los asistentes comentan sus declaraciones más polémicas. ¿Puedes completar sus opiniones con la forma adecuada (Presente de indicativo / Presente de subjuntivo) de los tres verbos en negrita?

B1

... y, como iba diciendo, hay que reconocer que las mujeres son claramente superiores a los hombres, al menos en tres aspectos: en primer lugar, **aprenden** lenguas con mucha más facilidad; en segundo lugar, **son** más hábiles para resolver problemas de lógica; y, por último, está demostrado que **tienen** más sentido estético...

1. Para mí, **está claro que** las mujeres ...*aprenden*... lenguas más fácilmente. También **es verdad que** .... más hábiles en la lógica, y **no hay duda de que** .... más sentido estético.

3. **Yo también creo que** las mujeres .... una lengua más rápido, y **me parece que** sí, que también .... más hábiles con la lógica. Del sentido estético no sé qué pensar, pero sí, **supongo que** .... más que los hombres.

5. ¡Mentira, mentira y mentira! **No es verdad que** .... lenguas mejor, **no es cierto que** .... mejores con la lógica, y también es **falso que** .... más sentido estético.

2. Pues yo **dudo mucho que** *aprendan* lenguas más fácilmente. Además, **no está demostrado que** .... más hábiles en la lógica, y **tampoco creo que** .... más sentido estético.

4. Hombre, sí, **puede ser que** .... las lenguas más fácilmente, y también admito **la posibilidad de que** .... más hábiles en la lógica. Pero **no me parece nada probable que** .... un sentido estético especial, la verdad...

6. Bueno, vamos a ver: **es indudable que** .... mucho mejor las lenguas, y **es perfectamente posible que** .... más hábiles con la lógica, pero **no es en absoluto verdad que** .... más sentido estético: los grandes artistas siempre han sido hombres...

10 El marido de la doctora Ginés Labella aprovecha el descanso de la conferencia para hablar un poco de su tema preferido: los caracoles. Pero no todo lo que dice es verdad. Descubre tres verdades y tres mentiras en su discurso, además de las del ejemplo.

B1

Pues yo creo que los caracoles <u>son unos mamíferos apasionantes</u>. <u>Llevan su casa en la espalda</u>, <u>tienen dos antenas</u> preciosas que sacan y esconden a voluntad, y <u>pueden ver la comida a varios kilómetros de distancia</u>. Parecen tontos, pero, en realidad, <u>tienen una inteligencia muy parecida a la humana</u>. Por ejemplo, aunque <u>son muy lentos</u>, a veces se <u>suben encima de la cabeza de las palomas</u> para viajar más rápido. Y, además, estos animalitos <u>son muy pacíficos</u>. Y, bueno, les dejo ya de nuevo con la conferencia de mi esposa. Yo tengo que terminar de cocinar unos caracoles para la cena. Muchas gracias por su atención.

➜ Es verdad que *los caracoles tienen dos antenas.*

1. Todo el mundo sabe que ....

2. Está claro que ....

3. A mí también me parece que ....

➜ No es verdad que *sean mamíferos.*

4. Es mentira que ....

5. No creo que ....

6. Yo no pienso que ....

D   Declarar o pedir: *Dice que viene / Dice que venga*

■ Con muchos verbos como *decir* podemos introducir declaraciones o peticiones.
Cuando *decir* significa **'declarar'**, usamos el indicativo; cuando *decir* significa
'pedir', usamos el subjuntivo:

	La información subordinada es una **declaración**	La información subordinada es una **petición**.
Decir	Me han dicho que **vienes** a la fiesta, ¿es verdad?	Me han dicho que vengas a la fiesta. ¿Te apetece?
Repetir	Te repito que no **tengo** ganas de salir.	Te repito que te vayas tú solo.
Insistir en	Insisto en que este puente **es** muy peligroso.	Insisto en que crucemos el río por allí.

11 ¿Qué te están diciendo estas personas? Tendrás que pensar muy bien si son informaciones
que te dan (indicativo) o acciones que te piden (subjuntivo).

★ ★ ★
★ **B1**
★ ★ ★

➲ "Las llaves **están** en el dormitorio."

Dice que las llaves .....*están*...... en
el dormitorio.

➲ "**Compra** papel higiénico, por
favor."

Dice que ...*compre*.. papel higiénico.

1. "**Baila** conmigo. **Bailo** muy bien."
Dice que .... con él, que
.... muy bien.

2. "Yo **no quiero** ir contigo."

Dice que .... ir conmigo.

3. "¡Que **no quiero** ir contigo!"
Me ha repetido que
.... ir conmigo.

4. "**Ten** más cuidado con ese jarrón."
Dice que .... más cuidado
con el jarrón.

5. "**No digas** más tonterías."
Dice que .... más tonterías.

6. "**Deja** de decir tonterías."

Insiste en que .... de
decir tonterías.

7. "**Pareces** una persona inteligente."
Dice que .... una persona
inteligente.

8. "**Eres** muy egoísta, ¿no crees?"
Dice que .... muy egoísta.

9. "**Sé** un poco menos egoísta,
¿quieres?"
Dice que .... un poco
menos egoísta.

10. "**Puedo** ayudarte si quieres"
Dice que .... ayudarme
si quiero.

11. "**Vas** muy rápido. **Ve** más despacio."
Dice que .... muy rápido,
que .... más despacio.

12. "**Come** un poco más. **Comes** muy
poco."
Dice que .... un poco más,
que .... muy poco.

E   Valorar informaciones: *Es estupendo que venga.*

■ Recuerda: cuando queremos **declarar** el contenido de un verbo subordinado,
usamos el indicativo. Cuando queremos **cuestionarlo**, usamos subjuntivo:

Declaramos la información subordinada	*Yo sé* que Leo **habla** inglés. *Supongo* que **hablará** inglés.	[Queremos declarar que Leo **habla** inglés.]
Cuestionamos la información subordinada	*Es posible* que *hable* inglés. *No creo* que *hable* inglés.	[No queremos declarar que Leo "**habla** inglés".]

■ Pero cuando esa información **está ya aceptada** como verdadera o posible, y solo queremos hacer **un comentario o una valoración personal sobre ella**, usamos siempre **subjuntivo** (o infinitivo):

Solo valoramos la información subordinada

A mí no me gusta
Me parece bien
Es lógico
No es normal
Me da igual

que *hable* **inglés**.

[No queremos declarar que "habla inglés": solo queremos expresar lo que sabemos o pensamos sobre el hecho (real o posible) de "**hablar** él inglés".]

¡*Tan joven, qué pena*...!

No es nada interesante...

¿*No os parece un poco extraño*...?

Hija, tienes que saber que papá y mamá han encargado un hermanito a la cigüeña, y que ya está de viaje por el cielo.

Me alegra mucho...

...que **esté** embarazada...

¡*Dios mío, qué miedo*...!

¡Qué bien que mamá **esté** embarazada!

Es una sorpresa...

No es una casualidad...

Bueno, yo creo que *es normal*...

Declara → • ¿*Sabes qué? Me han dicho* que Paula **está** embarazada, y que **es** una niña.

Cuestiona → • ¿En serio? *No puedo creer* que **esté** embarazada.

Declara → • Que sí, mujer, que sí. **Ha ido** al médico, y *le ha confirmado* que **está** embarazada.

Solo comentan
• Pues me parece muy extraño...
• ¿Qué *te parece extraño*: que **esté** embarazada o que **sea** una niña?
• No, *lo que me parece extraño* es que **haya ido** al médico. Ella *odia* ir al médico...

12 Distribuye las matrices en el lugar correspondiente de la tabla, según su significado.

B1

Es evidente que... ✓	¿Te parece mal que...? ✓	Sospechamos que... ✓	Me parece lógico que... ✓
Me imagino que...	Es verdaderamente extraño que...	He oído que...	Odio que...
No me importa que...	Su marido piensa que...	Es difícil que...	Yo he visto que...
Es estupendo que...	¿Crees que es importante que...?	¿Ana te ha contado que...?	Me parece que...

Introducimos una afirmación o suposición

Es evidente que...

Sospechamos que...

Su marido

....

....

....

....

....

...**está** embarazada.

(INDICATIVO)

Valoramos una idea

Me parece lógico que...

¿Te parece mal que...?

Es estupendo que...

....

....

....

....

....

...**esté** embarazada.

(SUBJUNTIVO)

13 ¿Qué opinas tú? Usa las matrices del cuadro (o cualquier otra que exprese tu valoración) y formula opiniones comentando algunas de estas noticias, como en el ejemplo. Usa la forma de subjuntivo apropiada a la persona y al tiempo en cada caso.

B1

↪ Una anciana de 80 años **sobrevive** después de caer desde un sexto piso. ✓

1. Groenlandia **suspende** su festival de nieve por una ola de calor.

2. Dos ex ladrones **presentan** un programa de televisión sobre robos.

3. Más de la mitad de los ministros del gobierno español **son** mujeres.

4. Los japoneses ya **pueden** pagar en los supermercados con la huella dactilar.

5. Una conocida marca de helados **investiga** en la fabricación de un helado para perros.

6. Un juez **manda** a prisión a un hombre por hacer chistes sexistas.

7. Un perro **espera** diez días en la puerta de la comisaría hasta que liberan a su amo.

8. El gobierno **paga** 500 euros mensuales por cada hijo menor de tres años.

Es increíble que una anciana sobreviva después de caer de un sexto piso (↪)

....

....

....

....

....

....

....

....

....

....

....

....

Me alegra mucho...

Me parece muy triste...

Es increíble...

Es normal...

Me parece muy cómico...

Es curioso...

Me parece muy justo...

Es una tontería...

Está muy bien...

Me parece muy mal...

Me parece ridículo...

Me parece exagerado...

A mí me da igual...

Yo pienso que es lógico...

Me parece preocupante...

...

■ Cuando valoramos informaciones, podemos usar para el verbo subordinado
una forma personal en **subjuntivo** (introducida por *que*) o solamente **infinitivo**:

	Usamos el **infinitivo**	Usamos el **subjuntivo**
Con MATRICES como estas...	Si el sujeto del verbo subordinado es la misma persona señalada en la MATRIZ:	Si el sujeto del verbo subordinado es una persona diferente a la señalada en la MATRIZ:

Me gusta..., Nos encanta..., Me da igual..., Les alegra..., (No) me importa...

Le encanta jugar al fútbol.
(a él) = (**él**)

*Le encanta **que juguemos** al fútbol.*
(a él) ⟷ (**nosotros**)

	Para generalizar:	Para concretar la persona:

Con MATRICES como estas...

Es estupendo / extraño / bueno...
Está bien / mal...
No me parece bien / mal / lógico...

Es maravilloso estar enamorado.
(en general) = (**tú, yo, nosotros...**)

*Es maravilloso **que estés** enamorada.*
(en general) ⟷ (**concretamente tú**)

14 **¿Puedes identificar el sujeto de los verbos que están en negrita?**

★ B1

¡Está muy feo **meter**se el dedo en la nariz, Jaimito!

➲ A Lucas no le gusta nada **conducir** de noche. ......Lucas......

➲ Tienes razón, Florentino: es un privilegio **tener** amigos como vosotros. ......En general......

1. Te agradezco mucho que me **digas** eso. ....

2. Les ha parecido muy emocionante **asistir** a la boda. ....

3. Perdone, señora. ¿Le importa que me **siente** a su lado? ....

4. Perdone, señora. ¿Le molestaría **sentar**se en otra parte? La mesa está reservada. ....

5. Pasen ustedes primero. A mí no me importa **esperar**. ....

6. Me alegro de que por fin se **acuesten**. ¡Qué pesados estaban hoy los niños! ....

7. Ya he hecho yo la compra. ¿No te alegras de no **tener** que ir a comprar? ....

8. Es de muy mal gusto **hacer** esperar a la gente. A ver si otro día llegas antes. ....

9. No es lógico **pasar** toda la vida esperando un sueño que nunca va a llegar. ....

F **Identificar o no identificar entidades:** *La chica que viene / La chica que venga*

■ Podemos dar una información sobre las características de personas, cosas
o lugares con un **adjetivo**, pero también con una **frase**:

➲ 42. Unir frases

	Con un adjetivo:	Con una frase:
una persona:	• una chica **mala**...	...es una chica **que hace cosas malas**.
una cosa:	• una película muy **divertida**...	...es una película **que da mucha risa**.
un lugar:	• un sitio **tranquilo**...	...es un sitio **donde te puedes relajar**.

■ Cuando usamos una frase de este tipo, usamos el indicativo para señalar que la entidad de la que hablamos (persona, cosa o lugar) **está identificada**, y usamos subjuntivo para señalar que **no está identificada** todavía:

- He conocido a <u>una chica</u> que **vive** en Móstoles.   [Una chica en particular: Lorena.]
- ¿Conoces a <u>alguna chica</u> que **viva** en Móstoles?   [No importa qué chica en particular.]

- Hoy vamos a hacer <u>la comida</u> que más te **gusta**.   [Una comida en particular: pescado.]
- Hoy vamos a hacer la <u>comida</u> que más te *guste*.   [Cualquier comida que tú elijas.]

- Hemos estado en <u>una playa</u> donde todo el mundo **iba** desnudo.   [Una playa en particular: Cantarriján.]
- ¿Tú has visto <u>una playa</u> donde *podamos* ir desnudos?   [No importa qué playa en particular.]

iiiGuillaume, c'est moi. Grrrr!!!

iiiBonjour. Ça va? Grrrr !!!

Yo tengo un loro que **se llama** Guillermo y que **habla** francés.

¡Qué chulo! ¡Yo también quiero tener <u>un loro</u> que **hable** francés!

INDICATIVO	SUBJUNTIVO
Entidades **ya identificadas**	Entidades **no identificadas todavía**
● Hablamos de una persona, cosa o lugar **particular** con esa característica.	● Hablamos de **cualquier** persona, cosa o lugar con esa característica.

15 Relaciona cada una de las cosas que dice Jenny con la interpretación más probable.

🡒 Hola. Estoy buscando una gramática que **tiene** dibujos en color. ..*b*....

~~a. Jenny busca cualquier gramática con dibujos en color.~~

b. A Jenny le han hablado antes de esa gramática.

1. Bueno, una lengua que **sea** fácil de aprender, por supuesto. ....

a. Jenny habla del español.

b. Jenny quiere aprender otra lengua y todavía no ha decidido cuál.

2. ¿Nos llevamos el microondas que **tiene** más potencia o el que **sea** más barato? ....

a. Han visto varios microondas, pero no saben cuál será más barato.

b. Están buscando el microondas más potente.

3. Pon esta bandeja en la cocina, donde **estén** los platos. ....

a. Jenny ha llevado los platos a la cocina antes.

b. Otra persona ha llevado los platos a la cocina antes.

4. La opinión que Ana **tenga** sí me importa, pero lo que **dice** Jorge me da igual. ....

a. Jenny ha hablado con Jorge, pero no con Ana.

b. Jenny ha hablado con Ana, pero no con Jorge.

5. ¿Por qué no comemos en el sitio donde **comimos** la otra vez, en una mesa que **esté** un poco apartada? ....

a. Jenny se refiere a la segunda mesa a la izquierda.

b. Jenny se refiere al restaurante "Bona Petí".

16 Decide cuál de las siguientes continuaciones <u>no</u> es posible en cada caso.

B1 ➔ ¿Tienes un cuchillo
que... (..*a*....)

a. ...~~corta bien? Este es malísimo.~~

b. ...**corte** bien? Este es malísimo.

c. ...**corta** bien? ¿Y por qué no me lo has dicho antes?

1. Yo voy a casarme
con un hombre
que... (.......)

a. ...**sabe** cómo tratar a una mujer como yo. Si no lo encuentro, no me caso.

b. ...**sabe** cómo tratar a una mujer como yo. Tengo suerte, ¿no?

c. ...**sepa** cómo tratar a una mujer como yo. Eso lo tengo claro.

2. Yo quiero comprar
un apartamento
que... (.......)

a. ...**tiene** unas vistas al mar preciosas. Lo vimos el otro día en Motril, pero es muy caro.

b. ...**tenga** vistas al mar, pero no encuentro ninguno.

c. ...**tiene** vistas al mar. ¿Sabes tú de alguno no muy caro?

3. Mira, voy a poner
la lámpara donde...
(.......)

a. ...tú **has dicho**. Me parece lo mejor.

b. ...tú **digas**. Así que, por favor, decídete.

c. ...tú **dices**. ¿Dónde la pongo?

4. ¿Preparados?
El estudiante
que... (.......)

a. ...me **diga** antes la respuesta gana un chupa-chups.

b. ...me **dice** antes la respuesta es siempre Adam. ¿No hay otro que **quiera** un chupa-chups?

c. ...me **dice** antes la respuesta ganará un chupa chups.

■ Igualmente, podemos referirnos a las características de otras entidades, como el **modo de hacer algo**, con un adjetivo o con una frase:

➔ **42. Unir frases**

Con un adjetivo:	Con <u>una frase</u>:
UN MODO: • Hazlo de <u>la manera</u> **correcta**.	• Hazlo (de <u>la manera</u> en que) <u>como</u> **tú sabes hacerlo**.

■ Cuando usamos una frase de este tipo, con el verbo en indicativo nos referimos a un modo **identificado** de hacer algo. Con el subjuntivo hablamos de un modo que **no podemos o no queremos identificar**:

● Vale, haré la sopa <u>como</u> tú **dices.**   [Del modo concreto en que tú dices: con carne y verduras.]
● Vale, haré la sopa <u>como</u> tú **digas.**   [De cualquier modo que tú puedas decir, no importa cómo.]

17 Decide cuál de las dos opciones es la más adecuada, como en el ejemplo.

B1 ➔ ● ¿Cómo quieres que haga el arroz? ¿Con pollo o con pescado?
○ Como tú ~~quieres~~ / **quieras**. A mí me da exactamente igual.

1. Perdona, pero así, de la manera en que lo **estás** / **estés** haciendo, no va a funcionar.

2. Como **dice** / **diga** un amigo mío, un problema deja de ser un problema si no tiene solución.

3. Lo mejor es hacerlo como **dice** / **diga** Elena. Pregúntale y lo terminamos ahora.

4. Yo no tengo la culpa de que el ordenador no funcione. Yo lo monté como **dice** / **diga** el libro de instrucciones. Si el libro está equivocado, no es problema mío.

5. ● ¿Adónde vamos a ir de vacaciones este año, cariño?
○ Adonde tú **quieres** / **quieras**, amor mío. ¿Adónde te gustaría más ir?

6. ● ¡Lo siento! ¡No puedo controlar el avión!
○ ¡Aterrice como **puede** / **pueda**, comandante, pero aterrice ya!

7. No, hijo, no. Tienes que coger la cuchara así, como te **dice** / **diga** mamá.

8. Agustina es una chica simpatiquísima. Habla con ella. Es la que **lleva** / **lleve** la minifalda roja.

9. Este verano quiero trabajar en un bar para ganar todo el dinero que **puedo** / **pueda** y poder viajar un poco.

G Relacionar temporalmente dos hechos

■ Para relacionar temporalmente dos hechos usamos formas como *cuando...,
hasta que..., en cuanto..., mientras...* o *siempre que...*

⟳ 42. Unir frases

■ Usamos **indicativo** en la frase introducida por estas formas cuando nos
referimos al **pasado** o a un **presente habitual**. Usamos **subjuntivo** cuando
nos referimos a un momento **futuro**:

> Pasado: *Cuando **salí** del trabajo, me fui a casa.*
> Habitual: *Cuando **salgo** del trabajo, voy directo a casa.*
> Futuro: *Cuando salga del trabajo, me iré a casa.*

👁 **No usamos subjuntivo** en las preguntas sobre el futuro introducidas
por la forma interrogativa *cuándo*:

> *¿Cuándo **vuelve** Ricardo?*   *¿Cuándo ~~vuelva~~ Ricardo?*
> *¿Sabes cuándo **terminaremos**?*   *¿Sabes cuándo ~~terminemos~~?*

---

18 Todas estas personas responden a la pregunta del periodista.
Interpreta: ¿hablan del pasado (P), de algo habitual (H), o del futuro (F)?

B1

¿Y usted?
¿Hace usted deporte?

➲ Yo, siempre que tengo tiempo. ...H....   3. Un poco, hasta que me canso. ....

➲ Bueno, cuando estaba en la escuela, sí. ...P....   4. Sí, mientras espero el autobús hago flexiones. ....

➲ En cuanto me compre la bici, seguro. ...F....   5. Mientras pueda, sí. ....

1. No, solo hasta que me casé. ....   6. Claro que sí: en cuanto salgo del trabajo. ....

2. Sí, cuando me siento muy estresado. ....   7. Cuando sea un poco mayor, quizá. ....

19 ¿Pasado (P), habitual (H), o futuro (F)? Decídelo primero y escribe después la forma correcta
del verbo en cada frase.

B1

➲ ..F.... Te llamaré cuando ....*pueda*........ , mañana antes de las 10 si es posible.

1. ..... Cuando .... cocino yo, pero normalmente no tengo tiempo.

2. ..... Antes iba a la playa siempre que .... , pero ahora ya no voy nunca.

3. ..... Cuando .... una cerveza, tengo que ir al baño inmediatamente.

4. ..... Vi a Marta mientras .... unas cervezas con Lourdes y Javier.

5. ..... Voy a ir a verles en cuanto .... una decisión definitiva, no te preocupes.

6. ..... Clara y yo nos conocimos cuando .... la carrera: estudiamos juntos.

7. ..... Lo siento, pero tendrás que esperar hasta que .... ese examen.

8. ..... Me duele muchísimo la cabeza cuando .... aerobic.

> Poder

> Tomar

> Hacer

H Correspondencias temporales

■ La forma del subjuntivo que debemos utilizar para referirnos a tiempos diferentes se corresponde con las siguientes formas de indicativo:

Si en **indicativo** decimos...	En **subjuntivo** decimos...
Está / Estará en Berlín. ⟶	Es posible que *esté* allí.
Ha estado / Habrá estado en Berlín. ⟶	Es posible que *haya estado* allí.
Estaba / Estuvo / Estaría en Berlín. ⟶	Es posible que *estuviera* allí.
Había estado / Habría estado en Berlín. ⟶	Es posible que *hubiera estado* allí.

20 Completa las respuestas poniendo los verbos en negrita en la forma adecuada del subjuntivo.

B1

Si declaramos:

- La niña **lloraba** cuando veía a Emilio.
- Yo, en tu lugar, creo que me **callaría**.
- Alguien nos **encontrará**. No te preocupes.
- Aquí hay dos personas que **tienen** más de 30 años.
- Laila me **visitó** el verano pasado.
- Solo tomamos un café. Ya **habíamos comido**.
- No ha dicho nada porque no **ha querido** molestar.
- Me imagino que **habrán previsto** esa posibilidad.
- Ya sabes que me **voy** mañana.
- No te contestó porque se **habría quedado** dormido.
- Yo antes **pensaba** que el subjuntivo significaba duda.

Si no declaramos:

➔ ○ A mí no me extraña que la niña ...*llorara*.... .
1. ○ Pues si yo fuera tú, no creo que me ....
2. ○ No, no creo que nadie nos .... Preocúpate.
3. ○ ¿Hay alguien aquí que .... más de 30 años?
4. ○ Yo le pedí que me ....
5. ○ Sí, y les sorprendió mucho que ya ....
6. ○ Es lógico que no .... molestar.
7. ○ Sí, puede ser que .... esa posibilidad.
8. ○ ¡Pero yo no quiero que te .... !
9. ○ Sí, es probable que se .... dormido.
10. ○ ¿En serio? ¡No me puedo creer que .... eso!

21 Nemesio Contreras sigue cuestionando todo lo que dice la doctora Ginés Labella. Completa las notas que ha tomado durante la conferencia con la forma del subjuntivo que corresponda a los verbos en negrita.

B1

➔ "La mujer **ha sido** siempre poco valorada."
1. "La mujer **es**, en realidad, la base de la historia del hombre."
2. "La historia **ha ocultado** grandes verdades sobre la mujer."
3. "Algunos documentos históricos aseguran que Cristóbal Colón **era** una mujer."
4. "Diversas fuentes sugieren que la rueda la **inventó** una mujer."
5. "Nunca un hombre **podrá** quedarse embarazado."
6. "Mi marido siempre **ha estado** de acuerdo con mis ideas."
7. "Y esto es todo, lo siento. No sé quién me ha robado la última página de la conferencia. **Habrá sido** mi marido."

➔ No es del todo cierto que la mujer ...*haya sido*... siempre poco valorada.
1. Yo no pienso que la mujer .... la base de la historia.
2. No es cierto que la historia .... nada sobre la mujer.
3. ¡Es mentira que Colón .... una mujer!
4. La verdad, no puedo imaginarme que una mujer .... la rueda.
5. Dudo mucho que un hombre no .... quedarse embarazado.
6. Francamente, no me creo que su marido siempre .... de acuerdo con ella.
7. No es verdad que .... su marido, porque he sido yo.

34. Imperativo

A Usos

■ Usamos el imperativo para **pedir directamente** acciones a otros. Pedir directamente puede tener muchos efectos distintos:

Dar instrucciones	● **Seguid** todo recto unos 100 metros y, luego, **girad** a la derecha.
Rogar	● **Ayúdame**, por favor, **dime** qué te ha dicho.
Mandar, ordenar	● **¡Sal** de ahí ahora mismo!
Aconsejar	● Tienes mala cara. **Descansa** un poco y luego seguimos.
Invitar	● **Venid** a mi casa mañana. Hago una fiesta.
Dar permiso	● ¿Puedo pasar?
	○ **Pasa, pasa.**

1
A1
En todos estos enunciados, alguien pide algo a otra persona. ¿Qué clase de petición crees que está haciendo exactamente? Usa el diccionario, si lo necesitas.

➙ ¡Dejad de molestar a Samuel, que es muy pequeño! ...*orden*...........

1. Hazlo tú, por favor. Yo no puedo. ....

2. ¡Bajad de ese árbol ahora mismo! ....

3. Ve a la ventana de "Herramientas", **pulsa** "Opciones" y ahí está. ....

4. ● ¿Puedo probar tu postre?

   ○ Claro, **pruébalo**, está buenísimo. ....

5. Entrad y **poneos** cómodos. Estáis en vuestra casa. ....

6. ● ¿Y qué puedo hacer yo, si no estoy enamorada de él?

   ○ **Dile** que eres todavía muy joven para casarte. A lo mejor así te deja tranquila. ....

Ruego
Orden ✓
Invitación
Dar permiso
Orden
Instrucción
Consejo

B Imperativo de *tú*: come...

■ La **forma regular** del imperativo para la persona *tú* es igual que la tercera persona del Presente de indicativo, en todas las conjugaciones:

Yo	como	
Tú	comes	
Él, ella, usted	**come**	**¡Come!**
Nosotros/-as	comemos	
Vosotros/-as	coméis	
Ellos, ellas, ustedes	comen	

● Maribel no <u>habla</u>. **Habla** tú, por favor.
● Si él no <u>come</u> nada, **come** tú algo al menos.
● Todo el mundo <u>vive</u> su vida. **Vive** tú la tuya.

■ Solo hay ocho formas **irregulares**:

Ir	→	**Ve**		Poner	→	**Pon**
Salir	→	**Sal**		Decir	→	**Di**
Venir	→	**Ven**		Tener	→	**Ten**
Hacer	→	**Haz**		Ser	→	**Sé**

👁 Los verbos compuestos correspondientes tienen la misma irregularidad:

Proponer	→	*propón*	Mantener	→	*mantén*
Sostener	→	*sostén*	Entretener	→	*entretén*
Suponer	→	*supón*	Deshacer	→	*deshaz* etc.

Toma. Esto es tuyo.

34. Imperativo

2 El robot AC-69 sabe hacer 69 cosas diferentes. ¡Pídele una demostración!

A1

➲ AC-69 **habla** en ruso:

¡ .....*Habla*......... en ruso, 69!

1. AC-69 **enciende** las luces de la casa a distancia:

¡ .... la luz ahora!

2. AC-69 **llora** como un niño:

¡ .... un poco, 69!

3. AC-69 **sube** y **baja** escaleras:

¡ .... y .... esas escaleras!

4. AC-69 **bebe** whisky con Coca-cola:

¡ .... un poco de whisky!

5. AC-69 **baila** sevillanas:

¡ .... unas sevillanas!

6. AC-69 es educado con la gente cuando quiere:

¡ .... **educado** conmigo, 69!

7. AC-69 **viene** volando hasta donde estás tú:

¡ .... aquí volando, robotito!

8. AC-69 **va** volando a todas partes:

¡ .... a la cocina volando, 69!

9. AC-69 **pone** los pies en la cabeza:

¡ .... el pie izquierdo en la cabeza!

10. AC-69 **dice** "chiripitifláutico" muy rápido:

¡ .... "chiripitifláutico" rápido!

11. AC-69 **sale** de cualquier sitio en 1,5 segundos:

¡ .... de la habitación!

12. AC-69 **hace** paella de marisco:

¡ .... una paella para mí!

13. AC-69 **propone** planes:

¡ .... algo para el fin de semana!

C Imperativo de *vosotros*: *comed*...

■ La forma del imperativo para la persona *vosotros* se obtiene sustituyendo la **-r** del final del infinitivo por una **-d**. No hay irregulares. En el lenguaje informal se usa también la misma forma del infinitivo:

Tomad. Esto es vuestro.

INFINITIVO

Comer → ¡*Comed*! / ¡*Comer*!

- *Si queréis* **hacer** *algo,* **haced**/*hacer la ensalada.*
- *Yo no voy a* <u>*ir*</u> *a la fiesta.* **Id**/*Ir vosotros.*
- *¡Hay que* **salir** *rápido!* ¡**Salid**/*Salir ya!*

■ Con frecuencia, en la lengua hablada, estas **-d** o **-r** finales no se pronuncian claramente. Por eso, es muy importante **identificar bien la sílaba acentuada** para diferenciar el imperativo de *tú* y de *vosotros* en muchas formas regulares:

Pedimos algo a una persona (*tú*)	Pedimos algo a varias personas (*vosotros*)
¡B<u>ai</u>la! ¡C<u>o</u>me! ¡L<u>ee</u>!	¡Bail<u>a</u>d! ¡Com<u>e</u>d! ¡Le<u>e</u>d!
	¡Bail<u>a</u>r! ¡Com<u>e</u>r! ¡Le<u>e</u>r!

---

3 ¿Qué cambia si mamá tiene dos niños?

A2

➲ **Escucha** lo que voy a decirte.

.....*Escuchad*..... lo que voy a deciros.

1. **Ve** a casa de la abuela.

.... a casa de la abuela.

2. **Toma** el camino del río.

.... el camino del río.

3. **Sigue** ese camino sin entrar en el bosque.

.... ese camino sin entrar en el bosque.

4. **Ten** cuidado de no ensuciarte la ropa.

.... cuidado de no ensuciaros la ropa.

5. **Habla** con ella un poco. A ella le gusta oírte.

.... con ella un poco. A ella le gusta oíros.

6. **Haz** tus deberes con ella. Necesita compañía.

.... vuestros deberes con ella. Necesita compañía.

7. **Sé** bueno con ella. Es muy viejecita.

.... buenos con ella. Es muy viejecita.

8. Y **ven** pronto: antes del anochecer.

Y .... pronto: antes del anochecer.

9. **Vuelve** antes de las siete.

.... antes de las siete.

D Imperativo de *usted* y *ustedes*: *coma, coman*...

■ Para hacer una petición directa en situaciones formales, usamos **la tercera persona singular o plural del Presente de subjuntivo**:

USTED

Tome, señora. Esto es suyo.

USTEDES

Tomen, señoras. Esto es suyo.

- *Bueno, vamos a ver. **Dígame** dónde le duele.*
- *Pasajeros del vuelo HL-323, **diríjanse** a la puerta B-5.*
- ***Oiga**, ¿puede decirme la hora?*
- ***Perdone**, ¿para ir a la calle Pallá?*
- ***Miren** a su derecha y verán el palacio del sultán.*

⊙ 32. Formas del subjuntivo

4 ¿Cómo cambia la forma de estas peticiones si hablas en una situación formal?

★ **A2**

➥ Ve al médico. No tienes buena cara.

...*Vaya*... al médico. No tiene buena cara.

1. ¡Ahora, rápido, **sal**!

¡Ahora, rápido, ... !

2. ¿Puedes hacerme un favor? **Traduce** esto.

Martínez, ... esto, por favor.

3. ¿Qué os ha pasado? **Hablad** sin miedo.

¿Qué les ha pasado? .... sin miedo.

4. **Perdona**. No sabía que estabas aquí.

.... No sabía que estaba usted aquí.

5. **Ten**. Este dinero es tuyo.

.... Este dinero es suyo. Gracias.

6. **Oye**, Julio, ¿me puedo ir ya o me necesitas?

.... , señor Carreras, ¿me puedo ir un poco antes?

7. **Haced** el favor de callaros un poco, ¿vale?

.... el favor de callarse. Estamos en un hospital.

8. **Pon** aquí tu nombre y dirección, y te lo mando.

.... aquí su nombre y dirección, y se lo mando.

9. **Venid** mañana, que hoy estoy muy ocupado.

La doctora ha tenido que salir. .... mañana.

E Imperativo negativo: *no comas, no comáis, no coma, no coman*...

■ Para hacer peticiones negativas directas usamos **siempre** el **Presente de subjuntivo**, en todas las personas:

⊙ 32. Formas del subjuntivo

	IMPERATIVO POSITIVO	IMPERATIVO NEGATIVO
Tú	*Come*	*No **comas***
Vosotros/-as	*Comed*	*No **comáis***
Usted	***Coma***	*No **coma***
Ustedes	***Coman***	*No **coman***

👁 Podemos hacer peticiones negativas con *no* o con cualquier forma de significado negativo:

- ***No** beba, **ni** fume. **Tampoco** coma grasas.*
- ***Jamás** me mientas.*

- ***Nunca** vuelvas a hacer eso.*

5 Esteban tiene muchos problemas. Aconséjale, como en el ejemplo.

★ **A2**
★ **B1**

➥ • Como demasiado.

○ Pues no ...*comas*... tanto, hombre.

1. • Fumo demasiado.

○ Pues no .... tanto.

2. • Salgo todas las noches hasta muy tarde.

○ Pues no ....

3. • Bebo mucho, y después conduzco.

○ Hombre, si conduces, no ....

4. • **Conduzco** muy rápido.

○ Pues ten cuidado y no .... tan rápido.

5. • Siempre **pienso** negativamente.

○ Pues de ahora en adelante no .... así.

6. • **Tengo** miedo de hablar con la gente.

○ Pues no .... miedo. Nadie te va hacer nada.

7. • **Creo** que nadie me quiere.

○ No .... eso. Mucha gente te quiere.

185

6 ¿Y qué cambia si los problemas son de Esteban y de su hermano gemelo Sebastián?

A2
B1

➲ ● **Comemos** demasiado.

○ Pues no ...*comáis*... tanto.

1. ● **Fumamos** demasiado.

○ Pues no .... tanto.

2. ● **Salimos** todas las noches hasta muy tarde.

○ Pues no ....

3. ● **Bebemos** mucho y después conducimos.

○ Hombre, si conducís, no ....

4. ● **Conducimos** muy rápido.

○ Pues tened cuidado y no .... tan rápido.

5. ● Siempre **pensamos** negativamente.

○ Pues de ahora en adelante no .... así.

6. ● **Tenemos** miedo de hablar con la gente.

○ Pues no .... miedo. Nadie os va a hacer nada.

7. ● **Creemos** que nadie nos quiere.

○ No .... eso. Mucha gente os quiere.

F Imperativo con pronombres: *Dímelo / No me lo digas*

■ Con el imperativo positivo, los pronombres se colocan después del verbo y formando una sola palabra. Con el imperativo negativo los pronombres se colocan según el orden normal: antes del verbo y separados.

➲ **16. Posición y combinación**

➲ **44. Acentuación**

Orden normal	IMPERATIVO POSITIVO	IMPERATIVO NEGATIVO
● Ella **me lo** <u>cuenta</u> todo.	● <u>Cuénta**melo**</u> todo.	● No **me lo** <u>cuentes</u> todo.
● Pepa **nos** <u>ayuda</u> mucho.	● <u>Ayúda**nos**</u>, ¿quieres?	● No **nos** <u>ayudes</u>. No es necesario.
● Su tía **le** <u>regala</u> siempre juguetes.	● <u>Regalad**le**</u> ese juguete.	● No **le** <u>regaléis</u> ese juguete.
● **Se los** <u>regala</u> porque lo quiere.	● <u>Regále**selos**</u> usted.	● No **se los** <u>regale</u>.

---

7 Dale consejos a José.

B1

➲ Alejandro habla con cariño a Claudia. ...*Háblale*... tú también así.

1. Alejandro le escribe poesías y se las lee. .... tú poesías y ....

2. Alejandro la llama por teléfono cada día. .... tú también.

3. Alejandro la quiere y se lo dice a todas horas. .... tú también.

4. Alejandro la acompaña cuando va de compras porque no le gusta ir sola. .... tú también.

5. A Alejandro no le molestan sus caprichos y se los perdona. .... tú también.

6. A ella no le gusta hacer la comida y Alejandro se la hace muchas veces. .... tú también.

7. Alejandro se ducha todos los días y se pone guapo cuando va a verla. .... y .... guapo tú también, hombre.

¿Por qué Claudia está enamorada de Alejandro y no de mí?

---

8 Completa la tabla con la formas que faltan, según el ejemplo. ¡Y cuidado con la posición de los pronombres!

B1

Tú	Dímelo.	Dáselas.	....	....	Tráenoslo.
	No me lo digas.	No se las des.	No	No	No ....
Vosotros	Decídmelo.	...*Dádselas*...	Pensadlo.	....	....
	No me lo digáis.	No	No	No os sentéis.	No ....
Usted	Dígamelo.	Déselas.	....	....	....
	No me lo diga.	No	No lo piense.	No	No ....
Ustedes	Díganmelo.	Dénselas.	....	Siéntense.	....
	No me lo digan.	No	No lo piensen.	No	No ....

35. *Ser* y *estar*

A   *Ser*: *Julio César es un gato.*

■ Usamos el verbo *ser* para:

Definir palabras o conceptos

- *Un planeta es un astro sin luz que puede tener satélites.*
- *Un gato es un felino doméstico.*

Expresar las características propias de un objeto

- *La Tierra es redonda.*
- *Julio César es blanco y marrón.*

Definir o clasificar un objeto

- *La Tierra es un planeta.*
- *Julio César es un gato.*

Identificar el objeto al que nos referimos

- *La Tierra es el tercer planeta del sistema solar.*
- *Julio César es el gato de Ainhoa.*

⊜ 4. Adjetivo

Por tanto, podemos usar el verbo *ser* para hablar, por ejemplo, de:

Identidad:
- *Esa es <u>María</u>.*

Carácter:
- *Manuel es <u>muy tímido</u>.*

Características:
- *¡Oh! Es <u>muy bonito</u>. Gracias.*
- *El examen ha sido <u>fácil</u>.*

Clase:
- *Esto es <u>un abanico</u>.*
- *Los perros son <u>mamíferos</u>.*

Procedencia:
- *Rodolfo es <u>cubano</u>.*

Material:
- *¿Este anillo será <u>de oro</u>?*

Profesión:
- *Era <u>médico</u>. Bueno, era <u>radiólogo</u>.*

Forma:
- *Mi dormitorio es <u>rectangular</u>.*

Marca:
- *Mi móvil es <u>Mokia</u>.*

Color:
- *No, mi coche era <u>verde</u>.*

Relaciones personales:
- *Es <u>mi sobrino</u>.*
- *Antonio fue <u>mi novio</u>.*

Fechas, horas...
- *El lunes es <u>Navidad</u>.*
- *¿Ya son <u>las cinco</u>?*

👁 En español no hablamos de la edad con el verbo *ser*. Usamos el verbo *tener*:
- *Tengo veinte años.* [~~Soy veinte años.~~]

1 En la oficina de Objetos perdidos la Señora Olvido Pertinaz describe todo lo que ha perdido. Relaciona los elementos de cada columna.

★ ★
★ **A1**
★ ★

Mi bolso		negro.		de piel.		bastante grande.
Mis guantes	**es**	de lana.	**Es**	Ricsson.	**Es**	pequeñísimos.
Mis gafas	**son**	de sol.	**Son**	rojos.	**Son**	cuadradas.
Mi móvil		rojo.		muy oscuras.		un poco antiguo.

187

B *Estar. Julio César está dormido.*

■ Usamos el verbo *estar* para hablar de la **situación** de un objeto. "Situación" puede ser **localización** en el espacio (**dónde se encuentra** un objeto) y también **estado** (cómo se encuentra un objeto):

➲ 4. Adjetivo

Localizar objetos en el espacio

Está debajo de la mesa. / Está en el árbol. / Está lejos. / Está cerca.

Estado en que se encuentra un objeto

Está tumbado. / Está sentado. / Está asustado. / Está dormido.

- ● *¿Dónde* **está** el banco?
- ○ **Está** <u>muy cerca de aquí</u>.
- ▲ **Está** <u>a unos cien metros</u>.

- ● Madrid **está** <u>en el centro de España</u>.

- ● ¿Dónde dejaste las llaves?
- ○ **Estaban** <u>en la mesa del recibidor</u>.

- ● ¿Y Martín?
- ○ **Está** <u>en la ducha</u>.

➲ 36. Haber y estar

- ● ¿Qué tal Paloma?
- ○ Bueno, **está** <u>bien</u>. La verdad es que **está** <u>más animada</u>, pero aún **está** <u>un poco triste</u> a veces.

- ● Oye, la puerta **está** <u>abierta</u>.
- ○ Sí, es que **está** <u>rota</u>.

Estar bien/mal...	Estar de buen humor/ de mal humor...
Estar solo/acompañado...	
Estar roto/arreglado...	Estar harto/aburrido...
Estar vacío/lleno...	Estar vivo/muerto...
Estar abierto/cerrado...	Estar enfermo/sano/ loco...
Estar de pie/sentado/ tumbado...	Estar cansado/agotado...
Estar alegre/triste/ contento/animado...	Estar dormido/ despierto...

---

2 Ernestina es una persona muy despistada y no encuentra nada. Su compañero le ha dejado un mensaje escrito en varias notas para decirle dónde está lo que ha perdido. Complételo.

★ A1
★ A2

Nena:
¿Dónde tienes la cabeza?

El anillo ➲ .está..
encima de la mesilla de noche.

Las llaves (1) ....
dentro del cajón de la mesa del estudio.

Los regalos para tus sobrinos (2) ....
dentro del armario de tu habitación.

Tu bolso (3) ....
en la percha de la entrada.

Y yo, yo (4) ....
en Las Bahamas.
(5) .... cansado de buscar todas tus cosas.

Volveré.
Solo necesito un DESCANSO.

Ah, los billetes de tren para ir a casa de tu madre no (6) .... en casa,

(7) .... en la agencia de viajes.

¿Te acuerdas de en qué calle (8) ....
la agencia?

Eso espero. Un beso,

TONY

3 Completa con *ser* o *estar* en la respuesta correcta y tacha la incorrecta.

A1 · A2

➡ Dos más dos...
a. ...*son*... cuatro.
b. ...~~son~~... seis.

3. La capital de Perú...
a. .... Montevideo.
b. .... Lima.

6. Sevilla...
a. .... en Galicia.
b. .... en Andalucía.

9. El Atlántico...
a. .... un océano.
b. .... un mar.

1. El Sol...
a. .... a 180.000 km.
de la Tierra.
b. .... a un año luz
de la Tierra.

4. Los Pirineos...
a. .... unas montañas
que separan España de
Francia.
b. .... unas islas.

7. Las islas Baleares...
a. .... en el mar
Cantábrico.
b. .... en el mar
Mediterráneo.

10. La Tierra...
a. .... más lejos del
Sol que Marte.
b. .... más cerca del
Sol que Marte.

2. La Luna...
a. .... un satélite.
b. .... un planeta.

5. La bandera española...
a. .... roja.
b. .... roja y amarilla.

8. Una persona agotada
es una persona que...
a. .... cansada.
b. .... dormida.

11. El régimen político
español...
a. .... una monarquía.
b. .... una república.

4 Describe a Pedro y a Juan con frases como las del ejemplo. Elige *ser* o *estar*
y las palabras adecuadas del recuadro.

B1

> Contento
> Un chico
> Joven
> Rubio
> Sentado
> Deportista
> Moreno
> Un hombre ✓
> Mayor
> Triste
> Bajo
> Tumbado ✓
> Alto
> Oficinista

Juan es un hombre.
....
....
....
....
....
....
....

Pedro está tumbado.
....
....
....
....
....
....
....

5 Pedro le enseña una foto a su amiga Rocío. Señala la forma correcta.

B1

Mira, esta ➡ **es** / está mi familia. (1) **Éramos** / Estábamos en un restaurante. Ese día (2) **estaba**
/ era el cumpleaños de mi madre. (3) Este **soy** / estoy yo. (4) **Tenía** / Era 10 años. (5)
Ese día **era** / estaba muy enfadado porque no me gustaban los zapatos que llevaba. El del bigote (6) **es** / está mi padre, y el chico que (7) es / **está** a su lado
(8) **es** / está mi hermano mayor, Andrés. Esas que (9) **están** / son sentadas (10)
están / **son** mis primas. (11) **Son** / Están gemelas. Ese del fondo (12) **es** / está mi
tío Raúl. (13) Estaba / **Era** jugador de fútbol pero ahora (14) **está** / es retirado.
La que (15) es / **está** detrás (16) **es** / está mi madre. El bebé que tiene en brazos
(17) **es** / está Clara, mi hermana pequeña. (18) **Estaba** / Era dormida. ¿La ves?

189

A   Formas de *haber*: *hay*, *había*, *habrá*...

■ El verbo *haber* tiene dos formas, la personal y la impersonal.

Con la **forma personal** se construyen los tiempos compuestos. Por ejemplo:

PRETÉRITO PERFECTO	PRET. PLUSCUAMPERFECTO	FUTURO PERFECTO
Presente de *haber*	Imperfecto de *haber*	Futuro de *haber*

he has ha hemos habéis han PARTICIPIO	había habías había habíamos habíais habían PARTICIPIO	habré habrás habrá habremos habréis habrán PARTICIPIO

- Eugenia no **ha** <u>venido</u> a trabajar, ¿sabes?
- ¿**Has** <u>ido</u> al concierto de los Repanocha?

- En esa época yo ya **había** <u>terminado</u> la universidad.
- Cuando llegó la policía, los ladrones **habían** <u>huido</u>.

- Tómese estas pastillas. Dentro de una hora el dolor **habrá** <u>desaparecido</u>.
- Las lentejas ya se **habrán** <u>enfriado</u> un poco. Ya te las puedes comer.

⊙ 22. Pretérito perfecto   ⊙ 27. Pret. pluscuamperfecto   ⊙ 29. Futuro perfecto

La **forma impersonal** se construye con la **tercera persona del singular** del verbo *haber* en cualquiera de los tiempos, excepto para el Presente de indicativo, que tiene una forma propia. Por ejemplo:

PRESENTE	PRET. PERFECTO	INDEFINIDO	IMPERFECTO	FUTURO	F. PERFECTO
hay	*ha habido*	*hubo*	*había*	*habrá*	*habrá habido*

- En España **hay** más de cuarenta millones de habitantes.
- Esta mañana **ha habido** un problema y no hemos podido llegar a tiempo.
- Al final **hubo** un problema y no pudimos llegar a tiempo.
- **Habrá habido** algún problema, porque no han llegado a tiempo.
- Dentro de unos años ya no **habrá** ordenadores grandes. Solo **habrá** de bolsillo.
- Hace unos años en este pueblecito no **había** coches. **Había** gallinas, cabras, vacas... pero no **había** coches.

👁   Las formas impersonales son invariables:

[En mi escuela ~~habían~~ muchos estudiantes extranjeros.]
    había

[Este verano ~~han habido~~ bastantes tormentas.]
    ha habido

190

1 Escoge la forma del presente del verbo *haber* que corresponda y busca la continuación del diálogo.

⭐⭐
⭐ **A1**
⭐⭐

➲ ● Perdone, ¿sabe si ...*hay*. un banco por aquí cerca? ——— a. ○ Sí, aquí en la esquina hay uno. El Mangal.

1. ● Lo siento, pero no .... gazpacho. Se .... terminado.   b. ○ Sí, y todos son muy agradables con los turistas.

2. ● Pepón no .... aprobado casi nada. Tiene que repetir curso.   c. ○ No, todavía no. Llamarán más tarde, imagino.

3. ● ¿En el Cabo de Gata .... playas tranquilas?   d. ○ Es que ha estudiado poquísimo.

4. ● ¿........ llamado los Hernández?   e. ○ Buenas, pero cortas. Muy cortas.

5. ● ¿Y vosotros? ¿........ tenido unas buenas vacaciones?   f. ○ ¿Ya está mejor?

6. ● En este pueblo .... gente muy amable. Ya verás.   g. ○ Sí, y muy bonitas, además.

7. ● Chicos, no .... berberechos. ¿Queréis patatas fritas?   h. ○ No, que engordan muchísimo.

8. ● Esta mañana mi padre y yo .... ido a ver a la abuela al hospital.   i. ○ ¿Y tienen alguna otra sopa fría?

2 Guiri Forastérez no sabe mucho español. En su libreta ha escrito unas frases sobre la ciudad de Granalona, pero, en algunas, usa mal el verbo *haber*. ¿Puedes corregírselas?

⭐⭐
⭐ **A1**
⭐⭐

➲ El verano pasado en esta ciudad ~~habían~~ muchos turistas. ....*había*.........

➲ Antes había muchos niños por las calles y plazas. Ahora casi no hay niños. .....✓........

1. Hace años no habían coches ni motos, pero hubieron muchos cambios y ahora hay muchos coches. ....

2. Antes había mucho silencio. No habían ruidos. ....

3. Pero antes no había ordenadores ni cibercafés. ....

4. Este año han habido unas fiestas maravillosas. ....

5. En las fiestas del año próximo habrán más petardos que este año. ....

6. Ha habido más gente en el mes de agosto que en todo el año. ....

B   Usos de *haber* en forma impersonal: *¿Hay un hospital por aquí cerca?*

■ Usamos las **formas impersonales** del verbo *haber* para hablar de la **existencia de algo**. Las usamos cuando imaginamos o sabemos que nuestro interlocutor no tiene esa información:

He alquilado un piso amueblado con un salón precioso.

Pues, mira, a la izquierda **hay** un sofá azul. Enfrente del sofá **hay** una mesa alta y junto a la mesa **hay** una ventana grande con unas cortinas verdes.

Ummm, parece bonito...

Ah, ¿y cómo es el salón?

● *Perdone, ¿**hay** una farmacia por aquí?*   [La persona que habla no sabe si existe una farmacia.]
○ *Sí, **hay** una a unos cien metros.*   [La persona que habla informa de la existencia de una farmacia. Sabe que la persona que escucha no tiene esa información.]

● *En mi barrio **hay** varias galerías de arte contemporáneo.*   [La persona que habla imagina que la persona que escucha no sabe que en su barrio existen esas galerías.]

● *¿Ves ese edificio? Pues antes ahí **había** unos árboles centenarios preciosos.*   [La persona que habla imagina que la persona que escucha no sabe que antes existían unos árboles en ese lugar.]

3 Casimiro, con la ayuda del telescopio Ojubber, ha conseguido localizar dos nuevos planetas:
A1 Vepiturno y Marsatón. Ahora está escribiendo un informe de lo que hay en uno y otro planeta.
Pero tiene que hablar de los siguientes temas. Ayúdale a escribirlo.

↪ Animales (vacas, caballos): *En Vepiturno hay vacas. En Marsatón no hay vacas, pero hay caballos.* ....

....

1. Vegetación (plantas, árboles): ....

....

2. Geografía (ríos, montañas, mares): ....

....

3. Vivienda (casas, rascacielos): ....

....

4. Habitantes (muchos, pocos, niños, personas mayores): ....

....

....

C   *Haber/Estar: Hay varios hospitales, pero el Hospital General está en la esquina.*

■ El verbo **haber** se combina con elementos que sirven para hablar de **objetos no identificables por el oyente**:

- ¿En tu país **hay** <u>olivos</u>?
- ○ Sí, **hay** <u>muchísimos</u>. Producimos mucho aceite.

- ¿**Hay** <u>un</u> mercado por aquí?
- ○ Sí, **hay** <u>dos</u>. El Central y el de Santa María.

- En esta zona **habrá** <u>diez o doce monumentos famosos</u>.

- Creo que en esa avenida **había** <u>algunas tiendas</u> bastante baratas.

- Uf, vamos a otro restaurante. Aquí no **hay** <u>nadie</u>. Seguro que no es bueno.

- ¿**Hay** <u>algo</u> que tengas que decirme?
- ○ No, nada.

■ El verbo *estar* sirve para localizar elementos **identificables por el oyente**:

¿Y el cuadro que te regalé?

Está encima del sofá.

→ *35. Ser y estar*

● Perdone, ¿**hay** <u>una farmacia</u> por aquí?
○ Sí, **hay** una a unos cien metros.
● ¿Y dónde **está**?

[Aquí las dos personas hablan de la existencia de la *farmacia*: uno pregunta y otro informa.]
[Ahora la *farmacia* ya está identificada, ya saben que existe. Se trata de localizar esa *farmacia* ya identificada, de situarla.]

● Oiga, ¿sabe dónde **está** <u>El Corting Less</u>?

[La persona que pregunta imagina que el otro conoce la existencia de El Corting Less.]

● ¿<u>Madrid</u> **está** cerca de Salamanca o no?

[Habla de algo que supone perfectamente identificado: la ciudad de Madrid.]

● ¡Socorro!, ¿dónde **están** <u>mi cartera y mis llaves</u>?

[Habla de algo perfectamente identificado.]

👁 Cuando usamos **haber** en forma impersonal (*hay, había...*), los sustantivos pueden ir sin determinante o acompañados de determinantes indefinidos, cardinales y cuantificadores. Cuando usamos **estar**, los sustantivos pueden ir acompañados de artículos definidos, demostrativos y posesivos:

● ¿<u>Hay</u> **algún** médico en la sala?
● ¿**Está** <u>el</u> médico de guardia en la sala? [~~¿Hay el médico de guardia en la sala?~~]

● <u>Hay</u> **tres** informes que no encuentro por ninguna parte.
● Aquí <u>están</u> **aquellos** informes que buscabas. [~~Aquí hay aquellos informes que buscabas.~~]

---

4 Casimiro le va contando a su amiga Ada Mir lo que ve en Vepiturno. Completa el diálogo con el verbo *estar* o con *hay*.

★ ★
★ **A2**
★ ★

Casi: → ...*Hay*.... bastantes vacas, pero las vacas tienen más de cuatro patas.

Ada: ¿En serio (1) .... vacas? ¿Y dónde (2) ....?

Casi: En el polo norte, al lado de unos árboles.

Ada: ¡Ah!, pero ¿ (3) .... árboles?

Casi: Sí, (4) .... todos en el Norte. En el Sur solo (5) .... nieve, mucha nieve.

Ada: ¿Y no (6) .... gente?

Casi: Bueno, (7) .... uno o dos pueblos. Parecen pueblos porque (8) .... unas casitas que (9) .... todas juntas...

Ada: ¿Y (10) .... coches?

Casi: No, no (11) .... ninguno. Pero (12) .... algo que parece un pájaro verde muy grande. ¿Puede ser un avión?

Ada: ¿Dónde (13) .... ? ¿En el campo?

Casi: No, no, (14) .... cerca del pueblo. Sí, seguramente es un avión o una nave espacial... ¿Sabes qué (15) .... al lado del poblado?

Ada: No, ¿qué?

Casi: Es terrible, Ada. (16) .... un anuncio de Cocacuela y un edificio de Yanoquea. Estamos perdidos.

5 Anita está muy preocupada porque no sabe si los Reyes Magos encontrarán su nueva casa
A2 para dejarle los juguetes la noche del 5 de enero y les escribe esta carta. Ayúdala a escoger
el verbo adecuado.

Queridos Reyes Magos:

Este año hemos cambiado de casa y quiero explicaros dónde hay/
está (la) nueva. En Barcelona hay/está una calle que se llama
Vía Layetana. En esta calle no hay/está mi casa. Es
una calle muy larga que va al mar. En esta calle
hay/están muchos edificios bastante altos. A
mitad de la calle, hay/está un trozo de las
murallas romanas. Enfrente de las murallas
romanas hay/está una callecita
muy estrecha y en la esquina hay/
está "La Colmena", que es una
pastelería muy buena. Bueno, pues
al lado de esa pastelería hay/está
un portal muy grande, de madera. Esa es
la puerta de mi casa. Cuando entras, hay/
está una puerta de hierro muy grande. Es la puerta
del ascensor. Tenéis que subir al quinto piso. Al
salir hay/están dos puertas, una, a la derecha,
y otra, a la izquierda. La de la derecha es la de mi
casa. En mi casa hay/están
cuatro dormitorios. Mucho cuidado, mi
dormitorio hay/está al final del pasillo.
En la puerta hay/está un cartel que pone
"Anita". Yo soy Anita. Traedme muchos
regalos, que he sido muy buena este año.

Un beso para los tres,

Anita

Dibujos de Ángela Castañeda González

194

37. Perífrasis verbales: *Va a salir. Está saliendo...*

A *Ir a* + INFINITIVO: *voy a comer*, *iba a comer...*

■ Con el **Presente de *Ir a*** + INFINITIVO presentamos un hecho futuro como el resultado lógico de lo que sabemos en el presente. Por eso, usamos esta perífrasis para predecir o preguntar por un futuro que consideramos ya **evidente**:

- *El tren tiene un problema mecánico.* ***Va a salir*** *con retraso.* [Es evidente.]
- *No comas tanto.* ***Vas a ponerte*** *enfermo.* [Es lógico.]

voy		
vas		
va	**a**	INFINITIVO
vamos		
vais		
van		

Esta tarde **va a llover**.

¿Cuándo **va a nacer** mi hermanito, mamá?

---

1 ¿Qué va a pasar? Está bastante claro, ¿no? Utiliza los siguientes verbos.

 A1

saltar
suspender
caerse ✓

Una niña pequeña está jugando encima de una mesa.

➡ ...... *Se va a caer* ......

entrar
explotar
nevar

Juanito no ha estudiado nada para este examen.

1. ....

Unos señores se dirigen a un restaurante.

2. ....

Hace mucho frío y el cielo está gris.

3. ....

Una bomba está activada.

4. ....

Un deportista corre hacia una valla.

5. ....

■ Igualmente, usamos esta perífrasis para informar de **decisiones** o **planes**, o para preguntar por las intenciones, decisiones o planes de otros:

- *Livio* ***va a ir*** *a la fiesta de Bea. Me lo ha dicho hoy.* [Es su intención o su plan.]
- *El año que viene* ***voy a estudiar*** *más.* [Es su decisión o su plan.]
- *¿Qué* ***vas a hacer*** *este fin de semana?* [Preguntamos por sus planes.]
- *Bueno, ¿* ***vas a ayudarme*** *o no?* [Esperamos una decisión.]

➲ 16. Posición y combinación

---

2 Todos tus amigos tienen planes. Pregúntales cuáles tienen con *Ir a* + INFINITIVO.

A1

➲ Rosa quiere **hacer** muchas cosas el próximo verano.

   1. Pedro y Ángel quieren **estudiar** algún idioma.

   2. Alberto quiere **comer** y está preparando algo en la cocina.

   3. Xavi está en Francia y piensa **volver** pronto a España.

   4. Patricio tiene la intención de **comprar**se un coche nuevo.

   5. Jaume y Carme piensan **ir** a algún país de América.

➲ ¿Qué ..... *vas a hacer* ..... el verano que viene?

   1. ¿Qué idioma .... ?

   2. ¿Qué .... ?

   3. ¿Cuándo .... ?

   4. ¿Qué coche te .... ?

   5. ¿A qué país .... ?

■ Con el **Pretérito imperfecto** de *Ir a* + INFINITIVO hacemos lo mismo, pero refiriéndonos a una escena pasada:

● *El tren tenía un problema mecánico.* **Iba a salir** *con retraso, pero lo repararon muy rápido y, al final, salió a la hora prevista.*

● *Era evidente que, si comía tanto,* **iba a ponerse** *enfermo. No me hizo caso y, claro, se puso enfermo.*

iba		
ibas		
iba		
íbamos	**a**	INFINITIVO
ibais		
iban		

---

3 ¿Recuerdas las situaciones del ejercicio 1? Cuenta ahora qué pasó al final completando lo que falta, como en el ejemplo.

A2

➜ Parecía que se *se iba a caer* .... , pero su madre la salvó.

1. No había estudiado nada, y todo el mundo me decía que .... Y tenían razón: al final suspendí.

2. Cuando ya .... en el restaurante, vimos que estaba cerrado, y volvimos a casa.

3. La mañana era muy fría y el cielo estaba muy gris. Todos pensábamos que .... , pero luego salió el sol.

4. Pues sí, yo salí corriendo porque estaba claro que la bomba ....

5. Yo iba el primero, pero, cuando .... la última valla, tropecé.

B   *Tener que / Haber que* + INFINITIVO: *Tienes que comer / Hay que comer*

■ Usamos *tener que / haber que* + INFINITIVO para expresar **necesidad** u **obligación**, de dos maneras diferentes:

Indicando quién tiene la necesidad o la obligación	**Sin indicar quién** tiene la necesidad o la obligación

tengo						
tienes						
tiene						
tenemos	**que**	INFINITIVO		*hay*	**que**	INFINITIVO
tenéis						
tienen						

• ***Tienes que comer*** *más frutas y verduras. Te lo ha dicho el médico.* [Es necesario para ti.]

• ***Hay que comer*** *muchas frutas y verduras para tener buena salud.* [Es necesario, en general.]

■ Usamos estas perífrasis en cualquier tiempo verbal:

⊘ 16. Posición y combinación

• *Yo **tenía que hacer** la comida, pero al final la hizo Francisca, por suerte.* [Era mi obligación.]

• ***Había que hacer*** *la comida y Francisca se ofreció inmediatamente para hacerla.* [Era necesario para alguien.]

• *¿**Habéis solucionado** el problema con el ordenador o **habéis tenido que llevarlo** a arreglar?* [¿Ha sido necesario para vosotros?]

• *¿**Ha habido que llevar** el ordenador a arreglar o está ya todo solucionado?* [¿Ha sido necesario para alguien?]

Hoy **tienes que** fregar tú. Yo me voy corriendo.

Pues yo tampoco tengo tiempo.

Bueno, pues ahora **hay que** fregar todo esto.

Ya lo hago yo. Tú descansa.

---

4 ¿Son posibles las dos opciones? Si una no es adecuada, táchala.

A2

⮕ ~~Tienes que~~ / Hay que ✓ ir a comprar azúcar. ¿Vas tú o voy yo?

⮕ Estuvo toda la tarde sintiéndose muy mal. Al final, **tuvimos que** ✓/ **hubo que** ✓ llevarla al médico.

1. Por favor, **tienes que** / **hay que** decirme qué te ha dicho. Me muero de curiosidad.

2. ● Había mucha nieve en la carretera. Casi tuve un accidente con el coche...

   ○ Claro, es que en invierno **tienes que** / **hay que** tener mucho cuidado.

3. ● ¿Cómo hago el gazpacho?

   ○ Para hacer bien el gazpacho, **tienes que** / **hay que** pelar los tomates.

4. El otro día vi a Rosa con un hombre que no era su marido y llamé a Jesús: **tenía que** / **había que** saberlo.

5. Mi vecino del segundo se ha encontrado la casa llena de agua y **ha tenido que** / **ha habido que** llamar al fontanero. Le ha costado carísimo.

6. Verónica vendrá conmigo, así que tú no **tienes que** / **no hay que** acompañarme.

7. Cuando estabais en la calle, ha empezado a salir humo de vuestra casa. **Habéis tenido que** / **Ha habido que** llamar a los bomberos. Habíais olvidado apagar el tostador.

C *Estar* + GERUNDIO: *Está durmiendo / Duerme*

■ Con los verbos sin perífrasis representamos **estados** (situaciones que se mantienen en el tiempo) o **acciones** (procesos que producen cambios de estado):

Estados	Acciones

Estados

- *Está de pie.*
- *Está cansado.*
- *Está solo.*

- *Sabe mucho.*
- *Es listo.*
- *Tiene sueño.*

Acciones

- *Lleva los regalos del cumpleaños al coche.*
  [Los regalos han cambiado de sitio.]

■ Con la perífrasis *Estar* + GERUNDIO presentamos el **estado intermedio de una acción**. Vemos una acción en su desarrollo, después de su inicio y antes de su término, como una situación que puede mantenerse en el tiempo:

- *Está llevando los regalos del cumpleaños al coche.*

5 ¿Qué está haciendo esta gente? Completa con los verbos del recuadro usando *Estar* + gerundio. Relaciona cada frase con el dibujo correspondiente.

A1

| comprar ✓   aparcar   dormir |
| sonreír   planchar |

a.   b. .... c. ....

➪ ● ¿Y Javier?

  ○ 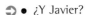 *Está comprando*........ en el súper. Pronto volverá.

1. Llegamos en cinco minutos. ....

2. Dicen que Loreto es muy seria, pero en esta foto ....

3. No hagas ruido. El niño ....

4. ● ¿Y mi camiseta?

  ○ La ....

d.   e.

■ Siempre que nos referimos a **un momento muy concreto del progreso** de una acción, preferimos usar *Estar* + GERUNDIO en lugar del verbo sin perífrasis:

En general	Situaciones momentáneas	
● *Los gatos no **beben** cerveza.*	● *¡Corre, Jenaro, mira! ¡Tu gata se **está bebiendo** mi cerveza!*	**Ahora mismo**
● *Antes siempre me **escribías** poesías, y ahora, nada. ¿Qué ha pasado con tu amor?*	● *No te contesté al teléfono porque **estaba escribiendo** una poesía para Dionisia y no quería desconcentrarme.*	**En aquel momento del pasado**

6 Relaciona y señala la forma, con perífrasis o sin perífrasis, más adecuada.

A2 ➲ Estaba solo en casa cuando me llamaron de la tele.

1. Los planetas no **dan / están dando** luz propia.
2. El agua **hierve / está hirviendo** a 100 grados centígrados.
3. El agua **está hirviendo / hierve**.
4. **Estamos dando / Damos** vueltas al mismo sitio todo el rato.
5. No me puedo subir en los columpios que **dan / están dando** vueltas.
6. Cuando llamó la policía, me puse nerviosísimo.
7. Antes no **íbamos / estábamos yendo** a los bancos.

a. Ya puedes poner el té.
b. Marisa **trabajaba** / **estaba trabajando** en ese momento.
c. **Estaba guardando / Guardaba** el dinero del robo.
d. La **reciben / están recibiendo** de las estrellas.
e. ¿Por qué no paras y preguntas?
f. A esa temperatura se convierte en vapor.
g. Me **mareo / estoy mareando** con mucha facilidad.
h. **Guardábamos / Estábamos guardando** el dinero en casa.

■ Usamos *Estar* + gerundio para hablar de **situaciones momentáneas** solo cuando el verbo significa acción o actividad, pero no cuando el verbo se refiere a un estado o a una cualidad:

SITUACIONES MOMENTÁNEAS

	Estar + GERUNDIO (Cuando el verbo significa 'acción')	VERBO SIN PERÍFRASIS (Cuando el verbo significa 'estado')
Hablando del presente	● El bebé **está llorando**. ● **Están estudiando**. ● Tu hermana **está leyendo**.	*Tiene* hambre y *parece* cansado. *No* **pueden** *venir*. *Está* **sentada** *en la terraza*. [*Está sentando en la terraza*.]
Hablando del pasado	● El bebé **estaba llorando**. ● **Estaban estudiando**. ● Tu hermana **estaba leyendo**.	*Tenía* hambre y *parecía* cansado. *No* **podían** *venir*. *Estaba* sentada en la terraza.

👁 Algunos verbos significan 'acción en desarrollo' cuando se usan con *Estar* + GERUNDIO y significan 'estado' cuando se usan sin perífrasis:

Estoy viendo la tele. [Mi actividad es ver la tele.]   *Desde aquí no veo* la tele. [No puedo verla.]
                                                           [*Desde aquí no estoy viéndola*.]

Está llevando los sombreros al almacén.   *Lleva* un sombrero muy bonito.
                                             [*Está llevando un sombrero*.]

---

7 Completa con *Estar* + GERUNDIO para los verbos que significan "acción o actividad" y con el verbo sin perífrasis para los verbos que significan "estado".

B1

Hablando del presente

| entrar ✓ | 1. Mira, mi novio es ese que *está entrando* ahora. ¿Te .... guapo? |
| parecer | |

| hacer (vosotros) | 2. .... mucho ruido. El niño .... sueño y así no se va a dormir. |
| tener (él) | |

| ver (nosotros) | 3. Espera un poco Es que .... el final de una película. .... muy interesante. |
| ser | |

Hablando del pasado

4. ● ¿Y .... algo?
   ○ Casi nada, ese día .... todo muy oscuro.

| ver (tú) ✓ |
| estar |

5. ● Mira esta foto. ¡Qué gracia! Aquí Pedro .... la tarta. .... muy guapo vestido de novio.
   ○ Pero .... el pelo muy largo, ¿no?

| cortar |
| estar |
| llevar |

6. ● ¿Llamaste tú? ¿Qué ....?
   ○ Nada, una tontería. Es que .... un crucigrama y no .... una palabra.

| querer (tú) |
| hacer (yo) |
| saber (yo) |

D   Estar + GERUNDIO con hechos terminados: *Estuvo comiendo* / *Comió*...

■ Cuando usamos tiempos que expresan hechos terminados (Indefinido, Pretérito perfecto, Pluscuamperfecto, etc.), con **el verbo sin perífrasis** hablamos de acciones terminadas y realizadas completamente:

● *Ha llevado* los paquetes. Ya no tiene que hacer nada más.	Pasado del presente
● *Llevó* los paquetes. Ya no tenía que hacer nada más.	Pasado
● *Había llevado* los paquetes. Ya no tenía que hacer nada más.	Pasado del pasado

➲ 23. Indefinido

➲ 22. Pretérito perfecto   ➲ 27. Pluscuamperfecto

■ Con la perífrasis *Estar* + GERUNDIO hablamos del **desarrollo de una acción durante un período de tiempo terminado** (*durante dos días, toda la mañana, hasta las 7, mucho tiempo, dos horas...*):

● *Ha estado llevando* paquetes dos horas.	Pasado del presente
● *Estuvo llevando* paquetes dos horas.	Pasado
● *Había estado llevando* paquetes dos horas.	Pasado del pasado

■ Con *Estar* + GERUNDIO no nos interesa si la acción se ha realizado completamente o no. Podemos hablar de acciones realizadas completamente que vemos durante todo su desarrollo:

● *Estuvimos comiendo* en ese bar tan famoso.   ● Esta tarde *he estado comprando* la tele.

O podemos hablar de acciones desarrolladas durante un determinado período de tiempo, pero no realizadas completamente:

● *He estado fregando* el suelo de la casa toda la mañana, pero no he podido fregar el salón.
● *Estuvo escribiendo* una novela durante tres años y, al final, la dejó sin terminar.

Pero:
● *He fregado* el suelo de la casa. Tú puedes fregar los platos y poner la lavadora.
● *Escribió* una novela en tres años. Es mucho tiempo, pero ahora se ha hecho rico con las ventas.

8   Si alguien dice estas frases: ¿...podemos sacar estas conclusiones?

B1

➲ Aquella tarde estuve visitando a mis padres.   ➲ Visitó a sus padres.   (...*sí*....)

1. Ha estado corrigiendo los exámenes.   Ha corregido todos los exámenes.   (..........)

2. Habíamos estado planchando la ropa.   No quedaba ropa sin planchar.   (..........)

3. Habían estado dándole la noticia a Isabel.   Cuando llegué, Isabel ya lo sabía.   (..........)

4. Estuvo leyendo el libro.   Acabó el libro.   (..........)

9   ¿Hablamos del desarrollo de una acción o de su realización completa? Señala la opción más adecuada.

B1

➲ He estado pintando / He pintado el cuadro esta mañana, pero no he podido terminarlo.

1. Hicieron / Estuvieron haciendo el camino de Santiago en cuatro días. Un tiempo récord.

2. Mi madre estuvo naciendo / nació antes que mi padre. Es mayor que él.

3. He estado leyendo / He leído el informe toda la tarde, pero no he podido acabarlo.

4. Estaba muy triste: ese día había estado perdiendo / había perdido un juicio muy importante.

5. Estuve escribiendo / Escribí la carta más de una hora. Pero no sabía cómo despedirme.

6. Estuvimos chocando / Chocamos sin darnos cuenta con una farola y le rompimos un faro al coche.

SECCIÓN 5

Preposiciones

¿Qué hay entre Roberto y tú?

Una y.

38. Preposiciones (I): *de, a, desde, hasta, en, entre, por...*

Las preposiciones se usan para localizar unas cosas en relación con otras: en el espacio, en el tiempo o en el espacio abstracto de las ideas y los conceptos.

A   *De, a*

■ *De* indica punto de partida u origen:

- *Ese chico es **de** Segovia.*

- *¿**De** dónde venís?*
- ***De** Rabat.*

■ La preposición *de* señala una cosa que sirve para caracterizar, reconocer, especificar o identificar a otra. Con *de* indicamos:

Materia, sustancia o contenido de algo

*Traje **de** algodón, novela **de** amor, estatua **de** mármol, bocadillo **de** jamón, camión **de** fruta, gota **de** aceite, hoja **de** papel, metro **de** tela, hablar **de** alguien o **de** algo, etc.*

Parentesco, posesión

*El padre **de** Amina, el trabajo **de** Laura, la escuela **de** Ana, la libreta **de** Juan, etc.*

Tipo de objeto

*Casa **de** campo, cuchara **de** postre, billete **de** ida y vuelta, cuarto **de** baño, ropa **de** abrigo, libro **de** bolsillo, etc.*

Punto de referencia para localizar otra cosa

- *El cementerio está enfrente **de** la Catedral.*
- *Esa chica trabaja cerca **de** mi oficina.*
- *A la derecha **de** la gasolinera está mi casa.*
- *Te dejo las llaves encima **de** la mesa, ¿vale?*
- *Llegamos a las diez **de** la mañana.*
- *Seguro que cuestan más **de** veinte euros.*

👁 *De* y *a* son las dos únicas preposiciones que siempre forman una sola palabra con el artículo *el*:

de + el = **del**	a + el = **al**
*Vengo **del** trabajo.*	*Voy **al** trabajo.*

→ 5. Artículos

👁 Se dice: *Vive **en** Palo Alto.* [Vive ~~a~~ Palo Alto.]

■ *A* indica punto de llegada o destino:

- *¿Hoy no vas **a** la escuela?*

- *¿**A**dónde te han enviado?*
- ***A** la base de la Antártida.*

■ La preposición *a* señala un punto de referencia al que se dirige, se orienta o se asocia algo. Con *a* indicamos:

Orientación hacia una parte o un lado de una cosa

*A la derecha, a la izquierda, a la entrada, **al** frente, **al** principio, **al** final, **al** fondo, **a** las diez de la mañana, **a** la una en punto, **al** norte, **al** sol, **al** viento, **a** la espalda, etc.*

👁
- *Francia está **al** norte de España.*
  [Más cerca del Polo Norte que España.]
- *Zaragoza está **al** norte de España.*
  [Encontramos Zaragoza en España orientándonos hacia su parte norte.]
- *Zaragoza está **en** el Norte de España.*
  [Dentro de la zona Norte de España.]

Punto de referencia

*Junto **a** la escuela, frente **a** la playa, etc.*

Complemento directo de persona y complemento indirecto

- *¿Has llamado **al** médico?*
- *Dale eso **a** mi madre.*
- ***A** mí no me gusta.*

→ 12. Pronombres

Modo como se hacen o funcionan algunas cosas

*A gritos, **a** pie, **a** caballo, **a** mano, **a** máquina, **a** la fuerza, etc.*

1 La empresa Jabúlez se dedica a la importación y exportación de jamón serrano. Para saber cómo funciona, completa con *a*, *de* o *en*. (Cuidado: *a + el = al; de + el = del*).

A2

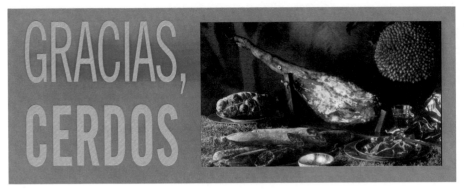

Jabúlez es una empresa familiar dedicada a la elaboración *de* jamones. Su sede central es un edificio (1) .... tres plantas situado (2) .... el sur de España, (3) .... un pueblecito (4) .... Extremadura. Los jamones se secan (5) .... el viento dentro (6) .... grandes locales cuidadosamente ventilados. Mientras se secan, los jamones son observados, día a día, durante más de dos años y, al final, se empaquetan (7) .... mano. Más (8) .... cien camiones salen cada día (9) .... la empresa para ir (10) .... todas las ciudades (11) .... España y, desde hace algún tiempo, también (12) .... varios países europeos.

Un hombre entre jamones

Jacinto Jabúlez es el hijo (13) .... el fundador y lleva más (14) .... doce años (15) .... el frente (16) .... la empresa familiar. Su trabajo es el (17) .... supervisar toda la actividad (18) .... la empresa y, además, invitar (19) .... diferentes firmas extranjeras (20) .... visitar sus instalaciones. (21) .... Jacinto le apasiona su trabajo. Vive (22) .... un magnífico chalé, (23) .... una urbanización que está muy cerca (24) .... su empresa. Todos los días llega (25) .... la empresa (26)................. pie (27) .... las seis en punto (28) .... la mañana.

Sus jamones son tan famosos que la prensa internacional ha hablado muchas veces (29) .... él e, incluso, en Estados Unidos y Japón se ha publicado su famoso libro (30) .... cocina: *No hay vida sin jamón*.

2 El conde Lorénsez ha aparecido muerto en Arábiga. La policía ha interrogado a ocho personas, pero los principales sospechosos son los cuatro que no hablan muy bien español. ¿Puedes identificarlos? Señala los números correspondientes y corrige los errores.

A2

1. Esta pistola es de un amigo mío que es policía. (.........)
2. Tengo un billete a avión con ida y vuelta. (.........)
3. Vivo en una zona muy apartada de aquí, en Dunas Bajas. (.........)
4. Yo ya he llamado a un amigo mío que es abogado. (.........)
5. ¿Por qué estamos aquí? Me han traído de la fuerza. (.........)
6. ¿Han venido en Arábiga solo a interrogarnos? (.........)
7. Exijo una hoja de papel para poder escribir una declaración. (.........)
8. Perdone, inspector, ¿hay un teléfono cerca a aquí? Tengo que hablar con mi mujer. (.........)

B Desde, hasta

■ *Desde* indica el principio de un recorrido, el **límite inicial** del espacio o tiempo en el que se sitúa u ocurre algo:

■ *Hasta* indica el final de un recorrido, el **límite final** del espacio o tiempo en el que se sitúa u ocurre algo:

DESDE

HASTA

- *La Gran Via va **desde** la Plaza de Colón...*
- *Corrió descalzo **desde** la salida...*
- *No he tomado nada **desde** anoche...*
- *Ha curado **desde** elefantes...*
- ***Desde** estos asientos se ve mucho mejor.*
- ***Desde** ese punto de vista, sí lo entiendo.*

- *...**hasta** la Plaza Mayor.*
- *...**hasta** la meta.*
- *...y no puedo tomar nada **hasta** esta tarde.*
- *...**hasta** personas.*
- ***Hasta** mañana.* [No nos veremos hasta mañana.]
- ***Hasta** ahí estamos de acuerdo.*

👁 *Hasta* se usa también con el significado de *incluso*:
- *Lo ha felicitado **hasta** [incluso] el Rey.*

■ Podemos indicar el principio y el final de un recorrido, un espacio o un tiempo usando *de... a* o *desde... hasta*:

- *Fueron **de**/**desde** Madrid **a**/**hasta** Bombay en avión.*
- *Hay 60 kilómetros **de**/**desde** una ciudad **a**/**hasta** la otra.*
- *Tenemos vacaciones **de**/**desde** julio **a**/**hasta** septiembre.*

👁 Para indicar el límite espacial o temporal de algo, *desde* y *hasta* se pueden utilizar solas. En cambio, *de* y *a* no se pueden usar solas:

- *Tuvimos un viaje muy malo, estuvo lloviendo **desde** Madrid.* [Hasta un lugar no especificado.]
  [Estuvo lloviendo de Madrid.]
- *Tenemos vacaciones **hasta** el tres de septiembre.* [Desde un momento no especificado.]
  [Tenemos vacaciones al tres de septiembre.]

3 Relaciona cada enunciado de la izquierda con la interpretación más adecuada.

A2

➡ a. Un viaje **desde** Sevilla.   a. Dirección: Sevilla.
   b. Un viaje **a** Sevilla.   b. Dirección: otra ciudad.

1. a. Un taxi ocupado **del** aeropuerto.   a. El cliente ha llegado en avión.
   b. Un taxi ocupado **al** aeropuerto.   b. El cliente va a coger un avión.

2. a. Subir **a** la planta segunda.   a. El objetivo es llegar a esa planta.
   b. Subir **de** la planta segunda.   b. El objetivo es llegar a otra planta.

3. a. **Hasta** su abuelo cantó.   a. En homenaje a su abuelo.
   b. Cantó **a** su abuelo.   b. Incluso su abuelo.

4. a. Un novio **desde** los 30 años.   a. Cuando tenía 30 años.
   b. Un novio **a** los 30 años.   b. De los 30 años en adelante.

5. a. Un piso **desde** 350.000 euros.   a. Que vale esa cantidad o más.
   b. Un piso **de** 350.000 euros.   b. Que vale esa cantidad.

6. a. Espérame **hasta** las seis.   a. Las seis es la hora de la cita.
   b. Espérame **a** las seis.   b. Las seis es el límite de la espera.

7. a. Una carta **de** Granada.   a. Quiere enviar una carta.
   b. Una carta **a** Granada.   b. Ha recibido una carta.

8. a. Un tren **hasta** Santiago de Compostela.   a. Su destino final es Santiago de Compostela.
   b. Un tren **de** Santiago de Compostela.   b. Su origen es Santiago de Compostela.

4 Busca la terminación adecuada para estas frases.

A2

➡ El pobrecito Pepe ha estado estudiando...   a. de agosto.
                                               b. desde agosto.

1. Al final, a su mujer la ha aceptado...   a. desde la suegra.
                                             b. hasta la suegra.

2. Mi abuela murió...   a. hasta los noventa y tres años.
                         b. a los noventa y tres años.

3. Mi abuelo vivió...   a. a los noventa y tres años.
                         b. hasta los noventa y tres años.

4. El hijo de Carmina es un pesado. Estuvo llorando...   a. desde Cádiz.
                                                          b. de Cádiz.

5. Para reservar el hotel tienen tiempo...   a. hasta la segunda quincena de mayo.
                                              b. a la segunda quincena de mayo.

6. El crucero va de Barcelona...   a. en Egipto.
                                    b. a Egipto.

C   *En, entre*

■ La preposición *en* indica que algo está dentro del espacio definido o delimitado por otra cosa (un lugar, un objeto, una superficie, un conjunto, un período de tiempo, un proceso, una idea, etc.):

Irene está en el trabajo, en su mesa, pero ¿qué hay en su mente?

EN

Las flores están en el florero.
El florero, en la mesa.
La mesa, en el centro de la habitación.
El sillón, en el rincón.
El cuadro, en la pared.
La lámpara, en el techo.
Los muebles, en la habitación.
La habitación, en la mente de Irene.

Por tanto, con la preposición *en* podemos situar algo en un espacio más concreto o más abstracto:

En casa, en Málaga, en coche, en el cajón, en el pasillo, en la cola, en vacaciones, en el trabajo, en la conversación, en ese sentido, etc.

■ Con la preposición *en* indicamos:

El medio de transporte	**El modo como hacemos algunas cosas**	**El interior de un período de tiempo**

En autobús, en coche, en metro, en tren, en barco, en avión, en taxi, en burro, en camello, etc.

En general, en particular, en serio, en broma, en público, en privado, en resumen, en secreto, en conjunto, etc.

En septiembre, en 2009, en Navidad, en verano, en ese momento, etc.

👁 Pero: *a caballo, a pie...*
 [~~en caballo, en pie~~]

👁 No se usa *en* cuando hablamos del lugar de destino. Usamos *a*:
 • *En Italia he ido a muchos sitios.* [He ido a muchos sitios dentro de Italia.] [~~He ido muchas veces en Italia.~~]
                                                                          a

El tiempo que tardamos en terminar de hacer algo

En tres horas, en cinco minutos:
• *Escribió el informe en tres horas.* [Tardó tres horas.]
• *Llegaremos en cinco minutos.* [No más tarde de cinco minutos después.]

■ *Entre* indica los límites del espacio en el que se encuentra u ocurre algo:

ENTRE

 • *Málaga está entre Granada y Cádiz.*
 • *Entre abril y mayo aquí llueve mucho.*
 • *La B está entre la A y la C.*

■ Los límites señalados por *entre* pueden ser dos o más de dos:

 • *Hay una heladería entre el quiosco y el bar.*
 • *Esto tiene que terminarlo entre hoy y mañana.*

 • *Tengo que decidirme entre dos o tres ofertas.*
 • *Las llaves están entre esos papeles.*

■ Con *entre* también expresamos que varios sujetos colaboran para hacer algo:

 • *Lo hacemos entre Iñaqui, tú y yo, ¿no?*

 • *Entre todos podéis arreglar ese problema.*

5 Nacho y Carolina son muy activos y hacen muchas cosas. Completa el texto con las preposiciones *en* o *a*.

A2

1. Carolina nunca va ..*en*... autobús ni .... metro.
   Siempre va .... pie a todas partes.
2. Sin embargo, Nacho va mucho .... moto, pero los fines
   de semana, por las mañanas, monta .... caballo.
3. Pero Carolina prefiere pasar todo el fin de semana
   paseando .... bicicleta.
4. .... verano van .... barco y nadan muchísimo.
5. .... invierno esquían. Van .... los Pirineos .... coche.
6. Y .... Semana Santa hacen senderismo. Recorren unos
   150 kilómetros .... pie.
7. Solo se están quietos .... Navidad para estar con toda
   su familia.

Va a Barcelona
con avión.

Va a Barcelona
en avión.

6 En la familia Ortiz todos son muy desordenados. Completa con las preposiciones *en* o *entre* y relaciona.

B1

➲ Mis botas estaban ..*en*... el armario de la entrada
y ya no están. ¿Alguien sabe dónde están?

1. ¿Y mi vestido de fiesta de Capriche? Ya no está
   .... mi armario.
2. ¿Alguien ha visto unos guantes negros que me compré
   el otro día y que dejé .... mi mesilla de noche?
3. Dios mío, ¿y mi blusa nueva? No está .... ningún
   cajón de esta casa.
4. ¿Qué es esto que está aquí, ... mis dos bolsos
   Blandik?
5. No encuentro mi crema superhidratante. Ayer la
   dejé .... el estante del armario del baño.
6. ¿Y mi anillo de prometida? No lo veo .... el joyero.

➲ Sí, las cogió Cuca ayer por la noche y las puso
..*en*.. la terraza porque estaban mojadas.

a. Yo los vi ayer .... la entrada.
b. Está .... la lavadora. Estaba muy sucia
   y decidí lavarla.
c. Sí que está allí. Búscalo bien. Está .... el de
   Cuchi y el de Ermani.
d. Seguro que está .... tu mesa del estudio,
   .... todos tus papeles. Y como es pequeño...
e. La tiene mamá. Ayer se puso un poco
   y la dejó .... la nevera.
f. A ver... Ah, es un peluche de Pitita.
   Déjalo .... su dormitorio.

7 ¿Dónde y cómo encontró la policía el cadáver del conde Lorénsez? Para saberlo, señala
las tres frases correctas.

B1

1. A un bosque que está bastante cerca de
   su residencia en Arábiga.
2. Entre seis palmeras del oasis más cercano
   a su residencia.
3. Al interior de una de las tiendas.
4. Al centro de unas dunas.
5. Entre una palmera muy alta y frondosa.
6. En un agujero junto a una charca de agua.
7. Envuelto a una alfombra.
8. Enterrado en la arena del desierto.

D Para, por

■ **Para** indica el objetivo final al que se dirige algo:

■ **Por** indica el espacio que se recorre para llegar de un sitio a otro:

*Vamos **para** Alicante **por** la carretera de la costa.*

PARA

POR

■ Con **para** indicamos:

Finalidad o propósito

- *Vamos a Madrid **para** ver a Les Luthiers.*
- *Las toallas sirven **para** secarse.*

Destinatario

- *No es una película **para** niños.*
- *¿**Para** quién es este pastel?*

Dirección a un destino

- *Vamos **para** casa.*

Plazo temporal

- *La publicación es **para** otoño.*

👁 No es necesario usar preposiciones para hablar de la duración de una situación. Es suficiente la expresión de tiempo:
- *Estuve **dos meses** en Alemania.*
- *Voy a estar en Praga **dos semanas**.*

■ Con **por** indicamos:

Localización indeterminada

En el espacio
- *Me he dado una vuelta **por** el Retiro.* [Recorriendo el Retiro o cerca del Retiro.]
- *La panadería está **por** aquí.* [En algún punto de este lugar o próximo a este lugar.]

En el tiempo
*Por la mañana/tarde/noche, **por** mayo, **por** vacaciones, **por** Semana Santa, etc.*
- *Vendremos **por** Navidad.* [Pueden ser los días de Navidad o próximos a Navidad.]

Causa

- *Nos fuimos de la playa **por** el viento.*
- *¿Y **por** qué has invitado a Lidia?*
- *Muchas gracias **por** el regalo.*

Distribución

- *He repartido dos globos **por** niño.*

Medio

- *Hemos hablado **por** teléfono.*
- *Le ha enviado las fotos **por** e-mail.*
- *Me he enterado **por** mi hermano.*

Intercambio

- *Te cambio a tu novio **por** el mío.*
- *Lo compramos solo **por** 20 euros.*

8 Completa con *por* o *para*.

B1

➲ Voy a Matalascañas ...*para*... ver a mi novia.

1. Nos perdimos .... un bosque y tardamos cuatro horas en encontrar el camino.
2. Bueno, aquí están las galletas. Nos tocan cuatro .... persona.
3. Encontrar este piso fue una suerte. Lo compramos .... la mitad de lo que vale ahora.
4. Rafael dice que ha dejado la carrera .... su novia, pero yo creo que lo ha hecho .... él, solo .... él.
5. ¿ .... quién son estos regalos?
6. Queremos hablar con la directora .... ver qué nos dice.
7. Oye, no iremos a la playa .... aquella carretera que tiene tantas curvas, ¿verdad?

8. Vale, perfecto, ¿por qué no me lo envías .... fax?
9. ¿Puedes firmar tú .... mí? Es que me duele muchísimo la mano y no puedo escribir.
10. El libro va a tardar un poquito, pero llegará a tiempo .... ese día.
11. ¿Quedamos mañana .... la mañana?
12. Señoras, señores: les estoy muy agradecida .... este homenaje. Gracias, de verdad.

9 Relaciona cada fragmento de la izquierda con la interpretación más adecuada.

➲ a. Vamos en taxi **para** el aeropuerto de Barajas...

   b. Vamos en taxi **por** el aeropuerto de Barajas...

   a. Dando vueltas en Barajas.

   b. Con dirección al aeropuerto.

1. a. Hemos visto unas flores **por** la ventana...

   b. Hemos visto unas flores **para** la ventana...

   a. Han visto las flores al otro lado de la ventana.

   b. Han visto las flores en la tienda.

2. a. Buscamos un documento **para** Internet...

   b. Buscamos un documento **por** Internet...

   a. Lo vamos a poner en Internet.

   b. Lo buscamos en Internet.

3. a. Han sacado una alfombra **para** la puerta...

   b. Han sacado una alfombra **por** la puerta...

   a. La alfombra decorará la entrada.

   b. La alfombra ha pasado a través de la puerta.

4. a. Compuso una canción **para** Elisa...

   b. Compuso una canción **por** Elisa...

   a. Elisa ha sido la causa de esta canción.

   b. Dedicada a Elisa. Elisa recibirá este regalo.

10 La policía ya ha detenido a los cuatro sospechosos del asesinato del conde Lorénsez. Pero dos son inocentes. El asesino y su cómplice no siempre saben usar *por* y *para*. Busca los errores, corrígelos y sabrás quiénes son.

1. Mire, inspector, yo vine a Arábiga para ➲..✓.... trabajar en una empresa. Vine para (1)...... pasar tres meses pero, por (2)...... problemas de papeles, tuve que quedarme un mes más. Vivo en un hotelito que está por (3)...... la salida del oasis de Chilab. Ayer tenía que volver a mi país pero, por (4)...... culpa de este asesinato, me he tenido que quedar aquí. Espero estar libre para (5)...... poder volver cuanto antes.

3. No sé por (15)...... qué estoy aquí. Yo no he hecho nada, absolutamente nada. Estaba paseando tranquilamente por (16)...... el palmeral y, de repente, me entero por (17)...... unos amigos de que el conde Lorénsez ha muerto. Asesinado, el pobre. Voy para (18)...... casa y allí me encuentro a la policía y me traen aquí para (19)...... interrogarme. ¿Pero por (20)...... qué a mí? Yo creo que la policía no sabe nada... Y si la policía detiene a inocentes, ¿para (21)...... qué sirve? Y ahora, por (22)...... este horrible asunto, voy a tener que dormir en la cárcel.

2. Yo me vine aquí por (6)...... mi hermano, que ya trabajaba aquí. Cuando llegué, me propuse cambiar su negocio para (7)...... el mío. Me quedé a vivir en su casa. Se la compré para (8)...... 400.000 euros. Estoy muy a gusto. Mi trabajo es como un juego por (9)...... mí. Es muy fácil. Por (10)...... la mañana, envío paquetes para (11)...... correo y para (12)...... la tarde los recojo. Me enteré de la muerte del conde Lorénsez para (13)......mi hermano, que me llamó por (14)...... el móvil. Yo no conocía de nada al conde. Solo le había entregado un paquete.

4. Ayer por (23)...... la tarde yo estaba por (24)...... el bazar, comprando una alfombra por (25)...... mi mujer. Una alfombra muy bonita, realmente, que, al final, compré para (26)...... 280 dólares. Cuando salía de la tienda para (27)...... llevar la alfombra al coche, la policía me detuvo como sospechoso de un crimen. ¿Pero cuándo fue ese crimen? Hasta ayer para (28)...... la mañana yo estuve en la habitación de mi hotel para (29)...... la gripe. Salí para (30) ...... comprar la alfombra y dicen que yo soy el culpable. Esto es una locura. Es una broma, ¿no?

11 Tu ayuda con los ejercicios de preposiciones ha sido muy útil. Ahora la policía ya sabe quiénes son los culpables... Tacha la opción incorrecta.

B1

➲ La policía ya sabe quién es el asesino **por/para** tu ayuda.

1. Todo lo ha descubierto **por/para** los problemas con las preposiciones.

2. Los inocentes ya pueden volver **por/para** sus casas.

3. Pero los culpables tienen que ir a la cárcel **por/para** ser juzgados.

4. El juicio está previsto **por/para** dentro de un mes.

5. La policía está muy agradecida **por/para** tu trabajo y te van a nombrar policía de honor del reino de Chilab.

E   *Con, sin*

■ *Con* indica asociación. Sirve para decir que una cosa acompaña a otra, o que es un componente o instrumento de otra. También indica la manera en que se hace algo:

- Está *con* el novio.

■ *Sin* es la negación de *con*:

- Está *sin* el novio.

CON

SIN

A los dos les gusta:
- El gazpacho *con* ajo...
- Dormir *con* pijama...
- Comer *con* palillos...
- Viajar *con* amigos...
- Las ciudades *con* mar...

...y el café *sin* azúcar.
...y *sin* calcetines.
...y cenar *sin* mantel.
...y pasear *sin* prisa.
...pero las playas *sin* gente.
No pueden vivir el uno *sin* el otro.

👁 También usamos el gerundio (*cantando, comiendo, viviendo, etc.*) para hablar del modo de hacer algo. En ese caso, la negación se hace con *sin* + INFINITIVO:

- *Sí, vale, ha corrido diez kilómetros pero **descansando** y **bebiendo** agua.*
- *¡Ha corrido diez kilómetros **sin** descansar y **sin** beber nada!*

[~~Sin~~ bebiendo, ~~Sin~~ descansando]

➲ 20. Formas no personales

12 Todos tenemos ideas muy claras sobre algunas cosas. Completa con *con* o *sin* y subraya cómo te gustan las cosas a ti.

B1

➜ El café, ¿..*con*.. azúcar o ..*sin*.. azúcar?

1. La cerveza, ¿ .... espuma o .... espuma?

2. Las mujeres, ¿......... falda o .... pantalones?

3. Los hombres, ¿......... corbata o .... corbata?

   ¿......... bigote, ... bigote o .... barba?

4. Los paseos por la ciudad, ¿comprando o ....
   comprar?

5. Un piso para vivir, ¿......... mucha luz o ....
   mucha luz?

6. Los macarrones, ¿......... o .... pan?

7. La ensalada, ¿......... vinagre o .... vinagre?

8. Las películas, ¿......... subtítulos o traducidas?

9. El café, ¿......... cafeína o normal?

10. Conducir tu propio coche, ¿en silencio o ....
    música?

11. La pasta italiana, ¿......... queso o .... tomate?

12. Las fotos, ¿sonriendo o .... sonreír?

13. Ir al cine, ¿......... amigos o solo?

F   Contra, hacia

■ **Contra** sirve para indicar que un elemento se opone a otro, que ofrece cierta resistencia:

CONTRA

- *Chocamos **contra** el escaparate.*
- *Votarán **contra** nuestra propuesta.*
- *¿**Contra** quién juega su equipo?*
- *Corre **contra** el viento.*

■ **Hacia** indica el punto, espacial o temporal, al que se orienta algo:

HACIA

- *El meteorito se dirige **hacia** aquí.*
- *¿**Hacia** dónde apunta una brújula?*
- *Han ido **hacia** allí pero no han llegado.*
- *Mira **hacia** la derecha y dime qué ves.*
- *Empezamos a comer **hacia** las tres.*
  [A las tres aproximadamente.]

---

13 Joseba es ecologista y está componiendo una canción de protesta. Escoge *contra* o *hacia* según el significado.

B1

➜ ..*Contra*.. el consumo,
..*hacia*... la libertad,
juntos iremos
con este cantar.

1. Juntos iremos
   con este cantar,
   .... los colorantes,
   .... lo natural.

2. .... la contaminación,
   .... la purificación,
   todos lograremos
   mejor vegetación.

3. ¿........... dónde vamos?,
   te preguntarás.
   .... el arco iris,
   .... la verdad.

4. .... un verde futuro,
   .... una mejor vida,
   .... un aire puro,
   .... una utopía.

5. .... las marcas,
   .... lo auténtico,
   todos viviremos
   un mejor momento.

A   *Encima* (*de*), *debajo* (*de*), *delante* (*de*), *detrás* (*de*)...

■ Para indicar la posición de un objeto en relación con otro usamos estas
frases preposicionales: *encima* (*de*), *debajo* (*de*), *detrás* (*de*), *delante* (*de*),
enfrente (*de*), *al lado* (*de*), *cerca* (*de*), *lejos* (*de*), *a la derecha* (*de*),
a la izquierda (*de*), *alrededor* (*de*):

lejos de Colón

encima de Colón

cerca de Colón

alrededor de Colón

al lado de Colón

enfrente de Colón

delante de Colón

detrás de Colón

debajo de Colón

a la derecha de Colón
a la izquierda del señor

a la izquierda de Colón
a la derecha del señor

[La flecha azul va hacia la derecha si la mira Colón pero va
a la izquierda si la mira el señor o la miras tú.]

👁 El significado de *a la derecha* (*de*) y *a la izquier-*
da (*de*) depende del punto de vista que adopta-
mos: el del objeto que sirve de referencia o el de
la persona que observa.

■ Cuando usamos estas expresiones, **podemos mencionar el punto de refe-**
rencia (en ese caso usamos la preposición *de*) **o no mencionarlo** si ya está
claro por el contexto:

- *Creo que te has dejado las gafas **encima de**
  la mesa del despacho.*   [Tenemos que mencionar el punto de referencia.]
- ○ *¿En <u>la mesa</u>? No las veo...*   [No mencionamos el punto de referencia. Ya está
- *Sí, **encima**.*   claro: *la mesa del despacho*.]

- *Ahí está <u>el coche</u>, pero ¿qué es eso que hay **debajo**?*   [No necesitamos mencionar *el coche* otra vez.]

- *<u>Los ladrones</u> salieron corriendo y el joyero **detrás**.*   [Detrás de *los ladrones*.]

1 Ambrosio y Luisa llevan casados treinta años. Nunca están de acuerdo: siempre dicen lo contrario de lo que dice el otro.

A1

➥ A.: Cariño, siéntate ahí a la izquierda.

L.: No, mejor me voy a sentar *a la derecha* .

1. A.: Aparca el coche **detrás del** autobús.

L.: Ahí no cabe, mejor aparco ....

2. L.: ¿Ponemos el retrato de mi madre **delante de** los libros?

A.: Yo prefiero ....

3. L.: Pon las toallas **encima de** las sábanas, haz el favor.

A.: Mejor voy a ponerlas ....

4. A.: La tele está demasiado **cerca de** la mesa.

L.: Pues yo creo que está demasiado ....

5. A.: Coloca las latas **debajo de** los cartones de leche.

L.: No, las voy a poner ....

2 Un terremoto ha cambiado de sitio las cosas del metódico Rigoberto Severo. Completa lo que falta fijándote en los dibujos (a veces hay más de una posibilidad; recuerda que: *de + el= del*).

A2

B1

Aquella noche, como todas las noches, Rigoberto comprobó que todo estaba en su sitio. La cama estaba justo

➥ *enfrente del / delante del* el espejo, por supuesto, y la silla (1) .... Los zapatos estaban (2) .... la cama; el despertador estaba preparado: (3) .... la mesita de noche y a las seis en punto, como siempre. La ropa para el día siguiente estaba en orden: la camisa planchada y los calcetines limpios estaban (4) .... la silla, con los pantalones, bien estirados. Había puesto su reloj de pulsera (5) .... el despertador y ya le había dado un beso a la foto de su mujer. Comprobó que la linterna que había (6) .... la estantería tenía pilas. Por último, miró por la ventana. "Es probable que mañana llueva", pensó. Y se acostó.

De pronto, sintió un fuerte temblor y unos ruidos extraños. Le parecía que la habitación daba vueltas (7) .... su cabeza. Cuando se levantó, vio que los zapatos ya no estaban (8) .... la cama sino (9) .... la mesita de noche. (10) .... la cama había libros y, milagrosamente intacta, la foto de su mujer. No había nada (11) .... la mesita de noche. La camisa estaba tirada en el suelo; los dos relojes estaban ahora (12) .... la camisa. Además había un calcetín (13) .... la lámpara y los pantalones estaban (14) .... la puerta. Rigoberto se puso (15) .... el espejo para comprobar si seguia vivo.

B ¿Delante (de) o detrás (de) o enfrente (de)?

■ Usamos *delante* (*de*) para localizar algo en el lado frontal de un objeto. Usamos *detrás* (*de*) para localizar algo en el espacio posterior de un objeto:

● *El coche azul está **delante del** amarillo. El de color amarillo está **detrás del** azul y **delante del** verde. El verde está **detrás de** todos. El coche azul está **delante** y el verde **detrás**.*

■ También usamos *delante* (*de*) o *detrás* (*de*) para situar objetos en una posición anterior (*delante de*) o posterior (*detrás de*) en nuestra línea de observación:

● *Los coches están **delante del** autobús. El autobús está **detrás de** los coches.*

■ Usamos **enfrente** (**de**) cuando los objetos que localizamos se encuentran "cara a cara":

● *El coche rojo está **enfrente del** camión azul, el coche naranja está **enfrente del** coche de color lila y el camión está **enfrente del** coche rojo.*

👁 Usamos la preposición **de** solo cuando tenemos que mencionar el punto de referencia:

● *El coche lila no está **al lado del** <u>naranja</u>, está **enfrente**.*

3 Ejercicio de lógica. **Completa lo que falta. Cuidado con** *al* **y** *del*.

A1

➔ Si Iván está enfrente de María, María
<u>está enfrente de Iván</u> .

1. Pero si Iván está delante de María, María está ....
....

2. Si el Banco Capital está enfrente del Banco Fortis,
el Banco Fortis está ....

3. Si la vecina rubia vive enfrente de mi casa, yo vivo
....

4. Si tenéis un coche rojo delante del vuestro,
vosotros estáis ....

5. Si una moto está a la derecha de un árbol,
el árbol está ....

6. Si en el cine estás sentado detrás de una persona
muy alta, tienes una persona muy alta ....
.... ti.

7. Si miras la cara de la estatua de Colón, estás ....
....

8. No puedo ver bien la tele porque Marisa se ha
puesto .... mí.

9. Si en el teatro María está a mi derecha y Felipe
detrás de mí, yo estoy ....
de María y .... Felipe.

10. Si las gafas están encima de los libros, los libros
están .... las gafas.

C *Al principio* (*de*), *al final* (*de*), *dentro* (*de*), *después* (*de*)...

■ Otras frases preposicionales que sirven para localizar son *al principio* (*de*),
al final (*de*), *en el centro* (*de*), *en medio* (*de*), *al otro lado* (*de*), *al fondo* (*de*),
dentro (*de*), *fuera* (*de*), *antes* (*de*), *después* (*de*):

*Un hotel **al final** de la calle.*

*Unos árboles **al fondo del** parque.*

*Una estatua **en el centro** de/**en medio de** la plaza.*

*Un parque **al otro lado de** la plaza.*

*Un museo **antes de** la plaza.*
[Si nos movemos hacia la plaza
, primero nos encontramos el
museo y luego la plaza.]

*Un pato **dentro del** estanque y otro **fuera**.*

*Una escuela **después del** paso de peatones.*
[Si nos movemos hacia la plaza,
primero encontramos el paso de
peatones y luego la escuela.]

*Un paso de peatones **al principio de** la calle.*

■ Con estas frases preposicionales solo usamos la preposición *de* cuando mencionamos **el punto de referencia**:

- *Hay una zapatería **dentro de** ese centro comercial.*
  [El punto de referencia es el centro comercial. Tenemos que mencionarlo.]
- *Siga recto. Allí verá una plaza. Pues justo **antes**, está Correos.*
  [Antes de la plaza. No necesitamos mencionarlo.]
- *¿Ve esa calle? Pues el Banco Estragox está **al final**.*
  [Al final de la calle.]

4 Los famosos arqueólogos Jones e Indiana saben que hay un tesoro en el centro de una conocida ciudad española. Para encontrarlo tienen que seguir estas instrucciones, pero no están claras. Si miras el mapa, puedes completarlas con las expresiones del recuadro. (Cuidado: *de* + *el* = *del*).

B1

al final (de)
al final (de)
al fondo (de)
al otro lado (de)
al principio (de) ✓
antes (de)
dentro (de)
dentro (de)
dentro (de)
dentro (de)
después (de)
después (de)
en el centro (de)
en medio (de)
fuera (de)

A ver... Tenéis que ir ➡ *al principio* de la Gran Vía, al número 1. Seguid por esa calle hasta la tercera a la derecha. Coged esa calle y allí, (1) .... , hay una plaza. Entrad en ella y, (2) .... , en una esquina, veréis una estatua. Cruzad la plaza hacia la estatua, pero (3) .... llegar a la estatua, tomad la calle que hay a la derecha y enseguida veréis una plaza pequeña con una fuente (4) .... Inmediatamente (5) .... la fuente, a la izquierda, hay una calle. Coged esa calle y, (6) .... , hay un parque. Entrad. (7) .... encontraréis

árboles y bancos para sentarse. (8) .... hay un lago y un pequeño templo. Pues bien, el tesoro está (9) .... el templo. Llegaréis a él (10) .... atravesar un largo pasillo. Pero eso no es todo: el tesoro está (11) .... un cofre. Para abrir el cofre, necesitáis una llave que está escondida (12) .... el templo. Salid de allí cuanto antes y entrad en el laberinto. (13) .... el laberinto hay una estatua. La llave está (14) .... el ojo izquierdo de la estatua. Ah, y una cosa fundamental: quiero la mitad del valor del tesoro...

SECCIÓN 6

Oraciones

Te quiero más que a mis ojos,

Te quiero más que a mi vida,

más que al aire que respiro

y más que a la madre mía...

Cariño, ¿por qué no subes ya? ¿No ves que se van a despertar los niños?

40. Preguntar y exclamar

▦ En español, las preguntas que pueden responderse con *sí/no* no tienen una
estructura especial. Para distinguirlas de las frases afirmativas, la entonación
es ascendente al final:

Tenemos vacaciones en agosto.   *Bailamos.*

¿Tenemos vacaciones en agosto?   *¿Bailamos?*

👁 Cuando escribimos, ponemos signos de interrogación al principio
y al final (¿...?).

▦ Podemos hacer preguntas para confirmar una posibilidad entre varias:

- *¿Vienes o te quedas?*
- *La verdad es que no sé qué hacer.*

- *¿Seguimos andando o descansamos un poco?*
- *Yo prefiero descansar. Estoy agotado.*

▦ Con las preguntas *¿no?* y *¿verdad?* pedimos confirmación a algo
que decimos antes:

Tú no eres de aquí, **¿verdad?**

- *Tienes amigos en Alemania, ¿**no**?*
- *Sí, en Baden Baden, porque voy mucho en verano.*

- *Cervantes nació en Alcalá de Henares, ¿**verdad**?*
- *Creo que sí.*

---

1 Pon signos de interrogación a esta transcripción de un interrogatorio policial.

*A1

P: Policía; J: Javier Rosales

P: Usted se llama Javier Rosales, ¿verdad?

J: Sí, efectivamente.

P: Trabaja en la universidad de verano de Laponia, no.

J: Sí, así es.

P: Es evidente que usted conocía a la difunta Mercedes Clarín. Eran amigos o algo más.

J: Éramos simplemente amigos.

P: Sabía que Mercedes Clarín salía con otro hombre.

J: No tenía ni idea. Tampoco me importa.

P: Estuvo en casa de Mercedes el viernes 28 de enero alrededor de las 22.30.

J: Tengo que contestar a eso. Es mi vida privada.

P: Es mejor colaborar. Créame.

J: De acuerdo, estaba en el bingo. Canté línea. Aquí tiene el cartón. Puedo irme ya, verdad.

B Lugar, tiempo y modo: *¿Dónde...? ¿Cuándo...? ¿Cómo...?*

■ Usamos **dónde**, **cuándo** y **cómo** para preguntar por LUGAR, TIEMPO y MODO:

el LUGAR	→	**dónde**	● *¿**Dónde** vive Julián ahora?*
el TIEMPO	→	**cuándo**	● *¿**Cuándo** nos presentará Rita a su novio?*
el MODO	→	**cómo**	● *¿**Cómo** vamos a Madrid? ¿En tren o en coche?*

👁 Estos interrogativos van al principio de la pregunta. Las otras partes
de la oración van después del verbo, excepto los pronombres
complemento.

*¿**Cómo** te llamas?*
*¿**Dónde** vives?*
*¿**Cuándo** quedamos?*

■ Podemos usar **qué tal**, en lugar de *cómo*, cuando pedimos una valoración
general sobre alguien o algo:

● *¿**Qué tal** se vive en Barcelona?*   [¿Cómo se vive en Barcelona?]
○ *Muy bien, aunque es una ciudad un poco cara.*

● *¿**Qué tal** está tu madre?*   [¿Cómo está tu madre?]
○ *Bien, está muy bien ahora.*

■ Los interrogativos pueden usarse solos si está claro de qué hablamos:

● *Hemos hablado con Rafael.*
○ *¿**Cuándo**?*   [¿Cuándo habéis hablado?]

● *Ya he arreglado el grifo.*
○ *¿**Cómo**?*   [¿Cómo lo has arreglado?]
● *He llamado al fontanero.*

● *¿Nos vemos el sábado por la tarde?*
○ *Vale. ¿**Dónde**?*
[¿Dónde nos vemos el sábado por la tarde?]

● *Hola, ¿**qué tal**?*   [¿Cómo estás?]
○ *Muy bien, ¿y tú?*

👁 **Qué tal** puede usarse sin verbo cuando está claro de qué hablamos:

● *¿**Qué tal** la película?*
[¿Cómo es/Qué te ha parecido la película?]
~~¿Cómo la película?~~

● *¿**Qué tal** anoche?*
[¿Cómo fue/Cómo lo pasasteis anoche?]
~~¿Cómo anoche?~~

---

2 Completa con *dónde*, *cuándo*, *cómo* las preguntas del siguiente test sobre España
y relaciona, después, cada pregunta con su respuesta.

A1

↪ ¿...*Cómo*...... se llama el río que pasa por Valladolid?   a. En Málaga.

1. ¿.............. fue la Guerra Civil española?   b. La jota.

2. ¿.............. está El Teide?   c. Pisuerga.

3. ¿.............. se llama el baile típico de Aragón?   d. Entre 1936 y 1939.

4. ¿.............. es el día de la Constitución?   e. En Tenerife. En las Canarias.

5. ¿.............. nació Picasso?   f. El 6 de diciembre.

3 Completa con *qué tal* o *cómo* en el lugar más adecuado. A veces las dos formas son posibles.

A1

↪ ¿...*Cómo*................ te has hecho esa herida? ¡Qué barbaridad!

1. ¿........................... te encuentras? ¿Mejor?

2. ¿........................... funciona el microondas? No sé a qué botón hay que darle para abrir la puerta.

3. ¿........................... tus padres? Hace mucho que no los veo.

4. ¿........................... han podido entrar? Yo creía que no tenían llave.

5. ¿........................... te ha salido el examen? ¿Era difícil?

6. ¿........................... el viaje? ¿Habéis esperado mucho rato en el aeropuerto?

7. ¿........................... la clase de aerobic? ¿Se suda mucho?

C Cantidad: *¿Cuánto...?*

■ Para preguntar por la **cantidad**, usamos:

Cuánto (invariable) + VERBO

- ¿**Cuánto** <u>cuestan</u> estos abrigos?
- ¿**Cuánto** <u>dura</u> el viaje en coche hasta Cuenca?

Oiga, ¿**cuánto** cuesta el autobús?

Cinco euros.

Pues lo compro. Que se bajen todos.

Cuánto/-a (singular) + SUSTANTIVO NO CONTABLE

- ¿**Cuánto** <u>dinero</u> sacamos del banco?
- ¿**Cuánt**a <u>gasolina</u> le ha echado Pablo al coche?

Cuántos/-as (plural) + SUSTANTIVO CONTABLE

- ¿**Cuánt**os <u>años</u> tienes?
- ¿**Cuánt**as <u>entradas</u> te ha regalado Andrés?

👁 *Cuánto/-a/-os/-as* y la palabra a la que se refieren (verbo o sustantivo) van al principio de la oración. Las otras partes de la oración van después del verbo, excepto los pronombres complemento.

■ *Cuánto/-a* y *cuántos/-as* pueden usarse sin sustantivo cuando está claro de qué estamos hablando:

- Hay que ir al banco: no tenemos <u>dinero</u> en casa.
- Vale, ¿y **cuánto** sacamos?

- He comprado <u>pasteles</u> esta tarde y ya no quedan.
- ¡Ah! ¿Sí? ¿**Cuántos** nos hemos comido?

---

4 Completa con *cuánto/-a/-os/-as* estas otras preguntas del mismo test y relaciona con las respuestas.

A1
A2

➔ ¿..*Cuántos*.... habitantes tiene Madrid?

1. ¿................ dura el viaje en avión de Madrid a Barcelona?
2. ¿................ lenguas se hablan en España?
3. ¿................ gente habla español en el mundo?
4. ¿................ tiempo duró la dictadura de Franco?
5. ¿................ mide El Teide, la montaña más alta de España?
6. ¿................ gente vive en Barcelona?
7. ¿................ personas hablan catalán?

a. 36 años.
b. Cuatro.
c. Más de un millón y medio.
d. 3. 718 m.
e. Unos cuatro millones.
f. 50 minutos.
g. Seis millones, aproximadamente.
h. Unos quinientos millones.

---

5 Completa las siguientes preguntas con *cuánto/-a/-os/-as.*

A1

➔ • ¿..*Cuántos*.... pisos tiene tu casa?
  ○ Tres: el sótano, la planta principal y un ático.

1. • ¿................ se tarda hasta Zaragoza?
  ○ No sé... Unas dos o tres horas en coche.

2. • ¿................ sal le pongo a la ensalada?
  ○ Poca, poca, que Ramón casi no toma sal.

3. • ¿Tiene plátanos?
  ○ Sí, ¿................ le pongo?

4. • ¿................ abono le echo a las plantas?
  ○ Bastante, que están muy tristes.

5. • ¿............ horas necesitas para acabar el trabajo?
  ○ En tres horas he terminado.

6. • ¿............ te falta para terminar eso?
  ○ Media hora o así.

7. • ¿Tenéis folios?
  ○ Sí, ¿............ necesitas?

D Causa: ¿*Por qué*...?

■ Para preguntar por la **causa** de algo, usamos *por qué*:

- ● ¿*Por qué* no ha venido Alberto?
- ○ *No lo sé, pero creo que ha tenido un problema con el coche.*

👁 A diferencia de la explicación de la causa, que se escribe con una palabra y sin tilde (*porque*), la pregunta sobre la causa se escribe en dos palabras y con tilde (*por qué*):

- ● ¿*Por qué* hay tantos coches parados?
- ○ *Porque ha habido un accidente.*

➔ 42. Unir frases

👁 Preguntar por qué no se hace una actividad (¿*Por qué no*...?) puede servir para **proponer** esa actividad a alguien:

- ● ¿*Por qué* no vamos a cenar esta noche a una pizzería?
- ○ *¿Y por qué no cenamos en casa y salimos después?*

Papá, ¿**por qué** la luna es blanca?
¿Y **por qué** las estrellas no se caen?
¿Y **por qué** no tengo un hermanito?

---

6 Completa con *por qué*, *porque* o *por qué no*.

A1
A2

➔ ● ¿..*Por qué*.... has cerrado la ventana? Hace mucho calor.

○ ...*Porque*...... hay muchísimo ruido y así no se puede trabajar.

1. ● ¿................. me ayudas y hacemos la cama?

   ○ ¿Y .... la dejamos sin hacer y nos echamos una siesta?

2. ● ¿................. te comes el yogur?

   ○ .... soy alérgica a los lácteos. Si me lo como, me tienes que llevar al hospital.

3. ● ¿................. me miras así? ¿Tengo algo en la cara?

   ○ No, mujer. Te miro .... me gusta mirarte.

4. ● ¿................. te has peleado otra vez con tu hermana? ¿Me lo puedes explicar?

   ○ Pues .... ella siempre me quita las cosas y no me deja jugar.

5. ● ¿................. habrá venido a la cena? ¿Estará mala?

   ○ Seguro, ... ella no se pierde nunca una cena con nosotros.

6. ● Estoy completamente agotada. No puedo más.

   ○ ¿................. descansas un rato? Túmbate en el sofá.

---

7 Completa con *¿dónde?*, *¿cómo?*, *¿cuánto?*, *¿cuándo?*, *¿por qué?* o *¿por qué no?* A veces son posibles dos soluciones.

A2

➔ ● No va a venir la tía Lola a cenar.

   ○ ..*¿Por qué?*..........

   ● No sé, creo que está muy cansada.

1. ● El concierto de esta noche es a las ocho.

   ○ ....

   ● En el Teatro Calderón, como siempre.

2. ● Nos vamos a Madrid esta noche.

   ○ Ah, ¿sí? ....

   ● En autobús, en tren era imposible.

3. ● ¿Sabes que María y Luis se casan?

   ○ ....

   ● Este domingo.

4. ● ¿......................... vas a tardar?

   ○ En diez o quince minutos estoy ahí.

5. ● ¿Me puedes dejar algo de dinero?

   ○ Sí, claro, ...

   ● 20 euros es suficiente.

6. ● ¿Sabes? Este año no voy de vacaciones.

   ○ ....

   ● Tengo que terminar un trabajo la primera semana de septiembre.

7. ● Yo, a la fiesta de Toni, no pienso ir.

   ○ ¿ ....? ¿Ya no sois amigos?

   ● Estamos pasando una mala época.

8. ● ¿Sabes que Carlos se ha roto un brazo y una pierna?

   ○ ¿De verdad? ¿ ....?

   ● Pues escalando el Monte Perdido.

▓ Usamos *qué* cuando preguntamos por cosas:

¿**Qué** le compramos a Adela?

Creo que quiere una cámara de fotos.

▓ Usamos *qué* + SUSTANTIVO cuando queremos mencionar **la clase de cosa** por la que preguntamos:

¿**Qué** cámara le compramos?

Una digital. Es un poco más cara, pero es mejor.

▓ Usamos *cuál/-es* cuando preguntamos por una cosa (o varias) de un **conjunto ya identificado** porque lo hemos mencionado antes o está claro en el contexto:

Vale, le compramos una cámara digital. ¿**Cuál** es la mejor?

La Kinon. Es estupenda.

👁 Podemos usar *qué* junto a un sustantivo (*¿Qué vestido...?, ¿Qué película...?*), pero no podemos usar *cuál* junto a un sustantivo:

¿Cuál vestido...? ¿Cuál película...?

👁 *Cuál* es singular y *cuáles*, plural:

● *Te regalo <u>uno de estos cuadros</u>. ¿**Cuál** te gusta?*
● *Te regalo <u>dos de estos cuadros</u>. ¿**Cuáles** te gustan?*

8 Completa con *qué*, *cuál* o *cuáles*.

1. ● ¿..*Qué*..... te apetece cenar?

   ○ No sé. ¿.................. hay en la nevera?

   ● Nada.

   ○ Vale. ¿A .... restaurante vamos?

   ● A uno cerca, estoy muy cansada.

   ○ Ya, pero ¿a ....?

2. ● ¿Me prestas unos pantalones?

   ○ Depende, ¿.................. quieres?

   ● Los vaqueros.

3. ● ¿Me dejas un momento ese disco?

   ○ ¿.................. disco?

   ● El que está ahí encima.

   ○ Hay tres. ¿.................. quieres?

4. ● ¿Sabes que he aprobado el examen?

   ○ ¿.................. examen?

   ● El de conducir.

5. ● Ese radiador no funciona.

   ○ ¿.................. radiador? ¿El de debajo de la ventana?

6. ● Y a tu padre, ¿.................. le compramos?

   ○ Un vino de reserva está bien.

   ● Sí, vale, pero ¿..................? Hay muchísimos.

   ○ ¿.................. te gusta más a ti?

7. ● Pásame los libros.

   ○ ¿..................? ¿Éstos?

   ● Sí, sí, esos.

F Personas: *¿Quién? ¿Qué niño? ¿Cuál?*

■ Usamos *quién*/*quiénes* cuando preguntamos por personas:

¿**Quién** me ha llamado?

Tu tía Encarna y una chica.

■ Usamos *qué* + SUSTANTIVO cuando queremos mencionar **la clase** de persona por la que preguntamos:

¿**Qué** <u>chica</u>?

No sé. Ha dicho que era amiga tuya.

■ También usamos *quién*/*-es* o *cuál*/*-es* cuando preguntamos por una persona o varias de un **conjunto ya identificado** porque lo hemos mencionado antes o está claro en el contexto:

¿Una <u>amiga</u> mía? ¿**Quién**?

No recuerdo su nombre. Me parece que era una compañera de clase.

Vale, <u>alguna compañera de clase</u>. Pero ¿**cuál**?

👁 Podemos usar *qué* junto a un sustantivo (¿*Qué médico*...?, ¿*Qué chica*...?) pero no podemos usar *cuál* junto a un sustantivo:

¿~~Cuál médico~~...? ¿~~Cuál chica~~...?

👁 *Quién* y *cuál* son singular; *quiénes* y *cuáles*, plural:

● ¿**Quién** tien<u>e</u> la llave?
● ¿**Quién<u>es</u>** tien<u>en</u> la llave?

● Necesito <u>un masajista</u>. ¿**Cuál** <u>es el mejor</u>?
● Necesito <u>dos masajistas</u>. ¿**Cuál<u>es</u>** <u>son los mejores</u>?

9 Completa con *quién*, *quiénes*, *qué*, *cuál* o *cuáles*. A veces son posibles dos soluciones.

A2
B1

↻ ● Ha venido Ana.
　○ ¿Ana? ¿...*Qué*.... Ana?
　● ¡Ah! No sé, tú sabrás.

1. ● ¿............ ciclista español ganó ocho veces el Tour?
　○ Ninguno.

2. ● De tus tres hijos, ¿............ es el más estudioso?
　○ El pequeño. Es el que más se parece a mí.

3. ● ¿Qué? ¡Pero, Juan, por Dios, eso era un secreto...! ¿A .... se lo has dicho?

4. ● Espejito, espejito: ¿............ es la más bella del reino?
　○ Blancanieves, mi señora.

5. ● ¿............ son Melchor, Gaspar y Baltasar?
　○ Los Reyes Magos.

6. ● A ver, niños. ¿............ ha escrito eso en la pizarra?
　○ Ha sido Álvaro, señorita. Yo lo he visto.

7. ● De todos tus amigos, ¿............ viven más o menos cerca?
　○ ¿Por qué?
　● Para ponernos de acuerdo para ir al trabajo.

8. ● Oiga, por favor, ¿............ atiende en esta ventanilla?
　○ El señor de las gafas, pero ahora está ocupado. Espere en la cola.
　● Perdone, pero hay dos señores con gafas. ¿A .... se refiere?

9. ● ¿............ es el hombre más rico del mundo?
　○ Vil Gueits, creo.

10 Completa cada enunciado con las palabras del recuadro y relaciónalo con su continuación.

A2
B1

qué ✓
quién
qué
quiénes
qué
cuál
cuáles
qué

↻ ¿...*Qué*........ es eso?

1. ¿............... os vais de viaje?

2. ¿............... comes?

3. ¿............... es?

4. ¿............... música pongo?

5. No acabo de decidirme. ¿...............
　de los dos me recomienda usted?

6. Al final, de las diez películas,
　¿............... van al festival de Venecia?

7. ¿............... equipo ha ganado la Liga?

a. Todos: Edu, Ana, Lucía y Merche.

b. Soy yo, Nuria. Abre la puerta.

c. Ensalada de apio. ¿Quieres?

d. No sé. Parece un regalo para alguien.

e. El Betis.

f. Bluf, Anaconda 11 y Noches ardientes.

g. El rape está más fresco que el atún.

h. Algo tranquilo, si no te importa.

11 Escribe las preguntas que un periodista le hace a Francisco Zapatero sobre un suceso extraordinario.

A2
B1

↻ ● ¿...*Cuándo*.... la encontró usted?
　○ Ayer por la noche, después de cenar.

1. ● ¿Y .... la encontró?
　○ Pues en un armario. Yo me acabo de mudar a esta casa y nunca había entrado en esa habitación.

2. ● Bueno, ¿y .... es exactamente?
　○ Una momia, una momia en perfecto estado.

3. ● Increíble. ¿................ es? ¿Lo sabe usted?
　○ Sí, sí, por supuesto. Es la tatarabuela de mi prima Casilda.

4. ● Ajá. ¿Y .... años calcula que tiene?
　○ Tendrá unos doscientos años, más o menos.

5. ● ¿................ estaba vestida? ¿Llevaba alguna ropa?
　○ No, no. Estaba envuelta en vendas: igual que las egipcias, igual.

6. ● ¿................ piensa usted que la guardaron en el armario?
　○ No tengo ni idea. Quizá porque fue una mujer muy querida por la familia. Era muy buena.

7. ● ¿Y usted .... se encuentra?
　○ Un poco sorprendido, la verdad.

8. ● ¿Y .... va a hacer con la momia?
　○ Pues creo que voy a llevarla al Museo Arqueológico de la ciudad. Es una joya.

G ¿Cuál es la capital de Perú? / ¿Qué es Tegucigalpa?

■ Para pedir la **identificación** de algo o alguien podemos usar *¿Cuál/-es + ser + SUSTANTIVO DEFINIDO?*:

¿Buenos Aires, Quito, La Paz, Lima...?

Lima.

👁 Si nos referimos a personas, también se puede usar *¿Quién/-es...?*

¿Cuál es la capital de Perú?

Cosas

- *¿Cuáles son sus peores defectos?*
  Entre sus defectos, identifica los peores.
- *¿Cuál es el horóscopo de Maite?*
  Entre los signos del Zodiaco, identifica el de Maite.
- *¿Cuál es la oferta más barata?*
  Entre las ofertas de hoy, identifica la más barata.

Personas

- *¿Cuál es el profesor?*
  Entre ese grupo, identifica al profesor.
- *¿Quién es tu hermana?*
  Entre estas personas, identifica a tu hermana.
- *¿Quiénes eran tus cantantes preferidos?*
  Entre los cantantes, identifica a tus preferidos.

■ Para preguntar por la **definición** o la **clasificación** de algo o alguien, usamos *¿Qué + ser + SUSTANTIVO?*:

- *¿Qué es Lima?*
  ○ Una ciudad. La capital de Perú.
- *¿Qué es un neurólogo?*
  ○ Un médico especialista en el sistema nervioso.

---

12 Si completas este test, descubrirás algunas cosas, verdaderas o inventadas, sobre el cosmos.

B1

⮕ (I) ¿Qué es una galaxia? —————————— a. Un inmenso conjunto de estrellas, gas y polvo.

(II) ¿Cuál es la galaxia más cercana a la Vía Láctea? ————— b. Andrómeda.

1. (I) ¿Quién es Marte?
   (II) ¿Qué es Marte?

c. Uno de los planetas del sistema solar.
d. El dios de la guerra.

2. (I) ¿Quién fue Laika?
   (II) ¿Qué era Laika?

e. El primer animal que se lanzó al espacio en 1957 en un satélite artificial ruso.
f. Una perrita.

3. (I) ¿Qué son los satélites?
   (II) ¿Cuáles son los satélites más grandes de Júpiter?

g. Ío, Europa y Calisto.
h. Astros sin luz propia que giran alrededor de un planeta.

4. (I) ¿Qué es un robot?
   (II) ¿Quiénes son los robots que acompañan a Luke Skywalker en sus aventuras?

i. C-3PO y R2-D2.
j. Una máquina que hace cosas automáticamente.

5. (I) ¿Quiénes fueron Amstrong, Aldrin y Collins?
   (II) ¿Qué eran Amstrong, Aldrin y Collins?

k. Astronautas.
l. Los primeros seres humanos que viajaron a la luna.

6. (I) ¿Cuál es el planeta más grande del sistema solar?
   (II) ¿Quién es Júpiter?

m. Júpiter.
n. El rey del Universo, el soberano de todos los dioses.

7. (I) ¿Qué era Darth Vader?
   (II) ¿Quién era Darth Vader?

o. El padre de Luke Skywalker.
p. Un caballero Jedi convertido al lado oscuro de la Fuerza.

13 ¿Serías compatible con esta persona? Completa las preguntas y responde al cuestionario.

B1

➤ ¿.*Cuál*.. es tu comida preferida? El pescado crudo.

1. ¿............. prefieres? ¿El frío o el calor? El frío.

2. ¿............. es tu pintor preferido? Miquel Barceló.

3. ¿............ te gusta más? ¿El día o la noche? El día.

4. ¿............. es tu color preferido? El negro.

5. ¿En .... ciudad te gustaría vivir? En Londres.

6. ¿.......... prefieres? ¿Dormir desnudo o en pijama? Desnudo.

7. ¿......... son tus manías? El orden y la puntualidad.

8. ¿......... tipo de música prefieres? El jazz.

H ¿De dónde...? ¿Hasta cuándo...? ¿Por cuánto...? ¿Para qué ...?

- *Cuándo, dónde, cuánto/-a/-os/-as, qué, quién, cuál* se usan con una **preposición delante** si el elemento por el que preguntamos va introducido por preposición:

  - Trabajo en Desfalcosa <u>desde XCVZ</u>.
  ○ **¿Desde cuándo?**

  - **¿De dónde** es tu mujer?
  ○ <u>De Ávila</u>, pero sus padres son de Burgos.

  - **¿A cuántos** kilómetros está Málaga de aquí?
  ○ <u>A doscientos cincuenta</u>, más o menos.

  - **¿Con quién** has quedado esta tarde?
  ○ No puedo decírtelo. Es un secreto.

  - Creo que los ladrones se fueron <u>por KHJHKK</u>.
  ○ **¿Por dónde?**

  - **¿Con cuántos** chicos has salido?
  ○ Uf, <u>con muchos</u>, pero en serio solo con dos.

  - **¿Para qué** has sacado la caja de herramientas?
  ○ <u>Para arreglar</u> la puerta.

  - Estamos <u>en un hotel</u>.
  ○ **¿En cuál?**

- Para preguntar ¿a qué lugar? podemos usar la forma **adónde** (preposición *a* + *dónde*) o simplemente **dónde**:

  - **¿Adónde** vais? ¿Dónde vais?
  ○ Al cine. La película empieza dentro de cinco minutos.

---

14 A Natalia le han sacado cuatro muelas y no puede hablar muy bien. Pregunta por los elementos que no se entienden.

B1

➤ He visto a KKKK en la sauna.

1. Me acuerdo mucho de mis WWW. Viven tan lejos...

2. El coche ha chocado contra un KKJKJH y está destrozado.

3. Después de ver muchos pisos, al final me he decidido por el —L—L.

4. Las películas de dibujos animados son de mis HTYFRJJJ.

5. Abrieron la puerta con una KJHKYYG.

6. Pienso en KKJJH y en su forma de hablar constantemente.

7. Al final se casó con IIKKKJHHJ.

¿.*A quién*... has visto?

¿............... te acuerdas?

¿............... ha chocado?

¿............... te has decidido?

¿............... son las películas de dibujos?

¿............... la abrieron?

¿............... piensas?

¿............... se casó?

---

15 En las siguientes noticias de última hora faltan algunos datos. ¿Qué preguntas habría que hacer para obtenerlos?

B1

EFE. A las 19:30 de hoy, un avión de la compañía Zigzagair que se dirigía hacia (➤) ***** con (1) ***** pasajeros a bordo, ha desaparecido en pleno vuelo.

REUTERS. El tenor español Agapito Vozarrón permanecerá en nuestra ciudad hasta (2) *****. Ese mismo día se trasladará a (3) *****, donde tiene programado un recital.

AGENCIAS. El Banco de Argentina ha comprado la empresa InterGas por (4) ***** millones de dólares. InterGas pertenece al empresario Carlos Etéreo desde (5) *****.

➲ *¿Hacia dónde se dirigía el avión?* .... 3. ....

1. .... 4. ....

2. .... 5. ....

| **Preguntas indirectas:** *No sé si te conozco. No sé cómo te llamas.*

■ Las oraciones con *qué, quién/-es, cuál/-es, dónde, cuándo, cuánto/-a/-os/-as, cómo, por qué*, pueden usarse **dentro de otras oraciones** cuando nos referimos indirectamente a una pregunta o a su contenido:

¿Quién ha ganado el premio?

- *Iñaqui no sabe **quién ha ganado el premio**.*
- *Los niños preguntan **dónde estás**.*
- *No he oído **cuándo les va a enviar Alberto el paquete**.*
- *¿Tú has comprendido **cómo funciona la lavadora**?*
- *Los padres quieren averiguar **cuánto tiempo estarán los niños en la escuela**.*

👁 Los interrogativos van al principio de la pregunta indirecta, y las otras partes de la oración, después del verbo, excepto los pronombres complemento.

■ Para referirnos indirectamente a preguntas que no tienen interrogativo, usamos *si*:

¿La lavadora funciona bien?

- *Cristina quiere saber **si la lavadora funciona bien**.*
- *No sé **si Alberto va a enviar los paquetes**.*
- *Los padres no han averiguado **si los niños tendrán clase mañana**.*
- *Mari Paz ha preguntado **si tus amigos van a ir a la fiesta**.*

👁 En las preguntas indirectas introducidas por *si* el orden de palabras no cambia.

---

16 Julie y Enrique tienen una cita a ciegas. Completa sus pensamientos como en el ejemplo.

★ ★
B1
★ ★

No sé...

➲ *cómo* .... tiene las manos.

1. en .... trabaja.

2. .... dinero gana.

3. .... vive.

4. .... tiene hermanos.

5. .... será su familia.

6. .... es su actriz favorita.

7. .... películas le gustan.

8. .... es su comida preferida.

9. .... lleva camiseta interior o no.

10. .... vive con sus padres.

No sé...

11. .... años tiene.

12. .... tiene los ojos.

13. .... besa.

14. .... tiene coche.

15. .... perfume usa.

16. .... es su deporte preferido.

17. .... vive en mi barrio.

18. .... le ha dado mi teléfono.

19. .... son sus medidas.

20. .... ha tenido muchos novios.

| cómo ✓ cómo si si cuál si |
| cuánto dónde cuál qué qué |

| si cómo si cuáles cuántos |
| si qué cómo cuál quién |

J Exclamar: ¡Ha nevado esta noche! ¡Qué raro!

■ Cualquier enunciado puede ser exclamativo. Para distinguirlo, la **entonación** es muy ascendente al principio y cae de forma brusca al final:

- ¡Ha llegado Carlos!
- ¡No vengas!
- ¡Luis tiene novia!

- ¡Está lloviendo!
- ¡Sal de aquí!
- ¡No!

👁 Cuando escribimos, ponemos signos de admiración al principio y al final (¡....!).

■ Para exclamar sobre la **intensidad**, la **cantidad** o el **modo** usamos *qué*, *cuánto*, y *cómo*:

la INTENSIDAD →	*Qué*	• ¡**Qué** feo!
la CANTIDAD →	*Cuánto/-a, -os, -as*	• ¡**Cuánta** agua lleva el río!
el MODO →	*Cómo*	• ¡**Cómo** canta Carla!

■ *Qué* puede referirse a un **adjetivo**, un **adverbio** o un **sustantivo**:

- ¡Qué <u>simpática</u> es la novia de Carlos!   Es muy simpática.
- ¡Qué <u>rápido</u> pasa el tiempo!   Pasa muy rápido.
- ¡Qué <u>ojos</u> tiene Ana!   Sus ojos son muy bonitos.

¡**Cómo** baila **Rodolfo**!

¡**Qué** delgada está **Catalina**!

■ En este tipo de construcciones el elemento exclamativo (*qué*, *cuánto*, *cómo*) va **al principio**:

- ¡Qué inteligente es tu hija!
- ¡Cómo grita el entrenador!

Y el **sujeto** de la frase, cuando es necesario mencionarlo, **al final**.

■ Cuando sabemos de qué estamos hablando, no es necesario mencionarlo:

- ¡Qué bonito! es el jersey
- ¡Cómo duerme! el bebé
- ¡Cuánto sabe! el conferenciante

---

17 ¿De qué está hablando Claudia? Relaciona cada exclamación con el tema.

B1

↪ ¡Qué vieja! ———————— a. Una casa

1. ¡Qué bonitos!   b. Un bocadillo de calamares
2. ¡Cómo cocina!   c. El chef de un restaurante
3. ¡Qué rico!   d. Unos zapatos nuevos
4. ¡Cuántos libros!   e. Su novio
5. ¡Cuánta gente!   f. Un concierto de rock
6. ¡Cuánto lo quiero!   g. El perro del vecino
7. ¡Cómo ladra!   h. La biblioteca de un amigo
8. ¡Qué rápido!   i. La casa de la vecina
9. ¡Qué vestido!   j. Una modelo
10. ¡Qué saladas!   k. Un coche de carreras
11. ¡Qué jardín!   l. Las patatas fritas

¡Qué rico !

■ Usamos *cuánto* para destacar la **cantidad** referida a un **verbo**:

- ¡*Cuánto* <u>fuma</u> Luisa! ⟮Luisa fuma mucho.⟯
- ¡*Cuánto* <u>come</u> tu hijo! ⟮Tu hijo come mucho.⟯

¡Cómo besa! ¡Y qué guapo es!...
¡Y **cuánto** dinero tiene!

■ Usamos *cuánto/-a* (con sustantivos no contables), *cuántos/-as* (con sustantivos contables) para destacar la **cantidad** referida a un **sustantivo**:

- ¡*Cuánt*a <u>gente</u> hay en la cola! ⟮Hay mucha gente en la cola.⟯
- ¡*Cuánt*os <u>libros</u> tienes en casa! ⟮Tienes muchos libros en casa.⟯
- ¡*Cuánt*as <u>novias</u> ha tenido Plácido! ⟮Plácido ha tenido muchas novias.⟯

👁 El sustantivo concuerda con *cuánto/-a/-os/-as* en género y número.

■ Para expresar la idea contraria, usamos *qué poco* (con verbos), *qué poco/-a* (con sustantivos no contables), *qué pocos/-as* (con sustantivos contables):

- ¡*Qué poco* <u>fuma</u> Luisa!
- ¡*Qué poc*a <u>agua</u> lleva el río!
- ¡*Qué poc*os <u>libros</u> tienes en casa!

---

18 Lee el siguiente texto sobre Romualdo Vargas y formula después las exclamaciones que hacen los vecinos. Tienes que usar *cuánto/-a/-os/-as* o *qué poco/-a/-os/-as*. Fíjate en los elementos destacados.

B1

Romualdo (➡) se ha casado siete veces y tiene (1) 14 hijos. (2) Antes pesaba 132 Kg. y fumaba muchísimo: más de dos paquetes al día, pero ahora está a régimen y **come** muy poco (solo ensaladas y zumos) y (3) **fuma** también muy poco: un cigarrillo por semana. A Romualdo (4) **le gusta** mucho la música y también el cine: tiene una discoteca enorme con más de mil (5) **discos**, y lo (6) **sabe** todo sobre actores, directores y películas. Pero ahora casi nunca (7) **va al cine**: solo una vez al mes.

➡ *¡Cuántas veces se ha casado!*

1. ....
2. ....
3. ....
4. ....

5. ....
6. ....
7. ....

■ Usamos *cómo* para destacar el **modo** en el que se realiza una acción:

- ¡*Cómo* <u>come</u> tu hijo! ⟮Me sorprende cómo come tu hijo: muy bien o muy mal.⟯
- ¡*Cómo* <u>vive</u> mi tío Alberto! ⟮Me sorprende cómo vive mi tío Alberto: muy bien o muy mal, o de un modo extraño.⟯

---

19 La madre de Romualdo, Doña Angustias, va a pasar unos días a casa de su hijo y se sorprende de los cambios que ha habido desde la última vez que estuvo. Formula las exclamaciones con *cómo*.

B1

➡ Romualdo ha adelgazado de forma sorprendente. *¡Cómo ha adelgazado Romualdo!* ....

1. Clara, su hija, ha crecido mucho. ....
2. Rufo, el perro, ladra sin parar. ....
3. La cocina está muy desordenada y sucia. ....
4. El jardín también está sucio y sin cuidar. ....
5. Los precios en el supermercado han subido mucho. Todo cuesta el doble. ....

41. Comparar

A   ¿Más o menos?

■ Para comparar dos cosas que son diferentes en algo, usamos:

| VERBO | **más** **menos** | que | | | **más** **menos** | ADJETIVO ADVERBIO SUSTANTIVO | que |

- *En la ciudad la gente se <u>estresa</u>* ***más que*** *en el campo.*

- *En la ciudad los niños <u>juegan</u>* ***menos que*** *en el campo.*

- *La ciudad es **más** <u>ruidosa</u> que el campo.*
- *En el campo la gente se acuesta **más** <u>temprano</u> que en la ciudad.*
- *En el campo hay **menos** <u>contaminación</u> que en la ciudad.*

■ Para ser más precisos en la comparación, usamos cuantificadores como **un poco,** **bastante** o **mucho/muchísimo** antes de **más/menos**:

- *Sevilla es **bastante** <u>más</u> grande que Granada.*
- *Jaime ha comido **un poco** <u>menos</u> que Ángel.*
- *Ir en avión es **mucho** <u>más</u> rápido que en barco.*

> 🠒 **11. Cuantificadores**

■ Cuando está claro de qué estamos hablando, no expresamos el segundo término de la comparación:

- *Tu jefe gana **más que** tú.*
- *Sí, aunque yo trabajo **más**.* ⌊que él⌋

- *El radiador nuevo es **más** grande pero calienta **menos**.* ⌊que el viejo⌋

■ Cuando el segundo término de la comparación es un pronombre sin preposición, siempre usamos las formas de sujeto:

- *Tu hermano habla más que **tú**.* ⌊Tu hermano habla más que ̶t̶i̶.⌋
- *Tu hermano habla más de mí que <u>de ti</u>.*

> 🠒 **13. Pronombres sujeto**
> 🠒 **14. Pronombres con preposición**

1 Aquí tienes algunos datos sobre el aspecto y la vida cotidiana de los habitantes de dos planetas de la galaxia Pelambres. Compáralos como en los ejemplos.

⋆⋆
⋆ **A1**
⋆⋆

	Rizus	Lisus	Más / menos
Nº de antenas	6	1	🠒 Los Rizus tienen *más antenas que los Lisus.*
Nº de ojos	2	6	1. Los Rizus tienen ....
Altura media	220 cm	150 cm	2. Los Rizus son .... altos ....
Coeficiente intelectual	170	60	3. Los Lisus son .... inteligentes ....
Hora de levantarse	Entre 10 y 11 a.m.	Entre 6 y 7 a.m.	4. Los Lisus se levantan .... temprano ....
Hora de acostarse	00:00	22:00	5. Los Rizus se acuestan .... tarde ....
Litros de alcohol por habitante y año	420 litros	1 litro	6. Los Rizus beben ....
Expectativas de vida	123 años	67 años	7. Los Lisus viven ....

2 Piensa en lo que dirían esta ancianita y esta joven.

En mis tiempos la gente *se lavaba menos* que ahora.

Ahora hay *más libertad que* antes.

1. La vida ser tranquila

....

2. Los trenes ir despacio

....

3. La gente casarse joven

....

4. La fruta tener sabor

....

5. Haber igualdad entre hombres y mujeres

....

6. La gente divorciarse

....

7. La gente vivir años

....

8. La gente viajar

....

B Igual, tan / tanto, el mismo...

■ Para decir que dos cosas son **equivalentes**, usamos:

Con ADJETIVOS y ADVERBIOS

igual de		que
	ADJETIVO ADVERBIO	
tan		como

● Paco es **igual de** <u>atractivo</u> **que** José.
● Paco no baila **igual de** <u>bien</u> **que** José.

● Paco es **tan** <u>atractivo</u> **como** José.
● Paco no baila **tan** <u>bien</u> **como** José.

Y también:
● Paco y José son **igual de** <u>atractivos</u>.
● Paco y José no bailan **igual de** <u>bien</u>.

Con VERBOS

...	igual que
	tanto como

Igual que
(DE MANERA O CANTIDAD EQUIVALENTE)

● Mi hija <u>duerme</u> **igual que** mi marido.
   De idéntica manera (boca arriba) o igual cantidad de horas.
● Mi hija no <u>ronca</u> **igual que** mi marido.

Y también: ● Mi hija y mi marido <u>duermen</u> **igual**.

Tanto como
(CANTIDAD EQUIVALENTE)

● Mi hija <u>duerme</u> **tanto como** mi marido.
   Igual cantidad de horas.

● Mi hija no <u>ronca</u> **tanto como** mi marido.

👁 Cuando nos referimos al complemento de un verbo, también usamos
lo mismo (*que*) para indicar "la misma cantidad" o "la/s misma/s cosa/s":

- Mis dos hijos estudian **lo mismo**: *arquitectura y piano.*
- He dormido **lo mismo** *que tú, doce horas.*
- Pidieron **lo mismo** *que vosotros: una subida de sueldo.*

▤ Cuando está claro de qué estamos hablando, no expresamos el segundo término
de la comparación:

- El hotel Plasta es **igual de** *caro* **que** *el Jilton e* **igual de** *cómodo.* [que el Jilton.]

👁 Pero con *tanto* eliminamos el segundo término **solo cuando la frase es negativa**:

- Paco bebe **tanto como** *José pero* <u>no</u> *fuma* **tanto.** [como José.]
   [Paco bebe tanto como José y fuma tanto.] ⌐como él.

3 Lola Menta y Carmen Druga son dos actrices famosas muy parecidas, pero no iguales. Utiliza
★★ los adjetivos y adverbios del recuadro y forma frases usando *igual de...* y *tan... como* para describir
★A1 en qué se parecen y en qué no.
★★

alta	delgada	joven ✓	rica	rápido	tarde	cerca

	Lola	Carmen
Edad	35	45
Altura	173 cm	173 cm
Peso	60 Kg	55 Kg
Hora de desayunar	12:00	12:00
Velocidad conduciendo	170 Km/h	170 Km/h
Distancia de casa al trabajo	5 Km	30 Km
Dinero	2 millones de euros/año	10 millones de euros/año

➥ *Carmen no es tan joven como Lola. / Carmen no es igual de joven que Lola.*

1. ....
2. ....
3. ....
4. ....
5. ....
6. ....

4 Compara lo que hacen Lola Menta y Carmen Druga usando *igual que, tanto como* y *lo mismo* (*que*).
★★ Cuidado, solo podrás usar *tanto como* cuando se comparan cantidades.
★A2
★★

➥ Lola se ha operado la nariz, los labios y las orejas. Carmen solo se ha operado la nariz.
➥ *Carmen no se ha operado lo mismo que Lola.*
   Carmen no se ha operado tanto como Lola.

1. Lola fuma tres paquetes de Güiston al día. Carmen también.
1. ....
....

2. Lola habla con falso acento argentino. Carmen también.
2. ....
....

3. Lola se bebe una botella de ron Palique al día. Carmen también.
3. ....
....

4. Lola se pinta los ojos, los labios, las uñas de las manos y de los pies.
   Carmen también.

4. ....
   ....
   ....

5. Lola duerme con antifaz y en colchón de agua.
   Carmen también.

5. ....
   ....

6. Lola desayuna dos docenas de ostras, salchichas y huevos.
   Carmen desayuna café solo.

6. ....
   ....
   ....

Con **SUSTANTIVOS**:

IDENTIDAD Y CANTIDAD		
el mismo		
la misma		*que*
los mismos		
las mismas		
	SUSTANTIVO	
SOLO CANTIDAD		
tanto		
tanta		
tantos		*como*
tantas		

IDENTIDAD / IGUAL CANTIDAD
CONTABLES Y NO CONTABLES

- *Pedro lleva **el mismo** <u>móvil</u> **que** Juan.*
- *Pedro usa **la misma** <u>talla</u> **que** Juan.*
- *Pedro tiene **los mismos** <u>gustos</u> **que** Juan.*
- *Pedro tiene **las mismas** <u>amigas</u> **que** Juan.*
  [Idénticas amigas o igual número de amigas.]
- *Pedro bebe **el mismo** <u>vino</u> **que** Juan.*
  [Idéntica marca de vino o igual cantidad.]
- *Pedro no lleva **el mismo** <u>jersey</u> **que** Juan.*

Y también:

- *Pedro y Juan tienen **el mismo** <u>móvil</u>.*
- *Pedro y Juan tienen **la misma** <u>talla</u>.*
- *Pedro y Juan tienen **los mismos** <u>gustos</u>.*
- *Pedro y Juan tienen **las mismas** <u>amigas</u>.*

IGUAL CANTIDAD
NO CONTABLES En singular

- *Tomo **tanto** café **como** mi marido.*
- *Esa casa tiene **tanta** luz **como** la vuestra.*
- *Ya no tengo **tanto** pelo **como** antes.*

CONTABLES En plural

- *Tengo **tantos** problemas **como** tú.*
- *Este hotel tiene **tantas** habitaciones **como** el de la playa.*
- *Tú no tienes **tantos** problemas **como** yo, ¿no?*

■ Cuando está claro de qué estamos hablando, no expresamos el segundo término de la comparación. Pero con **tanto/-a/-os/-as** eliminamos el segundo término solo cuando la frase es negativa:

- *Mi ordenador tiene **tanta** memoria **como** el tuyo pero **no** lleva **tantos** programas.* [como el tuyo.]
  [Mi ordenador tiene tanta memoria como el tuyo y lleva tantos programas.]
  └ como el tuyo.

231

5 Aquí tienes otros datos sobre Lola Menta y Carmen Druga. Completa las frases siguientes como en el ejemplo.

A2

	Lola	Carmen
Maridos	4	4
Pastillas para dormir	3 (Morfidal)	6 (Morfidal)
Agua mineral	Vichí	Vichí
Yates	3	3
Peluquera personal	Paquí Tijeras	Rocío Mechas
Entrenador personal	Jesús Cachas	Jesús Cachas
Amigas íntimas	Cari, Bea y Ana	Luci, Rosa y Pepi
Tazas de café al día	5 tazas (Colombiano)	5 tazas (Brasileño)

➲ Lola ha tenido ....*tantos*......... maridos como Carmen.

1. Carmen bebe .... agua que Lola.

2. Carmen tiene .... entrenador personal que Lola.

3. Carmen toma .... café .... Lola, pero no toma ....

4. Lola toma las mismas .... que Carmen pero no toma ....

5. Lola y Carmen tienen .... yates.

6. Lola tiene tantas .... como Carmen pero no ....

7. Carmen no tiene .... peluquera .... Lola.

6 Pablo y Paula se acaban de conocer, pero ya han descubierto que son el uno para el otro.

A2

➲ Van a los ...*mismos*......... restaurantes: vegetarianos.

1. Se duchan .... : con agua fría.

2. Los dos son .... tímidos: no hablan con nadie.

3. Los dos tienen .... trabajo: son fontaneros.

4. Los dos cocinan .... bien: hacen maravillas.

5. Oyen .... tipo de música: jazz y zarzuela.

6. Les gustan .... películas: japonesas y turcas.

7. Los dos son .... altos: miden 1,72.

8. Tienen .... terapeuta, pero lo van a dejar.

9. Les gusta .... vino: Sotontano.

10. Los dos se acuestan .... tarde: a las 2 de la mañana.

11. Los dos tienen .... manía: morderse las uñas.

C Superlativo relativo: *El hombre más rápido del mundo.*

■ Cuando queremos destacar a una persona o una cosa frente a todas las demás de un conjunto, usamos:

el/la/los/las (SUSTANTIVO) **más/menos** ADJETIVO

de + CONJUNTO

que + FRASE

- *El edificio azul es* **el** *rascacielos* **más** *alto* **de** *la ciudad.*
- *Es* **el** *(rascacielos)* **más** *alto* **que** *he visto en mi vida.*

■ Cuando está claro por el contexto, no es necesario mencionar el conjunto de referencia:

- *Me has dicho quién es la más simpática de tus amigas, pero no quién es* **la más rica.**
  [La más rica de tus amigas.]

7 Une los elementos de las tres columnas.

A2

⮕ Mi novio es   a. la menor   a. de la clase.

1. El Quijote es   b. el tren más rápido   b. que conozco.

2. Antoñito es   c. el libro más emocionante   c. de toda nuestra vida.

3. El AVE es   d. el hombre más guapo   d. de las cinco hermanas.

4. Los tres primeros años son   e. el niño más torpe   e. que he leído.

5. Sofía es   f. los más importantes   f. de España.

6. Los Polos son   g. el cuadro más famoso   g. de los últimos cinco años.

7. Este verano ha sido   h. la habitación más tranquila   h. del planeta.

8. Su dormitorio es   i. el peor día   i. de la semana.

9. El Guernica es   j. el más seco   j. de la casa.

10. El lunes es   k. las zonas más frías   k. de Picasso.

D   Superlativo absoluto: *Una mujer cariñosísima*.

■ Para expresar que algo muestra un grado muy alto en cierto aspecto pero sin relacionarlo con otros objetos de su clase, usamos:

ADJETIVO ADVERBIO	*-ísimo/-a/-os/-as*

- *Este rascacielos es altísimo.*
- *El sitio está bien pero la cafetería es carísima.*
- *Lola siempre llega tardísimo.*

■ Cuando *-ísimo* se añade a un adjetivo, concuerda en género y número con el sustantivo al que se refiere:

- *Tus <u>hijos</u> están altísimos.*
- *¡Qué barbaridad! Es una <u>tienda</u> carísima.*

👁 Con adjetivos que ya expresan mucha intensidad (como **precioso, horrible, magnífico, estupendo, espantoso,** o **maravilloso**) no es necesario usar *-ísimo*.

■ La terminación *-ísimo* se une a la forma singular de los adjetivos y a algunos adverbios:

Si el adjetivo o el adverbio termina en **vocal**, se sustituye la vocal por *-ísimo*:

alto/-a → *altísimo/-a*   *interesante* → *interesantísimo/-a*
temprano → *tempranísimo*   *tarde* → *tardísimo*

Si el adjetivo o el adverbio termina en **consonante**, se añade *-ísimo*:

útil → *utilísimo/-a*   *fácil* → *facilísimo/-a*   *difícil* → *dificilísimo/-a*

Si el adjetivo termina en *-ble*:

amable → *amabilísimo/-a*   *sensible* → *sensibilísimo/-a*

Con los **adverbios** terminados en *-mente* (formados con **el femenino singular de un adjetivo**) se añade *-ísima-* a la forma del adjetivo:

lentamente → *lentísimamente*   *rápidamente* → *rapidísimamente*

👁   ADJETIVOS   *joven* → *jovencísimo*   *fuerte* → *fortísimo/fuertísimo*
                   nuevo → *novísimo/nuevísimo*   *antiguo* → *antiquísimo*
                   poco → *poquísimo*   *fresco* → *fresquísimo*
   ADVERBIOS   *cerca* → *cerquísim<u>a</u>*   *lejos* → *lejísim<u>os</u>*

⮕ 44. Acentuación

233

8 Pon la terminación *-ísimo* /*-a* /*-os* /*-as* a estos adjetivos, manteniendo la concordancia.

★★★
★ **B1**
★★★

pocas	*poquísimas*	feliz	....	salado	....
simpáticos	....	joven	....	interesantes	....
antipático	....	amables	....	fácil	....
secas	....	agradable	....	divertido	....

9 Escribe los adjetivos correspondientes a estas formas.

★★★
★ **B1**
★★★

fortísimos	*fuertes*	fragilísimo	....	tontísimos	....
jovencísimas	....	grandísima	....	felicísimas	....
amabilísimo	....	blanquísimo	....	agradabilísimo	....

10 Pon la terminación *-ísimo* a estos adverbios.

★★★
★ **B1**
★★★

cerca	*cerquísima*	mucho	....	recientemente	....
lejos	....	poco	....	claramente	....
tarde	....	lentamente	....	fácilmente	....
pronto	....	tranquilamente	....	temprano	....

11 Ana y Puri son muy exageradas. Comentan la fiesta de cumpleaños de su amigo Félix. Tienes que poner las palabras entre paréntesis en la forma *-ísimo*/*-a*/*-os*/*-as*. Pero, atención, algunas no aceptan esa forma. Y cuidado con la concordancia.

★★★
★ **B1**
★★★

Ana: Tú estabas (mona), ➔ ...*monísima*...... y el vestido que llevabas era precioso. Pero Mimín, la novia de Félix, estaba fatal, con ese pelo (1. corto) .... y (2. rubio) .... Y ese vestido (3. largo) .... y esos tacones (4. altos) .... Nada, fatal, (5. horrible) .... Y el bolso, ¿viste el bolso? Era (6. feo) .... , (7. espantoso) .... Puri: El que está (8. feo) .... es Félix... Con esa barba (9. largo) .... , y (10. despeinado) .... Llevaba unos vaqueros (11. gastado)

.... y una camisa (12. normal) .... Seguro que la camisa era (13. barato) .... Ana: Sí, es verdad. Pero el que está (14. magnífico) .... es Alejandro. (15. Guapo) .... y (16. elegante) .... Llevaba un traje (17. precioso) .... Y es (18. educado) .... Y, además, es (19. simpático) .... Puri: Yo no lo vi en toda la noche. Estaba (20. lejos) .... ¡Qué suerte, hija! Tú estabas (21. cerca) .... de él...

Contesta a estas preguntas: ¿Quiénes iban mal vestidos? ....
¿Quiénes iban bien vestidos? ....

12 Completa como en el ejemplo. En dos casos no se puede formar el superlativo y tienes que repetir el adjetivo.

★★★
★ **B1**
★★★

➔ ● El profesor es muy agradable, ¿verdad?
○ Sí, es *agradabilísimo* .

1. ● No, prefiero no comprar este vino... Es muy caro.
○ Sí, es ....

2. ● Basta, no quiero ver más a José. Es muy creído.
○ Sí, es .... Me cae fatal.

3. ● ¿Qué pensáis? A mí me parece muy feo.
○ Es .... , la verdad.

4. ● Es un cuadro precioso. ¿Te gusta?
○ Sí, es ....

5. ● Es una situación horrible.
○ Sí, es .... ¿Nos vamos?

E   *Mejor, peor, mayor, menor.*

■ Los adjetivos *bueno*, *malo*, *grande*, *pequeño* y los adverbios *bien*, *mal*
tienen formas especiales para expresar un grado mayor:

Mejor = (más + bueno) / (más + bien)

- *El aceite de oliva es **mejor** que la mantequilla.*
- *Mi madre cocina **mejor** que tú.*
- *Es el **mejor** libro que he leído.*

Peor = (más + malo) / (más + mal)

- *La película es **peor** que el libro.*
- *Mi marido conduce **peor** que tú.*
- *¿Quién es el **peor** de la clase?*

Mayor = más grande (de más edad)

- *Mi hermana es un poco **mayor** que yo.*
- *Es el **mayor** pero no es el más listo.*

Menor = más pequeño (de menos edad)

- *Tu novio es bastante **menor** que tú, ¿no?*
- *Solo conozco al **menor** de los hermanos.*

👁 Cuando *mejor*, *peor*, *mayor* y *menor* son adjetivos solo concuerdan en número:

- *Las bromas de José son mejores que las de Alex.*

13 Completa con *mejor, peor, mayor* y *menor*. **Cuidado con la concordancia.**

B1

➲ ¡Veinte años más! Tu marido es bastante
...*mayor*..... que tú.

1. No me ha gustado nada la película. El libro es
mucho ....

2. El hotel era muchísimo .... que el del año
pasado. Había cucarachas y ratones. Lo hemos
pasado fatal.

3. Doctor, me siento mucho .... Estas
pastillas son fabulosas.

4. ¡Claro que Jesús es .... que yo!
Él tiene 28 y yo 37.

5. En mi país los autobuses son .... :
son más puntuales y más cómodos.

6. Aquellos cursos fueron bastante ....
que los de otros años. No aprendimos nada.
Un desastre.

7. Está claro que estas gambas son ....
Aunque son más baratas, están bastante más frescas.

14 Fernando se pasa el día comparándose con su mejor amigo del cole, Jorge. Lee esta página de su diario
y suprime el segundo término de la comparación siempre que puedas.

B1

Querido diario:

Hoy voy a hablar de mi amigo Jorge. ➲ Su padre no le puede pegar al mío
porque mi padre es más fuerte (que el suyo) (1) A mí me hacen más regalos
en Navidad que a él porque mi padre gana mucho más dinero que el suyo.
(2) Cuando hacemos carreras yo corro tanto como él, pero cuando jugamos
al fútbol yo no meto tantos goles como él. (3) Yo me tengo que ir a la
cama a las nueve y no entiendo por qué Jorge se acuesta más tarde que yo.
No es justo. (4) Como vamos a la misma clase, nos mandan los mismos
deberes, pero yo no tardo tanto como él en hacerlos. Yo soy mucho más rápido
que él. (5) Él vive tan cerca del colegio como yo, pero siempre va en coche.
Yo voy andando o en autobús. (6) A Jorge y a mí nos gusta la misma niña,
Susana, pero ella me mira a mí más que a él. (7) Yo soy mejor que él con
los videojuegos, pero él es mejor que yo con las canicas. (8) Los dos hemos
pasado la gripe a la vez. Un día me llamó y me dijo que tenía tanta fiebre
como yo y que le dolía la garganta tanto como a mí, pero que él no lloraba
tanto como yo, que era más valiente que yo. (9) Jorge es mi mejor amigo y
yo soy su mejor amigo. La verdad es que no sé si a Susana la quiero más que
a él, pero cuando estamos de vacaciones me acuerdo más de Jorge que de ella.

A   *Y, o, ni*

▨ Con *y* añadimos un elemento a otro elemento:

- *Han venido Luis **y** María a vernos.*
- *Vamos a cenar **y** a ver una película.*
- *Fuimos a la fiesta **y** lo pasamos muy bien.*

¿Cómo se llama tu gato?

Julio César

¿**Y** cuántos años tiene?

Uno **y** medio

▨ Cuando hay más de dos elementos, es suficiente poner la *y* antes del último:

- *Tenemos que comprar patatas, tomates, lechuga **y** ajos.*
- *Me levanto, me ducho, desayuno **y** voy a trabajar.*

Pero también es posible decir:

- *Hay que comprar patatas **y** tomates **y** ajos.*

👁 Usamos *e* (en lugar de *y*), sobre todo en textos escritos, cuando la palabra siguiente comienza por *i-* o *hi-*:

- *En el barrio viven paquistaníes **e** indios.*
- *Tienen que ir a la reunión padres **e** hijos.*

▨ Con *o* señalamos una **alternativa** entre dos o más elementos:

- *¿Sacas tú la basura **o** la saco yo?*
- *De regalo, quiere unos guantes **o** un collar.*

- *Podemos ir al cine esta noche. ¿**O** vamos al teatro?*
- *○ **O** a la discoteca. Tengo ganas de bailar.*

Pero entonces, ¿tú me quieres a mí **o** a Álvaro?

O puede ponerse antes de **todos** los elementos que relacionamos, excepto en las preguntas:

- *Iré el jueves **o** el viernes, aún no lo sé .*

Y también:
- *Iré **o** el jueves **o** el viernes, aún no lo sé .*

Pero: *¿~~O~~ te apetece un té o prefieres un café?*

👁 Usamos *u* (en lugar de *o*), sobre todo en textos escritos, cuando la palabra siguiente comienza por *o-* u *ho-*:

- *Los López tienen siete **u** ocho hijos.*
- *¿Vertical **u** horizontal?*

① **Relaciona las dos partes de cada enunciado.**

★ A1

⟳ Están aquí Clara y	a. después al cine.
1. Vamos a ir a cenar y	b. sus amigas del colegio.
2. Tenemos clase esta tarde y	c. inglés. Es traductor.
3. Vino tu madre e	d. mañana por la tarde.
4. Julián habla muy bien francés e	e. me encuentro con Ana.
5. Esta mañana salgo de casa y	f. hizo la cena para todos.

6. ¿Quieres un café o	g. a la playa?
7. El viaje dura dos o	h. Holanda. No me acuerdo.
8. ¿Vamos al campo o	i. Alemania, me parece.
9. Lola quiere visitar Bélgica u	j. ocho horas en el avión.
10. Y Paco quiere visitar Italia o	k. prefieres una cerveza?
11. Vamos a estar siete u	l. tres horas en barco.
12. Setenta u	m. ochenta personas son demasiadas.

■ Con *ni* añadimos un elemento negativo a otro elemento negativo:

- *No ha venido Juan.*
- ○ *Ni María. ¡Qué raro!*

- *No quiero té ni café.*
- *Luis no sabe inglés ni quiere aprender.*

Podemos poner *ni* antes de todos los elementos que unimos.
Así, indicamos desde el principio que todos esos elementos
serán negativos:

- *Ni ha venido ni ha llamado.*
- *Ni tengo novio ni estoy casada ni quiero casarme.*

2 **Carmen y su madre compran regalos para la familia. ¿Cuántas cosas van a comprar a cada persona?**

★A1

➲ Para Ana, un perfume, o un bolso y una camiseta. ....*1 / 2*..........

1. Para Mercedes, ni juguetes ni dulces: un cuento. ....

2. Para Antonio, un libro, un póster o un disco. ....

3. Para Julia, un marco de fotos o un cuadro. ....

4. Para Elisa, ni un piano, ni una guitarra ni nada. ....

5. Para Carla, una camisa y un chaleco o unos pantalones y un cinturón. ....

6. Para Juan, una toalla y un jabón. ....

7. Para Jordi, una planta y un disco, o unos zapatos. ....

8. Para Menchu, ni libros ni discos. Un collar o una pulsera. ....

3 **Unos amigos proponen planes para el fin de semana. Completa con *y, ni, o*.**

★A1

Carla: El sábado ➲ ....*o*.... el domingo por la mañana
podemos ir al zoo (1) .... después a pasear por el
campo.
Goyo: No hay tiempo para las dos cosas: (2) ....
vamos al zoo (3) .... vamos al campo.
Merche: A mí no me apetece (4) .... una cosa
(5) .... la otra. ¿Por qué no vamos a pasar el día a
casa de Tomás?

Carla: ¿A casa de Tomás (6) .... a casa de Luis? La
casa de Luis es más grande y tiene jardín.
Goyo: Pero (7) .... Luis (8) .... Tomás saben
nada de nuestros planes. En vez de eso, podemos ir
todo el fin de semana a la playa a tomar el sol (9)
.... a descansar.
Merche: Sí, mejor. A la playa por la mañana (10) ....
a bailar por la noche, ¿de acuerdo?

4 **Fíjate en los dibujos, completa las descripciones con *y, ni*.**
¿Sabes quién es el marido de Cristina?

★A1

El tipo de hombre ideal de Cristina...

➲ No lleva ..*ni*.. barba *ni*.... bigote.

1. Tiene el pelo corto ...... liso.

2. Lleva chaqueta ...... corbata.

3. No es ...... muy alto ...... muy delgado.

4. No tiene los ojos azules ...... el pelo rubio.

El marido de Cristina...

5. Lleva barba ...... bigote.

6. No tiene el pelo ...... corto ...... liso.

7. No lleva ...... chaqueta ...... corbata.

8. No es ...... muy bajo ...... muy gordo.

9. Tiene los ojos azules ...... el pelo rubio.

■ *Pero* introduce una idea que **contrasta** con otra anterior o la **limita**:

- *Tengo una piscina en casa, **pero** no sé nadar.*
- *Quiero mucho a Lorenzo, **pero** no me voy a casar con él.*

- *Tu hermano no ha llegado, **pero** sí tu cuñada.*
- *La casa de Luisa es fantástica **pero** un poco cara.*

5 Escribe *y, o, pero* donde mejor corresponda en cada uno de los ejemplos.

A1

↪ Julián quiere ganar mucho dinero

....Y... ha hecho entrevistas con tres empresas.

....o... casarse con una chica millonaria.

..pero. no quiere trabajar.

1. Los López tienen una casa en la playa

.... siempre van a la montaña.

.... en la montaña. No me acuerdo.

.... otra en la montaña.

2. Rogelio está enamorado de Marta

.... de Alicia. No estoy seguro.

.... de Clara al mismo tiempo.

.... no quiere irse a vivir con ella.

3. El nuevo empleado trabaja muy bien

.... trabaja muy mal, depende del día.

.... mucho. Es el mejor de todos.

.... poco: sale siempre el primero.

4. Mañana vamos al cine

.... no antes de las 7 porque tengo que trabajar.

.... , mejor, a dar una vuelta si no llueve.

.... a cenar después.

5. Rosa todos los días va al gimnasio

.... hace ejercicio en casa, una de dos.

.... todavía no está tan fuerte como Alex.

.... , además, come solo frutas y verduras.

■ Podemos usar *pero* para **añadir una idea** que **contrasta** con otra idea negativa anterior:

*Jane no habla español, **pero** lo comprende.*

- *Tú no has pedido jamón, ¿verdad?*
- *No, no he pedido jamón, **pero** me lo han traído.*

- *No tengo azúcar, **pero** tengo miel.*
- *No has hecho bien el examen, **pero** has aprobado.*

■ Usamos *sino* para corregir. **Negamos** un elemento de una idea y lo **sustituimos** por otro:

*Jane no habla español **sino** inglés.*

- *Usted ha pedido jamón, ¿verdad?*
- *No, yo no he pedido jamón **sino** salmón.*

- *Esas galletas no llevan azúcar **sino** miel.*
- *En el examen no has sacado un 6, como yo creía, **sino** un 8.*

👁

[*Mopa no pasea con su dueño* ~~*pero*~~ *con su dueña.*]
sino

👁 Cuando *sino* introduce un verbo conjugado usamos *sino que*:

- *El ladrón no huyó por la ventana, **sino que** <u>estuvo</u> escondido en la casa hasta que llegó la policía.*
- *Y esta tarde no vas al parque, **sino que** <u>te vas a quedar</u> en casa y sin televisión.*

6 La actriz Guadalupe Chamorro está perdiendo la memoria. Ayuda a sus hijos a corregir las informaciones que le da a un periodista. Tienes que usar *sino* o *sino que*.

★ ★
★ A2
★ ★

➲ Nací en Reus en 1933.

(Nació en Barcelona en 1933.)

No nació en Reus sino en Barcelona.

1. En 1950 me casé. Mi marido se llamaba Paco Frutales. (Su marido se llamaba Antonio Frutales.)

....

2. En 1985 mi marido me abandonó por otra. (En 1985 su marido murió de un infarto.)

....

3. Mi primera película fue un gran éxito. (En realidad fue un fracaso.)

....

4. En el 52 fui la protagonista de "Historia de G". (Tuvo un papel secundario en la película.)

....

5. Tengo siete hijos. (Tiene solo tres hijos.)

....

6. Mi hijo mayor, Julián, es director de cine. (Julián trabaja en el circo.)

....

7. Gané un Óscar por la película "José y yo". (Ganó el premio "Ciudad de Teruel".)

....

7 Guadalupe Chamorro es también muy pesimista y olvida contarle al periodista las cosas positivas de su vida. Ayuda otra vez a sus hijos a completar la información de Guadalupe.

★ ★
★ A2
★ ★

➲ No tengo ninguna hija.

(Tiene cinco nietas preciosas.)

No tiene ninguna hija, pero tiene cinco nietas preciosas.

1. Ya no tengo casa en Hollywood.

(Tiene casas en París y en Roma.)

....

....

2. Gregory Peck nunca me quiso.

(Tuvo romances con varios actores de Hollywood.)

....

....

3. Nunca he tenido una buena crítica.

(Ha ganado mucho dinero en el cine.)

....

....

8 El periodista que ha hecho la entrevista a Guadalupe es extranjero y no sabe usar *sino*. Corrige sus errores (hay 5 más).

★ ★
★ A2
★ ★

➲ No tiene siete hijos pero (..*sino*..) tres.

No es joven, pero (..✗..) todavía es atractiva.

1. No se casó en 1940 pero (........) en 1950.

2. No tiene avión privado pero (........) la productora le regaló un barco de recreo.

3. Su primera película no fue "Historia de G" pero (........) "Las aventuras del conde Drágila".

4. No es una buena actriz, pero (........) ha ganado mucho dinero.

5. Su hijo no trabaja en el cine pero (........) en el circo.

6. No le gustan los periodistas, pero (........) a veces habla con ellos.

7. Ahora no vive en Barcelona pero (........) en Reus.

8. No vive sola pero (........) con su hermana pequeña.

C   Porque, como, es que

◼ Con **porque** explicamos la causa de algo:

Tengo que irme a casa **porque** mi hija está enferma.

Ah, ¿qué le pasa?

[Jaime explica la causa por la que tiene que irse a casa: su hija está enferma.]

La causa introducida con **porque** normalmente se pone después:

● *No puedo ir a la fiesta de Jimena porque me voy a Madrid.*

◉ A diferencia de la pregunta sobre la causa, que se escribe en dos palabras y con tilde (**por qué**), la explicación de la causa se escribe con una palabra y sin tilde (**porque**):

● **¿Por qué** no vas a trabajar?
○ **Porque** tengo 39 de fiebre.

🔁 40. Preguntar y exclamar

◼ Con **como** presentamos un hecho en el que hay que pensar antes para poder comprender después otro hecho:

Como está lloviendo, mejor nos quedamos en casa, ¿no?

Sí, mejor nos quedamos.

[Si el chico tiene en cuenta la lluvia, comprenderá la propuesta de la chica.]

La causa presentada con **como** normalmente se pone antes:

● **Como** *trabaja tanto, Raquel no tiene tiempo para su familia.*

¿Por qué llegas tan tarde?

Es que no ha sonado el despertador.

◼ **Es que** sirve para presentar una causa como la justificación de algo:

● *No he hecho los deberes.* **Es que** *no he tenido tiempo en toda la semana.* [Se justifica.]
● *Me gustaría ir al cine contigo esta noche, pero no puedo.* **Es que** *mañana tengo que madrugar.* [Se disculpa.]

9 Completa estas frases con la explicación más adecuada. Ten cuidado con el orden de los elementos.

A2

como no hay nada interesante en el cine ✓   como Catalina sabe latín
porque me he quedado sin batería en el móvil   porque esta se nos ha quedado pequeña ✓
como ya teníamos las entradas para el concierto   como el banco estaba cerrado
porque se han ido al parque con su madre   porque necesitábamos ocho

↪ *Como no hay nada interesante en el cine,* mejor alquilamos una película. ....

↪ .... Dentro de un mes nos mudamos de casa *porque esta se nos ha quedado pequeña.*

1. .... le he pedido que me ayude con la traducción ....

2. .... los niños no están en casa ....

3. .... he tenido que pedirle dinero a mi hermano ....

4. .... no te he llamado por teléfono ....

5. .... no tuvimos que hacer cola ....

6. .... hemos puesto un ejemplo más ....

10 Completa cada diálogo con la opción más adecuada según el sentido.

> Pues porque María no me invitó.   Sí, porque, si no, se va a enfriar el pescado.   Es que mi madre es de Milán.
> No, porque no hay mucho que hacer en la oficina.   Es que no tenemos a nadie con quien dejar al niño.
> Es que no tengo cepillo.   Porque ya estamos en junio y los días son más largos.   Es que no había huevos.

↪ ● ¿Por qué no viniste a la fiesta anoche?
  ○ *Pues porque María no me invitó.*

1. ● ¿No has preparado la tortilla?
   ○ ....

2. ● ¿Podemos empezar a comer ya nosotros?
   ○ ....

3. ● ¿Vas a trabajar este fin de semana?
   ○ ....

4. ● ¿Por qué no te has lavado los dientes?
   ○ ....

5. ● ¿Vais a venir esta noche a casa?
   ○ ....

6. ● Oye, ¡qué bien hablas italiano!
   ○ ....

7. ● ¿Por qué amanece tan pronto?
   ○ ....

D   Que, donde, como, cuando

■ Podemos usar frases para **dar información** sobre objetos, personas o lugares que nombramos con un **sustantivo**. Para unir las frases a los sustantivos usamos los relativos *que* (con objetos y personas) y *donde* (con lugares):

● *Ese <u>perro</u> se llama Bruch.*

● *Ese <u>perro</u> que tiene Ana en brazos se llama Bruch.*

[Ese perro se llama Bruch. Ana tiene a ese perro en brazos.]

● *La <u>novela</u> es fantástica.*

● *La <u>novela</u> que me regalaste es fantástica.*

[La novela es fantástica. Tú me regalaste la novela.]

● *El <u>hotel</u> está en la playa.*

↪ 33. ¿Indicativo o subjuntivo?

● *El <u>hotel</u> donde trabaja Carlos está en la playa.*

[El hotel está en la playa. En el hotel trabaja Carlos.]

11 En la carta que Ángela le escribe a los Reyes Magos se han borrado algunas frases. ¿Puedes ayudar
a los Reyes Magos a reconstruirlas? En el recuadro encontrarás los elementos que faltan.

B1

Queridos Reyes Magos:

Este año quiero el libro de los animales _que tiene mi amiga_

.. Sandra; la muñeca de Juguetosa (1) .... sola

y (2) .... muchas canciones de Los Changuitos;

la película de dibujos animados (3) .... con mis

padres (es de una princesa india (4) .... con un

marinero (5) .... muy lejano); el disco del

cantante (6) .... de Neurovisión este año; y un

traje de enfermera. Para mi hermana Lucía, (7) .... ,

os pido la bicicleta (8) .... para ir al colegio.

que tiene mi amiga ✓
que vive en un país
que puede andar
que tiene nueve años
que se enamora y se casa
que ha ganado el festival
que vi ayer en el cine
que quiere comprarse
que canta

12 Gianni, que está aprendiendo español, escribe cosas curiosas sobre su familia, pero tiene
algunos problemas para construir frases con *que*. ¿Puedes ayudarle?

B1

➡ Mi tío Humberto tiene una casa preciosa. La casa
de mi tío está en la costa.
Mi tío Humberto tiene una casa preciosa que
está en la costa.

1. Un primo mío está casado con una japonesa.
La japonesa se llama Machiko.
....
....

2. Mi madre es traductora en una empresa. La empresa
está a 10 Km. de nuestra casa.
....
....

3. Paola, mi hermana, escribe novelas. Las novelas de
mi hermana tienen mucho éxito.
....
....

4. Ferdinando, mi hermano, tiene una cámara y se
dedica a la fotografía. La cámara era de mi abuelo.
....
....

5. Y yo tengo un trabajo pero también tengo tiempo
para estudiar español. Mi trabajo no me gusta nada.
....
....

13 Cuando Gianni escribe sobre sus amigos tiene problemas para construir las frases con *donde*.

B1

➡ Gian Carlo trabaja en un casino. En ese casino yo
tengo prohibida la entrada.
.._Gian Carlo trabaja en un casino donde yo tengo_
..._prohibida la entrada._

1. Bianca es azafata en una compañía aérea y también
es bailarina. En la compañía aérea gana mucho dinero.
....
....

2. Silvia trabajaba antes en una editorial, pero ahora se
dedica a escribir guías de viaje. Yo trabajé también en
esa editorial.
....
....

3. Lucca vive todo el año en un hotel de Milán. En el
hotel no pueden entrar ni niños ni perros.
....
....

4. Piero vive en un pueblecito de la India. En ese pueblo
todavía no hay luz ni teléfono.
....
....

5. Francesca es profesora en una escuela, pero quiere
dejar la enseñanza. En la escuela solo hay veinte
estudiantes.
....
....

■ Cuando el sujeto o el complemento de un verbo es una frase **subordinada** con
un **verbo conjugado**, usamos *que* para introducir esa frase:

- *Tu hermana me ha dicho* que *viene el fin de semana.*
- *He visto* que *te has comprado un coche nuevo.*
- *La jefa quiere* que *trabajemos el sábado.*
- *Me gusta* que *me rasquen la espalda.*
- *Es importante* que *llevemos ropa de abrigo.*

👁 No usamos *que* cuando el verbo de la frase subordinada es un **infinitivo**:

- *La jefa quiere* trabajar *el sábado.*
- *Me gusta* jugar *con mi amigo Sebastián.*
- *Es importante* llevar *ropa de abrigo.*

> ➲ 20. Formas no personales

> ➲ 33. ¿Indicativo o subjuntivo?

14 **¿En qué frases es necesario decir *que*? Señala con ↓ dónde debe ponerse.**

B1

➲ No soporto llevar zapatos de tacón. Me duelen mucho los pies. (...✓...)

➲ No soporto⌄leas el periódico en el desayuno. (.*que*.)

1. Quieren cenemos esta noche en un restaurante argentino. (........)

2. Quieren cenar en un restaurante argentino. (........)

3. ¿Es necesario llevar traje de etiqueta? (........)

4. ¿Es necesario lleve corbata? (........)

5. Le gusta le den masajes en los pies. (........)

6. Le gusta dar masajes en los pies. (........)

7. Últimamente no consigo dormir. Estoy muy nerviosa. (........)

8. Últimamente no consigo duerma. Está muy nerviosa. (........)

■ Igualmente, podemos referirnos con una frase al **modo**, al **lugar** o al **tiempo**
en que se realiza una acción:

Modo:

Como {
- *Prohibieron fumar en los bares* como *habían hecho en otros países.*
- *Voy a hacer la tortilla* como *me has dicho, sin cebolla y con ajo.*
- *Termina este trabajo* como *puedas, pero termínalo pronto.*

Lugar:

Donde {
- *Al abuelo lo enterramos* donde *nos había dicho.*
- *Mis gafas no están* donde *las he dejado. ¿Tú las has visto?*
- *Aparca* donde *encuentres un sitio, pero no en doble fila.*

Tiempo:

Cuando {
- *Nos encontramos con Daniel* cuando *íbamos al instituto.*
- *Me pongo muy nerviosa* cuando *hay tormenta.*
- *Iremos a visitaros* cuando *tengamos unos días libres.*

> ➲ 33. ¿Indicativo o subjuntivo?

15 *¿Donde, como o cuando?*

➲ He colgado el cuadro

donde — me has dicho, con dos clavos finos.
como — me has dicho, al lado del espejo.
cuando — no había nadie en casa.

1. Marga hizo una cena

donde — solo ella sabe hacerla: fantástica.
como — se fueron sus padres de viaje.
cuando — vive ahora, en casa de sus padres.

2. Hoy he comido

donde — he terminado de hacer cosas en el banco.
como — siempre, con prisa.
cuando — come Carlos, un restaurante estupendo.

3. En el concierto de ayer, Ravinof tocó el piano

donde — suele tocar los sábados, en el Auditorio General.
como — nadie se lo esperaba: ¡en la pausa!
cuando — suele tocar: fatal.

4. Me compré un traje

donde — el de tu madre, con cinturón, pero blanco y negro.
como — empezaron las rebajas.
cuando — se lo compró tu madre, en Zaza.

16 Carlota y Arnau son adolescentes y siempre evitan contestar directamente a sus padres. Relaciona las preguntas con las respuestas y escribe *donde*, *como* o *cuando* según corresponda.

➲ ¿Dónde vais de excursión?
1. ¿Cuándo pensáis volver?
2. ¿Dónde vais a dormir?
3. ¿Cómo vais a ir? ¿En coche?
4. ¿Cuándo tienes los exámenes del instituto?
5. ¿Cómo piensas aprobar si no estudias nada este fin de semana?

➲ ¿Cuándo vamos a conocer a tu novio?
6. ¿Y cómo se llama?
7. ¿Dónde vive el tal David?
8. ¿Cómo os conocisteis?
9. ¿Cuándo empezó a trabajar?

(➲) ...*Donde*... vamos siempre, al campo.
a. ( ) .... podamos, no sé, en autobús a lo mejor.
b. ( ) .... encontremos sitio, en una pensión o en un camping.
c. ( ) .... siempre. Ya estudiaré la semana que viene.
d. ( ) .... nos cansemos del campo, dentro de unos días.
e. ( ) .... acabe el curso, a finales de junio.

(➲) ...*Cuando*... él pueda. Es que tiene mucho trabajo ahora.
f. ( ) .... vivía la tía Lou, por allí cerca.
h. ( ) No sé, ... dejó el Instituto, supongo.
i. ( ) .... te he dicho mil veces, mamá: David.
j. ( ) Pues .... he conocido a todos mis novios: chateando, en la cola de un concierto, no me acuerdo.

E Cuando, hasta que, en cuanto, mientras, siempre que, antes de (que), después de (que)

■ *Cuando* sirve para expresar que dos hechos están conectados temporalmente.
Estos dos hechos pueden ser simultáneos o uno antes y otro después:

Cuando	Hechos simultáneos	Un hecho antes y otro después

- *Jenaro canta ópera cuando se ducha.*
  [Canta y se ducha al mismo tiempo.]
- *Cuando llueve y hay sol, sale el arco iris.*
- *Siempre escuchaba música cuando estudiaba.*

(⬤ 33. ¿Indicativo o subjuntivo?)

- *Cuando terminó la película, nos acostamos.*
- *Esther se levanta de mal humor cuando duerme poco.*
- *Cuando nos acostamos, la película ya había terminado.*
  [Primero termina la película. Después nos acostamos.]

---

17 Lee estas frases sobre los hábitos de Belén. Después ordena las acciones en el cuadro de la derecha. Cuidado: algunas acciones son simultáneas.

★★
★ **B1**
★★

A. Se levanta cuando suena el despertador.

B. Cuando sale de casa, apaga la tele.

C. Cuando se ha duchado, se viste.

D. Desayuna cuando está vestida.

E. Se ducha cuando se levanta.

F. Cuando termina el desayuno, sale de casa.

G. Ve la tele cuando desayuna.

⬤ Primero .....*suena el despertador*..... ;

   después ...*se levanta*............... ;

1. después .... ;

2. luego .... ;

3. a continuación .... y

   .... ;

4. después .... ;

5. y, por último, ...

---

18 Relaciona, elige tu opción y comprueba los resultados de este cuestionario.

★★
★ **B1**
★★

⬤ Cuando no puedo dormir,

A. Cuando hace mucho calor,

B. Cuando mi novio/-a me deja,

C. Cuando estoy en un atasco,

Mayoría de a:	Eres una persona más o menos normal, no te preocupes.
Mayoría de b:	Eres genial, sigue así.
Mayoría de c:	Tienes un problema.

I a. salgo a buscar otro/-a inmediatamente.

 b. me retiro a un monasterio a meditar.

 c. me tomo una pastilla.

II a. cuento ovejas.

 b. me levanto y como.

 c. me tomo una pastilla.

III a. miro a las personas de los coches cercanos.

 b. me rasco la cabeza y me toco la nariz.

 c. me tomo una pastilla.

IV a. meto la ropa interior en el frigorífico.

 b. me doy un baño en cubitos de hielo.

 c. me tomo una pastilla.

■ Para conectar hechos temporalmente podemos emplear también **en cuanto**, **siempre que**, **hasta que** o **mientras**:

➲ 33. ¿Indicativo o subjuntivo?

En cuanto   **Un hecho es inmediatamente posterior a otro.**

- **En cuanto** supo que su abuela estaba enferma, cogió un avión y se fue.
- Salimos corriendo de clase **en cuanto** suena el timbre.
- Dímelo **en cuanto** lo sepas, por favor, tengo mucha curiosidad.

- **En cuanto** suena el despertador, me levanto.

Desde que /Hasta que   **Un hecho es el límite temporal de otro.**

- Estuvo esperando **hasta que** lo llamé.
- Por las mañanas, **hasta que** me tomo un café, no puedo hacer nada.
- Por favor, **hasta que** yo te lo diga, no cuentes nada de nuestra relación.
- No he comido nada **desde que** desayuné.
- No he mirado a otra mujer **desde que** estoy contigo.
- No comeré nada **desde que** salga **hasta que** vuelva.

- No me levanto **desde que** me acuesto **hasta que** suena el despertador.

Siempre que   **Todas las veces que se da un hecho, se da el otro.**

- Antes íbamos al cine **siempre que** ponían algo interesante.
- **Siempre que** quedamos con mis padres, te pones enfermo.
- **Siempre que** vengas a Barcelona, ya sabes que puedes quedarte en casa.

- **Siempre que** paseo, escucho la radio.

Mientras   **Dos hechos suceden al mismo tiempo.**

- **Mientras** ella veía la tele nosotros jugábamos a las cartas.
- ¿Tú hablas con el móvil **mientras** conduces?
- No podrás comer verdura **mientras** tengas problemas de estómago.

- **Mientras** conduzco, canto.

19 El pequeño Luis cuenta algunas cosas de su vida, pero todavía no sabe hablar bien.
Ayúdalo a elegir la opción más apropiada en cada caso.

B1

➲ Juego con mis amigos en el parque **en cuanto/desde que/hasta que** mi madre me lleva a casa.

1. Pero no puedo ir al parque **mientras/siempre que/hasta que** quiero. Solo una vez al día.

2. Me lavo las manos y la cara con jabón **en cuanto/mientras/hasta que** llego a casa, porque me ensucio mucho.

3. A veces lloro y lloro **desde que/ siempre que/hasta que** me compran un caramelo. ¡Es que me encantan los caramelos!

4. Mi madre me da la merienda **desde que/mientras/hasta que** vemos juntos la tele.

5. **Mientras/Siempre que/Hasta que** pego a otros niños, mi padre después se enfada y me castiga.

6. Por las mañanas, me quedo en casa de mis abuelos unas horas **en cuanto/mientras/hasta que** mis padres están trabajando.

7. Voy a la guardería **desde que/ mientras/hasta que** cumplí dos años. Pero no me gusta nada. Yo prefiero jugar en el parque.

Antes de (que) / *Después de* (que) — **Un hecho es anterior o posterior a otro.**

● *¿Por qué no limpiamos un poco **antes de que** lleguen los invitados?*

● *Tuvimos que limpiar un poco **antes de que** llegaran los invitados.*

● ***Antes de** apagar las velas, pide un deseo.*

● ***Después de que** se fueran los invitados, la casa estaba más sucia que **antes de** limpiar.*

● *Cenaré **después de** ducharme y saldré **antes de que** sean las diez.*

👁 Con *Antes de* (que) y *después de* (que) usamos subjuntivo o infinitivo.

---

20 Paco Melena y Juan Pelón nos cuentan su experiencia con la calvicie. Completa con *en cuanto*,
siempre que, desde que, hasta que, antes de (que) o *después de* (que) según corresponda por el sentido.

B1

Paco Melena

➲ ....*En cuanto*........ perdí el primer pelo, con 22 años, me puse en manos de un dermatólogo.

1. De hecho, ... yo naciera, mi padre ya estaba completamente calvo. Es cosa de familia.

2. Estuve haciendo el tratamiento veinticinco años: .... cumplí los 22 hasta los 47.

3. .... iba al peluquero, le pedía que me cortara mucho, para fortalecer el cabello.

4. Y .... no pasó el peligro, no probé ni una gota de alcohol.

5. .... terminar el tratamiento, no se me ha vuelto a caer ni un pelo. Ha sido un milagro.

Juan Pelón

6. No fui a un médico .... un niño me llamó calvo por la calle.

7. .... me quedé completamente calvo, me hice un peluquín, pero estaba muy feo, así que me compré una gorra.

8. .... perder el pelo, yo nunca llevaba gorra; pero ahora, si no me la pongo, me resfrío o se me quema la calva.

9. .... gastarme todo mi dinero en operaciones y trasplantes que no sirvieron de nada, decidí aceptarme como soy.

10. Además, ... mi novia me dijo que le gustan mucho más los hombres calvos, soy feliz.

F Expresar condiciones con *si*: *Si tienes tiempo, llámame.*

■ Usamos *si* para introducir una condición:

> Si te casas conmigo, **todo esto será tuyo, Vicky.**

- *Podemos ir juntos al cine esta tarde, si os apetece.*
- *Si te compras un coche nuevo, ¿me dejarás conducirlo a mí?*
- *¿Vendréis a vernos en Semana Santa si encontráis un billete barato?*
- *Si llamara mi mujer, dígale que he salido.*

■ Cuando pensamos que la condición puede realizarse (en el presente o en el futuro), usamos **presente de indicativo** en la frase introducida por *si*:

- *Si me <u>suben</u> el sueldo, vamos a dar una fiesta para celebrarlo.*
- *Llámame por teléfono si <u>ves</u> algún problema.*
- *Si <u>tenéis</u> vacaciones en julio, ¿vendréis con nosotros de viaje?*

👁 No se usa ni futuro ni presente de subjuntivo en la oración introducida por *si* condicional:

El domingo, si ~~lloverá~~, nos quedaremos en casa.
    llueve

Si ~~quiera~~ venir con nosotros, la invitaremos.
    quiere

➲ 33. ¿Indicativo o subjuntivo?

21 Ramón Eurales, un anciano multimillonario, ha hecho testamento. Además, ha puesto algunas condiciones
★ ★ para que sus herederos puedan repartirse el dinero y las propiedades. Completa cada una de las
★ **B1** frases con los verbos de los recuadros.
★ ★

➲ Mi hijo mayor, Juan, ..*será*.. director
de la empresa si ...*termina*.... la carrera
de Derecho. Mi hija Marta (1) ....
con la casa de Santander si (2) ....
de Ibiza y (3) .... con su novio.
Mi mujer (4) .... 200.000 euros
cada año pero solo si no (5) ....
a casar y no (6) .... más hijos.
Mi sobrino Luis (7) .... la editorial
Eurol si (8) .... de la cárcel y
(9) .... la bebida. Mi hermano
Pedro (10) .... vivir en la casa de
la isla el resto de su vida si (11) ....
a su amante y (12) .... con su
mujer.

Ser	Terminar

Casarse	Volver
Quedarse	

Tener	Volverse
Recibir	

Dirigir	Dejar
Salir	

Volver	Poder
Abandonar	

■ Cuando creemos que la condición no puede realizarse o es improbable, usamos **imperfecto de subjuntivo** en la frase introducida por *si*:

- *Si <u>volviera</u> a nacer, me gustaría ser como tú.*
  [Pero no puedo volver a nacer.]

- *Llámame por teléfono si <u>vieras</u> algún problema.*
  [Pero seguramente no habrá problemas.]

- *Si <u>tuviera</u> el dinero que me pides, te lo dejaría, pero no lo tengo.*

Si algún día te divorciaras de tu mujer, a lo mejor podría casarme contigo.

■ En la **parte de la oración que no va introducida por *si***, la forma verbal que usamos depende de lo que queramos decir: un petición, una afirmación, una suposición, una pregunta, etc.:

- *Si vas a Barcelona el mes que viene,...*
  [Considero muy probable que vayas.]

- *Si fueras a Barcelona el mes que viene,...*
  [Considero poco probable que vayas.]

...*tienes* que ver a Montse.
...*<u>llámame</u>* por teléfono.
...*<u>no olvides</u>* traerme algo de vino.
...*<u>conocerás</u>* a Álex y a Lourdes.
...yo te *<u>podría</u>* acompañar.
...¿*<u>visitarías</u>* la Sagrada Familia?

---

22 Señala en cada frase dónde debe colocarse *si* ↓, y escribe después quién se la dice a Florentino Peláez: ¿Su jefe (J), su mujer (M), su hija (H)?

★★★ B1 ★★★

⮕ ↓ no me **das** dinero, no **puedo** hacer la compra ...*M*...

1. **tendrá** que venir el sábado hoy no **pudiera** trabajar ....

2. te **vas** de viaje, **tráeme** una muñeca ....

3. **acabara** el informe antes de las dos, le **invito** a comer ....

4. ¿me **vas** a llevar de viaje contigo **saco** buenas notas? ....

5. **terminaras** pronto, **pasa** por el banco a sacar dinero ....

6. no me **podré** dormir no me **lees** un cuento ....

7. **dejamos** a la niña con mi madre, **podríamos** salir esta noche ....

8. **llámeme tuviera** algún problema el sábado en la oficina ....

---

23 Félix es siempre mucho más optimista que Tristán. Decide quién dice cada una de estas frases, ¿Félix o Tristán? Relaciona después con el final más adecuado.

★★★ B1 ★★★

⮕ *Félix* ..... Si mañana dejo de fumar,

Tristán ..... Si mañana pudiera dejar de fumar,

1. .... Si estudiara un poco más cada día,

.... Si estudio un poco más cada día,

2. .... Si Marta vuelve conmigo,

.... Si Laura volviera conmigo,

3. .... Si gana este partido el Motril Fútbol Club,

.... Si ganara este partido el Sexi Fútbol Club,

4. .... Si comiera menos bocadillos de calamares,

.... Si como menos bocadillos de calamares,

5. .... Si adelgazo cinco kilos.

.... Si adelgazara cinco kilos.

a. mi estómago se lo agradecería, seguro.

b. a lo mejor aprendo inglés en unos meses.

c. seguramente dejaría de toser y me sentiría mejor.

d. nos vamos todos a la playa a celebrarlo.

e. me gustaría ir con ella de vacaciones a Maldivas.

f. no tendría que comprarme ropa nueva para el verano.

24
B1

Tristán acaba de heredar una fortuna de su tía Gloria y hace planes para el futuro. Pero piensa que algunas cosas son posibles y otras no. Ayúdalo a formularlas y escribe cada frase donde corresponda.

Piensa que es posible:

➡ Conseguir el amor de Laura
Comprarles una casa a sus padres
Mudarse a Madrid
Dejar de trabajar un año
Hacer muchos viajes a París

Piensa que es muy difícil:

➡ Tener cinco hijos
Poder comprar todas las casas de su pueblo
Vivir en Nueva York
Dejar de trabajar para siempre
Perder el miedo a los aviones

➡ *Si consigo el amor de Laura* .... , a lo mejor algún día nos casamos.
➡ *Si tuviéramos cinco hijos* .... , seríamos realmente felices juntos los siete.
1. .... , no pasa nada, ya trabajaré en el futuro.
2. .... , seguro que Laura se viene conmigo.
3. .... , podré aprender francés y hacer muchas compras.
4. .... , vivirán con más comodidad que ahora.
5. .... , en pocos años volvería a ser pobre.
6. .... , haría una urbanización de lujo.
7. .... , podría ir a Cuba, a Tailandia, a China...
8. .... , tendría un apartamento en la 5ª Avenida.

▪ Cuando en la condición introducida por *si* hablamos de un pasado imposible, que ya no puede ser verdad porque sucedió otra cosa, usamos **pluscuamperfecto de subjuntivo** en la frase introducida por *si*.

En la otra parte de la oración usamos **condicional compuesto** para hablar de una realidad pasada hipotética, y **condicional simple** para hablar de un presente o futuro hipotéticos:

- Si <u>hubiera encendido</u> el cigarrillo, <u>**habría estallado**</u> el gas. *Afortunadamente no encontró el mechero.*
- Si <u>hubiera estudiado</u> más, <u>**aprobaría**</u> el examen de mañana. *Seguro que suspendo.*

➲ 30. Condicional

➲ 31. Condicional compuesto

➲ 32. Formas del subjuntivo

25 Completa esta historia con las frases del recuadro y con las formas verbales adecuadas.
B1 Añade *si* cuando sea necesario.

Mi padre iba en un taxi. Hacía calor y abrió la ventanilla del taxi. Entró una abeja y le picó. Mi padre era alérgico a las picaduras de abeja y se puso muy enfermo. El taxista lo llevó al hospital. Mi padre se enamoró de la doctora que lo curó. Se casó con ella. Yo nací a los nueve meses. Por eso ahora estoy aquí y puedo contaros esta historia.

Era una tarde de verano, mi padre había cogido un taxi porque llegaba tarde al trabajo. ➲ *Si no hubiera hecho mucho calor* , (1) ....
.... la ventanilla del taxi. Si no hubiera abierto la ventanilla del taxi, (2) .... una abeja. (3) ....
.... a las picaduras de abeja, no (4) ....
muy enfermo. (5) .... muy enfermo, (6) el taxista
.... al hospital. (7) .... al hospital,
(8) .... de la doctora que lo curó. (9) ....
.... de la doctora que lo curó, (10) ....
.... con ella. Si (11) .... , yo
(12) .... Si yo (13) ....
nueve meses después, ahora (14) .... aquí y
(15) .... esta historia.

250

SECCIÓN 7

Ortografía

Si te invito a un té,
¿me dirás que sí...?

43. Letras y sonidos

El alfabeto español está formado por las letras siguientes:

A a	B b	C c	Ch ch	D d	E e	F f	G g
a	be	ce	che	de	e	efe	ge

H h	I i	J j	K k	L l	Ll ll	M m	N n
hache	i	jota	ka	ele	elle	eme	ene

Ñ ñ	O o	P p	Q q	R r	RR rr	S s	T t
eñe	o	pe	cu	ere	erre	ese	te

U u	V v	W w	X x	Y y	Z z
u	uve	uve doble	equis	i griega, ye	zeta

Las letras son femeninas: ● *Aquí tienes que poner **una** be, no **una** uve.*

En general, en español hay bastante correspondencia entre la escritura y la pronunciación.

👁 La *h* no se pronuncia.

A   Grupos de letras que representan un solo sonido

■ Los siguientes grupos de letras representan un solo sonido:

ch [tʃ]   *ll* [ʎ]   *rr* [ʀ]

champú   chocolate   ella   llave   perro   correr
Chicago   hecho   lleno

■ La letra *q* **siempre** forma un grupo con la letra *u* (la *u* no se pronuncia).
Este grupo se combina **siempre** con *e* y con *i*:

qu [k]   👁   [ǩuatro]   [ǩuota]
                          c   c

queso   quiero   aquí   que

❶ En español hay muchas comidas con grupos de letras. Completa las palabras para descubrirlas.

★
★ A1 ★
★ ★ ⮕ A mí me encanta el *ch*...ocolate. Pero engorda.

1. Es extraño, pero a Joaquín no le gusta ningún ......eso. Ni los frescos ni los curados.

2. La pae......a es un plato de mediodía. Los españoles nunca la pedimos para cenar.

3. ¡Qué buena está la torti......a de patatas!

4. En Madrid toman ......urros en el desayuno.

5. Estoy harto de comer po......o. ¿No podríamos comer una buena ......uleta un día de estos?

6. Las ......irimoyas son una fruta de invierno, ¿verdad?

7. Prueba las alca......ofas con ......orizo de ese restarurante. Están buenísimas.

B Letras que pueden representar sonidos diferentes

LETRAS					SONIDOS
g	a	gato	apagar	amiga	[g]
	o	gota	gorra	mago	
	u	gustar	agua	antiguo	
gu	e	guerra	juguete	👁 En algunas palabras (muy pocas) se pronuncia la **u**. En estos casos la **u** se escribe con diéresis: ver**gü**enza, pin**gü**ino.	[g]
	i	guitarra	conseguir		
g	e	gerundio	ángel		[χ]
	i	gitano	frágil		
c	a	casa	escapar		[k]
	o	comer	poco		
	u	cuñado	oscuro		
c	e	cenar	hacer	👁 La mayoría de los hispano-hablantes pronuncian en estos casos el sonido [θ] como [s]: *cenar* [sena´r]; *cocina* [cosɪ´na]...	[θ]
	i	cocina	encima		

rr	Va siempre entre vocales y se pronuncia de modo **fuerte**: carro perro erre hierro	
r	Se pronuncia de modo **fuerte** al principio de palabra: ropa reír río Roma y cuando va después de *l*, *n* o *sub-*: En**r**ique al**r**ededor 👁 [alxededor] [Enxrique] **sub**rayar	[ʀ]
r	Se pronuncia de modo **suave** en los demás casos: caro mejorar empezar ahora transporte crece gracias abrazo salir aprendo señor flor pero poder	[r]
y	Al principio de palabra y entre vocales: yo yate yegua ayer haya leyendo	[ʎ]
y	Al final de palabra o sola: hoy hay rey Paraguay detrás y delante	[i]

2 Guillermo Alfredo, un loro muy estudioso, quiere ordenar estas palabras según sus sonidos. Ayúdalo.

A1

a. Subraya las letras con sonido [ɾ] y rodea con un círculo las que tengan sonido [r].

claro	carro	risa	escribir	Roma	rosa	alrededor
rincón	roto	ratón	Sara	familiar	recibir	calor
sierra	raro	aparcar	caro	revolución	subrayar	toro

b. Subraya las letras con sonido [k] y rodea con un círculo las que tengan sonido [θ] o [s].

cosa	cielo	cola	velocidad	conoces	práctico	felices
casco	acusar	costa	cerrar	cuscús	crema	casa
encerrar	canción	círculo	conciencia	oscuro	claro	

c. Subraya las letras con sonido [g] y rodea con un círculo las que tengan sonido [χ].

guerra	gitano	antiguo	lengua	gesto	gente	ceguera
guapo	gris	dirigir	agenda	tragedia	generoso	gas
gato	guitarra	gorro	ágil	gracioso	cirugía	

d. Subraya las letras con sonido [ʎ] y rodea con un círculo las que tengan sonido [i].

yo	ayer	haya	hay	y	ya	rey
reyes	jersey	playa	ley	leyes	hoy	trayendo

C   Letras diferentes que representan el mismo sonido

LETRAS			SONIDOS
c	a o u	cama poca correr loco cubierto oscuro	
qu	e i	querer quedar quise equipo	[k]
k	vocal	Alaska keroseno (o queroseno) kilo (o quilo) whisky (o güisqui) kurdo (o curdo)	

👁 En español hay muy pocas palabras que se escriben con *k*, y muchas de ellas se escriben también con *c* o *qu*.

c	e i	cerrar pertenece canción encima	👁 La mayoría de los hispano-hablantes pronuncian en estos casos el sonido [θ] como [s]: *cerrar* [seˈraɾ]; *plaza* [plaˈsa] ...	[θ]
z	a o u	zapato plaza zoo zorro zumo zurdo	👁 Son muy pocas las palabras que se escriben con *ze/zi*: *zeta, zigzag...*	

b		broma Barcelona obtener cambio	[b]
v		vaso volver enviar	

g	e	*gente mujer*	
j	i	*girar jirafa*	[χ]

ll		*llueve llamar pollo*	
y		*haya playa yo*	[ʎ]

3 Completa las palabras que corresponden a estas definiciones. **En todas hay al menos una *c* o una *z*.**

A2 → Una verdura que nos hace llorar. .C. e b o .L. .L. .A.

1. Género musical español parecido a la ópera. .... a r .... u e ....
2. Lugar donde podemos ver animales de sitios muy diferentes. .... o l ó g i ....
3. Parte del cuerpo donde tenemos el cerebro. .... a .... e .... a
4. Antiguo emperador de Rusia. .... a ....
5. Forma geométrica redonda. .... í .... u l ....
6. Persona que no puede ver. .... i e g ....
7. Número igual a nada. .... r o
8. Ciudad más importante de un país. .... p .... t l
9. Espectáculo con payasos y fieras. .... i r ....

4 En estos *sms* no se respeta la escritura del español. ¿Puedes corregirlos?

A2

① ¿Ke tal estás? ¿Kómo va todo? ¿Te vienes a la disco esta tarde?

② Te kiero un montón. ¿Kedamos en kasa?

③ ¿Ké me dices? ¿Kieres venir o no?

④ Kalla, kalla, ke ayer konocí a un tipo guapísimo ;-)

⑤ Kuando vengas al kole, trae medio kilo de churros, ke tengo hambre. Hoy hemos komido fatal.

⑥ Viaje muy inkómodo. Demasiados kilómetros.

5 Ayuda a Guillermo Alfredo a decidir. Usa el diccionario si lo necesitas.

A2 *¿g o j?*

masa....e	extran....ero	ener....ía	frá....il	pá....ina	mensa....e	condu....e	corri....ió
ló....ico	má....ico	....igante	vie....o	....irafa	gara....e	ur....ente	co....emos

¿b o v?

fa....uloso	....ino	cam....iamos	estu....o	....erde	o....tener	....er	ha....itación
posi....le	mó....il	a....razo	....om....a	ha....lar	....otella	....itamina	....oca....ulario
....oca	hier....a	....aso	....i....o	....uelo	sam....a	o....jeti....o	

¿ll o y?

....ueve	....o	....a	....evaron	a....er	....amar	pla....a	....eno
estre....a	....egarán	....orar	....egua	....oga	le....endo	be....a	bo....o

D La ñ

■ La *ñ* es una letra característica del español:

ñ [ɲ]

español niño enseñar bañera

6 Muchas de las palabras que hay aquí no tienen ene sino eñe. ¿Puedes ponerlas?

A2 ➲ En español tenemos muchas eñes, una letra típica de esta lengua.

1. Los suenos que no nos gustan se llaman pesadilllas.
2. Cuando echamos de menos algo, lo anoramos.
3. En otono, en el campo, cortamos mucha lena para poder encender la chimenea.
4. Cuando algo nos duele, decimos que nos hace mucho dano.
5. Tenemos nenes y nenas, pero también ninos y ninas.
6. Nos banamos en el mar y en baneras.
7. Ensenamos nuestra lengua a los que quieren aprenderla.
8. Y celebramos el ano nuevo comiendo doce uvas.

7 Busca en esta sopa de letras las palabras que corresponden a las definiciones (las palabras pueden aparecer horizontal o verticalmente).

A2

➲ Pronombre de primera persona singular.

1. Animal que tiene el cuello muy largo.
2. Animal que ladra.
3. Sirve para borrar.
4. Número entre el 3 y el 5.
5. Mucha gente lo toma por las mañana, sobre todo si es de naranja.
6. A los ratones les encanta comerlo.
7. Femenino de 'él'.
8. Gran corriente de agua que va al mar.
9. Lo usamos para lavarnos el pelo.
10. Lo contrario de 'barato'.
11. Última comida del día.
12. El día anterior a hoy.

Q	M	J	I	R	A	F	A	S	S
U	T	G	I	V	C	E	Y	O	C
E	H	X	Z	Z	H	C	E	N	A
S	B	O	C	U	A	T	R	O	R
O	F	C	Q	M	M	R	W	G	O
D	–	R	Í	O	P	E	I	O	M
E	L	L	A	X	Ú	V	K	M	V
P	E	R	R	O	P	F	C	A	C

44. Acentuación

A El acento de la palabra

■ Las palabras están formadas por sílabas. Una sílaba es un grupo de sonidos que pronunciamos a la vez, en un solo golpe de voz:

ven	*ho-ja*	*plan-ta*	*co-ci-na*	*e-jem-plo*	*or-de-na-dor*	*im-pre-sio-nan-te*
[1 sílaba]	[2 sílabas]	[2 sílabas]	[3 sílabas]	[3 sílabas]	[4 sílabas]	[5 sílabas]

■ En español hay palabras formadas por:

UNA SÍLABA (MONOSÍLABOS)	DOS SÍLABAS	TRES O MÁS SÍLABAS
y, de, mi, pan, ten, col, sin, sal, ver, flor, luz...	*li-bro, me-sa, lá-piz, go-ma, co-che, dis-co...*	*sen-ci-llo, tran-qui-lo, bo-te-lla, te-le-vi-sor, im-pre-sio-nan-te, in-te-re-san-tí-si-mo...*

■ Todas las palabras tienen **un acento**. Una de las sílabas, la **sílaba tónica**, se pronuncia con **más intensidad**:

yo			
*so-**fá***	*e-llos*		
*se-ma-**nal***	*do-**min**-go*	*sá-ba-do*	
*re-pro-duc-**tor***	*con-tro-**la**-da*	*po-**lí**-ti-cos*	*quí-ta-se-lo*
*des-tor-ni-lla-**dor***	*ma-ra-vi-**lla**-dos*	*fri-go-**rí**-fi-co*	*re-ga-**lán**-do-se-las*

En español, la mayor parte de las palabras tiene el ritmo: ···■ ■ ■■ ■

■ En español solo hay un acento gráfico (o tilde): (´). Se escribe siempre sobre las vocales de la sílaba tónica: **á, é, í, ó, ú** (*ca-fé, mó-vil, mé-di-co...*), teniendo en cuenta el ritmo y la terminación de la palabra:

Si terminan en **CONSONANTE** (excepto -*n* y -*s*): SIN TILDE	Si terminan en **VOCAL**, -*n* y -*s*: CON TILDE	Si terminan en **VOCAL**, -*n* y -*s*: SIN TILDE	Si terminan en **CONSONANTE** (excepto -*n* y -*s*): CON TILDE	CON TILDE SIEMPRE	
can-tad	*so-fá*	*ma-pa*	*có-mic*	*mú-si-ca*	
re-loj	*es-quí*	*ma-pas*	*cés-ped*	*plá-ta-no*	
con-trol	*hin-dú*	*ha-bla*	*ár-bol*	*rá-pi-do*	
ha-blar	*jar-dín*	*ha-blas*	*fá-cil*	*sí-la-ba*	
sa-lir	*sa-lón*	*sa-len*	*ál-bum*	*mé-di-co*	
sa-lid	*sa-lí*	*sa-les*	*Ló-pez*	*plás-ti-co*	
ac-triz	*qui-zás*	*di-ce*	*cán-cer*	*cás-ca-ra*	
an-da-luz	*ja-rrón*	*ha-blan*	*dó-lar*	*fan-tás-ti-co*	
es-cri-tor	*de-trás*	*en-tra-da*	*lá-piz*	*gra-má-ti-ca*	
a-mis-tad	*fran-cés*	*can-ta-bas*	*a-zú-car*	*ki-ló-me-tros*	*pá-sa-me-lo*
pa-si-vi-dad	*can-ta-rás*	*fran-ce-sa*	*di-fí-cil*	*te-lé-fo-no*	*pí-de-se-las*
ro-tu-la-dor	*ca-ta-lán*	*es-cri-to-ra*	*por-tá-til*	*an-ti-pá-ti-cos*	*co-mén-ta-se-lo*
des-tor-ni-lla-dor	*co-mu-ni-ca-rán*	*de-mo-cra-cia*	*re-fe-rén-dum*	*de-mo-crá-ti-cos*	*to-mán-do-se-las*

■ Las palabras monosílabas, por regla general, no llevan acento gráfico:

> *con, en, por...*
> *pan, ser, sal, sol...*
> *di, haz, pon, ten...*

1 Jaime está enseñando a escribir a su loro Guillermo Alfredo, pero tiene problemas con los acentos gráficos. Ayúdalo: pon la tilde donde sea necesario.

★ A1

gustan, arbol, pajaro, llevamelo, menu, calor, cadaver, mejor, coñac, abril, kilometro, examen, caracter, ademas, angel, hotel, imbecil, ojala, agenda, haz, daselos, palabra, dormir, dormid, sin, camisa, llamalo, fin, velocidad, saltatela, subir, suben, descontrol, descontrolados, tomala, callad, callado, rayo, doctor, tranquilidad, goma, sal, botella, bebetelos, primo, escribir, alegre, inteligente, papel, papeles, salud, conductor, conductora.

2 En la Academia Herodes tienen un examen de tildes. Rodrigo no sabe muy bien las reglas y no ha puesto ninguna. Pon las diez tildes (además del ejemplo) que faltan.

★ A1

➲ La moneda española es el euro y la de Estados Unidos es el dólar.

1. Los Reyes Magos me van a traer un camion de madera y lo van a dejar en la cocina.

2. En el jardin de mis primos hay un arbol muy grande y siempre nos subimos.

3. Este verano voy a ir a Granada en tren y voy a pasar por un tunel.

4. Yo quiero tener un movil pero mis padres no me dejan.

5. Ayer tuve una discusion con mi hermano mayor porque no me llevaba de excursion.

6. Prefiero sentarme en el sofa y ver la television que hacer deberes.

7. Esto de poner acentos es muy dificil.

■ Cuando añadimos pronombres a un infinitivo, un gerundio o un imperativo positivo, el acento se mantiene en la misma sílaba, pero, como la posición de la sílaba tónica es distinta, a veces hay que poner tilde:

➲ 16. Posición y combinación

➲ 34. Imperativo

Pon + la → *ponla*   Pero: *Pon + se + la* → *pónsela*
Pasar + lo → *pasarlo*   *Pasar + me lo* → *pasármelo*
                                      Entreguen + se las → *entréguenselas*
                                      Explicando + se lo → *explicándoselo*

■ En los adverbios formados por ADJETIVO + *-mente*, si el adjetivo lleva tilde cuando se usa solo, también lleva tilde en el adverbio:

claramente [cla-ra + men-te]   *fácilmente* [fá-cil + men-te]
igualmente [i-gual + men-te]   *cómodamente* [có-mo-da + men-te]

3 Escribe en una sola palabra estas combinaciones de verbos y pronombres. Pon la tilde donde es necesario.

★ A2

➲ comprando + se + la ...*comprándosela*...   8. preparad + lo ....

1. escribid + nos + la ....   9. resolviendo + lo ....

2. secar + lo ....   10. solucionar + la ....

3. canta + la ....   11. pintando + nos + las ....

4. pon + se + lo ....   12. levantar + las ....

5. mira + me + lo ....   13. di + lo ....

6. haz + los ....   14. haz + se + los ....

7. devolver + me + la ....   15. di + se + lo ....

4 Sustituye la parte de la frase subrayada por un adverbio y ponle tilde si es necesario.

unicamente   seguramente   normalmente   estupidamente ✓   tontamente   ultimamente

➲ Se comportó <u>como un imbécil</u>. Empezó a dar gritos y a romper cosas y me marché.
................*estúpidamente*................

1. <u>Todas las noches</u> me tomo un vaso de leche antes de acostarme.

....

2. Ha engordado mucho <u>en estos tres meses</u>. Está mejor.

....

3. <u>Casi con toda probabilidad</u> tendrán que cambiar de casa. Van a tener trillizos.

....

4. Van a trabajar <u>solo</u> con nosotras.

....

5. <u>De una forma absurda</u>, por culpa de un solo cigarro, volvió a fumar.

....

B   Diptongos

■ Cuando en una palabra hay **dos vocales seguidas**, pueden formar dos sílabas distintas o una sola sílaba. Forman **dos sílabas** cuando se combinan *a, e* y *o*:

> *a-é-re-o   o-cé-a-no   a-ho-ra   ma-es-tro   po-e-ta   le-o   te-a-tro*

■ Forman **una sola sílaba** cuando se combinan *a, e, o* con *i, u,* o cuando se combinan *i* y *u*. Estas uniones de vocales en una sílaba se llaman **diptongos**:

> -ai-, -au-: *ai-re, au-la*　　-ie-, -ue-: *pien-so, rue-da*　　-ia-, -ua-: *pia-no, a-gua*
> -io-, -uo-: *sa-bio, cuo-ta*　　-ei-, -eu-: *pei-ne, eu-ro*
> -iu-, -ui-: *ciu-dad, rui-do*　　-oi-: *oi-go*

■ Cuando la sílaba tónica de una palabra contiene un diptongo, el acento está en las vocales *a, e, o*, o en la segunda vocal de las combinaciones *-iu-, -ui-*:

> *sa-béis   rue-da*　　*cui-dan   cons-trui-do*
> *au-la   bue-no*　　*diur-no   viu-do*
> *biom-bo   pia-no*

■ En algunas palabras, el acento tónico no está en *a, e, o*, sino en *i* o *u*. En estos casos la combinación de vocales forma dos sílabas y debemos escribir acento gráfico sobre *i* o *u* para indicarlo:

> *Ma-rí-a   dí-a   rí-o   grú-a   a-hí   le-í-do   o-í-do*

5 Guillermo Alfredo tiene problemas con los diptongos. Ayúdalo a poner la tilde donde es necesaria.

puerta   viaje   suavidad   erais   paella   línea   sauna   diez   pais
leon   cuidala   caida   Ruiz   raiz   sabeis   contais   seis   nueve
veintiseis   infierno   feo   reuniamos   devolvais   soy   buho   Raul
cliente   fiel   confiabamos   siguiendolos   cruel   diente   sueño   huir
ibais   jerseis   vais   prohibo   reisteis   siguientes   teorico   feisimo
cien   igual   siesta   duo   via   huevo   guion   ingenuo   sabia   sabia
sintiendo   pie   riesgo   luego   fuimos   sepais   hay

C Distinguir el significado de las palabras por la tilde: *te* / *té*

■ Algunas palabras son fonéticamente iguales, pero no significan lo mismo.
Por esa razón, cuando las escribimos, hay que distinguirlas con una tilde:

PALABRAS MONOSÍLABAS

SIN TILDE

de [preposición]
el [artículo]
mi [posesivo]
que [conjunción, relativo]
se [pronombre]
te [pronombre]
si [conjunción: *Si quieres, voy.*]

CON TILDE

dé [Presente de subjuntivo del verbo *dar*]
él [pronombre]
mí [pronombre]
qué [interrogativo o exclamativo]
sé [Presente de indicativo del verbo *saber*]
té [sustantivo: bebida]
sí [adverbio afirmativo: *Sí, ven.*]
sí [pronombre reflexivo: *Se defendió a sí mismo.*]

OTRAS PALABRAS

SIN TILDE

como [comparativo, conjunción]
cuando [conjunción]
quien, quienes [relativos: *Es él quien viene.*]

CON TILDE

cómo [interrogativo]
cuándo [interrogativo]
quién, quiénes [interrogativos: *¿Quién viene?*]

➲ 6. Demostrativos

6 Luisito está escribiendo su primera carta de amor, pero tiene problemas con algunas tildes. Ayúdalo a ponerlas.

★ ★
★ **A2**
★ ★
★

Querida Susana:

El otro día en casa de tu madre cuando ella tomaba el te y tu buscabas el CD, te miré a los ojos y, buf, fue genial. Para mi eres la chica más estupenda que he visto en mi vida. No se, eres fantástica....

¿Vienes este domingo a patinar conmigo? Tengo unos patines nuevos. Aquellos que te gustaban tanto se rompieron. Si quieres venir, me mandas un sms. Pon solo una palabra: si. Y entonces yo estaré muy contento porque no pasaré la horrible tarde del domingo solo.

Luis

7 Susana también tiene problemas con las tildes. Esto es lo que escribe en su diario.

★ ★
★ **A2**
★ ★
★

Querido diario:

Hace muchos días que no te escribo. El domingo pasado salí con Luis y, bueno, fue un poco rollo. El no habló casi nada y como yo hablo tanto, no se qué pensar... ¿Se aburrió? ¿Se divirtió? No se... Me escuchó, eso sí, pero no se si me escuchó con ganas (yo a veces no escucho mucho si algo no me interesa mucho).

Ah, Luis tiene unos patines nuevos... Me gustan mucho más estos que los otros que tenía antes... Estos son mucho más chulos... Pero yo a aquellos les tenía cariño...

Y el final, fue horrible... Sobre todo cuando el me dijo: "Susana, tu a mi me gustas mucho. Y yo, ¿yo te gusto a ti?"

Y yo le dije: "¿Tu a mi?"

Y entonces me puse muy nerviosa, cogí mis patines y me fui... Si le gusto, volverá... ¿verdad que si?

Verbos conjugados

Verbos conjugados

A Verbos regulares

HABLAR Se conjugan como *hablar* todos los verbos regulares terminados en *-ar*.

INDICATIVO

SUBJUNTIVO

Presente	Pretérito pluscuamp.	Futuro perfecto	Presente	Pretérito pluscuamp.
Hablo	Había hablado	Habré hablado	Hable	Hubiera (-se) hablado
Hablas	Habías hablado	Habrás hablado	Hables	Hubieras (-ses) hablado
Habla	Había hablado	Habrá hablado	Hable	Hubiera (...) hablado
Hablamos	Habíamos hablado	Habremos hablado	Hablemos	Hubiéramos hablado
Habláis	Habíais hablado	Habréis hablado	Habléis	Hubierais hablado
Hablan	Habían hablado	Habrán hablado	Hablen	Hubieran hablado

Pretérito perfecto	Pretérito indefinido	Condicional	Pretérito perfecto	GERUNDIO
He hablado	Hablé	Hablaría	Haya hablado	Hablando
Has hablado	Hablaste	Hablarías	Hayas hablado	
Ha hablado	Habló	Hablaría	Haya hablado	PARTICIPIO
Hemos hablado	Hablamos	Hablaríamos	Hayamos hablado	Hablado
Habéis hablado	Hablasteis	Hablaríais	Hayáis hablado	
Han hablado	Hablaron	Hablarían	Hayan hablado	

Pretérito imperfecto	Futuro	Cond. compuesto	Pretérito imperfecto	IMPERATIVO Positivo/Negativo
Hablaba	Hablaré	Habría hablado	Hablara (-se)	
Hablabas	Hablarás	Habrías hablado	Hablaras (-ses)	Habla /No hables
Hablaba	Hablará	Habría hablado	Hablara (...)	Hable/ No hable
Hablábamos	Hablaremos	Habríamos hablado	Habláramos	
Hablabais	Hablaréis	Habríais hablado	Hablarais	Hablad /No habléis
Hablaban	Hablarán	Habrían hablado	Hablaran	Hablen /No hablen

COMER Se conjugan como *comer* todos los verbos regulares terminados en *-er*.

INDICATIVO

SUBJUNTIVO

Presente	Pretérito pluscuamp.	Futuro perfecto	Presente	Pretérito pluscuamp.
Como	Había comido	Habré comido	Coma	Hubiera (-se) comido
Comes	Habías comido	Habrás comido	Comas	Hubieras (-ses) comido
Come	Había comido	Habrá comido	Coma	Hubiera (...) comido
Comemos	Habíamos comido	Habremos comido	Comamos	Hubiéramos comido
Coméis	Habíais comido	Habréis comido	Comáis	Hubierais comido
Comen	Habían comido	Habrán comido	Coman	Hubieran comido

Pretérito perfecto	Pretérito indefinido	Condicional	Pretérito perfecto	GERUNDIO
He comido	Comí	Comería	Haya comido	Comiendo
Has comido	Comiste	Comerías	Hayas comido	
Ha comido	Comió	Comería	Haya comido	PARTICIPIO
Hemos comido	Comimos	Comeríamos	Hayamos comido	Comido
Habéis comido	Comisteis	Comeríais	Hayáis comido	
Han comido	Comieron	Comerían	Hayan comido	

Pretérito imperfecto	Futuro	Cond. compuesto	Pretérito imperfecto	IMPERATIVO Positivo/Negativo
Comía	Comeré	Habría comido	Comiera (-se)	
Comías	Comerás	Habrías comido	Comieras (-ses)	Come / No comas
Comía	Comerá	Habría comido	Comiera (...)	Comed / No comáis
Comíamos	Comeremos	Habríamos comido	Comiéramos	
Comíais	Comeréis	Habríais comido	Comierais	Coma / No coma
Comían	Comerán	Habrían comido	Comieran	Coman / No coman

VIVIR Se conjugan como *vivir* todos los verbos regulares terminados en *-ir*.

INDICATIVO

Presente	Pretérito pluscuamp.	Futuro perfecto
Vivo	Había vivido	Habré vivido
Vives	Habías vivido	Habrás vivido
Vive	Había vivido	Habrá vivido
Vivimos	Habíamos vivido	Habremos vivido
Vivís	Habíais vivido	Habréis vivido
Viven	Habían vivido	Habrán vivido

Pretérito perfecto	Pretérito indefinido	Condicional
He vivido	Viví	Viviría
Has vivido	Viviste	Vivirías
Ha vivido	Vivió	Viviría
Hemos vivido	Vivimos	Viviríamos
Habéis vivido	Vivisteis	Viviríais
Han vivido	Vivieron	Vivirían

Pretérito imperfecto	Futuro	Cond. compuesto
Vivía	Viviré	Habría vivido
Vivías	Vivirás	Habrías vivido
Vivía	Vivirá	Habría vivido
Vivíamos	Viviremos	Habríamos vivido
Vivíais	Viviréis	Habríais vivido
Vivían	Vivirán	Habrían vivido

SUBJUNTIVO

Presente	Pretérito pluscuamp.
Viva	Hubiera (-se) vivido
Vivas	Hubieras (-ses) vivido
Viva	Hubiera (...) vivido
Vivamos	Hubiéramos vivido
Viváis	Hubierais vivido
Vivan	Hubieran vivido

Pretérito perfecto	GERUNDIO
Haya vivido	Viviendo
Hayas vivido	
Haya vivido	PARTICIPIO
Hayamos vivido	Vivido
Hayáis vivido	
Hayan vivido	

Pretérito imperfecto	IMPERATIVO Positivo/Negativo
Viviera (-se)	
Vivieras (-ses)	Vive / No vivas
Viviera (...)	Vivid / No viváis
Viviéramos	
Vivierais	Viva / No viva
Vivieran	Vivan / No vivan

B Verbos con dos o más irregularidades

ANDAR

INDICATIVO

Presente	Pretérito pluscuamp.	Futuro perfecto
Ando	Había andado	Habré andado
Andas	Habías andado	Habrás andado
Anda	Había andado	Habrá andado
Andamos	Habíamos andado	Habremos andado
Andáis	Habíais andado	Habréis andado
Andan	Habían andado	Habrán andado

Pretérito perfecto	Pretérito indefinido	Condicional
He andado	Anduve	Andaría
Has andado	Anduviste	Andarías
Ha andado	Anduvo	Andaría
Hemos andado	Anduvimos	Andaríamos
Habéis andado	Anduvisteis	Andaríais
Han andado	Anduvieron	Andarían

Pretérito imperfecto	Futuro	Cond. compuesto
Andaba	Andaré	Habría andado
Andabas	Andarás	Habrías andado
Andaba	Andará	Habría andado
Andábamos	Andaremos	Habríamos andado
Andabais	Andaréis	Habríais andado
Andaban	Andarán	Habrían andado

SUBJUNTIVO

Presente	Pretérito pluscuamp.
Ande	Hubiera (-se) andado
Andes	Hubieras (-ses) andado
Ande	Hubiera (...) andado
Andemos	Hubiéramos andado
Andéis	Hubierais andado
Anden	Hubieran andado

Pretérito perfecto	GERUNDIO
Haya andado	Andando
Hayas andado	
Haya andado	PARTICIPIO
Hayamos andado	Andado
Hayáis andado	
Hayan andado	

Pretérito imperfecto	IMPERATIVO Positivo/Negativo
Anduviera (-se)	
Anduvieras (-ses)	Anda / No andes
Anduviera (...)	Andad / No andéis
Anduviéramos	
Anduvierais	Ande / No ande
Anduvieran	Anden / No anden

CABER

INDICATIVO

SUBJUNTIVO

Presente	Pretérito pluscuamp.	Futuro perfecto	Presente	Pretérito pluscuamp.
Quepo	Había cabido	Habré cabido	Quepa	Hubiera (-se) cabido
Cabes	Habías cabido	Habrás cabido	Quepas	Hubieras (-ses) cabido
Cabe	Había cabido	Habrá cabido	Quepa	Hubiera (...) cabido
Cabemos	Habíamos cabido	Habremos cabido	Quepamos	Hubiéramos cabido
Cabéis	Habíais cabido	Habréis cabido	Quepáis	Hubierais cabido
Caben	Habían cabido	Habrán cabido	Quepan	Hubieran cabido

Pretérito perfecto	Pretérito indefinido	Condicional	Pretérito perfecto	GERUNDIO
He cabido	Cupe	Cabría	Haya cabido	Cabiendo
Has cabido	Cupiste	Cabrías	Hayas cabido	
Ha cabido	Cupo	Cabría	Haya cabido	PARTICIPIO
Hemos cabido	Cupimos	Cabríamos	Hayamos cabido	Cabido
Habéis cabido	Cupisteis	Cabríais	Hayáis cabido	
Han cabido	Cupieron	Cabrían	Hayan cabido	

Pretérito imperfecto	Futuro	Cond. compuesto	Pretérito imperfecto	IMPERATIVO Positivo/Negativo
Cabía	Cabré	Habría cabido	Cupiera (-se)	
Cabías	Cabrás	Habrías cabido	Cupieras (-ses)	(No se usan.)
Cabía	Cabrá	Habría cabido	Cupiera (...)	
Cabíamos	Cabremos	Habríamos cabido	Cupiéramos	
Cabíais	Cabréis	Habríais cabido	Cupierais	
Cabían	Cabrán	Habrían cabido	Cupieran	

CAER

INDICATIVO

SUBJUNTIVO

Presente	Pretérito pluscuamp.	Futuro perfecto	Presente	Pretérito pluscuamp.
Caigo	Había caído	Habré caído	Caiga	Hubiera (-se) caído
Caes	Habías caído	Habrás caído	Caigas	Hubieras (-ses) caído
Cae	Había caído	Habrá caído	Caiga	Hubiera (...) caído
Caemos	Habíamos caído	Habremos caído	Caigamos	Hubiéramos caído
Caéis	Habíais caído	Habréis caído	Caigáis	Hubierais caído
Caen	Habían caído	Habrán caído	Caigan	Hubieran caído

Pretérito perfecto	Pretérito indefinido	Condicional	Pretérito perfecto	GERUNDIO
He caído	Caí	Caería	Haya caído	Cayendo
Has caído	Caíste	Caerías	Hayas caído	
Ha caído	Cayó	Caería	Haya caído	PARTICIPIO
Hemos caído	Caímos	Caeríamos	Hayamos caído	Caído
Habéis caído	Caísteis	Caeríais	Hayáis caído	
Han caído	Cayeron	Caerían	Hayan caído	

Pretérito imperfecto	Futuro	Cond. compuesto	Pretérito imperfecto	IMPERATIVO Positivo/Negativo
Caía	Caeré	Habría caído	Cayera (-se)	
Caías	Caerás	Habrías caído	Cayeras (-ses)	Cae / No caigas
Caía	Caerá	Habría caído	Cayera (...)	Caed / No caigáis
Caíamos	Caeremos	Habríamos caído	Cayéramos	
Caíais	Caeréis	Habríais caído	Cayerais	Caiga / No caiga
Caían	Caerán	Habrían caído	Cayeran	Caigan / No caigan

■ Se conjugan como *caer*: *decaer*, *recaer*.

264

CONDUCIR

INDICATIVO

Presente	Pretérito pluscuamp.	Futuro perfecto
Conduzco	Había conducido	Habré conducido
Conduces	Habías conducido	Habrás conducido
Conduce	Había conducido	Habrá conducido
Conducimos	Habíamos conducido	Habremos conducido
Conducís	Habíais conducido	Habréis conducido
Conducen	Habían conducido	Habrán conducido

Pretérito perfecto	Pretérito indefinido	Condicional
He conducido	Conduje	Conduciría
Has conducido	Condujiste	Conducirías
Ha conducido	Condujo	Conduciría
Hemos conducido	Condujimos	Conduciríamos
Habéis conducido	Condujisteis	Conduciríais
Han conducido	Condujeron	Conducirían

Pretérito imperfecto	Futuro	Cond. compuesto
Conducía	Conduciré	Habría conducido
Conducías	Conducirás	Habrías conducido
Conducía	Conducirá	Habría conducido
Conducíamos	Conduciremos	Habríamos conducido
Conducíais	Conduciréis	Habríais conducido
Conducían	Conducirán	Habrían conducido

SUBJUNTIVO

Presente	Pretérito pluscuamp.
Conduzca	Hubiera (-se) conducido
Conduzcas	Hubieras (-ses) conducido
Conduzca	Hubiera (...) conducido
Conduzcamos	Hubiéramos conducido
Conduzcáis	Hubierais conducido
Conduzcan	Hubieran conducido

Pretérito perfecto	GERUNDIO
Haya conducido	Conduciendo
Hayas conducido	
Haya conducido	PARTICIPIO
Hayamos conducido	Conducido
Hayáis conducido	
Hayan conducido	

Pretérito imperfecto	IMPERATIVO Positivo/Negativo
Condujera (-se)	
Condujeras (-ses)	Conduce / No conduzcas
Condujera (...)	Conducid / No conduzcáis
Condujéramos	
Condujerais	Conduzca / No conduzca
Condujeran	Conduzcan / No conduzcan

■ Se conjugan como *conducir*: *introducir, producir, reducir, traducir...*

CONFIAR

INDICATIVO

Presente	Pretérito pluscuamp.	Futuro perfecto
Confío	Había confiado	Habré confiado
Confías	Habías confiado	Habrás confiado
Confía	Había confiado	Habrá confiado
Confiamos	Habíamos confiado	Habremos confiado
Confiáis	Habíais confiado	Habréis confiado
Confían	Habían confiado	Habrán confiado

Pretérito perfecto	Pretérito indefinido	Condicional
He confiado	Confié	Confiaría
Has confiado	Confiaste	Confiarías
Ha confiado	Confió	Confiaría
Hemos confiado	Confiamos	Confiaríamos
Habéis confiado	Confiasteis	Confiaríais
Han confiado	Confiaron	Confiarían

Pretérito imperfecto	Futuro	Cond. compuesto
Confiaba	Confiaré	Habría confiado
Confiabas	Confiarás	Habrías confiado
Confiaba	Confiará	Habría confiado
Confiábamos	Confiaremos	Habríamos confiado
Confiabais	Confiaréis	Habríais confiado
Confiaban	Confiarán	Habrían confiado

SUBJUNTIVO

Presente	Pretérito pluscuamp.
Confíe	Hubiera (-se) confiado
Confíes	Hubieras (-ses) confiado
Confíe	Hubiera (...) confiado
Confiemos	Hubiéramos confiado
Confiéis	Hubierais confiado
Confíen	Hubieran confiado

Pretérito perfecto	GERUNDIO
Haya confiado	Confiando
Hayas confiado	
Haya confiado	PARTICIPIO
Hayamos confiado	Confiado
Hayáis confiado	
Hayan confiado	

Pretérito imperfecto	IMPERATIVO Positivo/Negativo
Confiara (-se)	
Confiaras (-ses)	Confía / No confíes
Confiara (...)	Confiad / No confiéis
Confiáramos	
Confiarais	Confíe / No confíe
Confiaran	Confíen / No confíen

■ Se conjugan como *confiar*: *desconfiar, enfriar, enviar, esquiar, guiar, variar...*

CONOCER

INDICATIVO			SUBJUNTIVO	
Presente	**Pretérito pluscuamp.**	**Futuro perfecto**	**Presente**	**Pretérito pluscuamp.**
Conozco	Había conocido	Habré conocido	Conozca	Hubiera (-se) conocido
Conoces	Habías conocido	Habrás conocido	Conozcas	Hubieras (-ses) conocido
Conoce	Había conocido	Habrá conocido	Conozca	Hubiera (...) conocido
Conocemos	Habíamos conocido	Habremos conocido	Conozcamos	Hubiéramos conocido
Conocéis	Habíais conocido	Habréis conocido	Conozcáis	Hubierais conocido
Conocen	Habían conocido	Habrán conocido	Conozcan	Hubieran conocido
Pretérito perfecto	**Pretérito indefinido**	**Condicional**	**Pretérito perfecto**	**GERUNDIO**
He conocido	Conocí	Conocería	Haya conocido	Conociendo
Has conocido	Conociste	Conocerías	Hayas conocido	
Ha conocido	Conoció	Conocería	Haya conocido	**PARTICIPIO**
Hemos conocido	Conocimos	Conoceríamos	Hayamos conocido	Conocido
Habéis conocido	Conocisteis	Conoceríais	Hayáis conocido	
Han conocido	Conocieron	Conocerían	Hayan conocido	
				IMPERATIVO
Pretérito imperfecto	**Futuro**	**Cond. compuesto**	**Pretérito imperfecto**	**Positivo/Negativo**
Conocía	Conoceré	Habría conocido	Conociera (-se)	
Conocías	Conocerás	Habrías conocido	Conocieras (-ses)	Conoce / No conozcas
Conocía	Conocerá	Habría conocido	Conociera (...)	Conoced / No conozcáis
Conocíamos	Conoceremos	Habríamos conocido	Conociéramos	
Conocíais	Conoceréis	Habríais conocido	Conocierais	Conozca / No conozca
Conocían	Conocerán	Habrían conocido	Conocieran	Conozcan / No conozcan

■ Se conjugan como *conocer*: *desconocer, reconocer, aparecer, desaparecer, agradecer, apetecer, crecer, establecer...*

CONSTRUIR

INDICATIVO			SUBJUNTIVO	
Presente	**Pretérito pluscuamp.**	**Futuro perfecto**	**Presente**	**Pretérito pluscuamp.**
Construyo	Había construido	Habré construido	Construya	Hubiera (-se) construido
Construyes	Habías construido	Habrás construido	Construyas	Hubieras (-ses) construido
Construye	Había construido	Habrá construido	Construya	Hubiera (...) construido
Construimos	Habíamos construido	Habremos construido	Construyamos	Hubiéramos construido
Construís	Habíais construido	Habréis construido	Construyáis	Hubierais construido
Construyen	Habían construido	Habrán construido	Construyan	Hubieran construido
Pretérito perfecto	**Pretérito indefinido**	**Condicional**	**Pretérito perfecto**	**GERUNDIO**
He construido	Construí	Construiría	Haya construido	Construyendo
Has construido	Construiste	Construirías	Hayas construido	
Ha construido	Construyó	Construiría	Haya construido	**PARTICIPIO**
Hemos construido	Construimos	Construiríamos	Hayamos construido	Construido
Habéis construido	Construisteis	Construiríais	Hayáis construido	
Han construido	Construyeron	Construirían	Hayan construido	
				IMPERATIVO
Pretérito imperfecto	**Futuro**	**Cond. compuesto**	**Pretérito imperfecto**	**Positivo/Negativo**
Construía	Construiré	Habría construido	Construyera (-se)	
Construías	Construirás	Habrías construido	Construyeras (-ses)	Construye / No construyas
Construía	Construirá	Habría construido	Construyera (...)	Construid / No construyáis
Construíamos	Construiremos	Habríamos construido	Construyéramos	
Construíais	Construiréis	Habríais construido	Construyerais	Construya / No construya
Construían	Construirán	Habrían construido	Construyeran	Construyan / No construyan

■ Se conjugan como *construir*: *atribuir, concluir, constituir, contribuir, destruir, disminuir, distribuir, excluir, huir, incluir, influir, instruir, reconstruir, sustituir...*

CREER

INDICATIVO

Presente	Pretérito pluscuamp.	Futuro perfecto
Creo	Había creído	Habré creído
Crees	Habías creído	Habrás creído
Cree	Había creído	Habrá creído
Creemos	Habíamos creído	Habremos creído
Creéis	Habíais creído	Habréis creído
Creen	Habían creído	Habrán creído

Pretérito perfecto	Pretérito indefinido	Condicional
He creído	Creí	Creería
Has creído	Creíste	Creerías
Ha creído	Creyó	Creería
Hemos creído	Creímos	Creeríamos
Habéis creído	Creísteis	Creeríais
Han creído	Creyeron	Creerían

Pretérito imperfecto	Futuro	Cond. compuesto
Creía	Creeré	Habría creído
Creías	Creerás	Habrías creído
Creía	Creerá	Habría creído
Creíamos	Creeremos	Habríamos creído
Creíais	Creeréis	Habríais creído
Creían	Creerán	Habrían creído

SUBJUNTIVO

Presente	Pretérito pluscuamp.
Crea	Hubiera (-se) creído
Creas	Hubieras (-ses) creído
Crea	Hubiera (...) creído
Creamos	Hubiéramos creído
Creáis	Hubierais creído
Crean	Hubieran creído

Pretérito perfecto	
Haya creído	
Hayas creído	
Haya creído	
Hayamos creído	
Hayáis creído	
Hayan creído	

GERUNDIO
Creyendo

PARTICIPIO
Creído

IMPERATIVO

Pretérito imperfecto	Positivo/Negativo
Creyera (-se)	
Creyeras (-ses)	Cree / No creas
Creyera (...)	Creed / No creáis
Creyéramos	
Creyerais	Crea / No crea
Creyeran	Crean / No crean

■ Se conjugan como *creer*: *leer*, *poseer*.

DAR

INDICATIVO

Presente	Pretérito pluscuamp.	Futuro perfecto
Doy	Había dado	Habré dado
Das	Habías dado	Habrás dado
Da	Había dado	Habrá dado
Damos	Habíamos dado	Habremos dado
Dais	Habíais dado	Habréis dado
Dan	Habían dado	Habrán dado

Pretérito perfecto	Pretérito indefinido	Condicional
He dado	Di	Daría
Has dado	Diste	Darías
Ha dado	Dio	Daría
Hemos dado	Dimos	Daríamos
Habéis dado	Disteis	Daríais
Han dado	Dieron	Darían

Pretérito imperfecto	Futuro	Cond. compuesto
Daba	Daré	Habría dado
Dabas	Darás	Habrías dado
Daba	Dará	Habría dado
Dábamos	Daremos	Habríamos dado
Dabais	Daréis	Habríais dado
Daban	Darán	Habrían dado

SUBJUNTIVO

Presente	Pretérito pluscuamp.
Dé	Hubiera (-se) dado
Des	Hubieras (-ses) dado
Dé	Hubiera (...) dado
Demos	Hubiéramos dado
Deis	Hubierais dado
Den	Hubieran dado

Pretérito perfecto	
Haya dado	
Hayas dado	
Haya dado	
Hayamos dado	
Hayáis dado	
Hayan dado	

GERUNDIO
Dando

PARTICIPIO
Dado

IMPERATIVO

Pretérito imperfecto	Positivo/Negativo
Diera (-se)	
Dieras (-ses)	Da / No des
Diera (...)	Dad / No deis
Diéramos	
Dierais	Dé / No dé
Dieran	Den / No den

DECIR

INDICATIVO

INDICATIVO | | | SUBJUNTIVO |

Presente	Pretérito pluscuamp.	Futuro perfecto	Presente	Pretérito pluscuamp.
Digo	Había dicho	Habré dicho	Diga	Hubiera (-se) dicho
Dices	Habías dicho	Habrás dicho	Digas	Hubieras (-ses) dicho
Dice	Había dicho	Habrá dicho	Diga	Hubiera (...) dicho
Decimos	Habíamos dicho	Habremos dicho	Digamos	Hubiéramos dicho
Decís	Habíais dicho	Habréis dicho	Digáis	Hubierais dicho
Dicen	Habían dicho	Habrán dicho	Digan	Hubieran dicho

Pretérito perfecto	Pretérito indefinido	Condicional	Pretérito perfecto	GERUNDIO
He dicho	Dije	Diría	Haya dicho	Diciendo
Has dicho	Dijiste	Dirías	Hayas dicho	
Ha dicho	Dijo	Diría	Haya dicho	PARTICIPIO
Hemos dicho	Dijimos	Diríamos	Hayamos dicho	Dicho
Habéis dicho	Dijisteis	Diríais	Hayáis dicho	
Han dicho	Dijeron	Dirían	Hayan dicho	

Pretérito imperfecto	Futuro	Cond. compuesto	Pretérito imperfecto	IMPERATIVO Positivo/Negativo
Decía	Diré	Habría dicho	Dijera (-se)	
Decías	Dirás	Habrías dicho	Dijeras (-ses)	Di / No digas
Decía	Dirá	Habría dicho	Dijera (...)	Decid / No digáis
Decíamos	Diremos	Habríamos dicho	Dijéramos	
Decíais	Diréis	Habríais dicho	Dijerais	Diga / No diga
Decían	Dirán	Habrían dicho	Dijeran	Digan / No digan

■ Se conjugan como *decir*: *contradecir, predecir*...

DORMIR

INDICATIVO | | | SUBJUNTIVO |

Presente	Pretérito pluscuamp.	Futuro perfecto	Presente	Pretérito pluscuamp.
Duermo	Había dormido	Habré dormido	Duerma	Hubiera (-se) dormido
Duermes	Habías dormido	Habrás dormido	Duermas	Hubieras (-ses) dormido
Duerme	Había dormido	Habrá dormido	Duerma	Hubiera (...) dormido
Dormimos	Habíamos dormido	Habremos dormido	Durmamos	Hubiéramos dormido
Dormís	Habíais dormido	Habréis dormido	Durmáis	Hubierais dormido
Duermen	Habían dormido	Habrán dormido	Duerman	Hubieran dormido

Pretérito perfecto	Pretérito indefinido	Condicional	Pretérito perfecto	GERUNDIO
He dormido	Dormí	Dormiría	Haya dormido	Durmiendo
Has dormido	Dormiste	Dormirías	Hayas dormido	
Ha dormido	Durmió	Dormiría	Haya dormido	PARTICIPIO
Hemos dormido	Dormimos	Dormiríamos	Hayamos dormido	Dormido
Habéis dormido	Dormisteis	Dormiríais	Hayáis dormido	
Han dormido	Durmieron	Dormirían	Hayan dormido	

Pretérito imperfecto	Futuro	Cond. compuesto	Pretérito imperfecto	IMPERATIVO Positivo/Negativo
Dormía	Dormiré	Habría dormido	Durmiera (-se)	
Dormías	Dormirás	Habrías dormido	Durmieras (-ses)	Duerme / No duermas
Dormía	Dormirá	Habría dormido	Durmiera (...)	Dormid / No durmáis
Dormíamos	Dormiremos	Habríamos dormido	Durmiéramos	
Dormíais	Dormiréis	Habríais dormido	Durmierais	Duerma / No duerma
Dormían	Dormirán	Habrían dormido	Durmieran	Duerman / No duerman

ENTENDER

INDICATIVO

Presente	Pretérito pluscuamp.	Futuro perfecto
Entiendo	Había entendido	Habré entendido
Entiendes	Habías entendido	Habrás entendido
Entiende	Había entendido	Habrá entendido
Entendemos	Habíamos entendido	Habremos entendido
Entendéis	Habíais entendido	Habréis entendido
Entienden	Habían entendido	Habrán entendido

Pretérito perfecto	Pretérito indefinido	Condicional
He entendido	Entendí	Entendería
Has entendido	Entendiste	Entenderías
Ha entendido	Entendió	Entendería
Hemos entendido	Entendimos	Entenderíamos
Habéis entendido	Entendisteis	Entenderíais
Han entendido	Entendieron	Entenderían

Pretérito imperfecto	Futuro	Cond. compuesto
Entendía	Entenderé	Habría entendido
Entendías	Entenderás	Habrías entendido
Entendía	Entenderá	Habría entendido
Entendíamos	Entenderemos	Habríamos entendido
Entendíais	Entenderéis	Habríais entendido
Entendían	Entenderán	Habrían entendido

SUBJUNTIVO

Presente	Pretérito pluscuamp.
Entienda	Hubiera (-se) entendido
Entiendas	Hubieras (-ses) entendido
Entienda	Hubiera(...) entendido
Entendamos	Hubiéramos entendido
Entendáis	Hubierais entendido
Entiendan	Hubieran entendido

Pretérito perfecto	GERUNDIO
Haya entendido	Entendiendo
Hayas entendido	
Haya entendido	PARTICIPIO
Hayamos entendido	Entendido
Hayáis entendido	
Hayan entendido	

Pretérito imperfecto	IMPERATIVO Positivo/Negativo
Entendiera (-se)	
Entendieras (-ses)	Entiende / No entiendas
Entendiera (...)	Entended / No entendáis
Entendiéramos	
Entendierais	Entienda / No entienda
Entendieran	Entiendan / No entiendan

■ Se conjugan como *entender*: *atender*, *defender*, *encender*, *extender*, *perder*, *tender*, *verter*...

ESTAR

INDICATIVO

Presente	Pretérito pluscuamp.	Futuro perfecto
Estoy	Había estado	Habré estado
Estás	Habías estado	Habrás estado
Está	Había estado	Habrá estado
Estamos	Habíamos estado	Habremos estado
Estáis	Habíais estado	Habréis estado
Están	Habían estado	Habrán estado

Pretérito perfecto	Pretérito indefinido	Condicional
He estado	Estuve	Estaría
Has estado	Estuviste	Estarías
Ha estado	Estuvo	Estaría
Hemos estado	Estuvimos	Estaríamos
Habéis estado	Estuvisteis	Estaríais
Han estado	Estuvieron	Estarían

Pretérito imperfecto	Futuro	Cond. compuesto
Estaba	Estaré	Habría estado
Estabas	Estarás	Habrías estado
Estaba	Estará	Habría estado
Estábamos	Estaremos	Habríamos estado
Estabais	Estaréis	Habríais estado
Estaban	Estarán	Habrían estado

SUBJUNTIVO

Presente	Pretérito pluscuamp.
Esté	Hubiera (-se) estado
Estés	Hubieras (-ses) estado
Esté	Hubiera (...) estado
Estemos	Hubiéramos estado
Estéis	Hubierais estado
Estén	Hubieran estado

Pretérito perfecto	GERUNDIO
Haya estado	Estando
Hayas estado	
Haya estado	PARTICIPIO
Hayamos estado	Estado
Hayáis estado	
Hayan estado	

Pretérito imperfecto	IMPERATIVO Positivo/Negativo
Estuviera (-se)	
Estuvieras (-ses)	Está / No estés
Estuviera (...)	Estad / No estéis
Estuviéramos	
Estuvierais	Esté / No esté
Estuvieran	Estén / No estén

FREÍR

INDICATIVO

SUBJUNTIVO

Presente	Pretérito pluscuamp.	Futuro perfecto	Presente	Pretérito pluscuamp.
Frío	Había frito	Habré frito	Fría	Hubiera (-se) frito
Fríes	Habías frito	Habrás frito	Frías	Hubieras (-ses) frito
Fríe	Había frito	Habrá frito	Fría	Hubiera (...) frito
Freímos	Habíamos frito	Habremos frito	Friamos	Hubiéramos frito
Freís	Habíais frito	Habréis frito	Friáis	Hubierais frito
Fríen	Habían frito	Habrán frito	Frían	Hubieran frito

Pretérito perfecto	Pretérito indefinido	Condicional	Pretérito perfecto	GERUNDIO
He frito	Freí	Freiría	Haya frito	Friendo
Has frito	Freíste	Freirías	Hayas frito	
Ha frito	Frió	Freiría	Haya frito	PARTICIPIO
Hemos frito	Freímos	Freiríamos	Hayamos frito	Frito
Habéis frito	Freísteis	Freiríais	Hayáis frito	
Han frito	Frieron	Freirían	Hayan frito	

				IMPERATIVO
Pretérito imperfecto	Futuro	Cond. compuesto	Pretérito imperfecto	Positivo/Negativo
Freía	Freiré	Habría frito	Friera (-se)	
Freías	Freirás	Habrías frito	Frieras (-ses)	Fríe / No frías
Freía	Freirá	Habría frito	Friera (...)	Freíd / No friáis
Freíamos	Freiremos	Habríamos frito	Friéramos	
Freíais	Freiréis	Habríais frito	Frierais	Fría / No fría
Freían	Freirán	Habrían frito	Frieran	Frían / No frían

■ *Freír* tiene un participio regular *freído*, poco usado.

HABER

INDICATIVO

SUBJUNTIVO

Presente	Pretérito pluscuamp.	Futuro perfecto	Presente	Pretérito pluscuamp.
He	Había habido	Habré habido	Haya	Hubiera (-se) habido
Has	Habías habido	Habrás habido	Hayas	Hubieras (-ses) habido
Ha (Hay)	Había habido	Habrá habido	Haya	Hubiera (...) habido
Hemos	Habíamos habido	Habremos habido	Hayamos	Hubiéramos habido
Habéis	Habíais habido	Habréis habido	Hayáis	Hubierais habido
Han	Habían habido	Habrán habido	Hayan	Hubieran habido

Pretérito perfecto	Pretérito indefinido	Condicional	Pretérito perfecto	GERUNDIO
He habido	Hube	Habría	Haya habido	Habiendo
Has habido	Hubiste	Habrías	Hayas habido	
Ha habido	Hubo	Habría	Haya habido	PARTICIPIO
Hemos habido	Hubimos	Habríamos	Hayamos habido	Habido
Habéis habido	Hubisteis	Habríais	Hayáis habido	
Han habido	Hubieron	Habrían	Hayan habido	

				IMPERATIVO
Pretérito imperfecto	Futuro	Cond. compuesto	Pretérito imperfecto	Positivo/Negativo
Había	Habré	Habría habido	Hubiera (-se)	
Habías	Habrás	Habrías habido	Hubieras (-ses)	(No se usan.)
Había	Habrá	Habría habido	Hubiera (...)	
Habíamos	Habremos	Habríamos habido	Hubiéramos	
Habíais	Habréis	Habríais habido	Hubierais	
Habían	Habrán	Habrían habido	Hubieran	

HACER

INDICATIVO

Presente	Pretérito pluscuamp.	Futuro perfecto
Hago	Había hecho	Habré hecho
Haces	Habías hecho	Habrás hecho
Hace	Había hecho	Habrá hecho
Hacemos	Habíamos hecho	Habremos hecho
Hacéis	Habíais hecho	Habréis hecho
Hacen	Habían hecho	Habrán hecho

Pretérito perfecto	Pretérito indefinido	Condicional
He hecho	Hice	Haría
Has hecho	Hiciste	Harías
Ha hecho	Hizo	Haría
Hemos hecho	Hicimos	Haríamos
Habéis hecho	Hicisteis	Haríais
Han hecho	Hicieron	Harían

Pretérito imperfecto	Futuro	Cond. compuesto
Hacía	Haré	Habría hecho
Hacías	Harás	Habrías hecho
Hacía	Hará	Habría hecho
Hacíamos	Haremos	Habríamos hecho
Hacíais	Haréis	Habríais hecho
Hacían	Harán	Habrían hecho

SUBJUNTIVO

Presente	Pretérito pluscuamp.
Haga	Hubiera (-se) hecho
Hagas	Hubieras (-ses) hecho
Haga	Hubiera (...) hecho
Hagamos	Hubiéramos hecho
Hagáis	Hubierais hecho
Hagan	Hubieran hecho

Pretérito perfecto	GERUNDIO
Haya hecho	Haciendo
Hayas hecho	
Haya hecho	PARTICIPIO
Hayamos hecho	Hecho
Hayáis hecho	
Hayan hecho	

IMPERATIVO

Pretérito imperfecto	Positivo/Negativo
Hiciera (-se)	
Hicieras (-ses)	Haz / No hagas
Hiciera (...)	Haced / No hagáis
Hiciéramos	
Hicierais	Haga / No haga
Hicieran	Hagan / No hagan

■ Se conjugan como *hacer*: *deshacer, rehacer, satisfacer.*

IR

INDICATIVO

Presente	Pretérito pluscuamp.	Futuro perfecto
Voy	Había ido	Habré ido
Vas	Habías ido	Habrás ido
Va	Había ido	Habrá ido
Vamos	Habíamos ido	Habremos ido
Vais	Habíais ido	Habréis ido
Van	Habían ido	Habrán ido

Pretérito perfecto	Pretérito indefinido	Condicional
He ido	Fui	Iría
Has ido	Fuiste	Irías
Ha ido	Fue	Iría
Hemos ido	Fuimos	Iríamos
Habéis ido	Fuisteis	Iríais
Han ido	Fueron	Irían

Pretérito imperfecto	Futuro	Cond. compuesto
Iba	Iré	Habría ido
Ibas	Irás	Habrías ido
Iba	Irá	Habría ido
Íbamos	Iremos	Habríamos ido
Ibais	Iréis	Habríais ido
Iban	Irán	Habrían ido

SUBJUNTIVO

Presente	Pretérito pluscuamp.
Vaya	Hubiera (-se) ido
Vayas	Hubieras (-ses) ido
Vaya	Hubiera (...) ido
Vayamos	Hubiéramos ido
Vayáis	Hubierais ido
Vayan	Hubieran ido

Pretérito perfecto	GERUNDIO
Haya ido	Yendo
Hayas ido	
Haya ido	PARTICIPIO
Hayamos ido	Ido
Hayáis ido	
Hayan ido	

IMPERATIVO

Pretérito imperfecto	Positivo/Negativo
Fuera (-se)	
Fueras (-ses)	Ve / No vayas
Fuera (...)	Id / No vayáis
Fuéramos	
Fuerais	Vaya / No vaya
Fueran	Vayan / No vayan

JUGAR

INDICATIVO			SUBJUNTIVO	
Presente	**Pretérito pluscuamp.**	**Futuro perfecto**	**Presente**	**Pretérito pluscuamp.**
Juego	Había jugado	Habré jugado	Juegue	Hubiera (-se) jugado
Juegas	Habías jugado	Habrás jugado	Juegues	Hubieras (-ses) jugado
Juega	Había jugado	Habrá jugado	Juegue	Hubiera (...) jugado
Jugamos	Habíamos jugado	Habremos jugado	Juguemos	Hubiéramos jugado
Jugáis	Habíais jugado	Habréis jugado	Juguéis	Hubierais jugado
Juegan	Habían jugado	Habrán jugado	Jueguen	Hubieran jugado
Pretérito perfecto	**Pretérito indefinido**	**Condicional**	**Pretérito perfecto**	**GERUNDIO**
He jugado	Jugué	Jugaría	Haya jugado	Jugando
Has jugado	Jugaste	Jugarías	Hayas jugado	
Ha jugado	Jugó	Jugaría	Haya jugado	**PARTICIPIO**
Hemos jugado	Jugamos	Jugaríamos	Hayamos jugado	Jugado
Habéis jugado	Jugasteis	Jugaríais	Hayáis jugado	
Han jugado	Jugaron	Jugarían	Hayan jugado	
				IMPERATIVO
Pretérito imperfecto	**Futuro**	**Cond. compuesto**	**Pretérito imperfecto**	**Positivo/Negativo**
Jugaba	Jugaré	Habría jugado	Jugara (-se)	
Jugabas	Jugarás	Habrías jugado	Jugaras (-ses)	Juega / No juegues
Jugaba	Jugará	Habría jugado	Jugara (...)	Jugad / No juguéis
Jugábamos	Jugaremos	Habríamos jugado	Jugáramos	
Jugabais	Jugaréis	Habríais jugado	Jugarais	Juegue / No juegue
Jugaban	Jugarán	Habrían jugado	Jugaran	Jueguen / No jueguen

■ El sonido [g] se escribe *g* antes de los sonidos [o] y [a] , y *gu* antes del sonido [e]

MORIR

INDICATIVO			SUBJUNTIVO	
Presente	**Pretérito pluscuamp.**	**Futuro perfecto**	**Presente**	**Pretérito pluscuamp.**
Muero	Había muerto	Habré muerto	Muera	Hubiera (-se) muerto
Mueres	Habías muerto	Habrás muerto	Mueras	Hubieras (-ses) muerto
Muere	Había muerto	Habrá muerto	Muera	Hubiera (...) muerto
Morimos	Habíamos muerto	Habremos muerto	Muramos	Hubiéramos muerto
Morís	Habíais muerto	Habréis muerto	Muráis	Hubierais muerto
Mueren	Habían muerto	Habrán muerto	Mueran	Hubieran muerto
Pretérito perfecto	**Pretérito indefinido**	**Condicional**	**Pretérito perfecto**	**GERUNDIO**
He muerto	Morí	Moriría	Haya muerto	Muriendo
Has muerto	Moriste	Morirías	Hayas muerto	
Ha muerto	Murió	Moriría	Haya muerto	**PARTICIPIO**
Hemos muerto	Morimos	Moriríamos	Hayamos muerto	Muerto
Habéis muerto	Moristeis	Moriríais	Hayáis muerto	
Han muerto	Murieron	Morirían	Hayan muerto	
				IMPERATIVO
Pretérito imperfecto	**Futuro**	**Cond. compuesto**	**Pretérito imperfecto**	**Positivo/Negativo**
Moría	Moriré	Habría muerto	Muriera (-se)	
Morías	Morirás	Habrías muerto	Murieras (-ses)	Muere / No mueras
Moría	Morirá	Habría muerto	Muriera (...)	Morid / No muráis
Moríamos	Moriremos	Habríamos muerto	Muriéramos	
Moríais	Moriréis	Habríais muerto	Murierais	Muera / No muera
Morían	Morirán	Habrían muerto	Murieran	Mueran / No mueran

MOVER

INDICATIVO

Presente	Pretérito pluscuamp.	Futuro perfecto
Muevo	Había movido	Habré movido
Mueves	Habías movido	Habrás movido
Mueve	Había movido	Habrá movido
Movemos	Habíamos movido	Habremos movido
Movéis	Habíais movido	Habréis movido
Mueven	Habían movido	Habrán movido

Pretérito perfecto	Pretérito indefinido	Condicional
He movido	Moví	Movería
Has movido	Moviste	Moverías
Ha movido	Movió	Movería
Hemos movido	Movimos	Moveríamos
Habéis movido	Movisteis	Moveríais
Han movido	Movieron	Moverían

Pretérito imperfecto	Futuro	Cond. compuesto
Movía	Moveré	Habría movido
Movías	Moverás	Habrías movido
Movía	Moverá	Habría movido
Movíamos	Moveremos	Habríamos movido
Movíais	Moveréis	Habríais movido
Movían	Moverán	Habrían movido

SUBJUNTIVO

Presente	Pretérito pluscuamp.
Mueva	Hubiera (-se) movido
Muevas	Hubieras (-ses) movido
Mueva	Hubiera(...) movido
Movamos	Hubiéramos movido
Mováis	Hubierais movido
Muevan	Hubieran movido

Pretérito perfecto	GERUNDIO
Haya movido	Moviendo
Hayas movido	
Haya movido	PARTICIPIO
Hayamos movido	Movido
Hayáis movido	
Hayan movido	

Pretérito imperfecto	IMPERATIVO Positivo/Negativo
Moviera (-se)	
Movieras (-ses)	Mueve / No muevas
Moviera (...)	Moved / No mováis
Moviéramos	
Movierais	Mueva / No mueva
Movieran	Muevan / No muevan

■ Se conjugan como *mover*: *cocer*, *conmover*(*se*), *doler*, *llover*, *oler* (en este verbo se escriben con *h-* las formas con *-ue-*: *huelo*)...

OÍR

INDICATIVO

Presente	Pretérito pluscuamp.	Futuro perfecto
Oigo	Había oído	Habré oído
Oyes	Habías oído	Habrás oído
Oye	Había oído	Habrá oído
Oímos	Habíamos oído	Habremos oído
Oís	Habíais oído	Habréis oído
Oyen	Habían oído	Habrán oído

Pretérito perfecto	Pretérito indefinido	Condicional
He oído	Oí	Oiría
Has oído	Oíste	Oirías
Ha oído	Oyó	Oiría
Hemos oído	Oímos	Oiríamos
Habéis oído	Oísteis	Oiríais
Han oído	Oyeron	Oirían

Pretérito imperfecto	Futuro	Cond. compuesto
Oía	Oiré	Habría oído
Oías	Oirás	Habrías oído
Oía	Oirá	Habría oído
Oíamos	Oiremos	Habríamos oído
Oíais	Oiréis	Habríais oído
Oían	Oirán	Habrían oído

SUBJUNTIVO

Presente	Pretérito pluscuamp.
Oiga	Hubiera (-se) oído
Oigas	Hubieras (-ses) oído
Oiga	Hubiera (...) oído
Oigamos	Hubiéramos oído
Oigáis	Hubierais oído
Oigan	Hubieran oído

Pretérito perfecto	GERUNDIO
Haya oído	Oyendo
Hayas oído	
Haya oído	PARTICIPIO
Hayamos oído	Oído
Hayáis oído	
Hayan oído	

Pretérito imperfecto	IMPERATIVO Positivo/Negativo
Oyera (-se)	
Oyeras (-ses)	Oye / No oigas
Oyera (...)	Oíd / No oigáis
Oyéramos	
Oyerais	Oiga / No oiga
Oyeran	Oigan / No oigan

■ Se conjuga como *oír*: *desoír*.

Verbos conjugados

PEDIR

INDICATIVO

Presente	Pretérito pluscuamp.	Futuro perfecto
Pido	Había pedido	Habré pedido
Pides	Habías pedido	Habrás pedido
Pide	Había pedido	Habrá pedido
Pedimos	Habíamos pedido	Habremos pedido
Pedís	Habíais pedido	Habréis pedido
Piden	Habían pedido	Habrán pedido

Pretérito perfecto	Pretérito indefinido	Condicional
He pedido	Pedí	Pediría
Has pedido	Pediste	Pedirías
Ha pedido	Pidió	Pediría
Hemos pedido	Pedimos	Pediríamos
Habéis pedido	Pedisteis	Pediríais
Han pedido	Pidieron	Pedirían

Pretérito imperfecto	Futuro	Cond. compuesto
Pedía	Pediré	Habría pedido
Pedías	Pedirás	Habrías pedido
Pedía	Pedirá	Habría pedido
Pedíamos	Pediremos	Habríamos pedido
Pedíais	Pediréis	Habríais pedido
Pedían	Pedirán	Habrían pedido

SUBJUNTIVO

Presente	Pretérito pluscuamp.
Pida	Hubiera (-se) pedido
Pidas	Hubieras (-ses) pedido
Pida	Hubiera (...) pedido
Pidamos	Hubiéramos pedido
Pidáis	Hubierais pedido
Pidan	Hubieran pedido

Pretérito perfecto	
Haya pedido	
Hayas pedido	
Haya pedido	
Hayamos pedido	
Hayáis pedido	
Hayan pedido	

GERUNDIO
Pidiendo

PARTICIPIO
Pedido

Pretérito imperfecto
Pidiera (-se)
Pidieras (-ses)
Pidiera (...)
Pidiéramos
Pidierais
Pidieran

IMPERATIVO
Positivo/Negativo

Pide / No pidas

Pedid / No pidáis

Pida / No pida

Pidan / No pidan

■ Se conjugan como *pedir*: *corregir, elegir, reír, repetir, seguir, servir...*

PENSAR

INDICATIVO

Presente	Pretérito pluscuamp.	Futuro perfecto
Pienso	Había pensado	Habré pensado
Piensas	Habías pensado	Habrás pensado
Piensa	Había pensado	Habrá pensado
Pensamos	Habíamos pensado	Habremos pensado
Pensáis	Habíais pensado	Habréis pensado
Piensan	Habían pensado	Habrán pensado

Pretérito perfecto	Pretérito indefinido	Condicional
He pensado	Pensé	Pensaría
Has pensado	Pensaste	Pensarías
Ha pensado	Pensó	Pensaría
Hemos pensado	Pensamos	Pensaríamos
Habéis pensado	Pensasteis	Pensaríais
Han pensado	Pensaron	Pensarían

Pretérito imperfecto	Futuro	Cond. compuesto
Pensaba	Pensaré	Habría pensado
Pensabas	Pensarás	Habrías pensado
Pensaba	Pensará	Habría pensado
Pensábamos	Pensaremos	Habríamos pensado
Pensabais	Pensaréis	Habríais pensado
Pensaban	Pensarán	Habrían pensado

SUBJUNTIVO

Presente	Pretérito pluscuamp.
Piense	Hubiera (-se) pensado
Pienses	Hubieras (-ses) pensado
Piense	Hubiera (...) pensado
Pensemos	Hubiéramos pensado
Penséis	Hubierais pensado
Piensen	Hubieran pensado

Pretérito perfecto	
Haya pensado	
Hayas pensado	
Haya pensado	
Hayamos pensado	
Hayáis pensado	
Hayan pensado	

GERUNDIO
Pensando

PARTICIPIO
Pensado

Pretérito imperfecto
Pensara (-se)
Pensaras (-ses)
Pensara (...)
Pensáramos
Pensarais
Pensaran

IMPERATIVO
Positivo/Negativo

Piensa / No pienses

Pensad / No penséis

Piense / No piense

Piensen / No piensen

■ Se conjugan como *pensar*: *cerrar, comenzar, despertar(se), empezar, sentar(se)...*

PODER

INDICATIVO

Presente	Pretérito pluscuamp.	Futuro perfecto
Puedo	Había podido	Habré podido
Puedes	Habías podido	Habrás podido
Puede	Había podido	Habrá podido
Podemos	Habíamos podido	Habremos podido
Podéis	Habíais podido	Habréis podido
Pueden	Habían podido	Habrán podido

Pretérito perfecto	Pretérito indefinido	Condicional
He podido	Pude	Podría
Has podido	Pudiste	Podrías
Ha podido	Pudo	Podría
Hemos podido	Pudimos	Podríamos
Habéis podido	Pudisteis	Podríais
Han podido	Pudieron	Podrían

Pretérito imperfecto	Futuro	Cond. compuesto
Podía	Podré	Habría podido
Podías	Podrás	Habrías podido
Podía	Podrá	Habría podido
Podíamos	Podremos	Habríamos podido
Podíais	Podréis	Habríais podido
Podían	Podrán	Habrían podido

SUBJUNTIVO

Presente	Pretérito pluscuamp.
Pueda	Hubiera (-se) podido
Puedas	Hubieras (-ses) podido
Pueda	Hubiera (...) podido
Podamos	Hubiéramos podido
Podáis	Hubierais podido
Puedan	Hubieran podido

Pretérito perfecto	GERUNDIO
Haya podido	Pudiendo
Hayas podido	
Haya podido	PARTICIPIO
Hayamos podido	Podido
Hayáis podido	
Hayan podido	

Pretérito imperfecto	IMPERATIVO — Positivo/Negativo
Pudiera (-se)	
Pudieras (-ses)	(No se usan.)
Pudiera (...)	
Pudiéramos	
Pudierais	
Pudieran	

PONER

INDICATIVO

Presente	Pretérito pluscuamp.	Futuro perfecto
Pongo	Había puesto	Habré puesto
Pones	Habías puesto	Habrás puesto
Pone	Había puesto	Habrá puesto
Ponemos	Habíamos puesto	Habremos puesto
Ponéis	Habíais puesto	Habréis puesto
Ponen	Habían puesto	Habrán puesto

Pretérito perfecto	Pretérito indefinido	Condicional
He puesto	Puse	Pondría
Has puesto	Pusiste	Pondrías
Ha puesto	Puso	Pondría
Hemos puesto	Pusimos	Pondríamos
Habéis puesto	Pusisteis	Pondríais
Han puesto	Pusieron	Pondrían

Pretérito imperfecto	Futuro	Cond. compuesto
Ponía	Pondré	Habría puesto
Ponías	Pondrás	Habrías puesto
Ponía	Pondrá	Habría puesto
Poníamos	Pondremos	Habríamos puesto
Poníais	Pondréis	Habríais puesto
Ponían	Pondrán	Habrían puesto

SUBJUNTIVO

Presente	Pretérito pluscuamp.
Ponga	Hubiera (-se) puesto
Pongas	Hubieras (-ses) puesto
Ponga	Hubiera (...) puesto
Pongamos	Hubiéramos puesto
Pongáis	Hubierais puesto
Pongan	Hubieran puesto

Pretérito perfecto	GERUNDIO
Haya puesto	Poniendo
Hayas puesto	
Haya puesto	PARTICIPIO
Hayamos puesto	Puesto
Hayáis puesto	
Hayan puesto	

Pretérito imperfecto	IMPERATIVO — Positivo/Negativo
Pusiera (-se)	
Pusieras (-ses)	Pon / No pongas
Pusiera (...)	Poned / No pongáis
Pusiéramos	
Pusierais	Ponga / No ponga
Pusieran	Pongan / No pongan

■ Se conjugan como *poner*: *componer, presuponer, proponer, suponer...*

PROHIBIR

INDICATIVO

Presente	Pretérito pluscuamp.	Futuro perfecto	SUBJUNTIVO Presente	Pretérito pluscuamp.
Prohíbo	Había prohibido	Habré prohibido	Prohíba	Hubiera (-se) prohibido
Prohíbes	Habías prohibido	Habrás prohibido	Prohíbas	Hubieras (-ses) prohibido
Prohíbe	Había prohibido	Habrá prohibido	Prohíba	Hubiera (...) prohibido
Prohibimos	Habíamos prohibido	Habremos prohibido	Prohibamos	Hubiéramos prohibido
Prohibís	Habíais prohibido	Habréis prohibido	Prohibáis	Hubierais prohibido
Prohíben	Habían prohibido	Habrán prohibido	Prohíban	Hubieran prohibido

Pretérito perfecto	Pretérito indefinido	Condicional	Pretérito perfecto	GERUNDIO
He prohibido	Prohibí	Prohibiría	Haya prohibido	Prohibiendo
Has prohibido	Prohibiste	Prohibirías	Hayas prohibido	
Ha prohibido	Prohibió	Prohibiría	Haya prohibido	PARTICIPIO
Hemos prohibido	Prohibimos	Prohibiríamos	Hayamos prohibido	Prohibido
Habéis prohibido	Prohibisteis	Prohibiríais	Hayáis prohibido	
Han prohibido	Prohibieron	Prohibirían	Hayan prohibido	

Pretérito imperfecto	Futuro	Cond. compuesto	Pretérito imperfecto	IMPERATIVO Positivo/Negativo
Prohibía	Prohibiré	Habría prohibido	Prohibiera (-se)	
Prohibías	Prohibirás	Habrías prohibido	Prohibieras (-ses)	Prohíbe / No prohíbas
Prohibía	Prohibirá	Habría prohibido	Prohibiera (...)	Prohibid / No prohibáis
Prohibíamos	Prohibiremos	Habríamos prohibido	Prohibiéramos	
Prohibíais	Prohibiréis	Habríais prohibido	Prohibierais	Prohíba / No prohíba
Prohibían	Prohibirán	Habrían prohibido	Prohibieran	Prohíban / No prohíban

■ Se conjuga como **prohibir**: **reunir**.

QUERER

INDICATIVO

Presente	Pretérito pluscuamp.	Futuro perfecto	SUBJUNTIVO Presente	Pretérito pluscuamp.
Quiero	Había querido	Habré querido	Quiera	Hubiera (-se) querido
Quieres	Habías querido	Habrás querido	Quieras	Hubieras (-ses) querido
Quiere	Había querido	Habrá querido	Quiera	Hubiera (...) querido
Queremos	Habíamos querido	Habremos querido	Queramos	Hubiéramos querido
Queréis	Habíais querido	Habréis querido	Queráis	Hubierais querido
Quieren	Habían querido	Habrán querido	Quieran	Hubieran querido

Pretérito perfecto	Pretérito indefinido	Condicional	Pretérito perfecto	GERUNDIO
He querido	Quise	Querría	Haya querido	Queriendo
Has querido	Quisiste	Querrías	Hayas querido	
Ha querido	Quiso	Querría	Haya querido	PARTICIPIO
Hemos querido	Quisimos	Querríamos	Hayamos querido	Querido
Habéis querido	Quisisteis	Querríais	Hayáis querido	
Han querido	Quisieron	Querrían	Hayan querido	

Pretérito imperfecto	Futuro	Cond. compuesto	Pretérito imperfecto	IMPERATIVO Positivo/Negativo
Quería	Querré	Habría querido	Quisiera (-se)	
Querías	Querrás	Habrías querido	Quisieras (-ses)	Quiere / No quieras
Quería	Querrá	Habría querido	Quisiera (...)	Quered / No queráis
Queríamos	Querremos	Habríamos querido	Quisiéramos	
Queríais	Querréis	Habríais querido	Quisierais	Quiera / No quiera
Querían	Querrán	Habrían querido	Quisieran	Quieran / No quieran

SABER

INDICATIVO

Presente	Pretérito pluscuamp.	Futuro perfecto
Sé	Había sabido	Habré sabido
Sabes	Habías sabido	Habrás sabido
Sabe	Había sabido	Habrá sabido
Sabemos	Habíamos sabido	Habremos sabido
Sabéis	Habíais sabido	Habréis sabido
Saben	Habían sabido	Habrán sabido

Pretérito perfecto	Pretérito indefinido	Condicional
He sabido	Supe	Sabría
Has sabido	Supiste	Sabrías
Ha sabido	Supo	Sabría
Hemos sabido	Supimos	Sabríamos
Habéis sabido	Supisteis	Sabríais
Han sabido	Supieron	Sabrían

Pretérito imperfecto	Futuro	Cond. compuesto
Sabía	Sabré	Habría sabido
Sabías	Sabrás	Habrías sabido
Sabía	Sabrá	Habría sabido
Sabíamos	Sabremos	Habríamos sabido
Sabíais	Sabréis	Habríais sabido
Sabían	Sabrán	Habrían sabido

SUBJUNTIVO

Presente	Pretérito pluscuamp.
Sepa	Hubiera (-se) sabido
Sepas	Hubieras (-ses) sabido
Sepa	Hubiera (...) sabido
Sepamos	Hubiéramos sabido
Sepáis	Hubierais sabido
Sepan	Hubieran sabido

Pretérito perfecto	GERUNDIO
Haya sabido	Sabiendo
Hayas sabido	
Haya sabido	PARTICIPIO
Hayamos sabido	Sabido
Hayáis sabido	
Hayan sabido	

Pretérito imperfecto	IMPERATIVO Positivo/Negativo
Supiera (-se)	
Supieras (-ses)	Sabe / No sepas
Supiera (...)	Sabed / No sepáis
Supiéramos	
Supierais	Sepa / No sepa
Supieran	Sepan / No sepan

SALIR

INDICATIVO

Presente	Pretérito pluscuamp.	Futuro perfecto
Salgo	Había salido	Habré salido
Sales	Habías salido	Habrás salido
Sale	Había salido	Habrá salido
Salimos	Habíamos salido	Habremos salido
Salís	Habíais salido	Habréis salido
Salen	Habían salido	Habrán salido

Pretérito perfecto	Pretérito indefinido	Condicional
He salido	Salí	Saldría
Has salido	Saliste	Saldrías
Ha salido	Salió	Saldría
Hemos salido	Salimos	Saldríamos
Habéis salido	Salisteis	Saldríais
Han salido	Salieron	Saldrían

Pretérito imperfecto	Futuro	Cond. compuesto
Salía	Saldré	Habría salido
Salías	Saldrás	Habrías salido
Salía	Saldrá	Habría salido
Salíamos	Saldremos	Habríamos salido
Salíais	Saldréis	Habríais salido
Salían	Saldrán	Habrían salido

SUBJUNTIVO

Presente	Pretérito pluscuamp.
Salga	Hubiera (-se) salido
Salgas	Hubieras (-ses) salido
Salga	Hubiera (...) salido
Salgamos	Hubiéramos salido
Salgáis	Hubierais salido
Salgan	Hubieran salido

Pretérito perfecto	GERUNDIO
Haya salido	Saliendo
Hayas salido	
Haya salido	PARTICIPIO
Hayamos salido	Salido
Hayáis salido	
Hayan salido	

Pretérito imperfecto	IMPERATIVO Positivo/Negativo
Saliera (-se)	
Salieras (-ses)	Sal / No salgas
Saliera (...)	Salid / No salgáis
Saliéramos	
Salierais	Salga / No salga
Salieran	Salgan / No salgan

■ Se conjugan como *salir*: *sobresalir*, *equivaler*, *valer* (con las terminaciones de los verbos en *-er*).

SENTIR

INDICATIVO

Presente	Pretérito pluscuamp.	Futuro perfecto	SUBJUNTIVO Presente	Pretérito pluscuamp.
Siento	Había sentido	Habré sentido	Sienta	Hubiera (-se) sentido
Sientes	Habías sentido	Habrás sentido	Sientas	Hubieras (-ses) sentido
Siente	Había sentido	Habrá sentido	Sienta	Hubiera (...) sentido
Sentimos	Habíamos sentido	Habremos sentido	Sintamos	Hubiéramos sentido
Sentís	Habíais sentido	Habréis sentido	Sintáis	Hubierais sentido
Sienten	Habían sentido	Habrán sentido	Sientan	Hubieran sentido

Pretérito perfecto	Pretérito indefinido	Condicional	Pretérito perfecto	GERUNDIO
He sentido	Sentí	Sentiría	Haya sentido	Sintiendo
Has sentido	Sentiste	Sentirías	Hayas sentido	
Ha sentido	Sintió	Sentiría	Haya sentido	PARTICIPIO
Hemos sentido	Sentimos	Sentiríamos	Hayamos sentido	Sentido
Habéis sentido	Sentisteis	Sentiríais	Hayáis sentido	
Han sentido	Sintieron	Sentirían	Hayan sentido	

Pretérito imperfecto	Futuro	Cond. compuesto	Pretérito imperfecto	IMPERATIVO Positivo/Negativo
Sentía	Sentiré	Habría sentido	Sintiera (-se)	
Sentías	Sentirás	Habrías sentido	Sintieras (-ses)	Siente / No sientas
Sentía	Sentirá	Habría sentido	Sintiera (...)	Sentid / No sintáis
Sentíamos	Sentiremos	Habríamos sentido	Sintiéramos	
Sentíais	Sentiréis	Habríais sentido	Sintierais	Sienta / No sienta
Sentían	Sentirán	Habrían sentido	Sintieran	Sientan / No sientan

■ Se conjugan como *sentir*: *divertir(se)*, *mentir*, *preferir*, *presentir*, *sugerir*...

SER

INDICATIVO

Presente	Pretérito pluscuamp.	Futuro perfecto	SUBJUNTIVO Presente	Pretérito pluscuamp.
Soy	Había sido	Habré sido	Sea	Hubiera (-se) sido
Eres	Habías sido	Habrás sido	Seas	Hubieras (-ses) sido
Es	Había sido	Habrá sido	Sea	Hubiera (...) sido
Somos	Habíamos sido	Habremos sido	Seamos	Hubiéramos sido
Sois	Habíais sido	Habréis sido	Seáis	Hubierais sido
Son	Habían sido	Habrán sido	Sean	Hubieran sido

Pretérito perfecto	Pretérito indefinido	Condicional	Pretérito perfecto	GERUNDIO
He sido	Fui	Sería	Haya sido	Siendo
Has sido	Fuiste	Serías	Hayas sido	
Ha sido	Fue	Sería	Haya sido	PARTICIPIO
Hemos sido	Fuimos	Seríamos	Hayamos sido	Sido
Habéis sido	Fuisteis	Seríais	Hayáis sido	
Han sido	Fueron	Serían	Hayan sido	

Pretérito imperfecto	Futuro	Cond. compuesto	Pretérito imperfecto	IMPERATIVO Positivo/Negativo
Era	Seré	Habría sido	Fuera (-se)	
Eras	Serás	Habrías sido	Fueras (-ses)	Sé / No seas
Era	Será	Habría sido	Fuera (...)	Sed / No seáis
Éramos	Seremos	Habríamos sido	Fuéramos	
Erais	Seréis	Habríais sido	Fuerais	Sea / No sea
Eran	Serán	Habrían sido	Fueran	Sean / No sean

TENER

INDICATIVO

Presente	Pretérito pluscuamp.	Futuro perfecto
Tengo	Había tenido	Habré tenido
Tienes	Habías tenido	Habrás tenido
Tiene	Había tenido	Habrá tenido
Tenemos	Habíamos tenido	Habremos tenido
Tenéis	Habíais tenido	Habréis tenido
Tienen	Habían tenido	Habrán tenido

Pretérito perfecto	Pretérito indefinido	Condicional
He tenido	Tuve	Tendría
Has tenido	Tuviste	Tendrías
Ha tenido	Tuvo	Tendría
Hemos tenido	Tuvimos	Tendríamos
Habéis tenido	Tuvisteis	Tendríais
Han tenido	Tuvieron	Tendrían

Pretérito imperfecto	Futuro	Cond. compuesto
Tenía	Tendré	Habría tenido
Tenías	Tendrás	Habrías tenido
Tenía	Tendrá	Habría tenido
Teníamos	Tendremos	Habríamos tenido
Teníais	Tendréis	Habríais tenido
Tenían	Tendrán	Habrían tenido

SUBJUNTIVO

Presente	Pretérito pluscuamp.
Tenga	Hubiera (-se) tenido
Tengas	Hubieras (-ses) tenido
Tenga	Hubiera (...) tenido
Tengamos	Hubiéramos tenido
Tengáis	Hubierais tenido
Tengan	Hubieran tenido

Pretérito perfecto	GERUNDIO
Haya tenido	Teniendo
Hayas tenido	
Haya tenido	PARTICIPIO
Hayamos tenido	Tenido
Hayáis tenido	
Hayan tenido	

Pretérito imperfecto	IMPERATIVO Positivo/Negativo
Tuviera (-se)	
Tuvieras (-ses)	Ten / No tengas
Tuviera (...)	Tened / No tengáis
Tuviéramos	
Tuvierais	Tenga / No tenga
Tuvieran	Tengan / No tengan

■ Se conjugan como *tener*: **contener, mantener, obtener...**

TRAER

INDICATIVO

Presente	Pretérito pluscuamp.	Futuro perfecto
Traigo	Había traído	Habré traído
Traes	Habías traído	Habrás traído
Trae	Había traído	Habrá traído
Traemos	Habíamos traído	Habremos traído
Traéis	Habíais traído	Habréis traído
Traen	Habían traído	Habrán traído

Pretérito perfecto	Pretérito indefinido	Condicional
He traído	Traje	Traería
Has traído	Trajiste	Traerías
Ha traído	Trajo	Traería
Hemos traído	Trajimos	Traeríamos
Habéis traído	Trajisteis	Traeríais
Han traído	Trajeron	Traerían

Pretérito imperfecto	Futuro	Cond. compuesto
Traía	Traeré	Habría traído
Traías	Traerás	Habrías traído
Traía	Traerá	Habría traído
Traíamos	Traeremos	Habríamos traído
Traíais	Traeréis	Habríais traído
Traían	Traerán	Habrían traído

SUBJUNTIVO

Presente	Pretérito pluscuamp.
Traiga	Hubiera (-se) traído
Traigas	Hubieras (-ses) traído
Traiga	Hubiera (...) traído
Traigamos	Hubiéramos traído
Traigáis	Hubierais traído
Traigan	Hubieran traído

Pretérito perfecto	GERUNDIO
Haya traído	Trayendo
Hayas traído	
Haya traído	PARTICIPIO
Hayamos traído	Traído
Hayáis traído	
Hayan traído	

Pretérito imperfecto	IMPERATIVO Positivo/Negativo
Trajera (-se)	
Trajeras (-ses)	Trae / No traigas
Trajera (...)	Traed / No traigáis
Trajéramos	
Trajerais	Traiga / No traiga
Trajeran	Traigan / No traigan

■ Se conjugan como *traer*: **abstraer, atraer, distraer, extraer...**

VENIR

Presente	Pretérito pluscuamp.	Futuro perfecto
Vengo	Había venido	Habré venido
Vienes	Habías venido	Habrás venido
Viene	Había venido	Habrá venido
Venimos	Habíamos venido	Habremos venido
Venís	Habíais venido	Habréis venido
Vienen	Habían venido	Habrán venido

Pretérito perfecto	Pretérito indefinido	Condicional
He venido	Vine	Vendría
Has venido	Viniste	Vendrías
Ha venido	Vino	Vendría
Hemos venido	Vinimos	Vendríamos
Habéis venido	Vinisteis	Vendríais
Han venido	Vinieron	Vendrían

Pretérito imperfecto	Futuro	Cond. compuesto
Venía	Vendré	Habría venido
Venías	Vendrás	Habrías venido
Venía	Vendrá	Habría venido
Veníamos	Vendremos	Habríamos venido
Veníais	Vendréis	Habríais venido
Venían	Vendrán	Habrían venido

Presente	Pretérito pluscuamp.
Venga	Hubiera (-se) venido
Vengas	Hubieras (-ses) venido
Venga	Hubiera (...) venido
Vengamos	Hubiéramos venido
Vengáis	Hubierais venido
Vengan	Hubieran venido

Pretérito perfecto	GERUNDIO
Haya venido	Viniendo
Hayas venido	
Haya venido	PARTICIPIO
Hayamos venido	Venido
Hayáis venido	
Hayan venido	

Pretérito imperfecto	IMPERATIVO Positivo/Negativo
Viniera (-se)	
Vinieras (-ses)	Ven / No vengas
Viniera (...)	Venid / No vengáis
Viniéramos	
Vinierais	Venga / No venga
Vinieran	Vengan / No vengan

■ Se conjugan como *venir*: *convenir, provenir...*

VER

Presente	Pretérito pluscuamp.	Futuro perfecto
Veo	Había visto	Habré visto
Ves	Habías visto	Habrás visto
Ve	Había visto	Habrá visto
Vemos	Habíamos visto	Habremos visto
Veis	Habíais visto	Habréis visto
Ven	Habían visto	Habrán visto

Pretérito perfecto	Pretérito indefinido	Condicional
He visto	Vi	Vería
Has visto	Viste	Verías
Ha visto	Vio	Vería
Hemos visto	Vimos	Veríamos
Habéis visto	Visteis	Veríais
Han visto	Vieron	Verían

Pretérito imperfecto	Futuro	Cond. compuesto
Veía	Veré	Habría visto
Veías	Verás	Habrías visto
Veía	Verá	Habría visto
Veíamos	Veremos	Habríamos visto
Veíais	Veréis	Habríais visto
Veían	Verán	Habrían visto

Presente	Pretérito pluscuamp.
Vea	Hubiera (-se) visto
Veas	Hubieras (-ses) visto
Vea	Hubiera (...) visto
Veamos	Hubiéramos visto
Veáis	Hubierais visto
Vean	Hubieran visto

Pretérito perfecto	GERUNDIO
Haya visto	Viendo
Hayas visto	
Haya visto	PARTICIPIO
Hayamos visto	Visto
Hayáis visto	
Hayan visto	

Pretérito imperfecto	IMPERATIVO Positivo/Negativo
Viera (-se)	
Vieras (-ses)	Ve / No veas
Viera (...)	Ved / No veáis
Viéramos	
Vierais	Vea / No vea
Vieran	Vean / No vean

■ Se conjuga como *ver*: *prever.*

VOLAR

INDICATIVO

Presente	Pretérito pluscuamp.	Futuro perfecto
Vuelo	Había volado	Habré volado
Vuelas	Habías volado	Habrás volado
Vuela	Había volado	Habrá volado
Volamos	Habíamos volado	Habremos volado
Voláis	Habíais volado	Habréis volado
Vuelan	Habían volado	Habrán volado

Pretérito perfecto	Pretérito indefinido	Condicional
He volado	Volé	Volaría
Has volado	Volaste	Volarías
Ha volado	Voló	Volaría
Hemos volado	Volamos	Volaríamos
Habéis volado	Volasteis	Volaríais
Han volado	Volaron	Volarían

Pretérito imperfecto	Futuro	Cond. compuesto
Volaba	Volaré	Habría volado
Volabas	Volarás	Habrías volado
Volaba	Volará	Habría volado
Volábamos	Volaremos	Habríamos volado
Volabais	Volaréis	Habríais volado
Volaban	Volarán	Habrían volado

SUBJUNTIVO

Presente	Pretérito pluscuamp.
Vuele	Hubiera (se) volado
Vueles	Hubieras (-ses) volado
Vuele	Hubiera (...) volado
Volemos	Hubiéramos volado
Voléis	Hubierais volado
Vuelen	Hubieran volado

Pretérito perfecto	GERUNDIO
Haya volado	Volando
Hayas volado	
Haya volado	PARTICIPIO
Hayamos volado	Volado
Hayáis volado	
Hayan volado	

Pretérito imperfecto	IMPERATIVO Positivo/Negativo
Volara (-se)	
Volaras (-ses)	Vuela / No vueles
Volara (...)	Volad / No voléis
Voláramos	
Volarais	Vuele / No vuele
Volaran	Vuelen / No vuelen

■ Se conjugan como *volar*: *acostar(se), costar, probar, recordar, soñar...*

VOLVER

INDICATIVO

Presente	Pretérito pluscuamp.	Futuro perfecto
Vuelvo	Había vuelto	Habré vuelto
Vuelves	Habías vuelto	Habrás vuelto
Vuelve	Había vuelto	Habrá vuelto
Volvemos	Habíamos vuelto	Habremos vuelto
Volvéis	Habíais vuelto	Habréis vuelto
Vuelven	Habían vuelto	Habrán vuelto

Pretérito perfecto	Pretérito indefinido	Condicional
He vuelto	Volví	Volvería
Has vuelto	Volviste	Volverías
Ha vuelto	Volvió	Volvería
Hemos vuelto	Volvimos	Volveríamos
Habéis vuelto	Volvisteis	Volveríais
Han vuelto	Volvieron	Volverían

Pretérito imperfecto	Futuro	Cond. compuesto
Volvía	Volveré	Habría vuelto
Volvías	Volverás	Habrías vuelto
Volvía	Volverá	Habría vuelto
Volvíamos	Volveremos	Habríamos vuelto
Volvíais	Volveréis	Habríais vuelto
Volvían	Volverán	Habrían vuelto

SUBJUNTIVO

Presente	Pretérito pluscuamp.
Vuelva	Hubiera (-se) vuelto
Vuelvas	Hubieras (-ses) vuelto
Vuelva	Hubiera (...) vuelto
Volvamos	Hubiéramos vuelto
Volváis	Hubierais vuelto
Vuelvan	Hubieran vuelto

Pretérito perfecto	GERUNDIO
Haya vuelto	Volviendo
Hayas vuelto	
Haya vuelto	PARTICIPIO
Hayamos vuelto	Vuelto
Hayáis vuelto	
Hayan vuelto	

Pretérito imperfecto	IMPERATIVO Positivo/Negativo
Volviera (-se)	
Volvieras (-ses)	Vuelve / No vuelvas
Volviera (...)	Volved / No volváis
Volviéramos	
Volvierais	Vuelva / No vuelva
Volvieran	Vuelvan / No vuelvan

■ Se conjugan como *volver*: *devolver, envolver, resolver...*

C Verbos con una irregularidad

ABRIR

■ Se conjuga como *vivir*.
Participio irregular: a<u>bierto</u>.
Se conjugan como *abrir*: *entreabrir, reabrir.*

CUBRIR

■ Se conjuga como *vivir*.
Participio irregular: cu<u>bierto</u>.
Se conjugan como **cubrir**: *descubrir, encubrir, recubrir.*

ESCRIBIR

■ Se conjuga como **vivir**.
Participio irregular: es<u>crito</u>.
Se conjuga como *escribir*: *describir, inscribir, reescribir, suscribir...*

IMPRIMIR

■ Se conjuga como *vivir*.
Dos formas de participio, una regular y otra irregular:
impri<u>mido</u>, imp<u>reso</u>.

ROMPER

■ Se conjuga como **comer**.
Participio irregular: <u>roto</u>.

D Lista de verbos irregulares

■ Los verbos de la izquierda se conjugan como los verbos modelo que aparecen a su derecha.
La información entre [ ] se refiere a aspectos ortográficos del verbo.
La información entre ( ) se refiere a alguna peculiaridad de la conjugación.
Los verbos señalados con (*) solo se usan en algunas de sus formas.

Abrir: 282
Abstraer: *traer,* 279
Acertar: *pensar,* 274
Acordar: *volar,* 281
Acostar: *volar,* 281
Adquirir: *sentir,* 278
Advertir: *sentir,* 278
Almorzar: *volar,* 281
  [pr. subj.: almuerce...;
  pret. indef.: almorcé;
  imp.: almuerce...]
Andar: 263
Ansiar: *confiar,* 265
Anteponer: *poner,* 275
Aparecer: *conocer,* 266
Apetecer: *conocer,* 266
Apretar: *pensar,* 274
Aprobar: *volar,* 281
Arrepentirse: *sentir,* 278
Ascender: *entender,* 269
Atender: *entender,* 269
Atraer: *traer,* 279
Atravesar: *pensar,* 274
Atribuir: *construir,* 266
Avergonzar: *volar,* 281

Bendecir: *decir,* 268
(part.: bendecido;
  fut.: bendeciré...;
  cond.: bendeciría...)

Caber: 264
Caer: 264
Calentar: *pensar,* 274
Carecer: *conocer,* 266
Cerrar: *pensar,* 274
Cocer: *mover,* 273
  [pr. ind.: cuezo, cueces...;
  pr. subj.: cueza...;
  imp.: cuece, cueza...]
Colgar: *volar,* 281
  [pr. subj.: cuelgue...;
  pret. indef..: colgué;
  imp.: cuelgue...]
Comenzar: *pensar,* 274
  [pr. subj.: comience...;
  pret. indef..: comencé;
  imp.: comience...]
Compadecer: *conocer,* 266
Competir: *pedir,* 274
Complacer: *conocer,* 266
Componer: *poner,* 275
Comprobar: *volar,* 281
Concebir: *pedir,* 274
Concluir: *construir,* 266
Conducir: 265
Confesar: *pensar,* 274
Confiar: 265
Conmover: *mover,* 273
Conocer: 266
Conseguir: *pedir,* 274

[pr. ind.: consigo, consi-
gues...; pr. subj.: consiga...;
imp.: consigue, consiga...]
Consentir: *sentir,* 278
Consolar: *volar,* 281
Constituir: *construir,* 266
Construir: 266
Contar: *volar,* 281
Contener: *tener,* 279
Contradecir: *decir,* 268
Contraer: *traer,* 279
Contraponer: *poner,* 275
Contribuir: *construir,* 266
Convenir: *venir,* 280
Convertir: *sentir,* 278
Corregir: *pedir,* 274
  [pr. ind.: corrijo, corriges...;
  pr. subj.: corrija...;
  imp.: corrige, corrija...]
Costar: *volar,* 281
Crecer: *conocer,* 266
Creer: 267
Criar: *confiar,* 265
Cubrir: 282

Dar: 267
Decaer: *caer,* 264
Decir: 268
Deducir: *conducir,* 265
Defender: *entender,* 269

Demostrar: *volar,* 281
Desafiar: *confiar,* 265
Desaparecer: *conocer,* 266
Desaprobar: *volar,* 281
Desatender: *entender,* 269
Descender: *entender,* 269
Descolgar: *volar,* 281
  [pr. subj.: descuelgue...;
  imp.: descuelgue...]
Descomponer: *poner,* 275
Desconfiar: *confiar,* 265
Desconocer: *conocer,* 266
Describir: *vivir,* 263
  (part.: descrito)
Desentenderse: *entender,* 269
Desenvolver: *volver,* 281
Deshacer: *hacer,* 271
Desliar: *confiar,* 265
Desmentir: *pedir,* 274
Desmerecer: *conocer,* 266
Desobedecer: *conocer,* 266
Desoír: *oír,* 273
Despedir: *pedir,* 274
Despertar: *pensar,* 274
Destituir: *construir,* 266
Desviar: *confiar,* 265
Descubrir: *vivir,* 263
  (part.: descubierto)
Detener: *tener,* 279

Devolver: *volver*, 281
Digerir: *sentir*, 278
Diluir: *construir*, 266
Disentir: *sentir*, 278
Disminuir: *construir*, 266
Disolver: *volver*, 281
Disponer: *poner*, 275
Distraer: *traer*, 279
Distribuir: *construir*, 266
Divertir: *sentir*, 278
Doler: *mover*, 273
Dormir: 268

Elegir: *pedir*, 274
  [pr. ind.: elijo, eliges...;
  pr. subj.: elija...;
  imp.: elige, elija...]
Empezar: *pensar*, 274
  [pr. subj.: empiece...;
  pret. indef.: empecé;
  imp.: empiece...]
Encender: *entender*, 269
Encerrar: *pensar*, 274
Encontrar: *volar*, 281
Encubrir: *vivir*, 263
  (part.: encubierto)
Enfriar: *confiar*, 265
Entender: 269
Entreabrir: *vivir*, 263
  (part.: entreabierto)
Entretener: *tener*, 279
Enviar: *confiar*, 265
Envolver: *volver*, 281
Equivaler: *salir*, 277
  (pero con term. *-er*)
Escribir: 282
Espiar: *confiar*, 265
Esquiar: *confiar*, 265
Establecer: *conocer*, 266
Estar: 269
Excluir: *construir*, 266
Exponer: *poner*, 275
Extender: *entender*, 269
Extraer: *traer*, 279

Favorecer: *conocer*, 266
Florecer: *conocer*, 266
Fluir: *construir*, 266
Fregar: *pensar*, 274
Freír: 270

Gobernar: *pensar*, 274
Guiar: *confiar*, 265

Haber: 270
Hacer: 271
Herir: *sentir*, 278
Hervir: *sentir*, 278

Huir: *construir*, 266

Impedir: *pedir*, 274
Imponer: *poner*, 275
Imprimir: 282
Incluir: *construir*, 266
Influir: *construir*, 266
Ingerir: *sentir*, 278
Inscribir: *vivir*, 263
  (part.: inscrito)
Instituir: *construir*, 266
Instruir: *construir*, 266
Interferir: *sentir*, 278
Intervenir: *venir*, 280
Introducir: *conducir*, 265
Invertir: *sentir*, 278
Ir: 271

Jugar: 272

Leer: *creer*, 267
Liar: *confiar*, 265

Llover*: *mover*, 273

Manifestar: *pensar*, 274
Mantener: *tener*, 279
Medir: *pedir*, 274
Mentir: *sentir*, 278
Merecer: *conocer*, 266
Merendar: *pensar*, 274
Moler: *mover*, 273
Morder: *mover*, 273
Morir: 272
Mostrar: *volar*, 281
Mover: 273

Nacer: *conocer*, 266
Negar: *pensar*, 274
Nevar*: *pensar*, 274

Obedecer: *conocer*, 266
Obtener: *tener*, 279
Ofrecer: *conocer*, 266
Oír: 273
Oler: *mover*, 273
  [pr. ind.: huelo, hueles,
  huele... huelen;
  pr. subj.: huela, huelas,
  huela... huelan;
  imp.: huele, huela...]
Oponer: *poner*, 275

Padecer: *conocer*, 266
Parecer: *conocer*, 266
Pedir: 274
Pensar: 274
Perder: *entender*, 269

Permanecer: *conocer*, 266
Perseguir: *sentir*, 278
Pertenecer: *conocer*, 266
Poder: 275
Poner: 275
Poseer: *creer*, 267
Posponer: *poner*, 275
Preconcebir: *pedir*, 274
Predecir: *decir*, 268
Predisponer: *poner*, 275
Preferir: *sentir*, 278
Presuponer: *poner*, 275
Prevenir: *venir*, 280
Prever: *ver*, 280
Probar: *volar*, 281
Producir: *conducir*, 265
Prohibir: 276
Promover: *mover*, 273
Proponer: *poner*, 275
Proveer: *creer*, 267
  (part.: proveído, provisto)
Provenir: *venir*, 280

Quebrar: *pensar*, 274
Querer: 276

Reabrir: *vivir*, 263
  (part.: reabierto)
Recaer: *caer*, 264
Recomendar: *pensar*, 274
Recomponer: *poner*, 275
Reconocer: *conocer*, 266
Reconstruir: *construir*, 266
Recordar: *volar*, 281
Recubrir: *vivir*, 263
  (part.: recubierto)
Reducir: *conducir*, 265
Reescribir: *vivir*, 263
  (part.: reescrito)
Referir: *sentir*, 278
Regar: *pensar*, 274
  [pr. subj.: riegue...;
  pret. indef..: regué;
  imp.: riegue...]
Rehacer: *hacer*, 271
Reír: *pedir*, 274
Remover: *mover*, 273
Renovar: *volar*, 281
Reñir: *pedir*, 274
Repetir: *pedir*, 274
Reprobar: *volar*, 281
Reproducir: *conducir*, 265
Restituir: *construir*, 266
Retener: *tener*, 279
Retraer: *traer*, 279
Retribuir: *construir*, 266
Reunir: *prohibir*, 276
Revolver: *volver*, 281

Romper: 282
Rogar: *volar*, 281
  [pr. subj.: ruegue...;
  pret. indef.: rogué;
  imp.: ruegue...]

Saber: 277
Salir: 277
Satisfacer: *hacer*, 271
Seducir: *conducir*, 265
Seguir: *pedir*, 274
Sembrar: *pensar*, 274
Sentar(se): *pensar*, 274
Sentir: 278
Ser: 278
Servir: *pedir*, 274
Sobrentender: *entender*, 269
Sobreponer: *poner*, 275
Sobresalir: *salir*, 277
Sobrevenir: *venir*, 280
Soler*: *mover*, 273
Soltar: *volar*, 281
Sonar: *volar*, 281
Sonreír: *pedir*, 274
Soñar: *volar*, 281
Sostener: *tener*, 279
Sugerir: *sentir*, 278
Superponer: *poner*, 275
Suponer: *poner*, 275
Suscribir: *vivir*, 263
  (part.: suscrito)
Sustituir: *construir*, 266
Sustraer: *traer*, 279

Temblar: *pensar*, 274
Tender: *entender*, 269
Tener: 279
Tostar: *volar*, 281
Traducir: *conducir*, 265
Traer: 279
Transferir: *sentir*, 278
Tropezar: *pensar*, 274

Vaciar: *confiar*, 265
Valer: *salir*, 277
  (pero con term. *-er*)
Variar: *confiar*, 265
Venir: 280
Ver: 280
Verter: *entender*, 269
Vestir: *pedir*, 274
Volar: 281
Volcar: *volar*, 281
  [pr. subj.: vuelque....;
  pret. indef..: volqué;
  imp.: vuelque...]
Volver: 281

Claves de los ejercicios

1. Sustantivo. Género de las cosas.

Página 14

1 1. vaso 2. gafas 3. casa 4. floreros

2 1. bolígrafo, pluma 2. piso, casa 3. marido, regalo
4. familia.

Página 15

3 1. **brazo** es masculina y las otras son femeninas.
2. **impresora** es femenina y las otras son masculinas.
3. **crema** es femenina y las otras son masculinas.
4. **canción** es femenina y las otras son masculinas.
5. **garaje** es masculina y las otras son femeninas.

4 **Masculino:** El salón. El sobre. El taxi. El microondas.
El café. El pie. El árbol. El sol. El lavavajillas.
Femenino: La crisis. La luna. La tesis. La clase.
La tarde. La sal. La leche. La nariz. La carne.

Página 16

5 I. el garaje, el ordenador, la clase
II. El potaje, el microondas, el champú, el paraguas,
el jersey
III. Un problema, la moto, las llaves
IV. Un error, la traducción
V. El tema
VI. El sillón, una reunión, una parte, la tarde, el móvil

6 1. el 2. la 3. el 4. el 5. el 6. el 7. la 8. el 9. el
10. la 11. el 12. el 13. la, el 14. el 15. la 16. el
17. el 18. la 19. la 20. la 21. el 22. el 23. la
24. la 25. la 26. la

2. Sustantivo. Género de personas y animales.

Página 17

1 1. g, moderna 2. d, nervioso 3. h, fantástica
4. a, comprensivo 5. c, extraordinario 6. f, loca
7. e, un artista

2 1. abuela 2. primas 3. amigos 4. hermanos
5. hermanas 6. niña

Página 18

3 1. padre, padre/madre 2. madre, padre/madre
3. mujer, mujer 4. hermana, padre/madre 5. hija
6. hermano, padre/madre 7. padre, marido/mujer
8. madre, marido/mujer 9. hijo 10. hija 11. hijo

4 1. pianista 2. pianista 3. policía 4. taxista
5. profesora 6. periodista 7. cantante 8. actriz,
9. actor 10. veterinario 11. futbolista

Página 19

5 **Marca de masculino/femenino:** gato/gata, cerdo/
cerda, tigre/tigresa, gallo/gallina,
Una palabra diferente para cada sexo: caballo/
yegua
Invariable femenino: jirafa, tortuga, hormiga, gamba.
Invariable masculino: cocodrilo, dinosaurio,
calamar, caracol, mejillón

6 1. ¿esto es un **canguro macho** o un **canguro hem-**
bra?
2. ¿es un **ratón** o una **ratona?**
3. ¿un **camaleón macho** o un **camaleón hembra?**
4. ¿un **pato** o una **pata?**
5. ¿Es una **serpiente macho** o una **serpiente**
hembra?
6. ¿una **lechuza macho** o una **lechuza hembra?**

3. Sustantivo. Número.

Página 21

1 1. pe**ces** 2. so**fás** 3. re**lojes** 4. bot**ones** 5. jer**séis**

2 1. papeles 2. sartenes 3. tenedores 4. luces
5. lápices 6. boligrafos 7. rotuladores 8. árboles
9. bebés

3 1. paraguas 2. lavadora 3. abrebotellas 4. sofá
5. cuadro 6. cafetera 7. abrelatas 8. microondas

Página 22

4 1. ~~la luz~~ / las luces 2. agua / ~~aguas~~ 3. carne / ~~carnes~~
4. vino / ~~vinos~~ 5. té / ~~tes~~

5 1. e, aplaudi**eron** entusiasma**dos** 2. c, estaba**n** muy
interesa**das** 3. sali**ó** muy content**o** 4. b, esperab**a**
atent**a** el final del concierto

6 1. pastel 2. pez 3. jersey 4. luz 5. canapé

7 1. Dos relojes de pared 2. Dos abrelatas
3. Dos cortinas de baño 4. Dos bragas de algodón
5. Dos paraguas

4. Adjetivo

Página 24

1 1. cariñosa 2. vaga 3. guapa 4. superficial
5. dormilona 6. ecologista 7. tímido 8. alegre
9. trabajador 10. independiente 11. frágil
12. nerviosa 13. fuerte 14. optimista
15. inteligente 16. fea 17. pedante

2 1. italiano (es el único adjetivo de género variable).
2. contento (es el único adjetivo de género variable).
3. lista (es el único adjetivo de género variable).
4. hermosa (es el único adjetivo de género variable).
5. joven (es el único adjetivo de género invariable).

3 1. dos niñas cursis 2. dos personas felices 3. dos
niños llorones 4. dos camisas grises 5. dos hombres
habladores 6. dos mujeres interesantes

Página 25

4 1. estadounidense 2. italianas 3. colombiano
4. turcas 5. cubanos 6. japonesa 7. escocés
8. senegalés 9. suizos 10. finlandesa 11. españoles
12. franceses 13. china

5 1. a, elegante 2. a, pequeña y ruidosa
3. b, amplia y luminosa 4. d, lento e inseguro
5. a, grande y rápido 6. b, incómodos
7. a, impresionantes

6 1. ...son asturian**os**, pero yo nací en Madrid.

2. ...son maravillos**os**, aunque hace mucho frío.

3. ...son medios más objetiv**os** que la televisión.

4. ...son más ecológi**cas**. Los coches contaminan mucho.

5. ...son muy mal**os** para la salud.

6. ...están mojad**os** y te puedes caer.

Página 26

7 1. Hay un grifo abierto.

2. Ponte el jersey naranja.

3. Dame un cenicero vacío.

4. Trae la ropa sucia.

5. Mete la botella llena.

6. Es un coche familiar.

7. Vivo en una residencia universitaria.

8. Los vuelos internacionales.

9. Está en un sobre cerrado.

Página 27

8 1. destaca 2. distingue 3. distingue 4. destaca 5. destaca 6. distingue 7. destaca 8. distingue

9 1. ~~industrial~~ edificio: edificio **industrial**.

2. ~~redondo~~ objeto: objeto **redondo**.

3. ~~japonés~~ reloj: reloj **japonés**.

4. ~~oficial~~ coche: coche **oficial**.

5. ~~vacía~~ casa: casa **vacía**.

Página 28

10 1. **segundo** marido 2. costas **caribeñas**

3. **tercer** marido 4. carretera **secundaria**

5. **cuarto** marido 6. barbacoa **familiar**

7. **próximo/futuro** marido 8. **próximo/futuro** presidente 9. banco **suizo**

11 1. ~~primer~~: primera. 2. ~~mal~~: malos.

3. ~~tercer~~: tercera. 4. ~~mal~~: mala.

5. ~~bueno~~: buen. 6. ~~grande~~: gran.

7. ~~grande~~: gran. 8. ~~buen~~: buena.

9. ~~bueno~~: buen. 10. ~~bueno~~: buen.

---

5. Artículos: *un, el, ø*

Página 30

1 1. unas, unos 2. un, unas 3. una, un 4. un, una 5. los, las 6. las, del 7. el, la 8. la, al

Página 31

2 1. un 2. la, última 3. las 4. un, horroros**a** 5. el 6. las 7. la, mism**a** 8. el 9. las

Página 32

3 1a. b 1b. a 2a. b 2b. a 3a. a 3b. b 4a. a 4b. b 5a. b 5b. a

4 1. el, una 2. la/una, un 3. el 4. unos, los 5. el, un, el

5 1. sí 2. no 3. no 4. no 5. no 6. sí 7. sí

Página 33

6 1. Ø/el, d 2. Ø/~~un~~, f 3. Ø/~~un~~, c 4. Ø/el, e 5. Ø/un, b 6. Ø/el, g 7. Ø/~~el~~, l 8. Ø/un, j 9. Ø/el, i 10. Ø/~~un~~, k 11. Ø/el, h

Página 34

7 1. huevos 2. agua 3. café 4. pilas 5. aspirinas 6. dinero

Página 35

8 1a. III, 1b. I, 1c. II 2a. I, 2b. III, 2c. II 3a. III, 3b. II, 3c. I 4a. I, 4b. III, 4c. II 5a. III, 5b. I, 5c. II

9 1. el abanico 2. los cajeros 3. mostaza 4. los helados 5. las hormigas 6. el/un té, el/un café / el/un café, el/un té 7. el/un ratón 8. el carrito 9. agua

10 1. Después de una noche de terror, nos duele **la** garganta, pero **el** doctor Chéquil nos da zumo de aspirinas.

2. **Los** monstruos quieren ser como **los** murciélagos y **los** lobos y respetan a **los** seres vivos. Solo comen animales para tomar su espíritu.

3. A **los** monstruos les gusta mirar **el** cielo gris mientras **el** viejo vampiro Crápula toca en **el** órgano canciones tristes.

4. Para **los** monstruos **el** miedo es **el** sentimiento más hermoso, por eso ir **al** cementerio y jugar entre **las** tumbas.

5. **Los** monstruos hacen magia negra y bailan **la** danza de **los** muertos vivientes cuando sale **la** luna llena.

6. Todas **las** noches de tormenta **los** esqueletos salen de **las** tumbas para celebrar **la** gran fiesta del trueno. **Los** monstruos se divierten como locos.

7. **Los** vampiros no se ven en **el** espejo, pero saben que son guapos porque **las** vampiresas les sonríen.

Página 36

11 1. unas ~~medias~~

2. los ~~sobres~~ amarillos, los ~~sobres~~ que están ahí

3. una ~~cerveza~~

4. un**o** ~~reloj~~ que tiene cronómetro

5. la ~~chica~~ de las gafas, la ~~chica~~ alta, la ~~chica~~ que está de pie

6. unos ~~amigos~~ que conocí en la discoteca

7. ¿El ~~libro~~ gordo? ¿El ~~libro~~ de física?

8. un**o** ~~café~~ solo, un**o** ~~café~~ con leche

12 1. lleva peluca 2. guantes largos

3. pistola 4. delgado 5. pañuelo de lunares

6. está cantando 7. guapísimas

---

6. Demostrativos: *este, ese, aquel... esto, eso...*

Página 38

1 1. estas 2. estos 3. esta 4. ese 5. esa 6. esas 7. esos 8. aquella 9. aquellos 10. aquellas 11. aquel

2 1. d 2. b 3. c

3 1. estos 2. esas 3. aquel 4. aquella 5. esos

Página 39

4 1. d 2. c 3. a 4. f 5. b

5 1. hombres 2. hoja 3. chico 4. papel 5. pendientes

Página 41

6 1. esto 2. esto 3. eso 4. eso 5. eso 6. aquello 7. aquello

7 1. f 2. c 3. g 4. b 5. d 6. e

No sabe el nombre: 1, 3 No importa el nombre: 5, 6

No es un objeto: 2, 4

Página 42

8 1. eso 2. eso 3. esto 4. aquello 5. eso

9 1. aquello 2. esa chica / eso 3. esa carta 4. esa
   5. ese señor 6. aquella chica 7. aquello
   8. este mueble / esto 9. ese

---

7. Posesivos: *mi, tu, su... mío, tuyo, suyo...*

Página 44

1 1. nuestra, nuestras, nuestros 2. tu, tu, tu, tus, tus
   3. mi, mis, mis, mi, mis 4. vuestro, vuestras, vuestras
   5. su, su, su, su, sus, sus

2 1. mis 2. tus 3. tus 4. mi 5. tu 6. tu 7. mis 8. mi
   9. tu 10. tu 11. tu

Página 45

3 1. f/suyos 2. e/vuestro 3. c/míos 4. d/suyos
   5. b/vuestros

4 1. de ti tuyo 2. de vosotros vuestro 3. de ti tuyo
   4. de nosotros nuestro

Página 47

5 1. a 2. b 3. b 4. b 5. b 6. b 7. a

6 1. **mis** camisones de seda 2. **mi** dentadura postiza
   3. **nuestras** dieciocho maletas 4. **nuestros** seis
   abrigos de pieles 5. **nuestros** gorros de dormir 6.
   su magnífica colección de pipas de marfil 7. **mi**
   esposa 8. **su** último cumpleaños 9. **tu** ordenador
   portátil
   10. **tus** doce palos de golf preferidos 11. algunos
   objetos **suyos** 12. **su** ordenador 13. varios poemas
   suyos 14. algunas joyas **suyas** 15. **su** anillo 16.
   Dos pipas **suyas** 17. **sus** doce palos de golf 18. dos
   camisones **suyos** 19. **una** maleta suya 20. **su** dentadura postiza 21. **tu** pijama

Páginas 48 y 49

7 1. Me gusta más su dentista que **el nuestro**. Hace
   menos daño.
   2. Mi móvil se ha quedado sin batería. ¿Me dejas **el
   tuyo**?
   3. stas son mis toallas. **Las tuyas** están en el armario.
   4. El barrio donde vivo no está mal, pero **el suyo** es
   más tranquilo.
   5. Mi sueldo es más alto que **el vuestro**. Y eso que
   trabajo bastante menos.
   6. Yo tengo una letra muy difícil de leer, pero **la
   tuya** no se entiende nada.
   7. Entre la bicicleta de David y **la nuestra**, prefiero la
   de David.

8. Tenemos el mismo coche, pero **el suyo** tiene aire
acondicionado.
9. Nunca te lo había dicho, pero prefiero su café **al
tuyo**.

8 1. nuestro 2. suyo 3. mío 4. suyas
   5. mías 6. mía 7. mío 8. suya 9. mía/nuestra
   10. mía 11. nuestras 12. mías 13. vuestras
   14. nuestros 15. nuestro 16. vuestros 17. nuestra

9 1. el 2. las 3. la 4. la 5. el 6. las 7. las 8. los 9. las
   10. la 11. la 12. el   1. C 2. D 3. B

---

8. Indefinidos: *todos, algunos, alguien, nada...*

Página 51

1 1. algunas, ninguna, todas 2. algunas, ningunas,
   Todas 3. algunos, ninguno, todos 4. algunos, ninguno, todos 5. Algunas, ninguna, todas 6. algunos,
   Ninguno, Todos 7. algunos, ninguno, Todos
   8. Algunas, ninguna, Todas

2 1. algunas 2. algunos 3. todos, ninguno 4. ningún
   5. algún 6. ningún 7. todas 8. alguna 9. algún

3 1. Algunos 2. algunas 3. ninguna 4. algunas
   5. todas 6. Algunos 7. ninguno 8. todos 9. Todas
   10. todos 11. Algunos

Página 52

4 1. algo 2. Nadie 3. algo 4. nada 5. todo 6. nada
   7. alguien 8. algo 9. nada 10. algo 11. nadie
   12. nada 13. alguien 14. nadie 15. todo 16. algo
   17. algo

5 1. perezosa 2. barato 3. oscuro 4. rojo 5. rápido

Página 53

6 1. alguien, nadie, alguno, algo 2. algo, nada, algo,
   nada 3. algo, algunas 4. algunas, ninguna 5. alguien,
   algún 6. algo, ningún, Ninguno, nada 7. algo, alguno, algún, algún 8. Alguno/algunos, algo, nada, alguno / algunos, alguna

Página 54

7 1. *correcto* 2. Bueno, yo esperaba tu ayuda, pero si
   no puedes, **no** pasa <u>nada</u>. 3. *correcto* 4. Dicen que
   Rosa y aquel chico se besaron, pero yo **no** vi <u>nada</u>.
   5. Tiene cuatro gatos, pero **no** quiere regalarme <u>nin-
   guno</u>. 6. No lo dudo, será tu hijo, pero **no** se parece
   en <u>nada</u> a ti.

Página 55

8 1. b/otro 2. a/otra 3. d/otras 4. c/otros

9 1. otras 2. otros tres 3. otro 4. otras dos 5. otra
6. otras dos

10 1. (una, casa, otra) otra casa 2. (otra, la, parte) la otra
parte 3. (otra, su, hija) su otra hija 4. (hijos, otros,
dos) otros dos hijos 5. (ternero, un, otro) otro ternero 6. (tres, casas, otras) otras tres casas 7. (chico,
otro, aquel) aquel otro chico

11 1. *correcto*
2. ¿Por qué te fijas en ~~unos~~ otros si me tienes a mí?
3. Fránkez, yo no miro ~~unos~~ otros ojos, no miro ~~una~~
otra boca, no miro otras manos. Yo solo te miro a ti.
4. Eso deseo yo, Tristicia. Porque tú eres mi dulce
cucaracha y no hay en todo el mundo ninguna otra.
Nunca podrá haber ~~una~~ otra. Solo te quiero a ti.

9. Numerales cardinales: *uno, dos, tres...*

Página 56

1 1. diez 2. dos 3. seis 4. doce 5. catorce 6. ocho
7. diez 8. seis 9. dos

2 1. dos, uno 2. una, tres 3. una, un 4. un, una
5. tres, dos, uno 6. dos, una, un

Página 57

3 quince - ocho = siete, nueve + cuatro = trece,
seis + tres = nueve, dos + nueve = once,
trece - siete = seis, diez + cuatro = catorce,
doce + tres = quince, siete + cinco = doce

4 1. treinta y nueve 2. treinta y uno
3. veintisiete 4. diecinueve 5. veintitrés
6. veinticinco 7. dieciséis

Página 58

5 1. setenta y una 2. sesenta y tres
3. ochenta y cuatro 4. tres 5. nueve
6. cincuenta y dos 7. cinco 8. dos

6 1. diecisiete 2. setenta y nueve 3. noventa y seis
4. treinta y tres 5. veintiuno 6. cuarenta y cinco
7. sesenta y uno 8. ochenta y dos 9. cincuenta y seis

7 **Cuaderno de Ana** (€): doscient**os** cincuenta (250),
ochocient**os** (800), setecient**os** dos (702),
novecient**os** veintidós (922)
Cuaderno de Julie (£): seiscient**as** doce (612),
quinient**as** treinta y una (531), setecient**as** (700),
cuatrocient**as** cincuenta (450)

Página 59

8 Electricidad: 281 euros, doscientos ochenta y uno
Móvil: 789 euros: setecientos ochenta y nueve

Teléfono: 411 euros: cuatrocientos once
Agua: 576 euros: quinientos setenta y seis
Droguería: 125 euros: ciento veinticinco

9 1. 4.179 cuatro mil ciento setenta y nueve
2. 95.167 noventa y cinco mil ciento sesenta y siete
3. 5.021 cinco mil veintiuno
4. 81.184 ochenta y un mil ciento ochenta y cuatro
5. 31.901 treinta y un mil novecientos uno
6. 27.432 veintisiete mil cuatrocientos treinta y dos

Página 60

10 1. ciento cuatro millones doscientos mil ciento
sesenta y cinco habitantes
2. veinticinco millones doscientos ochenta y siete
mil seiscientos setenta habitantes
3. catorce millones cuatrocientos cuarenta y siete
mil cuatrocientos noventa y cuatro habitantes
4. seis millones ochenta y cuatro mil cuatrocientos
noventa y un habitantes
5. catorce millones trescientos catorce mil setenta y
nueve habitantes
6. cuarenta y un millones setenta y siete mil cien
habitantes
7. dieciséis millones cuatrocientos noventa y ocho
mil novecientos treinta habitantes

11 1. Cuarenta y dos mil ciento y cinco (42.105)
2. Tres millones y ochenta y ocho mil trescientos y
cuarenta y seis (3.088.346)
3. Cuatrocientos y cinco mil sesenta y uno (405.071)
4. Cincuenta y nueve mil y once (59.011)
5. Noventa y dos mil trescientos y quince (92.315)
6. Ochocientos y cinco mil quinientos y ochenta
(805.580)
7. Trescientos y veintiséis (326)
8. Setecientos y setenta mil (770.000)

12 Golandia tiene una superficie de seiscientos quince mil km² y un total de **dos millones quinientos
sesenta y cinco mil** habitantes. La capital, Gola City,
está situada al norte del país y tiene **ochocientos
cuarenta y nueve mil trescientos** habitantes. La
segunda ciudad importante de Golandia es Rúcola,
con **trescientos siete mil** habitantes. El monte principal de la isla es El Golón con una altura de **cuatro
mil cincuenta y ocho metros**, y tiene dos ríos principales: el Gologolo, de **cuatrocientos setenta y
nueve** kilómetros y el Golín, de **doscientos treinta y
cinco kilómetros**.

10. Numerales ordinales: *primero, segundo...*

Página 61

1 Carlos es el **tercero**, María es la **quinta**,
Juan es el **sexto**, Francisco es el **cuarto**,
Laura es la **segunda** y Ricardo es el **séptimo**.

2 1. Segundo 2. Noveno
3. Octavo 4. Tercer
5. Primera 6. Tercera 7. Primer

Página 62

3 1. Tercero 2. Quince 3. Décimo 4. Segunda
5. Trece

4 El primer día, la orquesta va a tocar el **segundo** concierto para piano de Brahms y la **cuarta** sinfonía de Bruckner. El **segundo** día, el **cuarto** concierto para violín de Mozart y la **octava** sinfonía de Mahler. Y el **tercer** día va a tocar el **quinto** concierto para piano de Beethoven y la **sexta** sinfonía de Tchaikovsky.

Página 63

5 Primero, se corta una rebanada de pan. **Segundo**, se unta con tomate. **Tercero**, se echa sal y aceite de oliva. **Cuarto**, se cubre con lonchas finas de jamón.

6 1. 69 2. 46 3. 91 4. 18 5. 11 6. 82 7. 76 8. 34
9. 50 10. 12 11. 99

7 1. cuadragésimo quinto 2. vigésimo sexto
3. décimo novena 4. trigésimo primera

---

11. Cuantificadores: *demasiado, mucho...*

Página 64

1 1. Hay **mucha** agua y **pocos** cubitos.
2. Hay **bastante** agua y **bastantes** cubitos.
3. No hay **nada** de agua y **demasiados** cubitos.
4. Hay **demasiada** agua y **ningún** cubito.

Página 65

2 1. nada de 2. nada de 3. ninguna
4. ningún 5. nada de 6. ningún

3 1. Bonifacio 2. Dolores 3. Dolores 4. Bonifacio
5. Bonifacio 6. Dolores 7. Dolores

4 1. un poco de 2. poca 3. un poco de 4. poco
5. un poco de 6. poco 7. un poco de 8. un poco de
9. poco

Página 66

5 1. demasiadas 2. bastante
3. demasiados 4. muy
5. demasiado 6. Demasiado
7. poco 8. Demasiado
9. Muy 10. bastante

6 1. demasiado 2. bastante 3. poco
4. demasiados, poco 5. demasiadas

---

12. Pronombres personales. Introducción.

Página 69

1 1. Leonor 2. Paco 3. Dolores 4. Elisabeth 5. Eduardo 6. María 7. la casa 8. agua 9. el desayuno 10. la compra 11. a los pequeños 12. la ropa 13. al bebé 14. la comida y la cena 15. a las plantas 16. a sus hermanos pequeños 17. a todos

2 1. El secretario anota siempre: a/CD
El secretario le anota sus citas: b/CI
2. El profesor les enseña música jugando: b/CI
El profesor enseña con juegos: a/CD
3. El hijo les lava y les plancha la ropa: a/CI
La lavadora lava y seca en dos horas: b/CD
4. Paco pone en la mesa: a/CD
Paco le pone la comida: b/CI

Página 70

3 1a. a 1b. b/reflexivo 2a. a/reflexivo 2b. b
3a. b/reflexivo 3b. a

4 1a. la cabeza 1b. Alicia
2a. unos helados 2b. Los niños
3a. ese problema 3b. nosotros
4a. Tu madre 4b. los niños
5a. el ruido 5b. Los niños
6a. Las chicas 6b. la música disco
7a. La tele 7b. Tu madre

---

13. Pronombres sujeto: *yo, tú, él...*

Página 71

1 1. nosotras 2. nosotros 3. ellos 4. tú 5. él 6. ella
7. ellas 8. vosotros 9. vosotras

2 1. tú, h 2. tú, b 3. usted, d 4. usted, a 5. tú, g
6. usted, e 7. tú, f

Página 72

3 1. a, b 2. a, b 3. a, b 4. b, a 5. a, b

---

14. Pronombres con preposición: *a mí, para ti...*

Página 73

1 1. vosotras, b, nosotras 2. usted, a, mí
3. tú, f, ti 4. vosotros, d, nosotros
5. mí, ustedes, e, vosotros

Página 74

2 1. ti 2. ella 3. nosotras 4. ella 5. contigo
6. nosotras 7. él 8. ella

3 1. conmigo 2. contigo 3. para ellos 4. a ti
5. entre tú y yo 6. sin nosotras 7. de mí
8. hasta yo 9. de ti 10. según tú 11. por mí
12. sobre ti

15. Pronombres complemento: *me, te, nos...*

Página 75

1 1. me 2. Nos 3. Nos 4. Os
5. Te/Os 6. Te 7. nos 8. os, os

Página 77

2 1. las 2. lo 3. las 4. la 5. los 6. la 7. los

3 1. les 2. le 3. les 4. le 5. le

4 1. le 2. lo 3. le 4. la 5. les 6. les
7. los 8. lo 9. la 10. los 11. las

Página 78

5 1. b (N) 2. b (N) 3. a (M) 4. b (N) 5. b (N)
6. b (N) 7. a (M)

16. Posición y combinación de pronombres

Página 79

1 **I**. mayordomo (D)
1. ¿Le reservo mesa en su restaurante
de siempre?
2. ¿Lo llevo a alguna parte?
3. ¿Le preparo un baño caliente?
II. pareja en el coche (C)
4. ¿Te llevo a la peluquería?
5. ¿Te pongo música?
6. ¿Te enciendo el aire acondicionado?
7. ¿Te abrocho el cinturón de seguridad?
III. hablando con extraterrestres (A)
8. ¿Os laváis los dientes?
9. ¿Os acostáis temprano?
10. ¿Os llevan al médico?
11. ¿Os hacen regalos en Navidad?
IV. grupo musical (B)
12. Nos han aplaudido durante veinte minutos.
13. Me han tirado ropa interior al escenario.
14. Nos han pedido muchos autógrafos.
15. Me han hecho miles de fotos.

Página 80

2 1. los 2. la 3. lo 4. me la 5. os los 6. nos lo 7. te la

Página 81

3 1. se lo 2. se lo 3. se los 4. se los, se los 5. se lo

4 1. se las he devuelto 2. te los limpio 3. os lo pongo
4. nos lo lees 5. se lo he dado 6. te la doy 7. os la
doy 8. nos las hemos lavado 9. se la he echado, se la
10. se lo he dado

Página 82

5 1a. moviéndolas, 1b. moviéndoselas
2a. doblándolas, 2b. doblándoselas
3a. girándola, 3b. girándosela
4a. moviéndolas, 4b. moviéndoselas
5a. subiéndola, 5b. subiéndosela
6a. moviéndolo, 6b. moviéndoselo

6 1. cóge**le** 2. **mí**rala 3. di**le** 4. despert

a**os** (despertaos) 5. levanta**os** (levantaos)
6. pruéba**le** 7. cóge**le** 8. pon**le** 9. tíra**le** 10. di**le**

Página 83

7 1. déjame 2. **me** estás regañando / estás regañándome 3. **me** puedes dejar / puedes dejar**me** 4.
cómprame, di**me** 5. **os** tenéis que decir / tenéis que
decir**os** 6. **nos** tenemos que decir / tenemos que
decir**nos** 7. mánda**le**, diciéndo**le**, lláma**la**, decir**le**

8 1. **los** quieres recoger / quieres recoger**los**
2. **los** vas a recoger / vas a recoger**los**
3. **los** tienes que recoger / tienes que recoger**los**
4. **los** estoy recogiendo / estoy recogiéndo**los**
5. **te** vas a tomar / vas a tomar**te**
6. **me la** estoy tomando / estoy tomándo**mela**
7. apága**la**
8. **la** tienes que apagar / tienes que apagar**la**
9. **la** vas a apagar / vas a apagar**la**
10. **la** estoy apagando / estoy apagándo**la**

9 1. le 2. me los 3. Les 4. Le 5. Nos las 6. nos 7. os

17. Presencia y reduplicación de pronombres

Página 84

1 *Columna izquierda*: 1. lo 2. la 3. las 4. lo
Columna derecha: 1. le 2. se 3. les 4. le 5. se 6. se,
se

Página 85

2 1. *correcto* 2. ~~Lo~~ han descolgado el teléfono. No
paraba de sonar. 3. *correcto* 4. *correcto* 5. *correcto*
6. *correcto* 7. ~~La~~ prepararé la ensaladilla y la meteré
enseguida en el frigorífico. 8. *correcto* 9. No ~~las~~ he
metido las sábanas en la secadora. Las he tendido.

Página 86

3 1.I-b, 1.II-a 2.I.a, 2.II-b 3.I-a, 3.II-b 4.I-a, 4.II-b
5.I-b, 5.II-a

4 1. te 2. me, os 3. nos 4. nos 5. os

5 1. **Nos** pasa algo a̶ ̶n̶o̶s̶o̶t̶r̶o̶s̶ 2. Antes **nos** besábamos a̶ ̶n̶o̶s̶o̶t̶r̶o̶s̶... 3. Yo **te** adoro (a ti)... 4. correcto 5. Pues si **nos** queremos tanto a̶ ̶n̶o̶s̶o̶t̶r̶o̶s̶... 6. ¿por qué no **nos** compramos a̶ ̶n̶o̶s̶o̶t̶r̶o̶s̶...?

6 1. a. a él / d. a usted 2. b. a sus hijos / c. a ellas / e. a ustedes 3. b. a Corina / c. a usted 4. a. a ella / b. a su marido / c. a ustedes / d. a ellos / e. a sus amigas 5. a. a ustedes / c. a ellos 6. b. a ustedes / d. a ellas

18. Construcciones reflexivas y valorativas

Página 87

1 1. No hay verbo reflexivo 2. te acuestas 3. No hay verbo reflexivo 4. se ha puesto 5. No hay verbo reflexivo 6. nos vestimos 7. No hay verbo reflexivo 8. No hay verbo reflexivo 9. os ponéis 10. No hay verbo reflexivo 11. se levantan

2 1a. b, 1b. a 2a. a, 2b. b 3a. b, 3b. a 4a. a, 4b. b

Página 88

3 1. ducha 2. acuestan 3. se duermen 4. nos 5. nos levantamos 6. se 7. me levanto 8. me visto 9. se afeita 10. se baña, se peina 11. te levantas

Página 89

4 1. se, las 2. se, las 3. se, el 4. se, los 5. se, los 6. se, los 7. se, el

5 1. f 2. g 3. a 4. c 5. h 6. b 7. e 8. c 9. d 10. h 11. b 12. a 13. f 14. e 15. g

6 1. Nos 2. os 3. nos 4. os 5. nos 6. se enamoraron 7. se cayeron 8. se besaron 9. se entienden

Página 91

7 El hombre invisible <u>abre</u> la puerta. Entra silenciosamente y <u>enciende</u> la luz. El niño mira asustado. El hombre invisible <u>conecta</u> la radio. Hay un vaso en la mesita de noche. El hombre invisible <u>llena</u> el vaso de agua. Después <u>acerca</u> el vaso a la cama del niño y luego <u>aleja</u> la mesita de la cama. Todo esto asusta muchísimo al niño. Ahora el hombre invisible <u>eleva</u> el vaso sobre la cama del niño, <u>derrama</u> el agua sobre la manta y <u>rompe</u> el vaso. El niño está a punto de gritar cuando el hombre invisible <u>desconecta</u> la radio, <u>apaga</u> la luz, <u>cierra</u> la puerta y se va.

1. La radio se conecta. 2. El vaso de agua se llena. 3. El vaso se acerca a la cama. 4. La mesita se aleja de la cama. 5. El vaso se eleva sobre la cama. 6. El agua se derrama sobre la manta. 7. El vaso se rompe. 8. La radio se desconecta. 9. La luz se apaga. 10. La puerta se cierra.

8 1. se cura/ curar. 2. Te vas a mojar / vas a mojar. 3. me alegré / alegran. 4. os acostáis / acostáis. 5. instalar / se instala. 6. Seca / se seca. 7. nos despertamos / despertamos.

Página 93

9 1. A otro lugar. 2. A donde ella está. 3. A otro lugar. 4. A donde ella está. 5. A otro lugar. 6. A otro lugar. 7. A otro lugar. 8. A donde ella está.

10 1. ir. 2. llevar. 3. traer. 4. ir. 5. venir. 6. venir. 7. llevarle. 8. ir. 9 ir

11 1. vamos / llevar. 2. vienes. 3. vienes. 4. voy. 5. viniste. 6. vienes.

Página 94

12 1.b; 2.a; 3.b; 4.a; 5.a; 6.a; 7.a; 8.a.

Página 95

13 3. ir, 6. me voy, 9. vienen. 10. llevar, 11. me he traído.

Página 96

14 1. Comer. 2. Comerse. 3. Comerse. 4. Comer. 5. Comer. 6. Comer. 7. Comer. 8. Comerse. 9. Comerse. 10. Comer. 11. Comerse. 12. Comer. 13. Comer. 14. Comer. 15. Comerse. 16. Comer.

15 1. comer. 2. comerte. 3. comer /comer. 4. comerte. 5 me como. 6. come. 7. se comió. 8. comer/se comió.

16 1. te fumas. 2. bebemos/fumamos. 3. tomo. 4. comiendo 5. tomo. 6. tomarte. 7. beber. 8. Tómate. 9. te tomas. 10. te la tragas.

Página 98

17 1. Se adivina el futuro. 2. Se compra oro. 3. Se hacen fotocopias. 4. Se alquilan motos de agua. 5. Se venden billetes de lotería. 6. Se cuida a personas enfermas. 7 Se regalan dos perritos. 8. Se prohíbe tirar basura.

Página 99

18 1. Se cubren. 2. Se tapa. 3. Se pone. 4. Se mezclan. 5. Se pone. 6. Se deja. 7. Se saca / se lava. 8. Se mezcla. 9. Se añaden. 10. Se puede.

19 1. se necesitan. 2. se crean. 3. se avisa a. 4. se habla. 5. se busca a. 6. se darán. 7. se ve. 8. se sabe / Se cree. 9. se comen. 10. se esperan / se obtienen.

20 1. En el maratón se llega agotado. 2. En España se habla todo el tiempo de fútbol. 3. No te preocupes pro las voces. Es que en mi casa se discute así. 4. Se estudia mucho en el instituto pero se fracasa en la prueba de acceso a la universidad. 5. Aquí por las tardes se pasea por ese parque. 6. Donde se está bien de verdad es en casa.

Páginas 101 y 102

21 1. *A mi madre* no *le* gusta**n los chicos** con pelo largo.
2. *A mis hermanas les* gusta **la ropa** y **salir** por la noche.
3. *A mí me* encant**a** sobre todo **viajar** y **dormir**.
4. *A todos nosotros nos* gusta mucho **el queso** francés.
5. *A todos nosotros nos* duele a menudo **la cabeza**.
6. ¿*A tus padres les* molest**a el tabaco**?
7. ¿*A tus hermanos les* interesa **la ecología**?
8. ¿*A vosotros os* gusta**n la sangría y la paella**?
9. ¿*A vosotros os* molesta**n los gatos**?
10. ¿*A tu hermana le* gusta **esquiar**?

22 1. me encanta, me gusta / c. les molesta
2. os fastidia, Os da vergüenza / a. nos molesta
3. nos molesta / e. me fastidia
4. te gusta / d. me encanta
6. me fastidia / j. les encanta
7. te molesta / i. me molesta, le importa
8. me encanta, Me relaja / h. me molesta
9. nos gustan / g. me gustan

23 1. Me da rabia... 2. Me alegran...
3. Me cae fatal... 4. Me apasionan...
5. Me parece espantoso... 6. Me dan alergia...

 A **Fránkez le da rabia** llevar cadenas y asustar ancianitas en los parques. **Le alegran** la luna llena en el cementerio y mis ojos. **Le cae fatal** la sobrina del Hombre Lobo.

 A **Tristicia le apasionan** la Noche de Difuntos, viajar en escoba y mis ojos. **Le resulta espantoso** avarse los dientes y visitar al doctor Chéquil. **Le dan alergia** los yogures de hormigas negras y el champú.

19. Conjugación. Elementos básicos

Página 104

1 **Verbos en** -*ar*: entrar, llamar, levantarse, ocuparse, cortarse, acostarse, ducharse
Verbos en -*er*: poner, ser, tener, poder, aprender, haber, perderse, ponerse
Verbos en -*ir*: salir, conducir, oír, decir, reproducir, partir, irse, vestirse

Página 105

2 **Verbos en** -*ar*: cocinar (cocina), estar (estás), trabajar (trabajan), sentar (sentamos), cantar (cantas)
Verbos en -*er*: aprender (aprenden), ver (vemos), beber (bebe), traer (traen), comer (comemos), leer (lee)
Verbos en -*ir*: salir (salís), escribir (escribimos), pedir (pedís), dormir (dormís), vivir (vivimos), sentir (sentimos)

3 Abr**ir**, termin**ar**, escrib**ir**, aprend**er**, com**er**, desayun**ar**, pod**er**, conduc**ir**, ped**ir**, recib**ir**, sal**ir**, quer**er**, pon**er**, nac**er**, encant**ar**, romp**er**, prohib**ir**, soñ**ar**, dorm**ir**, pens**ar**

Página 106

4 **yo**: creo   **tú**: escribes, envías, sabes
él, **ella**, **usted**: sabe
nosotros/-as: salimos, tenemos, cantamos, sabemos, saldremos
vosotros/-as: hacéis, comunicáis, venís
ellos, **ellas**, **ustedes**: llamarán, fueron, decían, tradujeron, estaban

5 1. llegaremos 2. podrás, sales
3. cenan 4. llevamos 5. pueden
6. agradecerán 7. iréis

20. Formas no personales: *hablar, hablando...*

Página 107

1 1. saltar 2. contar 3. rodar 4. salir 5. entrar
6. venir 7. vender 8. hacer 9. sentir 10. ir
11. amar 12. correr 13. volver 14. sudar

Página 108

2 1. ~~conduciendo motos~~
2. ~~corriendo mañana~~
3. ~~acabo de comiendo~~
4. ~~durmiendo sola~~
5. ~~durmiendo mucho~~

3 1. no girar a la derecha 2. no tocar el claxon
3. no adelantar 4. no comer 5. no hacer pipí
6. no besarse 7. no dormir

Página 109

4 1. yo 2. Cristina 3. yo 4. en general
5. tus amigos 6. la policía 7. Sra. López
8. en general 9. yo 10. vosotras
12. Antonio y Luis 13. en general

5 1. nadando 2. haciendo 3. poniendo
4. mordiendo

Página 110

6 2. repetir (irregular): repitiendo
3. dormir (irregular): durmiendo
4. reír (irregular): riendo
5. sufrir: sufriendo
6. oír (irregular): oyendo
7. decidir: decidiendo
8. ir (irregular): yendo
9. salir: saliendo
10. competir (irregular): compitiendo
11. seguir (irregular): siguiendo
12. producir: produciendo
13. mentir (irregular): mintiendo
14. compartir: compartiendo
15. sentir (irregular): sintiendo

7 1. ... cuando **estaba entrando** al cine
2. Ilsa **está estudiando** español...
3. Yo **estuve saliendo** con una chica francesa...
4. Yo ya me **estaba yendo**, cuando...
5. **Estuve trabajando** en esa empresa...

8 1. a 2. e 3. c 4. d 5. b

Página 111

9 1. ~~viniendo~~ venir
2. ~~Jugando~~ jugar 3. *correcto*
4. *correcto* 5. ~~buscando~~ buscar
6. *correcto* 7. ~~hablando~~ hablar
8. ~~estando~~ estar 9. *correcto*

Página 112

10 1. ha **escapado**: *correcto*, ha ~~volvido~~: **vuelto**, ha visto: *correcto*, ha ~~morido~~: **muerto** 2. ha ~~ponido~~: **puesto**, frito: *correcto*, he **comido**: *correcto* 3. he ~~rompido~~: **roto**, han ido: *correcto*, han ~~descubrido~~: **descubierto**
4. he encontrado: *correcto*, he ~~abrido~~: **abierto**, ha ~~escribido~~: **escrito**

11 1. puesta 2. dicho 3. rotos
4. hechas 5. sorprendidos
6. resueltas 7. estudiada (la mitad
de...) / estudiados (los temas de...)

Página 113

12 1. Los científicos han **resuelto** bien el problema.
2. Elena no me había **convencido** con su explicación.
3. ¿Todavía no has **devuelto** los libros?
4. Pedro la habrá **asustado** con sus gritos.
5. Los economistas habían **previsto** una crisis.

13 1. rotas 2. rota 3. rotas
4. roto 5. abierta 6. abierto
7. abiertas 8. abierta 9. resuelto
10. resueltos 11. resuelto 12. resuelto

Página 114

1 1. como, ceno: *yo* 2. pued**e**, estudia, lee, escribe, practica: *usted / el amigo de Hans*
3. vive**s**, comes: *tú* 4. subes, llamas, abres, entras: *tú*
5. mir**áis**: *vosotros tres* 6. cantan: *Lucía y Sole / usted y su marido*, bail**amos**: *Elena y yo*
7. viv**ís**: *vosotros tres*

2 1. toco, tocas, dej**as** 2. significa, levantas, significa, madrug**as** 3. pasa 4. debo, esperan, beb**emos**
5. escucha**s**, signific**o** 6. habl**áis**, habl**amos**, practic**amos** 7. llev**áis**, viv**ís**

Página 115

3 1. pierden 2. empiezo 3. pensamos 4. prefieren
5. cierras 6. entendéis 7. sentimos 8. duele
9. recordáis 10. mueren 11. jugamos 12. encuentro
13. duermes 14. cuesta 15. vuelves 16. volamos

Página 116

4 1. ríe, reímos 2. piden, pedimos
3. persigue, perseguimos 4. repiten, repetimos
5. compiten, competimos 6. mide, medimos

5 1. hablo, ~~sabo~~ **sé** 2. parece, ~~parezo~~ **parezco**
3. ~~conozo~~ **conozco** 4. ~~salo~~ **salgo**, ~~caio~~ **caigo**

Página 117

6 1. veo 2. doy 3. traigo 4. sé 5. conduzco
6. desaparezco 7. supongo 8. reconozco

7 1. digo, dices, decimos 2. tengo, tienes, tenemos
3. oigo, oyes, oímos 4. estoy, estás, estamos
5. vienes, estoy, digo, oyes, estás, tengo

Página 118

8 1. sois 2. voy, hemos, vamos 3. hay, hay 4. has, he
5. es, son 6. vais

Página 119

9 1. Es verdad 2. No lo sabemos 3. Es verdad
4. No lo sabemos 5. Es verdad

10 Tengo, vuelven, es, tengo, es, voy, tengo

Página 120

11 puede, tienen, ayuda, Pueden, Miden, Pesan, alimentan, mantiene, ama, necesita, encanta, nada

12 1. P 2. F 3. F 4. P 5. G 6. F 7. F 8. G 9. F

13 1. c/piensa 2. a/siente 3. e/ahorra, gasta 4. b/se ríe
5. d/ve

22. Pretérito perfecto de indicativo

Página 121

1 1. Yo 2. Sus hermanos 3. Alejandro y tú
4. Su novia 5. Tú

2 1. He encendido (F) 2. has metido (H)
3. ha tenido (A) 4. has bebido (B)
5. Hemos ganado (G) 6. Ha salido (C)
7. hemos llegado (D)

Página 122

3 1. e 2. a 3. g 4. f 5. d 6. b

4 1. Han bailado toda la noche. 2. Han comido
muchos dulces. 3. Ha ganado el gordo en la lotería. 4. Han ido a la playa. 5. Ha salido en televisión
muchas veces.

Página 123

5 1. Pedro siempre (a) **ha conseguido buenos trabajos**
hasta ahora. Ángel (b) **ha tenido trabajos** difíciles
muchas veces.
2. Pedro (b) **ha ganado mucho dinero** en los últimos
años. Ángel (a) **ha perdido mucho dinero** últimamente.
3. Pedro (b) **ha tenido muy buena salud** este año.
Ángel (a) **se ha puesto enfermo tres veces** en los
últimos meses.
4. Pedro (a) **ha conocido a una chica fantástica** esta
semana. Ángel (b) **se ha separado de su mujer** esta
semana.
5. Pedro (a) **ha encontrado una billetera** esta mañana. Ángel (b) **ha perdido su billetera** esta mañana.

Página 124

6 1. Pasado 2. Futuro 3. Pasado 4. Pasado 5. Futuro
6. Pasado 7. Futuro 8. Pasado

7 1. sí 2. no 3. no 4. sí 5. sí 6. no

23. Pretérito indefinido

Página 125

1 1. abriste 2. cerramos 3. bailó 4. canté
5. (indefinido) 6. oíste 7. hablé 8. huyeron 9. decidí
10. (indefinido) 11. invitaste 12. salió 13. comimos
14. (indefinido) 15. terminaron 16. vivimos
17. creyó 18. bebisteis 19. leyó 20. (indefinido)

21. encontraste 22. entraron 23. (indefinido)
24. construyeron 25. (indefinido) 26. estudiasteis
27. escondiste 28. decidisteis

Página 126

2 1. Presente 2. Indefinido
3. Indefinido 4. Presente
5. Presente 6. Indefinido
7. Indefinido 8. Presente

3 1. ~~veniste~~ **viniste**, ~~Hacimos~~ **hicimos**, bañamos
2. ~~condució~~ **condujo**, quise, ~~podí~~ **pude**, quitó
3. ~~dició~~ **dijo**, compraste, ~~teniste~~ **tuviste**

Página 127

4 1. introduje, produjo 2. dije, viniste, quisiste
3. tuvimos, condujo 4. traduje, pude 5. hubo, hice

5 1. (irr.) repitió, repitieron 2. (irr.) hirió, hirieron
3. (r.) discutió, discutieron 4. (irr.) oyó, oyeron
5. (irr.) impidió, impidieron 6. (irr.) midió, midieron
7. (r.) salió, salieron 8. (r.) repartió, repartieron
9. (irr.) mintió, mintieron 10. (r.) decidió, decidieron
11. (irr.) prefirió, prefirieron 12. (irr.) persiguió,
persiguieron 13. (irr.) rió, rieron 14. (irr.) presintió,
presintieron 15. (irr.) compitió, compitieron

Página 128

6 1. Fuimos, dio 2. fuimos, fuimos, fuimos
3. dimos, Fue

7 1. oí 2. tomé 3. llegó 4. Llamaste

8 1. Hablaste 2. comimos 3. influyeron 4. Oísteis
5. bebimos

24. ¿Perfecto o Indefinido? *Ha salido / Salió*

Página 130

1 1. b 2. a 3. b 4. a 5. a 6. b 7. b

2 1. has arreglado, he tenido 2. hemos pasado, fue
3. has ido, fui, he estado 4. has hecho, salí, casamos

Página 131

3 1. 'aquí' 2. 'aquí' 3. 'allí' 4. 'aquí'
5. 'aquí' 6. 'allí' 7. 'allí' 8. 'allí'
9. 'allí' 10. 'allí' 11. 'allí' 12. 'aquí'
13. 'allí' 14. 'allí' 15. 'aquí'

4 1. ha funcionado, dio 2. he dicho, has dicho, dijiste
3. pasaron, se casó, he pasado 4. hemos tenido,
estuvimos, dijo 5. se enfadó, cambió

5 1. En los años 90 **ganamos** siete veces
el campeonato de fútbol.
2. En los últimos diez años **hemos ganado** dos veces
el concurso de levantar piedras.
3. En las fiestas del verano pasado **perdimos**
la carrera de sacos.
4. Casi siempre en los últimos años **hemos perdido**
el concurso de belleza masculina.
5. Siempre hasta ahora **hemos perdido** el tiro
al plato de espaldas.
6. En el año 2004 **empatamos** en el concurso
de paellas de marisco.
7. Últimamente, muchas veces, **hemos empatado**
en el concurso de bandas de música.

Página 132

6 1. hemos traído 2. recordé 3. he olvidado 4. vi
5. ha empezado 6. has mojado 7. tapé 8. has cerrado 9. cerré 10. hemos tenido 11. encontré

25. Pretérito imperfecto de indicativo

Página 133

1 1. No le gustaba ir a los restaurantes. Nunca come
en casa. 2. Llevaba una ropa muy clásica. Viste muy
moderno. 3. No tenía amigos. Sale todas las noches
con sus amigos. 4. Quería tener muchos hijos. Tiene
tres perros.

Página 134

2 Cuando los padres de Blas llamaron a la puerta, él
y Silvia estaban bailando muy pegados. Casimiro,
el novio de Silvia, no **paraba** de mirar a Blas. **Había**
varias botellas de cerveza en la mesa y el cenicero
estaba lleno de colillas. La música **estaba** muy alta
y todo el mundo se **reía** sin parar. La hermana de
Silvia y el hermano de Blas **dormían** en el sofá, cogidos de la mano. La foto de los padres de Blas **tenía**
tres chicles pegados. En la cocina, cuatro chicos **estaban** tirándose aceitunas unos a otros.

3 1. Ella 2. Usted 3. Él
4. Ella 5. Yo 6. Él 7. Yo
8. Ella 9. Yo

Página 135

4 1. iba 2. era 3. erais
4. veía 5. eran 6. veíais
7. éramos 8. ibais

Página 136

5 1. Tenía, Había, Era 2. era, se parecía, iba, llevaba
3. Se llamaba, Tenía, gustaba, sabía 4. Era, Costaba,
llegaba, gastaba

6 1. cocinábamos, era, tenemos 2. podemos, veíamos
3. buscábamos, compramos 4. estamos, pasábamos,
hacíamos

Página 137

7 1. Estaba en la oficina. Estaba hablando con el jefe.
2. Estaba en casa. Estaba comiendo solo. 3. Estaba
en unos grandes almacenes. Estaba comprando ropa.
4. Estaba en el coche. Estaba besando a una chica.

8 1. Eran 2. Era 3. Hacía 4. había 5. cantaban
6. paseaba 7. corrían 8. estaba 9. miraba 10. era
11. conocía 12. parecía 13. bailaba 14. miraba
15. podía 16. Era 17. estaba 18. quería 19. gustaba

26. ¿Imperfecto, Indefinido o Pretérito perfecto?

Página 139

1 1a. volvimos 1b. volvíamos 2a. llevamos
2b. llevábamos 3a. supe 3b. sabía 4a. pareció
4b. parecía 5a. escondían 5b. escondieron

Página 140

2 1. estuve, estaba 2. estuvo, estaba 3. estábamos,
estuvisteis, estuvimos 4. estabas, estaba, Estuve
5. estaba, estuve 6. estábamos, Estuvimos

Página 141

3 1. ¿Cómo **era** tu primera casa? 2. ¿Cómo **fue** el partido de fútbol? 3. ¿Cómo **era** el perrito que tenías?
4. ¿Cómo **era** la falda que llevaba Elena? 5. ¿Cómo
fue tu primer día de trabajo? 6. ¿Cómo **era** tu
hermana de pequeña? 7. ¿Cómo **era** el ladrón?
8. ¿Cómo **fue** la conferencia? 9. ¿Cómo **era** el hotel
donde dormiste? 10. ¿Cómo **fue** el viaje?
11. ¿Cómo **fue** el curso de alemán? 12. ¿Cómo **era**
el reloj que te regalaron?

4 1. era 2. Fue 3. estuvo 4. estaba 5. era 6. fue
7. se llamó 8. se llamaba

Página 142

5 1a. fui (hecho completo) 1b. iba (situación regular)
2a. estuvimos (hecho completo) 2b. estábamos
(situación regular) 3a. llamaron (hecho completo)
3b. llamaban (situación regular) 4a. llevaba (situación regular) 4b. llevó (hecho completo) 5a. fue
(hecho completo) 5b. eran (situación regular)

Página 143

6 Ayer yo **caminaba** tranquilamente por el cementerio, porque **iba** al castillo de Tristicia para llevarle
pasteles de serpiente y, de pronto, en el camino, un

Hombre Lobo muy malo **salió** de entre las tumbas y **se puso** enfrente de mí, enseñándome los dientes. Yo **estaba** muerto de miedo, pero **salí** corriendo y, al final, **conseguí** escapar de él. **Podía** hacer dos cosas: o **volvía** a mi casa o **intentaba** llegar al castillo de Tristicia, a pesar de todo. **Decidí** seguir andando para visitarla. Cuando **entré** en el castillo, ella **estaba** acostada en la cama, pero **tenía** una cara muy extraña con muchos pelos. Por eso yo, rápidamente, **dejé** la comida al lado de su cama y **volví** a mi castillo corriendo. Yo soy Fránkez, no soy Brus Güilis.

7　1a. llevábamos　1b. hemos llevado
　　2a. sabía　2b. he sabido
　　3a. ha parecido　3b. parecía

Página 144

8　1. ha estado, estaba　2. habéis estado, hemos estado, estábamos　3. estabas, estaba, He estado

Página 145

9　1. he ido　2. era　3. he hablado　4. ha invitado
　　5. quería　6. he ido　7. conocía　8. he dicho　9. era
　　10. ha creído　11. ha sido　12. estaba　13. era
　　14. he tenido　15. ha sido

10　1. trabajaba　2. era　3. tenía　4. preguntó　5. mentí
　　6. estaba　7. dije　8. era　9. estaba　10. Era　11. tenía
　　12. invitaba　13. contaba　14. fuimos　15. invitó
　　16. sabía　17. gustaba　18. llamé　19. fuimos
　　20. dije　21. era　22. puso　23. fue

27. Pluscuamperfecto de indicativo

Página 146

1　1. **habíais** dejado (b)　2. **había** ido (d)
　　3. **habían** quedado (e)　4. **había** quedado (f)
　　5. **había** visto (a)

Página 147

2　1. habíais arreglado/habían arreglado
　　2. había preparado　3. había sido
　　4. había estudiado　5. habíamos dejado
　　6. había ido

Página 148

3　1. habían comprado　2. había contado
　　3. había estudiado　4. había hecho　5. habían estado

4　1. correcto　2. ~~había viajado~~ **viajé**
　　3. ~~había echado~~ **echó**　4. correcto
　　5. correcto　6. ~~había venido~~ **vino**
　　7. correcto

28. Futuro

Página 149

1　1. P　2. F　3. P　4. F　5. F　6. P

Página 150

2　1. volverá　2. cambiaré　3. comeremos　4. dolerá
　　5. invitarás　6. hablaré　7. Estaréis　8. estarán

3　1. ~~deciré~~ **diré**, ~~venirá~~ **vendrá,** quitará dará　2. volverá ~~ponerá~~ **pondrá**　3. ~~saliré~~ **saldré** jugaré　4. iré, ~~saberé~~ **sabré**, ~~poderé~~ **podré**　5. traerán, ~~poneré~~ **pondré** recogeré, ~~quererá~~ **querrá**

Página 151

4　1. cabrá　2. tendrán　3. dirá　4. vendrá　5. saldrán
　　6. hará　7. sabrá　8. valdrá　9. podré　10. habrá

5　1. a　2. e　3. h　4. i　5. b　6. f　7. c　8. d

Página 142

6　1. conocerás, sentirás　2. cambiará　3. abandonará
　　4. Ganarás　5. querrá　6. Tendrás/Tendréis　7. morirás

7　1. Saldrá con otra.　2. Conocerá a otra persona más interesante que él.　3. Se arruinarán.　4. La próxima Navidad no estarán juntos.　5. Se separarán.

Página 153

8　1. Tendrá　2. sabrá　3. tendrá　4. gustarán　5. Vendrá
　　6. Estará　7. querrá　8. sabrá　9. Tendrá

9　1. b　2. b　3. a　4. b　5. b　6. b　7. a

10　Si hablas con ella: 1. tienes　2. eres　3. conoces　4. gusta　5. usas　6. Sales　7. Quieres　8. das　9. importa
　　Si hablas con tu amigo: 1. tendrá　2. será　3. conocerá　4. gustará　5. usará　6. Saldrá　7. Querrá　8. dará　9. importará

29. Futuro perfecto

Página 154

1　1. Habrás trabajado　2. habréis asustado
　　3. Habremos tomado　4. habrá olvidado
　　5. habrán perdido　6. Habrá salido

Página 155

2　1. (Lo sabe)　2. (Lo imagina)　3. (Lo imagina)
　　4. (Lo imagina)　5. (Lo sabe)　6. (Lo sabe)

3　1. (sí)　2. (no)　3. (no)　4. (sí)　5. (no)　6. (sí)

30. Condicional

Página 156

1 1. ~~sabería~~ **sabría**, podría 2. ~~salería~~ **saldría**, pasearía, ~~hacería~~ **haría**, ~~venirías~~ **vendrías** 3. sería, daría,
~~deciría~~ **diría** 4. ~~querería~~ **querría**, ~~ponería~~ **pondría**,
~~habería~~ **habría**, haría 5. reiría, ~~Poderías~~ **Podrías**

Página 157

2 1. sabría 2. estaría 3. tendría 4. apetecería

Página 158

3 1. Era 2. estaban 3. vería 4. Estaban
5. estaba 6. Era 7. Querrían

4 1.gusta/~~gustaría~~ 2. ~~serás~~/serías 3. ~~llevaréis~~/llevaríais
4. ~~casaré~~/casaría 5. ~~contrataré~~/contrataría
6. ~~será~~/sería 7. ~~gusta~~/gustaría 8. importa/importaría
9. Puedes/Podrías 10. debemos/deberíamos
11. encantaría/~~encanta~~ 12. Podríamos/Podemos

31. Condicional compuesto

Página 159

1 1. **habría** metido 2. **habrías** asustado 3. **habríais**
asustado 4. **habría** tenido 5. **habrían** explicado

Página 160

2 1. habrían avisado 2. habría puesto
3. habría tenido 4. habría olvidado

3 1. ... le habría escuchado con mucho gusto.
2. ... también se habría enfadado con él.
3. ... le habría preguntado a quién.
4. ... le habría dado otro a él.
5. ... lo habría consolado.
6. ... se habría sorprendido mucho, pero habría
comprendido.
7. ... se habría sentido ofendida y las habría
rechazado.
8. ... habría jurado también quererlo siempre.

32. Formas del subjuntivo: *hablé*

Página 161

1 1. I, bebas 2. I, camine 3. I, perdone
4. I, rompa 5. I, viváis 6. I, miréis
7. limpias, S 8. I, cocine 9. cuida, S
10. caminas, S 11. corres, S 12. rompéis, S
13. I, limpiemos 14. miras, S 15. perdona, S
16. I, partamos 17. beben, S 18. I, corra
19. I, mejoren 20. saludamos, S

Página 162

2 1. sonreímos, sonriamos 2. amáis, sintáis
3. competimos, compitamos 4. preferís, prefiráis
5. dormimos, durmamos

Página 163

3 1. ~~ponamos~~ pongamos, traiga
2. ~~salamos~~ salgamos, ~~tena~~ tenga, ~~vena~~ venga
3. ~~conduza~~ conduzca, oiga

Página 164

4 1. veas 2. estés 3. vayas 4. seas 5. haya

Página 165

5 1. vivieron, viviera 2. probaron, probáramos
3. mintieron, mintiera 4. vinieron, viniéramos
5. eligieron, eligiéramos 6. rieron, riera
7. pudieron, pudieras 8. condujeron, condujera
9. quisieron, quisieras 10. escaparon, escapara

6 1. **tuvisteis**: es la única forma que no es subjuntivo
2. **vieron**: es la única forma que no es subjuntivo
3. **conduzca**: es la única forma que es presente de
subjuntivo
4. **cayese**: es la única forma que es subjuntivo
5. **oyera**: es la única forma que es subjuntivo

Página 166

7 1. hayáis encontrado 2. haya llegado
3. hayas terminado 4. haya perdido
5. hayamos acertado

8 1. hubieras (-ses) cortado 2. hubiera (-se) ido
3. hubiera (-se) cambiado 4. hubiéramos (-semos)
decidido

33. ¿Indicativo o subjuntivo?

Página 168

1 1. no 2. sí 3. sí 4. sí 5. no 6. no 7. no 8. no
9. no 10. no

Página 169

2 **Columna izquierda:**
Me parece que..., Estamos seguros de que...,
Sé que..., Me han contado que..., Pensamos que...,
Todos imaginan que...

Columna derecha:
¿Me permite que...?, Es fundamental que...,
¿No preferís que...?, ¿Me recomiendas que...?,
¿Necesitas que...?, No me puedes pedir que

Página 170

3 1. Nosotros/-as 2. Tú 3. En general 4. Tú
5. Nosotros/-as 6. Vosotros/-as 7. Tú 8. Tú
9. Nosotros/-as

4 1. ver 2. que hable 3. que hable 4. que no piense
5. que llame 6. que llame 7. que piense
8. que podamos 9. que confiese 10. que espere
11. que sepa

5 1. hablar 2. no insistas 3. busques 4. cambie
5. no esté 6. confieses 7. esperes 8. no está
9. estés 10. ayudarte

Página 171

6 1. cumplas, *g* 2. tengas, *b* 3. diviertas, *a*
4. descanses, *c* 5. tengas, *f* 6. seáis, *d*

7 1. Que no te pelees con nadie.
2. Que te comas tu bocadillo entero.
3. Que vayas siempre cerca de la maestra.
4. Que no te ensucies la ropa.

Página 173

8 **Introducimos una afirmación**: Es evidente que…, Te
aseguro que…
Introducimos una suposición: Suponen que…, A
ellas les parece que… Sospecho que…
Consideramos una posibilidad: Me parece probable
que…, Es bastante posible que…, Es posible que…
Rechazamos una idea:No es cierto que…, Es falso
que…

Página 174

9 1. son, tienen 2. sean, tengan 3. aprenden, son,
tienen 4. aprendan, sean, tengan 5. aprendan, sean,
tengan 6. aprenden, sean, tengan

10 1. …**llevan** su casa en la espalda. 2. …**son** muy lentos.
3. …**son** muy pacíficos. 4. …**puedan** ver la comida
a varios kilómetros de distancia. 5. …**tengan** una
inteligencia muy parecida a la humana. 6. …se **suban**
encima de la cabeza de las palomas.

Página 175

11 1. baile, baila 2. no quiere 3. no quiere 4. tenga
5. no diga 6. deje 7. parezco 8. soy 9. sea
10. puede 11. voy, vaya 12. coma, como

Página 177

12 **Columna izquierda:**
Me imagino que…, Su marido piensa que…, He oído
que…, ¿Ana te ha contado que…?, Yo he visto que…,
Me parece que…

Columna derecha:
Es difícil que…, Es estupendo que…, Es verdaderamente extraño que…, ¿Crees que es importante
que…?, No me importa que…, Odio que…

13 1. *Es curioso/…* que Groenlandia **suspenda** su festival
de nieve por una ola de calor.
2. *Me parece preocupante/…* que dos ex ladrones
presenten un programa de televisión sobre robos.
3. *Me parece muy justo/…* que más de la mitad de los
ministros del gobierno español **sean** mujeres.
4. *Está muy bien/…* que los japoneses ya **puedan**
pagar en los supermercados con la huella dactilar.
5. *Me parece ridículo que/…* que una conocida marca
de helados **investigue** en la fabricación de un helado
para perros.
6. *Me parece exagerado/…* que un juez **mande** a prisión a un hombre por hacer chistes sexistas.
7. *A mí me da igual/…* que un perro **espere** diez días
en la puerta de la comisaría hasta que liberan a su
amo.
8. *Yo pienso que es lógico/…* que el gobierno **pague**
500 euros mensuales por cada hijo menor de tres
años.

Página 178

14 1. Tú 2. Ellos/-as/Ustedes 3. Yo 4. Usted 5. Yo
6. Ellos 7. Tú 8. En general 9. En general

Página 179

15 1. b 2. a 3. b 4. a 5. b

Página 180

16 1. a 2. c 3. c 4. c

17 1. estás / ~~estés~~ 2. dice / ~~diga~~ 3. ~~dice~~ / diga
4. dice / ~~diga~~ 5. ~~quieres~~ / quieras 6. ~~puede~~ / pueda
7. dice / ~~diga~~ 8. lleva / ~~lleve~~ 9. ~~puedo~~ / pueda

Página 181

18 1. P 2. H 3. H 4. H 5. F 6. H 7. F

19 1. H, puedo 2. P, podía 3. H, tomo
4. P, tomaba 5. F, tome 6. P, hacíamos
7. F, haga 8. H, hago

Página 182

20 1. callara/-se 2. encuentre 3. tenga 4. visitara/-se
5. hubiéramos/-semos comido 6. haya querido
7. hayan previsto 8. vayas 9. hubiera/-se quedado
10. pensaras/-ses

21 1. sea 2. haya ocultado 3. fuera/-se
4. inventara/-se 5. pueda 6. haya estado
7. haya sido

34. Imperativo

Página 183

1 1. Ruego 2. Orden 3. Instrucción 4. Dar permiso
5. Invitación 6. Consejo

Página 184

2 1. Enciende 2. Llora 3. Sube, baja
4. Bebe 5. Baila 6. Sé 7. Ven
8. Ve 9. Pon 10. Di 11. Sal 12. Haz
13. Propón

3 1. Id 2. Tomad 3. Seguid 4. Tened 5. Hablad
6. Haced 7. Sed 8. venid 9. Volved

Página 185

4 1. salga 2. traduzca 3. Hablen 4. Perdone 5. Tenga
6. Oiga 7. Hagan 8. Ponga 9. Vengan

5 1. fumes 2. salgas 3. bebas 4. conduzcas
5. pienses 6. tengas 7. creas

Página 186

6 1. fuméis 2. salgáis 3. bebáis 4. conduzcáis
5. penséis 6. tengáis 7. creáis

7 1. Escríbele, léeselas 2. Llámala
3. Díselo 4. Acompáñala 5. Perdónaselos
6. Házsela 7. Dúchate, ponte

8 Segunda columna: No **se las deis** No **se las dé** No
se las den
Tercera columna: **Piénsalo** No **lo pienses** No **lo
penséis** **Piénselo** **Piénsenlo**
Cuarta columna: **Siéntate** No **te sientes** **Sentaos**
Siéntese No **se siente** No **se sienten**
Quinta columna: No **nos lo traigas** **Traédnoslo**
No **nos lo traigáis** **Tráiganoslo** No **nos lo traiga**
Tráigannoslo No **nos lo traigan**

35. *Ser* y *estar*

Página 187

1 Mis guantes son de lana. Son rojos.
Son pequeñísimos.
Mis gafas son de sol. Son muy oscuras.
Son cuadradas.
Mi móvil es rojo. Es Ricsson. Es un poco antiguo.

Página 188

2 1. están 2. están 3. está
4. estoy 5. Estoy 6. están
7. están 8. está

Página 189

3 1a. está 1b. (incorrecto)
2a. es 2b. (incorrecto)
3a. (incorrecto) 3b. es
4a. son 4b. (incorrecto)
5a. (incorrecto) 5b. es
6a. (incorrecto) 6b. está
7a. (incorrecto) 7b. están
8a. está 8b. (incorrecto)
9a. es 9b. (incorrecto)
10a. (incorrecto) 10b. está
11a. es 11b. (incorrecto)

4 **Juan** está contento. Está sentado. Es moreno.
Es mayor. Es alto. Es oficinista.
Pedro es un chico. Es joven. Es rubio. Es deportista.
Está triste. Es bajo.

5 1. Estábamos 2. era 3. soy 4. Tenía
5. estaba 6. es 7. está 8. es 9. están
10. son 11. Son 12. es 13. Era 14. está
15. está 16. es 17. es 18. estaba

36. *Haber* y *estar*

Página 191

1 1. hay (i) 2. ha (d) 3. hay (g) 4. Han (c)
5. Habéis (e) 6. hay (b) 7. hay (h) 8. hemos (f)

2 1. ~~habían~~ había coches, ~~hubieron~~ hubo muchos cambios 2. había silencio, ~~habían~~ había ruidos
3. había ordenadores 4. ~~han habido~~ ha habido unas
fiestas 5. ha habido más gente 6. correcto

Página 192

3 1. Vegetación: En Vepiturno hay árboles.
En Marsatón no hay árboles, pero hay plantas.
2. Geografía: En Vepiturno hay un río.
En Marsatón no hay ríos, pero hay dos mares.
3. Vivienda: En Vepiturno hay pueblos.
En Marsatón no hay pueblos, pero hay una ciudad.
4. Habitantes: En Vepiturno hay niños.
En Marsatón no hay niños, solo hay jóvenes
o mayores.

Página 193

4 1. hay 2. están 3. hay 4. están
5. hay 6. hay 7. hay 8. hay 9. están
10. hay 11. hay 12. hay 13. está
14. está 15. hay 16. hay

Página 194

5 Queridos Reyes Magos: Este año hemos cambiado
de casa y quiero explicaros dónde ~~hay~~/**está** la nueva.
En Barcelona **hay**/~~está~~ una calle que se llama Vía

Layetana. En esta calle no ~~hay~~/**está** mi casa. Es una calle muy larga que va al mar. En esta calle **hay**/~~están~~ muchos edificios bastante altos. A mitad de la calle, **hay**/~~está~~ un trozo de las murallas romanas. Enfrente de las murallas romanas **hay**/~~está~~ una callecita muy estrecha y en la esquina ~~hay~~/**está** "La Colmena", que es una pastelería muy buena. Bueno, pues al lado de esa pastelería **hay**/~~está~~ un portal muy grande, de madera. Esa es la puerta de mi casa. Cuando entras, **hay**/~~está~~ una puerta de hierro muy grande. Es la puerta del ascensor. Tenéis que subir al quinto piso. Al salir **hay**/~~están~~ dos puertas, una, a la derecha, y otra, a la izquierda. La de la derecha es la de mi casa. En mi casa **hay**/~~están~~ cuatro dormitorios. Mucho cuidado, mi dormitorio ~~hay~~/**está** al final del pasillo. En la puerta **hay**/~~está~~ un cartel que pone "Anita". Yo soy Anita. Traedme muchos regalos, que he sido muy buena este año. Un beso para los tres. Anita.

37. Perífrasis verbales

Página 195

1 1. Va a suspender 2. Van a entrar 3. Va a nevar 4. Va a explotar 5. Va a saltar

2 1. vais a estudiar 2. vas a comer 3. vas a volver 4. vas a comprar 5. vais a ir

Página 196

3 1. iba a suspender 2. íbamos a entrar 3. iba a nevar 4. iba a explotar 5. iba a saltar

Página 197

4 1. **tienes que** / ~~hay que~~ 2. **tienes que** / ~~hay que~~ 3. **tienes que** / **hay que** 4. **tenía que** / ~~había que~~ 5. **ha tenido que** / ~~ha habido que~~ 6. **tienes que** / ~~no hay~~ 7. ~~Habéis tenido que~~ / **Ha habido que**

Página 198

5 1. Estamos aparcando, *e* 2. está sonriendo, *b* 3. están durmiendo, *d* 4. estoy planchando, *c*

Página 199

6 1. **dan** / ~~están dando~~ (d) **reciben** / ~~están recibiendo~~ 2. **hierve** / ~~está hirviendo~~ (f) 3. **está hirviendo** / ~~hierve~~ (a) 4. **Estamos dando** / ~~Damos~~ (e) 5. **dan** / ~~están dando~~ (g) **Me mareo** / ~~estoy mareando~~ 6. (c) **Estaba guardando** / ~~Guardaba~~ 7. **íbamos** / ~~estábamos yendo~~ (h) **Guardábamos** / ~~Estábamos guardando~~

7 1. parece 2. Estáis haciendo, tiene 3. estamos viendo, Es 4. estaba 5. estaba cortando, Estaba, llevaba 6. querías, estaba haciendo, sabía

Página 200

8 1. no 2. no 3. sí 4. no

9 1. Hicieron / ~~Estuvieron haciendo~~ 2. ~~estuvo naciendo~~ / nació 3. He estado leyendo / ~~He leído~~ 4. ~~había estado perdiendo~~ / había perdido 5. Estuve escribiendo / ~~Escribí~~ 6. ~~Estuvimos chocando~~ / chocamos

38. Preposiciones (1): *de, a, desde, hasta, en...*

Página 203

1 1. de 2. al 3. en 4. de 5. al 6. de 7. a 8. de 9. de 10. a 11. de 12. a 13. del 14. de 15. al 16. de 17. de 18. de 19. a 20. a 21. A 22. en 23. en 24. de 25. a 26. a 27. a 28. de 29. de 30. de

2 1. correcto 2. Tengo un billete ~~a~~ **de** avión ~~con~~ **de** ida y vuelta 3. correcto 4. correcto 5. ¿Por qué estamos aquí? Me han traído ~~de~~ **a** la fuerza. 6. ¿Han venido ~~en~~ **a** Arábiga solo a interrogarnos? 7. correcto 8. Perdone, inspector, ¿hay un teléfono cerca ~~a~~ **de** aquí? Tengo que hablar con mi mujer.

Página 204

3 1a. a 1b. b 2a. a 2b. b 3a. b 3b. a 4a. b 4b. a 5a. a 5b. b 6a. b 6b. a 7a. b 7b. a 8a. a 8b. b

4 1. b 2. b 3. b 4. a 5. a 6. b

Página 206

5 1. en, a 2. en, a 3. en 4. En, en 5. En, a, en 6. en, a 7. en

6 1. en *c.* entre 2. en *a.* en 3. en *b.* en 4. entre *f.* en 5. en *e.* en 6. en *d.* en, entre

7 1. incorrecta (~~A~~ **En** un bosque...) 2. correcta 3. incorrecta (~~Al~~ **En** el interior de...) 4. incorrecta (~~Al~~ **En** el centro de...) 5. incorrecta (~~Entre~~ **En** una palmera...) 6. correcta 7. incorrecta (Envuelto ~~a~~ **en** una...) 8. correcta

Página 207

8 1. por 2. por 3. por 4. por, por, por 5. Para 6. para 7. por 8. por 9. por 10. para 11. por 12. por

Página 208

9 1a. a 1b. b 2a. a 2b. b 3a. a 3b. b 4a. b 4b. a

10 1. correcto 2. correcto 3. correcto 4. correcto
5. correcto 6. correcto 7. incorrecto: por
8. incorrecto: por 9. incorrecto: para 10. correcto
11. incorrecto: por 12. incorrecto: por
13. incorrecto: por 14. correcto 15. correcto
16. correcto 17. correcto 18. correcto
19. correcto 20. correcto 21. correcto
22. correcto 23. correcto 24. correcto
25. incorrecto: para 26. incorrecto: por
27. correcto 28. incorrecto: por
29. incorrecto: por 30. correcto

Página 209

11 1. Todo lo ha descubierto **por**/para los problemas
con las preposiciones. 2. Los inocentes ya pueden
volver por/**para** sus casas. 3. Pero los culpables
tienen que ir a la cárcel por/**para** ser juzgados. 4. El
juicio está previsto por/**para** dentro de un mes. 5.
La policía está muy agradecida **por**/para tu trabajo
y te van a nombrar policía de honor del reino de
Chilab.

Página 210

12 1. con, sin 2. con, con 3. con, sin, con, sin, con
4. sin 5. con, sin 6. con, sin 7. con, sin 8. con
9. con 10. con 11. con, con 12. sin 13. con

13 1. contra, hacia 2. Contra, hacia 3. Hacia, hacia,
hacia 4. Hacia, hacia, hacia, hacia 5. Contra, hacia

<hr>

39. Preposiciones (II): *encima (de)*, *debajo (de)*...

Página 212

1 1. delante 2. detrás 3. debajo 4. lejos 5. encima

2 1. al lado de/ a la derecha 2. debajo de
3. encima de 4. encima de
5. al lado de/ a la izquierda del 6. encima de
7. alrededor de 8. debajo de 9. debajo de
10. Encima de 11. encima de 12. encima de
13. encima de 14. detrás de
15. enfrente del/delante del

Página 213

3 1. detrás de Iván 2. enfrente del Banco Capital
3. enfrente de la vecina rubia 4. detrás del coche
rojo 5. a la izquierda de la moto 6. delante de
7. enfrente de Colón 8. delante de 9. a la izquierda
de, delante de 10. debajo de

4 1. al fondo 2. al otro lado 3. antes de
4. en el centro 5. después de 6. al final
7. Dentro 8. En medio 9. dentro del
10. después de 11. dentro de 12. fuera del
13. Al final del 14. dentro del

<hr>

40. Preguntar y exclamar

Página 216

1 P.: Usted se llama Javier Rosales, **¿verdad?**
J.: Sí, efectivamente.
P.: Trabaja en la universidad de verano de
Laponia, **¿no?**
J.: Sí, así es.
P.: Es evidente que usted conocía a la difunta
Mercedes Clarín. **¿Eran amigos o algo más?**
J.: Éramos simplemente amigos.
P.: **¿Sabía que Mercedes Clarín salía con
otro hombre?**
J.: No tenía ni idea. Tampoco me importa.
P.: **¿Estuvo en casa de Mercedes el viernes
28 de enero alrededor de las 22.30?**
J.: **¿Tengo que contestar a eso?** Es mi vida privada.
P.: Es mejor colaborar. Créame.
J.: De acuerdo, estaba en el bingo. Canté línea.
Aquí tiene el cartón. Puedo irme ya, **¿verdad?**

Página 217

2 1. Cuándo, *d* 2. Dónde, *e* 3. Cómo, *b* 4. Cuándo, *f*
5. Dónde, *a*

3 1. Cómo/Qué tal 2. Cómo 3. Qué tal 4. Cómo
5. Cómo/Qué tal 6. Qué tal 7. Qué tal

Página 218

4 1. Cuánto, *f* 2. Cuántas, *b* 3. Cuánta, *h* 4. Cuánto, *a*
5. Cuánto, *d* 6. Cuánta, *c* 7. Cuántas, *g*

5 1. Cuánto 2. Cuánta 3. Cuántos 4. Cuánto
5. Cuántas 6. Cuánto 7. Cuántos

Página 219

6 1. Por qué no, por qué no 2. Por qué no, porque
3. Por qué, porque 4. Por qué, porque 5. Por qué no,
porque 6. Por qué no

7 1. ¿Dónde? 2. ¿Cómo? 3. ¿Cuándo? 4. Cuánto
5. ¿cuánto? 6. ¿Por qué?/¿Por qué no? 7. ¿Por
qué?/¿Por qué no? 8. ¿Cómo?

Página 221

8 1. Qué, qué, cuál 2. Cuáles 3. Qué, cuál 4. Qué
5. Qué 6. qué, cuál, Cuál 7. Cuáles

Página 222

9 1. Qué 2. quién/cuál 3. quién 4. quién 5. Quiénes
6. quién 7. quiénes/cuáles 8. quién, cuál 9. Quién

10 1. Quiénes, *a* 2. Qué, *c* 3. Quién, *b* 4. Qué, *h*
5. Cuál, *g* 6. Cuáles, *f* 7. Qué, *e*

11   1. dónde 2. qué 3. Quién 4. cuántos 5. Cómo
6. Por qué 7. cómo/qué tal 8. qué

Página 223

12   1. I d, II c 2. I e, II f 3. I h, II g
4. I j, II i 5. I l, II k
6. I m, II n 7. I p, II o

Página 224

13   1. Qué 2. Cuál 3. Qué 4. Cuál
5. qué 6. Qué
7. Cuáles 8. Qué

14   1. De quiénes 2. Contra qué
3. Por cuál 4. De quiénes 5. Con qué
6. En quién 7. Con quién

15   1. **¿Con cuántos** pasajeros a bordo?
2. **¿Hasta cuándo** permanecerá en nuestra ciudad?
3. **¿Adónde/Dónde** se trasladará ese mismo día?
4. **¿Por cuántos millones** la ha comprado?
5. **¿Desde cuándo** pertenece Intergas a Carlos Etéreo?

Página 225

16   1. qué 2. cuánto 3. dónde 4. si 5. cómo 6. cuál
7. qué 8. cuál 9. si 10. si 11. cuántos 12. cómo
13. cómo 14. si 15. qué 16. cuál 17. si 18. quién
19. cuáles 20. si

Página 226

17   1. d 2. c 3. b 4. h 5. f
6. e 7. g 8. k 9. j 10. l 11. i

Página 227

18   1. ¡Cuántos hijos tiene! 2. ¡Cuánto pesaba y fumaba antes y qué poco come ahora! 3. ¡Qué poco fuma ahora! 4. ¡Cuánto le gustan la música y el cine!
5. ¡Cuántos discos tiene! 6. ¡Cuánto sabe sobre actores, directores y películas! 7. ¡Qué poco va al cine!

19   1. ¡Cómo ha crecido Clara! 2. ¡Cómo ladra el perro!
3. ¡Cómo está la cocina! 4. ¡Cómo está el jardín!
5. ¡Cómo están los precios!

41. Comparar

Página 228

1   1. ... menos ojos que los Lisus. 2. ... más altos que los Lisus. 3. ... menos inteligentes que los Rizus.
4. ... más temprano que los Rizus. 5. ... más tarde que los Lisus. 6. ... más alcohol que los Lisus. 7. ... menos que los Rizus.

Página 229

2   1. La vida era más tranquila que ahora. 2. Los trenes iban más despacio que ahora. 3. La gente se casaba más joven que ahora. 4. La fruta tenía más sabor que ahora. 5. Hay más igualdad entre hombres y mujeres que antes. 6. La gente se divorcia más que antes. 7. La gente vive más años que antes. 8. La gente viaja más que antes.

Página 230

3   1. Lola (Carmen) es tan alta como Carmen (Lola). / Lola (Carmen) es igual de alta que Carmen (Lola). / Lola y Carmen (Carmen y Lola) son igual de altas 2. Lola no es tan delgada como Carmen. / Lola no es igual de delgada que Carmen. / Lola y Carmen (Carmen y Lola) no son igual de delgadas. 3. Lola (Carmen) desayuna tan tarde como Carmen (Lola). / Lola (Carmen) desayuna igual de tarde que Carmen (Lola). / Lola y Carmen (Carmen y Lola) desayunan igual de tarde. 4. Lola (Carmen) conduce tan rápido como Carmen (Lola). / Lola (Carmen) conduce igual de rápido que Carmen (Lola). / Lola y Carmen (Carmen y Lola) conducen igual de rápido.
5. Carmen no vive tan cerca del trabajo como Lola. / Carmen no vive igual de cerca del trabajo que Lola. / Carmen y Lola (Lola y Carmen) no viven igual de cerca del trabajo. 6. Lola no gana al año tanto como Carmen.

4   1. Carmen fuma tanto como Lola. / Carmen fuma igual que Lola. / Carmen fuma lo mismo que Lola. / Carmen y Lola fuman lo mismo. 2. Carmen habla igual que Lola. 3. Carmen bebe tanto como Lola. / Carmen bebe lo mismo que Lola. / Carmen y Lola beben lo mismo. 4. Carmen se pinta tanto como Lola. / Carmen se pinta lo mismo que Lola. / Carmen y Lola se pintan lo mismo. 5. Carmen duerme igual que Lola. 6. Carmen no desayuna tanto como Lola. / Carmen no desayuna lo mismo que Lola. / Carmen y Lola no desayunan lo mismo.

Página 232

5   1. la misma 2. el mismo
3. tanto, como, el mismo
4. pastillas, tantas
5. los mismos
6. amigas, las mismas
7. la misma, que

6   1. igual 2. igual de 3. el mismo 4. igual de
5. el mismo 6. las mismas 7. igual de
8. el mismo 9. el mismo 10. igual de 11. la misma

Página 233

7   1. c, e 2. e, a 3. b, f 4. f, c 5. a, d
6. k, h 7. j, g 8. h, j 9. g, k 10. i, i

Página 234

8 felicísimo/-a saladísimo simpatiquísimos jovencísimo/-a interesantísimos/-as antipatiquísimo amabilísimos/-as facilísimo/-a sequísimas agradabilísimo/-a divertidísimo

9 frágil tontos jóvenes grande felices amable blanco agradable

10 muchísimo recientísimamente lejísimos poquísimo clarísimamente tardísimo lentísimamente facilísimamente prontísimo tranquilísimamente tempranísimo

11 1. cortísimo 2. rubísimo 3. larguísimo 4. altísimos 5. horrible 6. feísimo 7. espantoso 8. feísimo 9. larguísima 10. despeinadísimo 11. gastadísimos 12. normalísima 13. baratísima 14. magnífico 15. Guapísimo 16. elegantísimo 17. precioso 18. educadísimo 19. simpatiquísimo 20. lejísimos 21. cerquísima

Primera pregunta: Mimín y Felix
Segunda pregunta: Alejandro

12 1. carísimo 2. creidísimo 3. feísimo 4. muy bonito 5. horrible

Página 235

13 1. mejor 2. peor 3. mejor 4. menor 5. mejores 6. peores 7. mejores

14 1. ~~que a él~~, ~~que el suyo~~ 2. como él, ~~como él~~ 3. ~~que yo~~ 4. ~~como él~~, ~~que él~~ 5. como yo 6. ~~que a él~~ 7. ~~que él~~, ~~que yo~~ 8. como yo, como a mí, ~~como yo~~, ~~que yo~~ 9. ~~que a él~~, ~~que de ella~~

42. Unir frases: *y, o, pero, sino, porque, cuando...*

Página 236

1 1. a 2. d 3. f 4. c 5. e 7. l 8. g 9. h 10. i 11. j 12. m

Página 237

2 1. 1 2. 1 3. 1 4. 0 5. 2 ó 2 6. 2 7. 2 ó 1 8. 1

3 1. y 2. o 3. o 4. ni 5. ni 6. o 7. ni 8. ni 9. y 10. y

4 1. y 2. y 3. ni, ni 4. ni 5. y 6. ni, ni 7. ni, ni 8. ni, ni 9. y

Página 238

5 1. pero, o, y 2. o, y, pero 3. o, y, pero 4. pero, o, y 5. o, pero, y

Página 239

6 1. Su marido no se llamaba Paco Frutales, sino Antonio Frutales. 2. Su marido no la abandonó por otra, sino que murió de un infarto. 3. Su primera película no fue un gran éxito sino un fracaso. 4. No fue la protagonista de "Historia de G" sino que tuvo un papel secundario. 5. No tiene siete hijos, sino tres. 6. Su hijo Julián no es director de cine sino que trabaja en un circo. 7. No ganó un Óscar por la película "José y yo" sino el premio "Cuidad de Teruel".

7 1. No tiene casa en Hollywood, pero tiene casas en París y en Roma. 2. Gregory Peck nunca la quiso, pero tuvo romances con varios actores de Hollywood. 3. Nunca ha tenido una buena crítica, pero ha ganado mucho dinero en el cine.

8 1. ~~pero~~ **sino** 2. correcto 3. ~~pero~~ **sino** 4. correcto 5. ~~pero~~ **sino** 6. correcto 7. ~~pero~~ **sino** 8. ~~pero~~ **sino**

Página 240

9 *Como Catalina sabe latín*, le he pedido que me ayude con la traducción. 2. Los niños no están en casa *porque se han ido al parque con su madre*. 3. *Como el banco estaba cerrado*, he tenido que pedirle dinero a mi hermano. 4. No te he llamado por teléfono *porque me he quedado sin batería en el móvil*. 5. *Como ya teníamos las entradas para el concierto*, no tuvimos que hacer cola. 6. Hemos puesto un ejemplo más *porque necesitábamos ocho*.

Página 241

10 1. Es que no había huevos. 2. Sí, porque, si no, se va a enfriar el pescado. 3. No, porque no hay mucho que hacer en la oficina. 4. Es que no tengo cepillo. 5. Es que no tenemos a nadie con quien dejar al niño. 6. Es que mi madre es de Milán. 7. Porque ya estamos en junio y los días son más largos.

Página 242

11 1. que puede andar 2. que canta 3. que vi ayer en el cine 4. que se enamora y se casa 5. que vive en un país 6. que ha ganado el festival 7. que tiene nueve años 8. que quiere comprarse

12 1. Un primo mío está casado con una japonesa *que se llama Machiko*. 2. Mi madre es traductora en una empresa *que está a 10 Km. de nuestra casa*. 3. Paola, mi hermana, escribe novelas *que tienen mucho éxito*. 4. Ferdinando, mi hermano, tiene una cámara *que era de mi abuelo* y se dedica a la fotografía. 5. Y yo tengo un trabajo *que no me gusta nada*, pero también tengo tiempo para estudiar español.

13 1. Bianca es azafata en una compañía aérea *donde gana mucho dinero* y también es bailarina. 2. Silvia trabajaba antes en una editorial *donde yo trabajé también*, pero ahora se dedica a escribir guías de viaje. 3. Lucca vive todo el año en un hotel de Milán *donde no pueden entrar ni niños ni perros*. 4. Piero vive en un pueblecito de la India *donde todavía no hay luz ni teléfono*. 5. Francesca es profesora en una escuela *donde solo hay veinte estudiantes*, pero quiere dejar la enseñanza.

Página 243

14 1. Quieren **que** cenemos esta noche en un restaurante argentino. 2. Correcto 3. correcto 4. ¿Es necesario **que** lleve corbata? 5. Le gusta **que** le den masajes en los pies. 6. Correcto 7. Correcto 8. Últimamente no consigo **que** duerma. Está muy nerviosa.

Página 244

15 1. ...donde vive ahora, en casa de sus padres. ...como solo ella sabe hacerla: fantástica. ...cuando se fueron sus padres de viaje. 2. ...donde come Carlos, un restaurante estupendo. ...como siempre, con prisa. ...cuando he terminado de hacer las cosas en el banco. 3. ...donde suele tocar los sábados: en el Auditorio General. ...como suele tocar: fatal. ...cuando nadie se lo esperaba: en la pausa. 4. ...donde se lo compró tu madre, en Zaza. ...como el de tu madre, con cinturón, pero blanco y negro. ...cuando empezaron las rebajas.

16 1. (d) Cuando 2. (b) Donde 3. (a) Como
4. (e) Cuando 5. (c) Como 6. (i) Como
7. (f) Donde 8. (j) como 9. (h) cuando

Página 245

17 1. se ducha 2. se viste 3. desayuna, ve la tele
4. apaga la tele 5. sale de casa

18 A. IV
B. I
C. III

Página 247

19 1. siempre que 2. en cuanto 3. hasta que
4. mientras 5. siempre que 6. mientras
7. desde que

20 1. antes de que 2. desde que 3. Siempre que
4. hasta que 5. Después de 6. hasta que
7. En cuanto 8. Antes de 9. Después de
10. desde que

Página 248

21 1. se quedará 2. vuelve 3. se casa 4. recibirá
5. se vuelve 6. tiene 7. dirigirá 8. sale 9. deja
10. podrá 11. abandona 12. vuelve

Página 249

22 1. Tendrá que venir el sábado **si** hoy no pudiera trabajar. (J) 2. **Si** te vas de viaje, tráeme una muñeca. (H) 3. Si acabara el informe antes de las dos, le invito a comer. (J) 4. ¿Me vas a llevar de viaje contigo **si** saco buenas notas? (H) 5. **Si** terminaras pronto, pasa por el banco a sacar dinero. (M) 6. No me podré dormir **si** no me lees un cuento. (H) 7. **Si** dejamos a la niña con mi madre, podríamos salir esta noche. (M) 8. Llámeme **si** tuviera algún problema el sábado en la oficina. (J)

23 1. Tristán, Félix, b 2. Félix, Tristán, e
3. Félix, Tristán, d 4. Tristán, Félix, a
5. Félix, Tristán, f

Página 250

24 1. Si dejo el trabajo un año... 2. Si me mudo a Madrid... 3. Si hago muchos viajes a París... 4. Si les compro una casa a mis padres... 5. Si dejara/-se de trabajar para siempre... 6. Si pudiera/-se comprar todas las casas de mi pueblo... 7. Si perdiera/-se el miedo a los aviones... 8. Si viviera/-se en Nueva York...

25 1. mi padre no habría abierto 2. no le habría picado 3. Si mi padre no hubiera / -se sido alérgico 4. se habría puesto 5. Si no se hubiera/-se puesto 6. no lo habría llevado 7. Si no lo hubiera/-se llevado 8. no se habría enamorado 9. Si no se hubiera/-se enamorado 10. no se habría casado 11. no se hubiera/-se casado con ella 12. no habría nacido a los nueve meses 13. no hubiera/-se nacido 14. no estaría 15. no podría contaros

Página 252

43. Letras y sonidos

1 1. **qu**eso 2. paella 3. torti**ll**a 4. **ch**urros
5. pollo, **ch**uleta 6. **ch**irimoyas
7. alca**ch**ofas, **ch**orizo

Página 254

2 a) **r**isa esc**r**ibi**r** **R**oma **r**osa al**r**ededo**r** **r**incón **r**oto **r**atón Sa**r**a familia**r** **r**ecibi**r** calo**r** sie**r**ra **r**aro apa**r**ca**r** ca**r**o **r**evolución sub**r**aya**r** to**r**o
b) **c**osa **c**ielo **c**ola velo**c**idad **c**ono**c**es prácti**c**o feli**c**es **c**as**c**o a**c**usar **c**osta **c**errar **c**us**c**ús **c**rema **c**asa en**c**errar **c**anción **c**ír**c**ulo **c**on**c**ien**c**ia os**c**uro **c**laro
c) **g**ue**r**ra **g**itano anti**gu**o len**g**ua **g**esto **g**ente ce**g**uera **g**uapo **g**ris diri**g**ir a**g**enda tra**g**edia **g**eneroso **g**as **g**ato **g**uitarra **g**orro á**g**il **g**ra**c**ioso ci**r**u**g**ía
d) **y**o a**y**er ha**y**a hay **y** **y**a rey re**y**es jersey pla**y**a ley le**y**es hoy tra**y**endo

Página 255

3   1. zarzuela 2. zoológico 3. cabeza 4. zar
    5. círculo 6. ciega 7. cero 8. capital 9. circo

4   1. ¿K̶é̶ Qué tal estás? ¿K̶o̶m̶o̶ Cómo va todo? ¿Te
    vienes a la disco esta tarde?
    2. Te k̶i̶e̶r̶o̶ quiero un montón. ¿K̶e̶d̶a̶m̶o̶s̶ Quedamos
    en k̶a̶s̶a̶ casa?
    3. ¿K̶é̶ Qué me dices? ¿K̶i̶e̶r̶e̶s̶ Quieres venir o no?
    4. K̶a̶l̶l̶a̶, Calla, k̶a̶l̶l̶a̶, calla, k̶e̶ que ayer k̶o̶n̶o̶c̶í̶ conocí
    a un tipo guapísimo ,-)
    5. K̶u̶a̶n̶d̶o̶ Cuando vengas al k̶o̶l̶e̶ cole, trae medio
    kilo de churros, k̶e̶ que tengo hambre. Hoy hemos
    k̶o̶m̶i̶d̶o̶ comido fatal.
    6. Viaje muy i̶n̶k̶ó̶m̶o̶d̶o̶ incómodo. Demasiados kiló-
    metros.

Página 256

5   ¿*g* o *j*? masaje extranjero energía frágil página
    mensaje conduje corrigió lógico mágico gigante
    viejo jirafa garaje urgente cogemos

    ¿*b* o *v*? fabuloso vino cambiamos estuvo verde
    obtener ver habitación posible móvil abrazo
    bomba hablar botella vitamina vocabulario boca
    hierba vaso vivo vuelo samba objetivo

    ¿*ll* o *y*? llueve yo ya llevaron ayer llamar playa
    lleno estrella llegarán llorar yegua yoga leyendo
    bella bollo

6   1. sueños 2. añoramos 3. otoño, leña 4. daño
    5. niños, niñas 6. bañamos, bañeras 7. enseñamos
    8. año

7   1. jirafa 2. perro 3. goma 4. cuatro 5. zumo
    6. queso 7. ella 8. río 9. champú 10. caro
    11. cena 12. ayer

44. Acentuación

Página 258

1   gustan, árbol, pájaro, llévamelo, menú, calor,
    cadáver, mejor, coñac, abril, kilómetro, examen,
    carácter, además, ángel, hotel, imbécil, ojalá, agenda,
    haz, dáselos, palabra, dormir, dormid, sin, camisa,
    llámalo, fin, velocidad, sáltatela, subir, suben,
    descontrol, descontrolados, tómala, callad, callado,
    rayo, doctor, tranquilidad, goma, sal, botella,
    bébetelos, primo, escribir, alegre, inteligente, papel,
    papeles, salud, conductor, conductora.

2   1. camión 2. jardín, árbol 3. túnel 4. móvil
    5. discusión, excursión 6. sofá, televisión 7. difícil

3   1. escribídnosla 2. secarlo 3. cántala
    4. pónselo 5. míramelo 6. hazlos
    7. devolvérmela 8. preparadlo
    9. resolviéndolo 10. solucionarla
    11. pintándonoslas 12. levantarlas
    13. dilo 14. házselos 15. díselo

Página 259

4   1. normalmente 2. últimamente 3. seguramente
    4. únicamente 5. tontamente

5   Puer-ta, via-je, sua-vi-dad, e-rais, pa-e-lla (no es dip-
    tongo), lí-ne-a (no es diptongo), sau-na, diez, pa-ís
    (dos sílabas), le-ón (no es diptongo), cuí-da-la (tres
    sílabas), ca-í-da (tres sílabas), Ruiz, ra-íz (dos sílabas),
    sa-béis, con-táis, seis, nue-ve, vein-ti-séis, in-fier-no,
    fe-o (no es diptongo), reu-ní-a-mos (cuatro sílabas),
    de-vol-váis, soy, bú-ho (dos sílabas), Ra-úl (dos síla-
    bas), clien-te, fiel, con-fiá-ba-mos, si-guién-do-los,
    cruel, dien-te, sue-ño, huir, i-bais, jer-séis, vais, pro-
    hí-bo (tres sílabas), re-ís-teis (tres sílabas), si-guien-
    tes, te-ó-ri-co (no es diptongo), fe-í-si-mo (cuatro síla-
    bas), cien, i-gual, sies-ta, dú-o (dos sílabas), ví-a (dos
    sílabas), hue-vo, guion (también guión), in-ge-nuo,
    sa-bí-a (tres sílabas, imperfecto de 'saber'), sa-bia
    (femenino de 'sabio'), sin-tien-do, pie, ries-go, lue-go,
    fui-mos, se-páis, hay.

Página 260

6   *Carta de Luisito*:
    Querida Susana: El otro día en casa de tu madre
    cuando ella tomaba el **té** y **tú** buscabas el CD, te
    miré a los ojos y, buf, fue genial. Para **mí** eres la
    chica más estupenda que he visto en mi vida. No
    sé, eres fantástica... ¿Vienes este domingo a patinar
    conmigo? Tengo unos patines nuevos. Aquellos que
    te gustaban tanto se rompieron. Si quieres venir, me
    mandas un sms. Pon solo una palabra: **sí**. Y entonces
    yo estaré muy contento porque no pasaré la horrible
    tarde del domingo solo. Luis.

    Diario de Susana:
    Querido diario: Hace muchos días que no te escribo.
    El domingo pasado salí con Luis y, bueno, fue un poco
    rollo. **Él** no habló casi nada y como yo hablo tanto, no
    sé qué pensar... ¿Se aburrió? ¿Se divirtió? No **sé**... Me
    escuchó, eso **sí**, pero no **sé** si me escuchó con ganas
    (yo a veces no escucho mucho si algo no me interesa
    mucho). Ah, Luis tiene unos patines nuevos... Me gus-
    tan mucho más estos que los otros que tenía antes...
    Estos son mucho más chulos... Pero yo a aquellos les
    tenía cariño... Y el final, fue horrible... Sobre todo
    cuando **él** me dijo: "Susana, **tú** a **mí** me gustas mucho,
    y yo, ¿yo te gusto a ti?"... Y yo le dije: "¿**Tú** a **mí**?" Y
    entonces me puse muy nerviosa, cogí mis patines y
    me fui... Si le gusto, volverá... ¿Verdad que **sí**?

Índice temático